LA BIBLE DES MOTOCYCLISTES

BERTRAND GAHEL

Crédits

Pour leur soutien et les divers services qu'ils ont rendus et qui ont aidé la réalisation du Guide de la Moto 2006, nous tenons à sincèrement remercier les gens et les commerces suivants. Merci à tous et à toutes.

Steven Graetz du Studio Graetz
Karen Caron
Christian Lafrenière et Christian Dubé de Cri agence
Jack Gramas, tout le personnel de l'ASM et les signaleurs
Charles Gref de Moto Internationale
Duc Dufour de Harley-Davidson Montréal
Didier Constant
John Campbell
John Moloney
Len Creed
Raymond Calouche
Martin Gaudreault et Alain Nicol de AMI Sport
Pete Thibaudeau
Raynald Brière
Christian Touchais et Alain Trottier de Monette Sports
Claude Léonard
Les gars de chars :
Gabriel Gélinas
Denis Duquet
Éric Lefrançois
Marc Doré
Jacques Duval
Philippe Durand d'Euro Moto
Motos illimitées
Et bien entendu merci à tous
les contacts chez les manufacturiers.
Ils se reconnaîsent et savent l'importance
qu'ils ont pour Le Guide de la Moto.

Graphisme : CRI agence
Chargé de projet : Pascal Meunier
Direction artistique : Philippe Lagarde
Infographie : Julie Welburn, Karine Côté, Geneviève Dubé, Stéphanie Létourneau
Révision du français : Anabelle Morante
Révision technique : Ugo Levac
Éditeur, auteur : Bertrand Gahel
Impression : Imprimerie Transcontinental
Représentant : Robert Langlois (514) 294-4157

LES GUIDES MOTOCYCLISTES

Téléphone : (450) 583-6215
Télécopieur : (450) 583-6201
Adresse Internet : info@leguidedelamoto.com
Site Internet : www.leguidedelamoto.com

ÉDITIONS ANTÉRIEURES

Des éditions antérieures du Guide de la Moto sont offertes aux lecteurs qui souhaiteraient compléter leur collection. Les éditions antérieures peuvent être obtenues uniquement par service postal. Voici la liste des éditions que nous avons encore en stock ainsi que leur description :

- 2005 (français, 368 pages en couleurs)
- 2004 (français, 300 pages en couleurs)
- 2003 (français, 300 pages en couleurs)
- 2002 (français, 272 pages en couleurs)
- 2001 (français, 256 pages en noir et blanc avec section couleur)
- 2000 (français ou anglais, 256 pages en noir et blanc avec section couleur)
- 1999 (épuisée)
- 1998 (épuisée)

Pour commander, veuillez préparer un chèque ou un mandat postal à l'ordre de :

Le Guide de la Moto et postez-le au : C.P. 904, Verchères QC. J0L 2R0.
Le coût total par Guide est : 30 $ pour l'édition 2005, 2004 ou 2003, 25 $ pour l'édition 2002 (possiblement avec de très mineures imperfections dans ce cas), 20 $ pour l'édition 2001 et 15 $ pour l'édition 2000.

IMPORTANT : N'oubliez pas de préciser quelle(s) édition(s) vous désirez commander et d'inclure votre nom et votre adresse au complet écrits de manière lisible, pour le retour! Les commandes sont en général reçues dans un délai de trois à quatre semaines.

Dépôt légal : Quatrième trimestre 2005
Bibliothèque nationale du Québec
Bibliothèque nationale du Canada
ISBN : 2-9809-1460-6
Imprimé et relié au Canada

Kawas

Quelques semaines avant la parution du Guide 2006, je me trouvais au Japon pour la présentation de la nouvelle Kawa ZX-10R. Tout un privilège, d'ailleurs, puisque nous n'étions qu'une vingtaine de journalistes à peine, dans le monde, à assister à l'événement. Comme notre groupe était relativement petit, on nous a accordé la rare chance, dans le cadre d'un « tête à tête », de poser n'importe quelle question à n'importe quel membre de l'équipe ayant travaillé sur le projet, du styliste au responsable du moteur jusqu'au pilote d'essai. L'une des questions porta sur la rapidité avec laquelle cette même équipe commencerait à travailler sur la génération suivante de la ZX-10R qui venait tout juste d'être présentée. Elle avait déjà débuté. Au moment de présenter leur tout nouveau modèle, le prochain était déjà en chantier. Complètement fou. Non seulement la tâche est sans répits, mais elle est aussi très difficile en ce sens qu'il faut surpasser la qualité et la performance du produit actuel, qui est déjà très élevée.

Cette réalité a frappé proche, puisque c'est exactement celle du Guide de la Moto. Aussitôt est-il arrivé sur le marché que déjà il faut non seulement préparer le prochain, mais aussi, et c'est là le plus difficile, l'améliorer. On demande parfois s'il est vraiment nécessaire de se donner autant de peine alors que le produit actuel est déjà de bonne qualité ? La réponse facile est que c'est pour gâter notre lectorat, qui grandit chaque année. Et elle est juste. Mais il y a aussi une raison bien égoïste – ou devrait-on plutôt dire masochiste ? – à vouloir sans cesse surpasser le livre précédent, puisque très franchement, il s'agit de la principale motivation derrière ce volume. Pour moi, mais aussi pour la compétente petite équipe qui le crée de toutes pièces chaque année. Chacun pourrait en faire moins, chacun pourrait en faire juste assez, et le produit ne serait pas mauvais. Ce ne serait certainement pas rare comme façon de faire. Mais ça donnerait finalement autre chose que *Le Guide de la Moto*. Et s'il est une vérité, c'est que cela n'intéresse pas plus mon équipe que moi. Alors on se défonce, parce que rien, mais absolument rien de moins ne nous satisfera. Ça donne l'ouvrage que vous tenez présentement et qui, je crois, surpasse le dernier à tous les niveaux. Cet ouvrage doit évidemment vous informer et vous guider dans le difficile processus qu'est le choix d'une moto, mais je tiens aussi à ce qu'il en fasse bien plus. Comme vous faire rire quand vous lisez une critique salée sur la moto d'un ami. Et vous faire grogner quand c'est la vôtre. Comme vous faire partager, au moins un peu, ce que j'ai la chance inouïe de vivre en gagnant ma croûte à tester des motos. Comme vous donner l'irrésistible envie de rouler, envie que vous ne pourrez assouvir que durant la belle saison, et qui vous tourmentera durant la moins belle saison. Pour que nous ayons réussi notre travail, pour que nous soyons fiers et satisfaits du nouveau Guide, celui-ci doit arriver à vous faire rouler chacune des motos qu'il contient, guidon en main, vent au visage. Il doit à ce point vous en mettre plein la vue que vous devez sentir l'envie incontrôlable d'acquérir l'une des belles montures qui y figurent, que vous en ayez les moyens ou pas. Pardonnez-nous...

Le Guide de la Moto doit, pour être à la hauteur de son nom, devenir une véritable célébration de la moto, et ce, autant pour nous qui le créons que pour vous qui le lisez. Pas facile comme mandat certes, mais rien, absolument rien de moins ne fera l'affaire.

Chers lecteurs et chères lectrices, bonne lecture, bons achats, bons essais et bonne célébration.

Bertrand Gahel

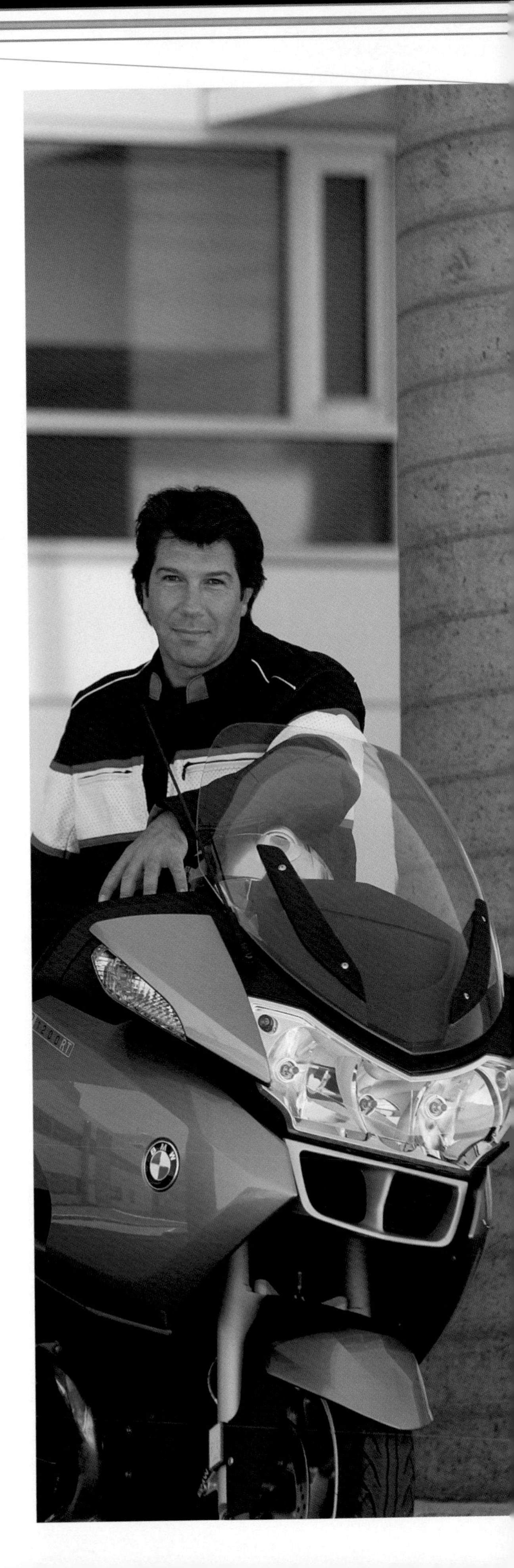

Les légendes

Toutes les données figurant dans les fiches techniques proviennent de la documentation de presse des constructeurs. Elles sont mises à jour avec les modèles courants et changent donc occasionnellement même si la moto n'a pas été modifiée. Les puissances sont toujours mesurées en usine par les constructeurs et représentent donc des chevaux «au moteur» et non à la roue arrière. Les performances représentent des moyennes générées par le Guide de la Moto. Il s'agit d'attributs qui peuvent toutefois être dupliqués par un bon pilote, dans de bonnes conditions. Les vitesses de pointes sont mesurées et non lues sur les instruments de la moto, qui sont habituellement optimistes par une marge de 10 à 15 pour cent. Les poids sont toujours donnés à sec, ce qui signifie sans essence, huile, liquide de frein, liquide de batterie, liquide de refroidissement, etc. Enfin, les prix indiqués sont les prix de détail suggérés par les manufacturiers. Les prix en magasin peuvent varier selon la volonté de l'établissement de baisser ou hausser ce montant.

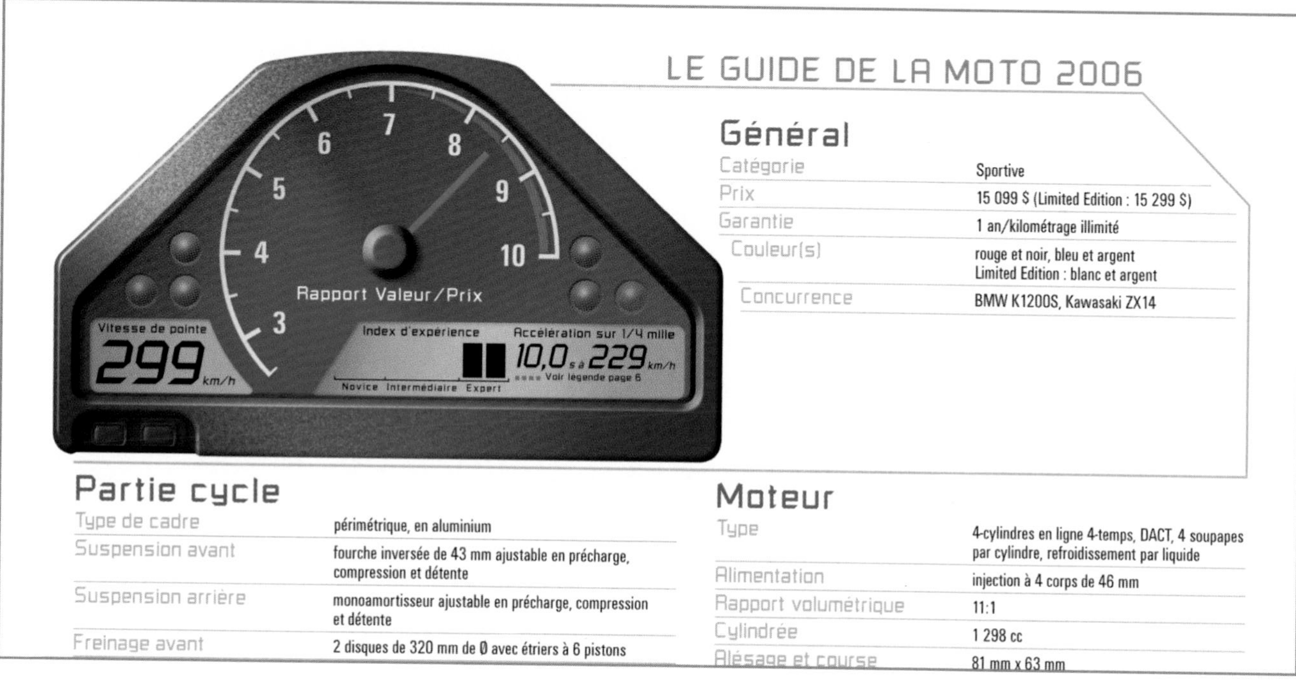

LE GUIDE DE LA MOTO 2006

Général

Catégorie	Sportive
Prix	15 099 $ (Limited Edition : 15 299 $)
Garantie	1 an/kilométrage illimité
Couleur(s)	rouge et noir, bleu et argent Limited Edition : blanc et argent
Concurrence	BMW K1200S, Kawasaki ZX14

Partie cycle

Type de cadre	périmétrique, en aluminium
Suspension avant	fourche inversée de 43 mm ajustable en précharge, compression et détente
Suspension arrière	monoamortisseur ajustable en précharge, compression et détente
Freinage avant	2 disques de 320 mm de Ø avec étriers à 6 pistons

Moteur

Type	4-cylindres en ligne 4-temps, DACT, 4 soupapes par cylindre, refroidissement par liquide
Alimentation	injection à 4 corps de 46 mm
Rapport volumétrique	11:1
Cylindrée	1 298 cc
Alésage et course	81 mm x 63 mm

RAPPORT VALEUR/PRIX

Le Rapport Valeur/Prix du Guide de la Moto indique la valeur d'un modèle par rapport à son prix. Une moto peu dispendieuse et très généreuse en caractéristiques, comme la Yamaha FZ6, se mérite la plus haute note, tandis qu'une moto très dispendieuse qui n'offre que peu de caractéristiques intéressantes, comme une Victory Touring Cruiser, mérite une note très basse. Une évaluation de 7 sur 10 représente « la note de passage ». Tout ce qui est au-dessus représente une bonne valeur, et tout ce qui est en dessous une mauvaise valeur, à plusieurs degrés.

La note de 10/10 n'est donnée que très rarement au travers du Guide. Elle représente une valeur imbattable à tous les points de vues. Elle est généralement accordée à des montures affichant un prix budget, mais qui offrent des caractéristiques très généreuses.

La note de 9/10 est donnée à des montures de très haute valeur, soit parce que leur prix est peu élevé pour ce qu'elles ont à offrir, soit parce qu'elles offrent un niveau de technologie très élevé pour un prix normal, comme c'est le cas pour plusieurs sportives, par exemple.

La note de 8/10 est donnée aux montures qui représentent une valeur supérieure à la moyenne. Le prix n'est pas nécessairement bas, mais la qualité et les caractéristiques de ce qu'on achète restent élevées.

La note de 7/10 est donnée aux montures qui affichent un prix plus ou moins équivalent à leur valeur. On paie pour ce qu'on obtient, pas plus, pas moins.

La note de 6/10 est donnée aux modèles qui, sans nécessairement être de mauvaises motos, sont trop chères par rapport à ce qu'elles ont à offrir.

La note de 5/10 est donnée aux modèles dont la valeur est médiocre, soit parce qu'ils sont carrément bien trop chers, soit parce qu'ils sont simplement désuets. À ce stade, ils ne sont pas recommandés par *Le Guide de la Moto*.

INDEX D'EXPÉRIENCE

L'Index d'expérience du Guide de la Moto est un indicateur illustrant l'intensité ou la difficulté de pilotage d'un modèle, et donc le niveau d'expérience que doit détenir son pilote. D'une manière générale, plus les graduations «allumées» sont élevées et peu nombreuses dans l'échelle, plus il s'agit d'une monture destinée à une clinetèle expérimentée, comme une Suzuki GSX-R1000. À l'inverse, plus les graduations «allumées» sont peu nombreuses et basses sur l'échelle, plus il s'agit d'une monture destinée à une clientèle novice, comme une Kawasaki ZZ-R250. Il est à noter qu'il n'existe aucune étude liant directement la puissance ou la cylindrée aux accidents. En raison de leur nature pointue, certaines sportives peuvent toutefois surprendre un pilote peu expérimenté, tandis que le même commentaire est valable pour une monture peu puissante, mais lourde ou haute. De telles caractéristiques ont pour conséquence de repousser l'étendue des graduations «allumées» vers le côté Expert de l'Index. À l'inverse, certaines montures, même puissantes, ont un comportement général relativement docile, comme une Honda VFR800. D'autres ont une grosse cylindrée, mais sont faciles à prendre en main, comme une Yamaha V-Star 1100. De telles caractéristiques ont pour conséquence d'élargir l'étendue des graduations «allumées» vers le côté Novice de l'Index, puisqu'il s'agit à la fois de modèles capables de satisfaire un pilote expérimenté, mais dont le comprtement relativement calme et facile d'accès ne devrait pas surprendre un pilote moins expérimenté. Ainsi, chaque graduation de plus indique des réactions un peu plus intenses ou un niveau de difficulté de pilotage un peu plus élevé, tandis que chaque graduation en moins indique une plus grande facilité de prise en main et une diminution du risque de surprise lié à des réactions inhérentes au poids ou à la performance. L'information donnée par l'Index d'expérience en est donc une qu'on doit apprendre à lire, et qui doit être interprétée selon le modèle.

ZX-10R
Kawasaki
Vert limette. La couleur de l'avenir.
La Ninja ZX-10R 2006.
À LA POINTE DE LA PUISSANCE /
DE LA PERFORMANCE / DE LA PASSION
La nouvelle Ninja ZX-10R est la personnification la plus récente de l'engagement pris par Kawasaki, un engagement qui consiste à fabriquer les motos Supersport les plus excitantes du monde. L'objective des ingénieurs de Kawasaki était simple : améliorer encore plus la ZX-10R, gagnante de nombreux prix. En se servant des recherches effectuées en Grand Prix moto et des technologies disponibles les plus récentes, nous avons raffiné la ZX-10R et obtenu la combinaison parfaite de puissance, de performance et de passion. Pour plus d'informations sur les modèles 2006, visitez **kawasaki.ca**
Kawasaki
©2005 Kawasaki Canada. Portez toujours un casque, une protection oculaire et des vêtements protecteurs appropriés. Ne pilotez jamais sous l'influence de l'alcool ou des stupéfiants. Suivez le guide d'entretien de votre manuel du propriétaire. Les spécifications sont sujettes à changement. Illustrations : Pilote professionnel sur circuit fermé.
Demandez tous les renseignements sur les promotions au magasin à votre concessionnaire

Index par catégorie

BOULEVARD
SUZUKI
M109R
www.suzuki.ca
BUD LIGHT
RACING
Acti Vente
SUZUKI
PROGRAMME DE FINANCEMENT
SUZUKI
Un mode de vie !
Les spécifications, les caractéristiques des produits et les couleurs sont sujettes à changement sans préavis. Veuillez lire votre manuel du propriétaire avec attention. Portez toujours un casque et des vêtements protecteurs quand vous pilotez. Obéissez toujours à toutes les règles de sécurité et respectez l'environnement. Rendez visite à votre concessionnaire Suzuki local pour obtenir plus de renseignements.

BMW

Modèle	Prix
K1200LT	29 990
K1200GT	25 600
K1200S	22 500
K1200R	19 200
R1200RT	23 600
R1200ST	19 500
R1200S	19 000
R1200GS	18 700
R1200GS Adventure	20 000
HP2	23 000
R1150R	15 200
F650GS	10 800
F650GS Dakar	11 600

BUELL

Modèle	Prix
Firebolt XB9R	11 519
Firebolt XB12R	13 389
Ulysses XB12X	14 699
Lightning XB9SX City X	11 519
Lightning XB12S	13 389
Lightning XB12Scg	13 389
Lightning XB12Ss	13 389
Blast	5 999

DUCATI

Modèle	Prix
ST3	16 995
ST3s ABS	19 995
999 Biposto	24 995
999S Monoposto	29 995
999R	39 995
999R Xerox	41 995
749 Dark	16 995
749 Biposto	17 995
749S Monoposto	19 995
Supersport 800F	11 995
Supersport 1000F	14 995
Monster 620 Dark	9 995
Monster 620	10 495
Monster S2R Dark	11 995
Monster S2R	12 795
Monster S4RS	19 995
Multistrada 620 Dark	10 495
Multistarda 620	10 995
Multistrada 1000	15 995
Multistrada 1000S	18 995
Paul Smart 1000 LE	17 995
Sport 1000	13 995

HARLEY-DAVIDSON

Modèle	Prix
Electra Glide Ultra Classic EFI	25 999
Electra Glide Classic EFI	23 489
Electra Glide Standard	20 299
Electra Glide Standard EFI	20 624
Screamin'Eagle Ultra Classic Electra Glide	42 099
Street Glide	23 399
Street Glide EFI	23 724
Road King	22 389
Road King EFI	22 709
Road King Classic EFI	22 999
Road King Custom	22 639
Road King Custom EFI	22 959
Road Glide EFI	22 999
Dyna Low Rider EFI	20 599
Dyna Super Glide EFI	16 169
Dyna Super Glide Custom EFI	18 699
Dyna Super Glide 35e	22 599
Dyna Wide Glide EFI	21 919
Street Bob	17 489
V-Rod	20 999
Sreamin'Eagle V-Rod	34 869
Street Rod	20 399
Night Rod	19 799
Heritage Softail Classic	22 909
Heritage Softail Classic EFI	23 229
Deuce	22 389
Deuce EFI	22 709
Springer Softail	22 529
Springer Softail Classic	22 569
Springer Softail Classic EFI	22 889
Fat Boy	21 949
Fat Boy EFI	22 269
Sreamin'Eagle Fat Boy	37 399
Softail Deluxe	22 389
Softail Deluxe EFI	22 709
Softail Standard	19 129
Softail Standard EFI	19 449
Night Train	20 319
Night Train EFI	20 639
Sportster 1200 Roadster	11 329
Sportster 1200 Custom	12 649
Sportster 883	8 669
Sportster 883 Low	9 219
Sportster 883R	10 179
Sportster 883 Custom	10 179

HONDA

Modèle	Prix
Gold Wing	28 999
ST1300A	19 299
ST1300	18 599
CBR1000RR	15 249
VFR800A	14 399
VFR800	13 599
CBR600RR	11 999
CBR600F4i	11 549
919	11 199
599	9 199
VTX1300T Touring	14 999
VTX1300S	13 999
VTX1300C	13 699
Shadow Sabre	12 399
Shadow Sabre noir	12 299
Shadow Spirit	11 599
Shadow Touring	9 999
Shadow Aero	8 649
Shadow Spirit 750 (motifs flammes)	8 699
Shadow Spirit 750	8 649
Shadow VLX	7 799
Rebel 250	4 899
XR650L	7 599
Silver Wing	10 299
Big Ruckus	6 999
Reflex	N/D
Jazz motifs	2 749
Jazz	2 699
Ruckus camouflage	2 799
Ruckus	2 749

HYOSUNG

Modèle	Prix
GT 650 S/T	8 295
GT 650 S	7 795
GT 650	7 395
Aquila 650	8 795
GT 250	4 995
Aquila 250	4 895
Prima	2 549
Rally	2 495
Sense	2 095

KAWASAKI

Modèle	Prix
Concours	12 299
ZX-14	15 699
ZRX1200R	11 599
Ninja ZX-10R	15 199
Z1000	11 299
Z750S	9 499
Ninja ZX-6R (couleur titane)	12 099
Ninja ZX-6R	11 899
ZZ-R600	9 999
Ninja 650R	8 599
Ninja 500R	6 899
ZZ-R250	6 299
Vulcan 2000 Classic Ltd	20 999
Vulcan 2000 Classic LT	19 999
Vulcan 2000 Classic	18 999
Vulcan 1600 Nomad (peinture metallique)	17 299
Vulcan 1600 Nomad	17 099
Vulcan 1600 Mean Streak	16 299
Vulcan 1600 Classic (peinture metallique)	15 499
Vulcan 1600 Classic	15 299
Vulcan 1500 Classis 2-tons	12 699
Vulcan 1500 Classic	12 499
Vulcan 900 Classic LT	10 899
Vulcan 900 Classic	9 449
Vulcan 800 Classic	8 499
Vulcan 500 LTD	6 799
KLR650	6 499
KLX250	5 999
Super Sherpa	5 599

KTM

Modèle	Prix
990 Adventure	17 998
640 Adventure	11 998
950 Supermoto	17 498
625 SMC	10 998

SUZUKI

Modèle	Prix
GSX1300R Hayabusa Limited	15 299
GSX1300R Hayabusa	15 099
GSX-R1000	14 999
GSX-R750	12 999
GSX-R600	11 799
SV1000S	11 899
SV650S	8 799
SV650	8 499
Bandit 1200S ABS	11 199
Bandit 1200S	10 699
Bandit 650S ABS	9 299
Bandit 650S	8 799
V-Strom 1000	11 999
V-Strom 650	8 999
Katana 750	9 699
Katana 600	9 099
GS500F	6 799
Boulevard M109R	17 999
Boulevard C90 T	16 999
Boulevard C90 SE	16 699
Boulevard C90 SE noir	16 399
Boulevard C90	14 599
Boulevard C90 noir	14 299
Boulevard S83	10 699
Boulevard C50 T	10 599
Boulevard C50 SE	10 399
Boulevard C50 SE noir	10 099
Boulevard C50	8 999
Boulevard C50 noir	8 699
Boulevard S50	8 299
Boulevard M50	8 899
Boulevard S40	6 299
Marauder 250	4 699
Burgman 650 ABS	11 899
Burgman 650	10 999
Burgman 400	7 899
Burgman 400 Type S	7 999
DR650S	6 999
DR-Z400S	7 399
DR-Z400SM	8 199
DR200S	4 999

TRIUMPH

Modèle	Prix
Sprint ST	15 299
Sprint ST ABS	16 599
Daytona 675	11 999
Speed Triple	13 999
Thruxton	11 599
Scrambler	11 999
Bonneville T100	11 299
Rocket III	21 999
Rocket III Classic	22 999
America	11 699
Speedmaster	12 299
Tiger	15 299

VESPA

Modèle	Prix
GTS	7 499
Granturismo	6 899
LX150	5 699
LX50	4 399

VICTORY

Modèle	Prix
Touring Cruiser	20 329
Vegas Jackpot	22 749
Vegas	20 349
Vegas 8-Ball	17 699
Kingpin	20 679
Hammer	22 149

YAMAHA

Modèle	Prix
Royal Star Venture	21 799
Royal Star Midnight Venture	22 399
Royal Star Tour Deluxe	18 599
Royal Star Midnight Tour Deluxe	18 999
FJR1300AE	20 999
FJR1300A	18 999
FZ-1	12 499
FZ6	9 199
YZF-R1 LE	26 000
YZF-R1 SP	15 499
YZF-R1	15 199
YZF-R6 SP	12 799
YZF-R6	12 499
YZF-R6S	11 799
YZF600R	9 999
Roadliner	18 499
Roadliner Midnight	18 999
Roadliner S	19 999
Stratoliner	20 499
Stratoliner Midnight	20 999
Stratoliner S	21 999
Road Star Warrior	17 999
Road Star Midnight Warrior	18 299
Road Star	15 449
Road Star Midnight	15 899
Road Star Silverado	17 299
Road Star Midnight Silverado	17 999
MT-01	15 999
V-Max	12 699
V-Star 1100 Classic	11 249
V-Star 1100 Custom	10 499
V-Star 1100 Silverado	12 999
V-Star 650 Classic	8 399
V-Star 650 Custom	7 899
V-Star 650 Silverado	9 799
Virago 250	4 849
XT225	5 249
TW200	4 749
BW's	2 849
Majesty 400	7 999
Vino 125	3 599
Vino	2 599

PROTOS

DN-01

Propulsée par un V-Twin de 680 cc marié à une transmission automatique hydraulique de nouvelle génération, la DN-01 se veut un effort de la part de Honda de voir à quoi pourrait ressembler une deux-roues si elle n'était prise dans aucun des moules que sont les catégories déjà existantes. Le prototype combine une partie cycle routière, voire sportive, à une position de conduite à mi-chemin entre celles d'un scooter et d'une custom, en mettant l'accent sur le confort du pilote et de son passager avec des selles larges et ajustables. Il s'agit pour le moment d'une étude de style, mais le modèle serait relativement facile à mettre en production si l'intérêt du public le justifiait.

HONDA
DN-01

HONDA
HONDA

DUCATI

DUCATI

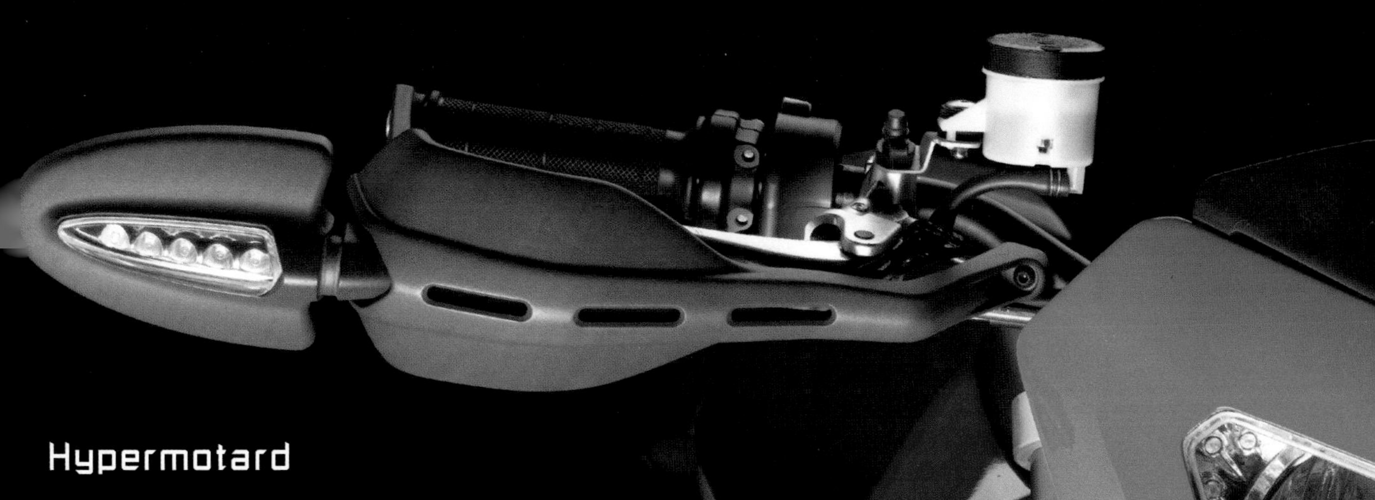

Hypermotard

Domination routière et extase totale du pilote sont les buts de ce concept signé Ducati. Propulsée par une version remaniée du V-Twin d'un litre Dual Spark, l'Hypermotard ferait 100 chevaux pour à peine 175 kg et serait d'une minceur extrême grâce à l'étroitesse du bicylindre en V, mais aussi à l'absence de radiateur. La partie cycle est sérieuse : fourche inversée Marzocchi avec immenses poteaux de 50 mm, bras monobranche, amortisseur arrière par Öhlins, roues de compétition Marchesini, etc. Les dernières années ont démontré qui il y a derrière chaque concept Ducati une version routière étonnamment proche. Il ne faudrait donc pas du tout être surpris de voir l'Hypermotard venir confronter la récente 950 Supermoto de KTM dans un avenir rapproché, sur la route.

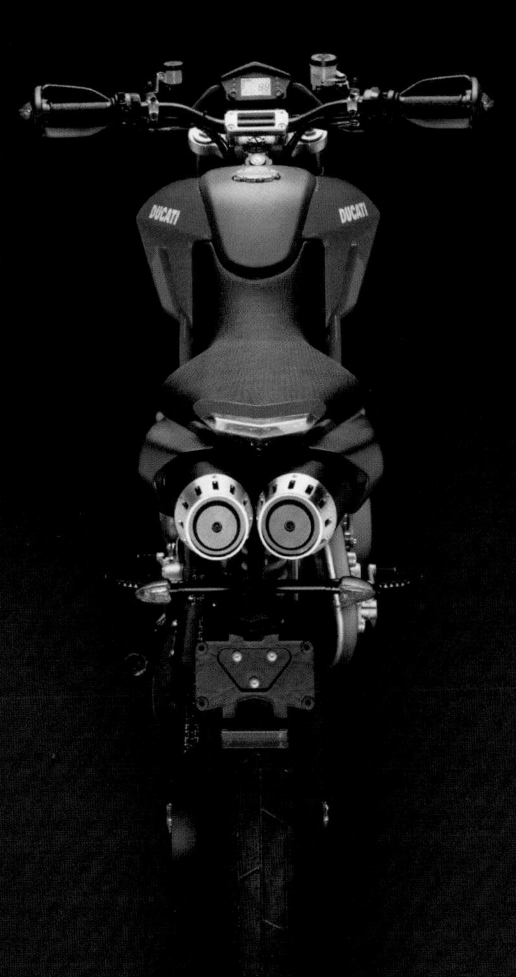

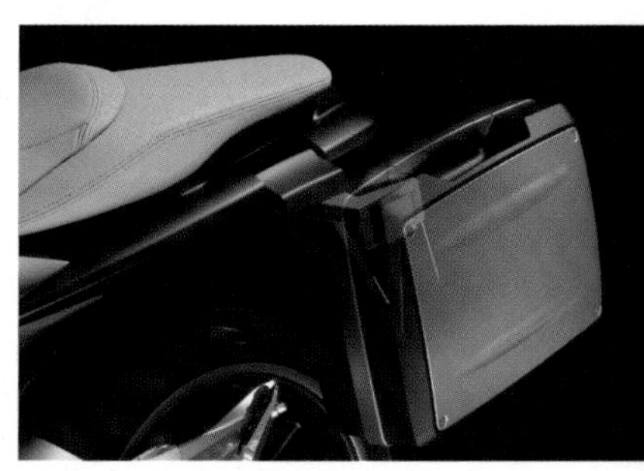

SUZUKI

Stratosphere

Signé Suzuki, ce concept évoque les Katana 1100 du début des années 80. Il se distingue par le fait qu'il s'agit d'une moto parfaitement fonctionnelle propulsée par un puissant 6-cylindres en ligne de 1 100 cc. La transmission est particulièrement intéressante puisqu'elle opère automatiquement l'embrayage, mais passe en mode manuel dès que le pilote choisi d'utiliser levier d'embrayage.

V-Max

Vous regardez l'une des motos les plus attendues de l'histoire du motocyclisme : la prochaine V-Max. Il ne s'agit pas d'un prototype, mais bien du modèle routier dans une phase avancée de sa conception. Yamaha ne veut pas se prononcer officiellement, mais on parlerait d'une mise en marché pour 2007. La cylindrée n'est pas divulguée, mais imaginez un monstre de 1 300 cc ou 1 400 cc faisant 180 chevaux et vous ne serez pas loin de la réalité. Si les dessins du réservoir, de la partie arrière et du phare avant ne sont pas encore finalisés, ce qui explique la présence des formes temporaires, le reste, lui, devrait refléter la réalité d'assez près. Le système V-Boost du modèle actuel, qui date de 1985, devrait être conservé.

E4-01

Le mariage de la technologie des modèles sportifs et de l'aspect pratique et amical des gros scooters est à la base de cette étude de style par Honda. Propulsée par un 4-cylindres en ligne de 903 cc et utilisant une boîte de vitesses automatique, la E4-01 possède une partie cycle qui dispose de toutes les caractéristiques d'une moto sportive : fourche inversée, étriers à montage radial, bras oscillant monobranche avec Unit Pro-Link, etc. D'un autre côté, la position de conduite assise d'un scooter est reprise, tandis qu'un vaste compartiment de rangement est retrouvé sous la selle. La plus intéressante innovation se trouve au niveau de la gestion de l'air qui frappe le pilote. Selon Honda, l'utilisation d'un « pare-brise creux » créerait littéralement un rideau d'air qui soulagerait le pilote de la pression du vent et réduirait beaucoup l'inconfort venant de la turbulence au niveau du casque.

SHIFT
0 Speed
5:27
NEXT
250m
TRIP 1
76.5 km

Deinonychus

Cette étude de style réalisée par Yamaha explore l'avenue de la géométrie de partie cycle variable et des positions de conduite multiples. À la pression d'un bouton, empattement, hauteur de selle et forme du siège s'ajustent en mode BMX (haut), custom (milieu) ou standard (bas), selon l'humeur du pilote ou l'utilisation désirée. La propulsion est assurée par une paire de batteries située sous la selle alimentant une paire de moteurs logés dans les moyeux des roues avant et arrière.

HV-01 et FC-me

Les énergies alternatives ne sont pas à l'étude que dans le monde automobile. Le HV-01, ci-haut, est un scooter hybride Yamaha dont les accélérations seraient surprenantes lorsque le moteur à essence et le moteur électrique fonctionnent en tandem. Quant au Yamaha FC-me, ci-bas, il s'agit déjà d'une troisième génération du petit véhicule qui fonctionne strictement au méthanol. Le carburant est une solution d'eau et de méthanol qui élimine la nécessité d'un réservoir d'hydrogène pressurisé, comme c'est souvent le cas sur des véhicules à « fuell cell ». Loin d'être seulement un design expérimental, le FC-me est utilisé comme mode de déplacement à l'interne depuis septembre 2005 par la firme japonaise Shizuoka Perfecture. Les données recueillies durant cette utilisation « normale » serviront à faire évoluer davantage le concept.

Gen-Ryu

Sans l'ombre d'un doute l'une des études de style les plus choquantes des dernières années, la Gen-Ryu a pour but de pousser le design d'une moto là où il n'a jamais été, ce qui a vraisemblablement été réussi. L'une des particularités principales du concept est sa motorisation « hybride hautes performances » utilisant un moteur électrique – situé derrière le grand couvercle circulaire sous la selle – jumelé au puissant 4-cylindres en ligne d'une YZF-R6. La partie cycle se distingue par sa suspension avant à bras oscillant tandis que le côté pratique est accentué par des valises latérales et une position de conduite à saveur custom. Un casque intelligent incorporant des systèmes audio, de réduction du bruit ambiant, de téléphonie cellulaire et même de communication verbale avec l'ordinateur de bord a été conçu parallèlement avec le Gen-Ryu.

MT-OS

En termes de style, on trouve difficilement plus dramatique que la MT-OS, un concept basé sur un autre concept, celui de la MT-01. Il s'agit d'une variante visant à augmenter le niveau d'agressivité visuelle et les capacités sportives de la MT-01. Le cadre en aluminium coulé et le V-Twin de 1 670 cc sont intacts, mais un nouveau bras oscillant, des roues allégées, un arrière encore plus tronqué et un haut de carénage changent complètement l'aspect du modèle. Si Yamaha se défend de vouloir en faire un modèle de production, il invite en revanche les motocyclistes à lui faire part de leurs commentaires. Comme il l'a fait avec la MT-01 avant qu'elle soit mise en production...

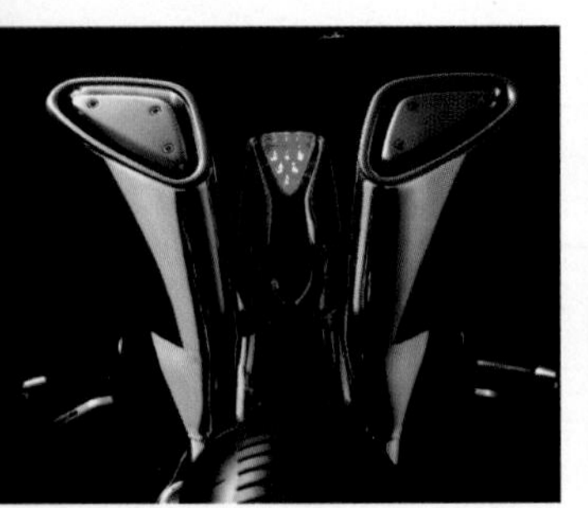

DUNLOP

MT-OS

Air Tricker

L'Air Tricker est ce qu'on obtient en croisant une bicyclette de genre BMX avec une moto de trial. On imagine à peine ce que les maniaques que sont les champions de *freestyle* en BMX arriveraient à faire avec ce genre de création. Le cadre est entièrement réalisé avec des pièces d'aluminium coulées, la hauteur du siège est réglable et pas la moindre composante visant à permettre à l'Air Tricker d'assaillir les chemins publics n'est installée. La motorisation est assurée par un petit monocylindre. À ce sujet, nous offrirons un Guide de la Moto 2007 signé par l'auteur et le reste de l'équipe à quiconque trouvera d'où sort l'échappement. À vos loupes !

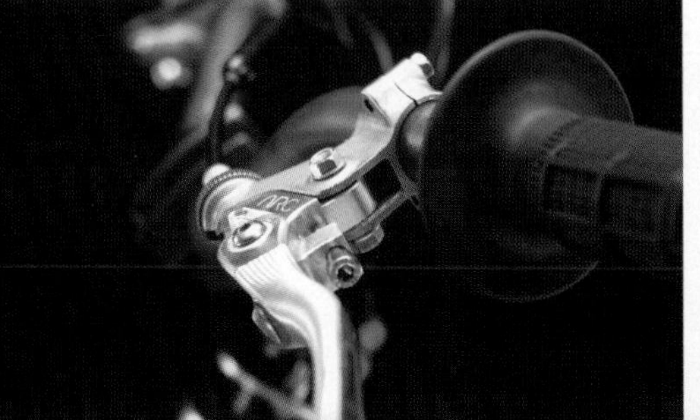

VOX

Le Yamaha VOX tente d'explorer de nouvelles avenues pour un scooter de 50 cc, tant du point de vue visuel que pratique. La fourche dont les poteaux sont inhabituellement écartés attire immédiatement l'attention, tandis que sous la selle qui pivote autour de pentures bien apparentes se trouve un espace différent du « trou à casque » généralement proposé par ce genre de véhicule. Si vous jouez du violon, vous tombez pile. La motorisation est assurée par un petit monocylindre 4-temps de 50 cc qu'on retrouve également sur la plus récente version du scooter Vino.

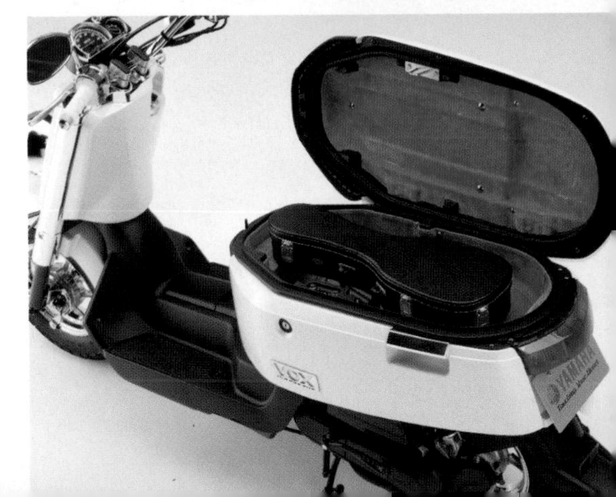

PIRELLI
DIABLO RAIN

Café Motard

Comme la MT-OS, la Café Motard est un concept basé sur un concept, dans ce cas la MT-03, qui est d'ailleurs produite cette année pour le marché européen. Propulsée par un puissant monocylindre de 660 cc, la Café Motard est techniquement très proche de la MT-03, mais son style pousse l'idée de l'arrogante machine de type supermotard à un nouveau niveau. Remarquez le feu arrière emprunté à une ancienne génération de YZF-R1, la suspension arrière en position latérale, les pneus terre-asphalte et les superbes composantes de freinage.

BT1100 Mastino

La Yamaha BT1100 Bull Dog, une standard propulsée par le V-Twin de la V-Star 1100 roule en Europe depuis plusieurs années. La version Mastino se veut une préparation spéciale de ce modèle dont l'effet trapu et musclé est fort réussi. L'influence des lignes brutes des Buell Lightning est évidente.

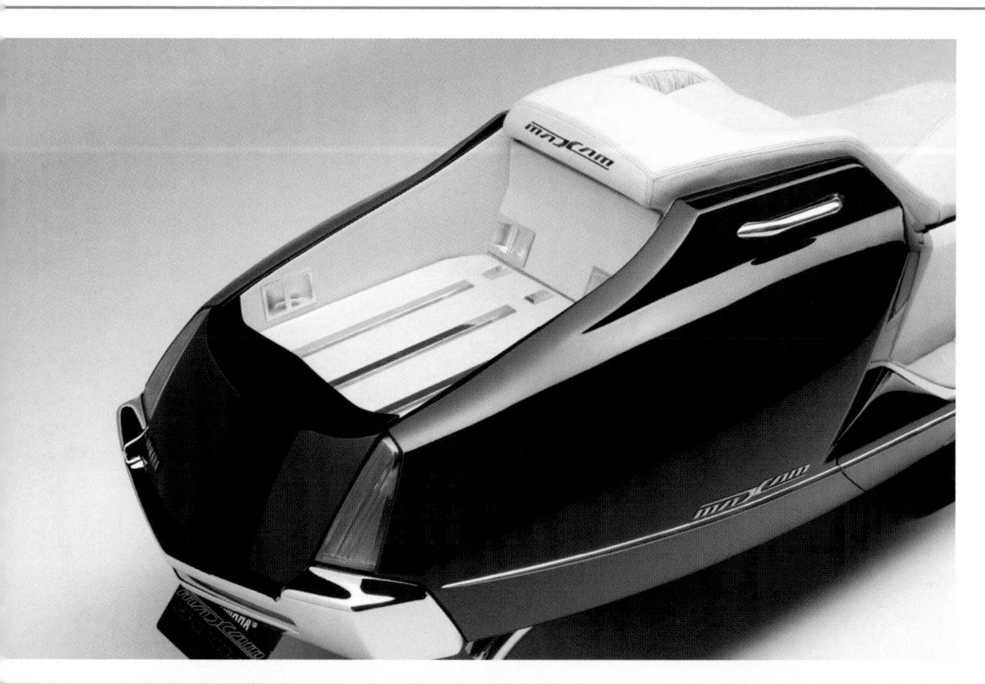

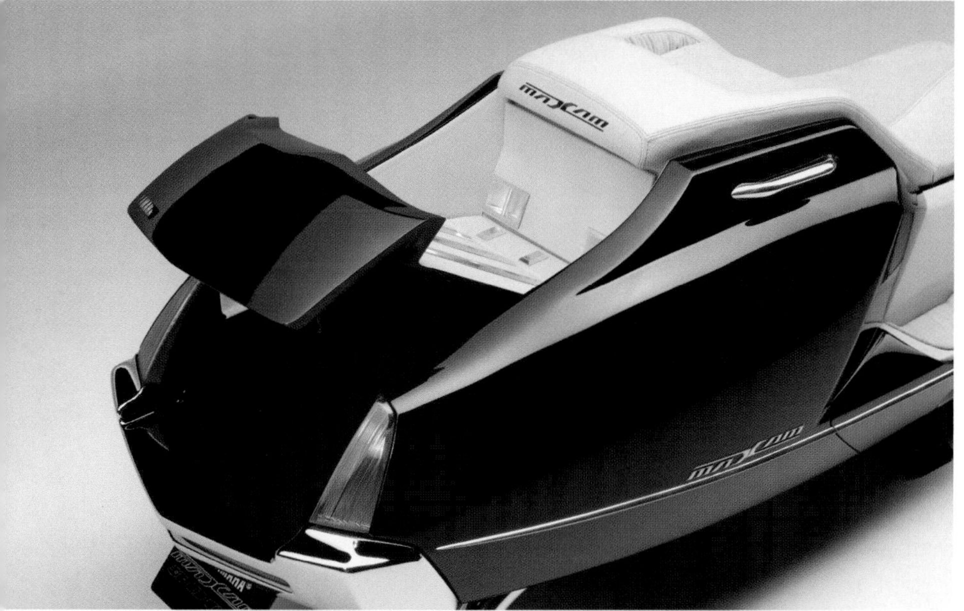

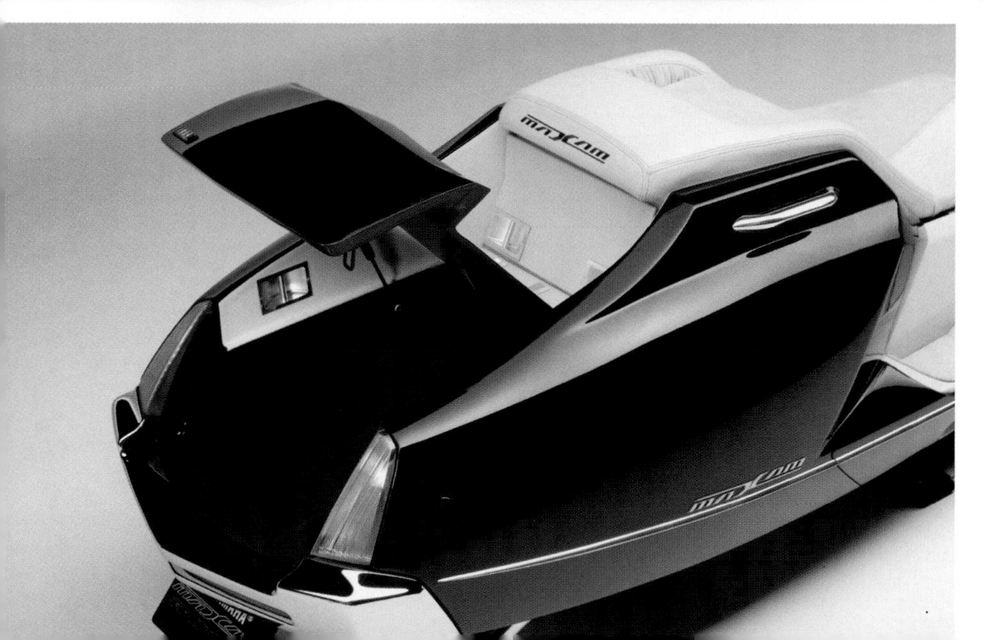

Maxam 3000

Sorte de mélange entre une Cadillac, un mégascooter et un pick-up, le Yamaha Maxam 3000 est l'un des designs les plus particuliers jamais présentés par un constructeur. Et l'un des plus longs, aussi, puisqu'il mesure 3000 millimètres d'un pare-chocs à l'autre, d'où son nom. Élaboré de manière à offrir autant de luxe que possible au pilote et à son passager, il propose une selle en cuir de dimensions généreuses et beaucoup d'espace pour les jambes. Sa partie arrière a la particularité d'incorporer une baie de chargement sous laquelle se cache un compartiment fermé dont l'ouverture se fait électriquement, à la façon d'un toit de décapotable. Le style néofuturiste est clairement inspiré des lignes des grosses voitures américaines des années 70.

GSR600

Il y a maintenant plusieurs années que Suzuki annonce une version routière de son agressif concept B-King sur base d'un moteur surcompressé de Hayabusa. Bien qu'elle ne soit pas offerte sur le marché nord-américain, cette monture est finalement disponible. Il ne s'agit toutefois pas d'une 1300, mais plutôt d'une 600 utilisant la mécanique de la GSX-R600. Les rumeurs veulent qu'une grosse version soit présentée dans un avenir rapproché, possiblement dès 2007. Elle reprendrait le 4-cylindres de 1,3 litre de la GSX1300R Hayabusa, mais sans le surcompresseur du concept. Suzuki juge apparemment que 175 chevaux seraient suffisants pour une standard courte et démunie de tout carénage. Possible...

Gold Wing

On s'écarte tranquillement des pures études de style, mais nous avons quand même cru intéressant de vous présenter cette version expérimentale de la grosse Honda Gold Wing. Voyons, que manque-t-il bien à la luxueuse touriste ? Elle a reçu des selles chauffantes en 2006, ainsi qu'un système de navigation par satellite. Elle dispose même, désormais, d'un coussin gonflable. Mais que pourrait-il bien lui manquer pour la rendre encore mieux équipée ? Réfléchissons un peu...

CB400 Super Bol d'Or

CB400 et CB1300

Ces Honda CB1300 – les modèles carénés s'appellent Super Bol d'Or et les standards Super Four – ne sont malheureusement pas disponibles sur notre marché. La 400, qui utilise une troisième génération du système VTEC – la VFR800 vient à peine de recevoir la seconde – ferait pourtant une excellente première moto, tandis que la 1300 pourrait être la seule réelle alternative à la Yamaha FZ1, pour le moment toute seule dans sa classe, du moins chez nous.

CB1300 Super Bol d'Or

CB400 Super Four

CB1300 Super Bol d'Or

F800S

La F800S n'est ni un prototype ni une moto disponible pour un autre marché que le nôtre. Il s'agit plutôt d'une nouveauté 2007 dont BMW a laissé connaître l'existence un an à l'avance. Disponible au plus tôt à la fin de 2006, elle sera propulsée par un tout nouveau bicylindre parallèle de 800 cc et sera proposée en version semi-carénée, la F800S (haut) et en version de tourisme sportif entièrement carénée et équipée de valises latérales, la F800ST (bas).

Custom Star

Les motos présentées sur ces pages n'ont rien à voir avec des prototypes puisqu'il s'agit de montures de rues appartenant à des privés. Mais elles sont tellement sublimes que nous n'avons pu nous empêcher de les inclure dans *Le Guide de la Moto*. Aussi différentes qu'elles soient l'une de l'autre, elles ont toutes une caractéristique commune : elles ne sont pas basées sur des Harley-Davidson ou des clones des modèles américains, mais sont plutôt toutes des Yamaha Star. Étonnamment, deux d'entre elles sont construites autour de V-Star 1100 et non pas à partir de Road Star, le choix logique pour des montures aussi radicalement modifiées. Nous vous laissons deviner lesquelles sont des 1700 et lesquelles sont des 1100 – le moteur est un excellent indice – et n'ajoutons rien de plus, en préférant tout simplement laisser ces magnifiques photos parler d'elles-mêmes. De quoi donner à n'importe quel genre de motocycliste le goût de créer la sienne...

Corbin
BODY SHOP

MATCH

En sortant du dernier virage du circuit de l'Autodrome Saint-Eustache, une lente épingle qui favorise la Lamborghini Murciélago de Jacques Duval et ses immenses pneus, la légère Kawasaki ZX-6R de Bertrand Gahel gagne du terrain à l'accélération. La photo, comme toutes les autres d'ailleurs, est l'œuvre de Steven Graetz, du Studio Graetz, qui tenait absolument à rester à l'intérieur du circuit pour la réaliser.

ZX-6R vs Lambo

APRÈS DES ANNÉES À SE TAQUINER ET À SE PROVOQUER À QUI MIEUX MIEUX, JACQUES DUVAL ET BERTRAND GAHEL SE SONT ENFIN RETROUVÉS EN PISTE, CHACUN AUX COMMANDES D'UN BOLIDE DE LEUR DOMAINE RESPECTIF. LE DUEL FUT QUELQUE PEU IMPROVISÉ ET N'AVAIT RIEN DE TRÈS SCIENTIFIQUE, MAIS IL A PERMIS DE GÉNÉRER QUELQUES INTÉRESSANTES RÉPONSES À DES QUESTIONS QUI TRAÎNAIENT DEPUIS TROP LONGTEMPS. UNE KAWASAKI NINJA ZX-6R DU CÔTÉ DE GAHEL ET UNE LAMBORGHINI MURCIÉLAGO DE CELUI DE DUVAL. FAITES VOTRE CHOIX D'ARMES, FAITES VOTRE CHOIX DE CHRONIQUEUR, ET ACCROCHEZ-VOUS. DES EGO SONT EN JEU...

PHOTOGRAPHIE : STUDIO GRAETZ

Depuis les 15 dernières années, par plaisir ou par « boulot », j'ai bien dû boucler des milliers de tours sur le circuit de l'Autodrome Saint-Eustache. Toutes les circonstances possibles et imaginables, je les ai vécues sur cette piste. Courses, tournages pour la télé, journées d'essais libres organisés par l'ASM, séances de photos, écoles de conduite Suzuki, tout y a passé. J'ai fait le circuit à l'envers à quelques reprises, j'y ai déjà roulé si tôt au printemps qu'une moitié de la piste était encore sous la neige, et j'ai même eu quelques intimes contacts avec son vieux bitume...

Mais ça, c'est nouveau.

Devant moi se trouve non pas une moto, mais une voiture. Et elle reste devant, la peste. Genou gauche effleurant le sol, poussant ma Kawasaki ZX-6R d'essai aussi fort que ma conscience et mon talent me laissent le faire, j'ai une certaine difficulté à accepter ce fait. Normalement, à moto, et surtout aux commandes d'une sportive de pointe, le choix de passer une bagnole s'exécute en le temps de le dire.

Non seulement cette voiture reste devant, mais elle en prend aussi tellement large qu'elle me bloque carrément la vue. Malgré la confortable température du mois d'août, son monstrueux moteur libère suffisamment de chaleur pour que bouffées après bouffées d'air chaud m'atteignent, même à toute vitesse. À chaque freinage, la dense odeur que dégagent les plaquettes torturées par le poids et la vélocité du mastodonte envahit mon casque, emplit mes narines. Aussi basse qu'une table de cuisine, aussi large qu'un autobus et chaussée de pneus absolument démesurés, la Lamborghini Murciélago qui, je dois l'avouer, me tient tête, est une vision presque surnaturelle. À son volant, un dénommé Jacques Duval travaille fort pour que l'ordre de cette course un peu beaucoup improvisée ne s'inverse pas, mais j'ai la ferme intention de le décevoir. Peut-être pas dans l'épingle, où je ne peux que regarder l'exotique bolide s'éloigner, mais aussitôt qu'arrive une section droite, on va voir ce qu'on va voir, mon Jacques.

Même la veille, rien n'indiquait que ce loufoque scénario aurait lieu. De mon côté, j'avais en ma possession une ZX-6R en essai et Jacques Duval, du sien, préparait un tournage dans le cadre de la production de son DVD *Mes coups de cœur 2006*. Il prévoyait se rendre à l'Autodrome Saint-Eustache afin de tourner les images du test d'une Lamborghini Murciélago. Ses plans furent d'ailleurs presque ruinés par l'annonce de la vente du véhicule qu'il devait utiliser. Mais le propriétaire, avant même d'avoir pris possession de l'italienne de 400 000 $ – sans compter les quelque 60 000 $ de taxes... – qu'il venait d'acquérir, accepta gracieusement de laisser le renommé chroniqueur automobile compléter son essai. La seule condition, celle de ne pas ajouter trop de kilométrage au compteur, exigea le transport sur plateforme de la Lambo jusqu'au circuit. Pour le reste, Duval avait carte blanche. Vous avez donc un type qui s'achète une bagnole à presque un demi million avec taxes et qui vous dit que vous pouvez allez la maltraiter en piste, mais que vous ne pouvez toutefois pas vous rendre à cette piste en roulant sur l'autoroute parce que ça ferait grimper le millage. OK...

3M

Mes plans n'incluaient pas une visite à Saint-Eustache pour rouler la ZX-6R, du moins pas à cette date précise. Bref, même la veille, rien de tout cela ne devait avoir lieu. Puis le téléphone sonna.

– Bertrand, c'est Jacques. Te rendrais-tu demain à l'Autodrome ? On tourne l'essai d'une Lambo et ce serait une occasion pour enregistrer une courte séquence où je te présente dans le DVD.
– J'imagine que ça pourrait se faire. Hey Jacques, j'ai une petite moto ici qui laverait ta Lamborghini, veux-tu que je l'amène ?

Il faut savoir que le Monsieur Duval et moi, nous nous taquinons depuis plusieurs années au sujet d'une confrontation auto-moto, lui affirmant que certains bolides seraient difficiles à battre avec quoi que ce soit, moi insistant que n'importe quelle sportive d'une quinzaine de milliers de dollars puisse embarrasser une bagnole de plusieurs centaines de milliers de dollars. Le cas classique du gars de chars qui défend ses caisses et du gars de motos qui vante ses bécyks Pour un tas de raisons, certaines sérieuses et d'autres moins, cet affront en était toujours resté au stade de taquineries. Les circonstances décrites plus tôt allaient finalement changer cette situation puisque Jacques Duval accepta, sans toutefois avoir l'air trop emballé, et précisant qu'on ferait seulement quelque chose si le temps le permettait. Je me dis que ce manque d'enthousiasme était dû soit à un horaire déjà chargé, soit à une crainte de la part de mon adversaire de voir son dispendieux jouet se faire humilier. D'une manière ou d'une autre, le défi avait été lancé et relevé.

Le lendemain, l'horaire s'avéra effectivement très serré puisque l'essai de la Lamborghini, qui devait se dérouler parallèlement avec une journée organisée par une association automobile de pilotage sportif, prenait plus de temps que prévu, et la température était en plus menaçante. Puis, lorsqu'une panne de caméra retarda encore les plans de tournages, j'en profitai : « Hey Jacques, on y va tu ? » Un sourire mutuel suivit la suggestion. Ni une, ni deux, le Monsieur Duval s'engageait en piste, le temps que j'enfile ma combinaison de cuir. Vite, il est en train de se pratiquer !

Mes premiers tours de pistes furent passés à découvrir avec quel genre de rythme je serais à l'aise, quel genre de cadence je ne dépasserais pas. Car comme c'est le cas lors de n'importe quel essai sur piste, l'objectif premier demeure le retour intact de la moto. Les manufacturiers ont tendance à ne pas apprécier la situation opposée...

Puis, enfin, après je ne sais combien d'années à se lancer des bêtises, ça y était. Jacques Duval dans une Lamborghini Murciélago, moi sur une Kawasaki Ninja ZX-6R, les deux sur le circuit de l'Autodrome de Saint-Eustache. Les premiers tours furent un peu étranges, la voiture étant pour moi intimidante. Quand vous êtes habitué à partager la piste avec d'autres motos, une voiture, surtout une de cette taille, semble beaucoup moins encourager les rapprochements. Je préférai donc sagement rester derrière, observant attentivement de quel genre de vitesse au juste étaient capable cette exotique de 400 000 $, et celui qui la pilotait. Dans les deux cas, je fus surpris. Avec presque 600 chevaux, une traction intégrale, des pneus larges comme un lave-vaisselle et des

Baveux vs sage

Il y avait des années que l'auteur du Guide de la Moto, Bertrand Gahel, taquinait le populaire chroniqueur automobile en prévoyant un niveau de performances nettement supérieur d'une moto dans le cas d'une confrontation avec une voiture exotique. Le petit duel entre la Lamborghini Murciélago et la Kawasaki Ninja ZX-6R a permis de préciser les choses, mais n'a rien vraiment été réglé. Chacun promet à l'autre de lui montrer pour de bon, la prochaine fois...

Attraction du jour

On ne croise pas tous les jours une Lamborghini Murciélago, et on n'en voit encore moins souvent une se faire malmener sur un circuit. L'auteur, lui, a non seulement vu l'action de près en piste, mais il l'a aussi entendue, ressentie et reniflée puisque la Lambo n'avait rien de timide côté sonorité mécanique, qu'elle dégageait une quantité incroyable de chaleur en piste et qu'elle sentait le brûlé au freinage...

freins géants avec ABS, la Lamborghini s'avéra plus coriace que je ne l'aurais cru sur la piste serrée de l'Autodrome. Surtout que son conducteur ne la ménageait pas le moindrement. En gros, la puissance de la 600 était suffisante pour rattraper et même passer la Lamborghini avant la fin de la courte ligne droite, mais seulement si la voiture ne prenait pas trop d'avance dans le long virage précédant cette ligne droite. Or, il devint assez vite évident que dans les courbes serrées et bosselées, là où la Ninja doit être pilotée avec délicatesse, la Lambo passe au fond, bien appuyée sur ses quatre grosses claques, parfaitement secondée par son système antidérapage. Avec un pilote qui pousse fort au volant, ce qui était là le cas, j'étais simplement déclassé. En courbe, Jacques Duval et sa Lamborghini étaient, je ne peux que l'avouer, plus rapides. Mais ils n'étaient pas plus rapides partout, et sur un tour de piste, j'arrivais quand même assez facilement à suivre le rythme. À quelques endroits, comme aux freinages en ligne droite, la performance de la moto et de l'auto étaient comparables. Ce qui signifiait que ni l'un ni l'autre ne gagnions de terrain au bout de la ligne droite. Lors des freinages en entrée de courbe, la voiture reprenait toutefois les devants. Le plus grand avantage de la

Selon Monsieur Duval...

BG : Jacques, vous souvenez-vous de la première fois que l'idée de nous confronter, vous en auto moi à moto, a été lancée ?

JD : Ça doit faire au moins 5 ou 6 ans, c'est sûr. La circonstance exacte m'échappe, mais je sais que nous nous sommes taquinés durant des années avec cette idée sans jamais la réaliser, pour diverses raisons.

Laissez-moi vous rappeler brièvement. Nous étions à un souper organisé par BMW dans le Vieux-Montréal, c'était en 1999 ou en 2000, je crois. Même si c'était la première fois que je vous voyais en personne, et sans même me présenter, je crois bien vous avoir dit quelque chose comme : « Amène n'importe quel char, moi j'amène une moto, pis j'te plante. » J'étais un peu plus baveux à l'époque, vous me pardonnez ?

Ha ! Ha ! Oui, je me rappelle, je me suis demandé ce qu'il pouvait bien vouloir, celui-là !

Comment avez-vous trouvé l'expérience ?

J'avoue que ça a été très amusant. Ça n'avait rien de très scientifique comme test, pour ne pas dire que c'était complètement improvisé, mais c'était intéressant. Il faut dire que nous avons vécu ce match avec des points de vues différents puisque durant les quelques tours que nous avons tourné avant qu'il se mette à pleuvoir, je t'ai souvent regardé dans mes rétroviseurs alors que tu restais collé derrière. Je suis entré en piste le premier dans un désir de... disons protéger ma position, mais je ne crois pas que j'aurais été capable de te suivre si tu étais sorti le premier. À quelques reprises, je dirais même que tu as « levé le pied », parce que je sais que tu aurais pu me dépasser sur la ligne droite.

J'aurais pu vous passer, oui, mais ç'aurait été proche au freinage et je vous aurais ensuite bloqué ou ralenti dans la section serrée de la piste.

Oui, je crois que cette réalité résume un peu toute l'expérience. Il y a aussi une question de respect mutuel, ici. Tu aurais pu passer sur la ligne droite, mais tu m'aurais ralenti dans la section serrée, tandis que je te ralentissais dès que la piste s'ouvrait. Pour cette raison, je crois que, dans ce cas, on doit parler d'un match nul. Mais il faut dire que si nous avions eu le choix, nous aurions probablement tous deux opté pour d'autres véhicules.

Décrivez-nous ce que vous conduisiez et ce qui serait votre choix si vous aviez à recommencer l'expérience.

Je conduisais une Lamborghini Murciélago de presque 600 chevaux à moteur central. C'est un monstre de puissance, mais c'est aussi un monstre à bien des points de vue en ce sens que c'est très large et très lourd. Je me souviens, lorsque j'en ai fait l'essai pour *Le guide de l'auto,* d'avoir dit que c'était probablement le véhicule le plus large sur la route. Lorsque je l'ai essayé pour la première fois, en Italie, j'ai failli accrocher à quelques reprises des bornes kilométriques dans des virages tellement c'était gros. Ce n'est pas un véhicule agile et ce n'est certainement pas le ►

moto était à l'accélération. Dès qu'une sortie de courbe arrivait, je rattrapais la voiture si je la suivais, et m'en distançais si elle me suivait. Plus les tours s'accumulaient, plus je devenais à l'aise, à la fois avec l'adhérence de la piste et avec l'idée de voir dans mes rétroviseurs une grosse masse noire renifler mon pneu arrière. Tout ça alors que mon genou frôle le sol et que je fais de mon mieux pour ne pas rendre un manufacturier mécontent... Nous en arrivâmes au point où je pouvais facilement passer Jacques Duval et sa Lamborghini à l'accélération sur l'une des lignes droites, sans que cela ne l'empêche de me repasser dès que les sections serrées de la piste arrivaient. Bref, l'avance que je prenais à l'accélération et en vitesse pure ne suffisait pas pour compenser l'efficacité de la Lambo en courbe, tandis que les belles performances de cette dernière dans les portions serrées du circuit ne lui permettaient pas de prendre suffisamment d'avance pour m'empêcher de la rattraper à la sortie des virages et sur la ligne droite. Je crois bien qu'avec plus de temps en piste pour aiguiser mon pilotage et la puissance largement supérieure d'une 1000, la situation aurait pu tourner à l'avantage de la moto. De son côté, Jacques Duval considérait que sa «grosse brette» n'était certainement pas un choix idéal pour de telles conditions et qu'une voiture plus légère et moins encombrante aurait fait une grosse différence.

Au moment où nous nous apprêtions à retourner en piste, après avoir discuté de tout cela quelques minutes, la pluie que tout le monde craignait tomba et mit fin à la journée. Nous nous entendîmes pour conclure au match nul, ni l'un ni l'autre ayant réussi à clairement dominer, tout en nous donnant un autre rendez-vous. Car même si notre petit duel avait finalement eu lieu, rien n'était réglé. Au contraire, en fait. La prochaine fois, mon Jacques, ça sera pour de vrai, pis là, toi et ton char, vous allez y goûter. Parce que cette fois, c'était juste une 600, pis je n'ai pas eu le temps de me réchauffer assez, pis...

genre de voiture qu'on conduit du bout des doigts, surtout sur une piste raboteuse comme celle de Saint-Eustache. Tu ne niaises pas et tu trimes dur dans la Lambo. Si c'était à recommencer, j'opterais peut-être pour une Lotus Elise, qui est une petite voiture bien modeste par rapport à la Murciélago, mais qui est quand même vraiment une voiture de piste en plus d'être une voiture de route. Compte tenu de son poids qui est ultraléger, de sa bonne puissance et de sa maniabilité, je crois qu'elle se débrouillerait bien. Par contre, je me ferais probablement déculotter dans les lignes droites... Ça dépend des circuits je crois, s'il y a des longues portions droites, ce serait difficile de garder le rythme de la moto, mais si c'est plus serré comme à Saint-Eustache, ça pourrait être intéressant.

Combien vaut la voiture que vous pilotiez, et dans quel état d'esprit êtes-vous lorsque vous roulez en piste un véhicule d'un tel prix ?

La Lamborghini vaut 400 000 $. Chaque fois que j'arrive sur un circuit avec une bête pareille, c'est la même chose. Je sais que je dois être prudent et quelles seraient les conséquences d'une sortie de piste, ce qui m'est d'ailleurs déjà arrivé au volant d'une Ferrari Maranello et que je n'ai pas trouvé drôle du tout. Mais chaque fois c'est pareil, et dès que je m'engage en piste, toutes les bonnes intentions s'évaporent et mon seul intérêt devient celui de pousser la voiture à ses limites. Je perds la carte, je n'ai pas d'autre moyen de l'exprimer. Le plaisir amené par le pilotage d'une telle voiture en piste est tellement fort que j'en oublie tout bonnement le reste et que tout ce qui devient important est de m'éclater à son volant.

On conclut notre petit périple comment ?

Bien, je crois que la seule conclusion possible dans ce cas est celle d'un match nul puisque ni l'un ni l'autre des véhicules n'a démontré une claire supériorité sur un tour de piste. Et puis ça sauve aussi l'honneur dans les deux cas... Mais ce n'est que partie remise, n'est-ce pas ? La prochaine fois, c'est pour vrai, avec des véhicules précisément choisis et une vraie organisation.

Cool.

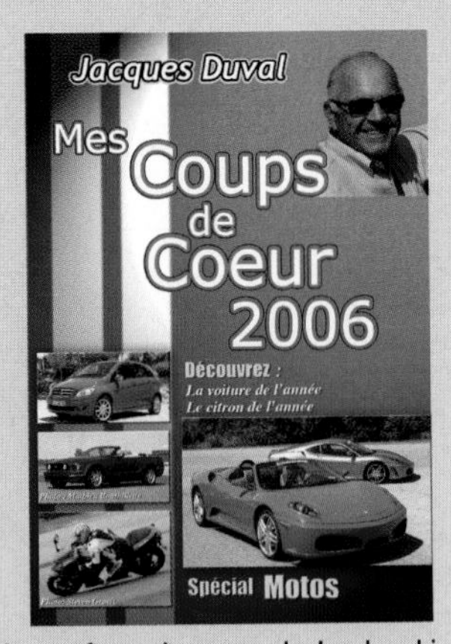

La confrontation entre la Lamborghini Murciélago et la Kawasaki Ninja ZX-6R décrite sur ces pages peut être brièvement visionnée dans le DVD *Mes coups de cœur 2006*, de Jacques Duval. L'auteur du Guide de la Moto, Bertrand Gahel, y a aussi collaboré en essayant quelques-unes de ses motos préférées. Ah oui! Le DVD contient «aussi» les essais de quelques dizaines de voitures, tous réalisés par Monsieur Duval...

ESSAIS

BMW K1200LT

Bonne pour 15 rounds...

Il y a un dicton sportif qui dit qu'il est impossible de se cacher dans un ring de boxe, surtout lorsqu'il s'agit d'un combat pour le titre mondial des poids lourds. Dans la catégorie des machines de tourisme grand luxe, la Honda Gold Wing a réussi à s'imposer de façon tellement dominante au fil de ses quelque 30 années de carrière que la grande majorité des manufacturiers rivaux ont carrément lancé la serviette. La seule moto qui ose non seulement se pointer au gymnase, mais aussi monter dans le même ring est la BMW K1200LT. Une machine à ce point remarquable que le parieur qui la préfère à une Gold Wing n'a aucunement besoin de se justifier. La LT est une prétendante tout à fait légitime au titre.

L'équation menant au succès dans la catégorie des machines de tourisme grand luxe est beaucoup plus complexe qu'on pourrait le croire. Aucune autre catégorie ne combine autant d'éléments, de systèmes, de composantes et d'assemblages. BMW a à ce point visé juste en lançant sa K1200LT en 1999 qu'elle a réussi à solidement ébranler la Gold Wing. Il n'y a pas eu de knock-out, mais la LT a remporté plusieurs rounds. Honda a pris sa revanche en 2001 avec l'arrivée d'une toute nouvelle 6-cylindres avec cadre en aluminium et cylindrée gonflée, mais malgré la nette supériorité mécanique de cette dernière, la LT continue de se battre là où ça compte, entre les câbles du ring et les lignes peintes des autoroutes.

ELLE PREND TOUT SON SENS DÈS QU'ON LA SORT DE L'ENVIRONNEMENT URBAIN QUI SEMBLE LA RENDRE CLAUSTROPHOBE.

Le premier contact avec une LT n'est pas nécessairement rassurant. Une selle non seulement haute, mais aussi large empêche même les pilotes de bonne taille de poser les pieds fermement sur le sol, ce qui n'aide en rien la maniabilité à très basse vitesse et la prise de confiance. BMW a toutefois fait des efforts pour aider le pilote à vivre avec tous les kilos, notamment en équipant la K1200LT d'une salvatrice marche arrière électrique. L'an dernier, BMW a ajouté une béquille centrale électrique qui rend beaucoup moins intimidante la mise au repos en fin de journée, tout comme la mise en mouvement initiale le lendemain. Mais tous ces inconvénients ne sont que des détails techniques qui viennent avec le territoire d'une machine équipée de manière aussi obsessive. Dès qu'on sort de l'environnement urbain qui semble rendre la K1200LT claustrophobe et qu'on rejoint l'univers des routes secondaires libres et des autoroutes, la grosse allemande prend tout son sens et les qualités de sa superbe partie cycle sortent au grand jour. Dans une longue courbe ouverte, la stabilité de la LT est absolue, et malgré son gabarit, elle réussit à se débrouiller admirablement bien dans une enfilade de virages. La position est aussi équilibrée que cela semble possible sur une moto, la selle est d'un confort royal pour le pilote et son passager et les suspensions embellissent les pires routes comme par magie. Des équipements comme le génial pare-brise à ajustement électrique, l'excellent système audio à changeur de CD, les poignées et la selle chauffantes ainsi que le régulateur de vitesse arrivent à élever le degré de confort à un niveau impressionnant. Tout fonctionne bien, tout est à sa place, tout semble à point.

L'an dernier, le moteur 4-cylindres en ligne à plat de la LT a gagné en puissance et en couple, le but étant de réduire l'écart avec le fabuleux 6-cylindres Boxer de la Honda. Les modifications ne transforment pas l'allemande en ligne droite, mais elles amènent néanmoins un gain de performances bienvenu tout en adoucissant de façon notable les vibrations qui affectaient le modèle précédent. Tant côté moteur que partie cycle et équipement, la K1200LT est une moto tout à fait aboutie qui s'acquitte admirablement bien de sa mission.

Général

Catégorie	Tourisme de luxe
Prix	29 990$
Garantie	3 ans/kilométrage illimité
Couleur(s)	graphite, bleu, jaune
Concurrence	Honda Gold Wing Autre(s) possibilité(s) : Harley-Davidson Electra Glide Ultra Classic; Yamaha Royal Star Venture

Partie cycle

Type de cadre	poutre centrale, en aluminium
Suspension avant	fourche Telelever de 35 mm avec monoamortisseur non ajustable
Suspension arrière	monoamortisseur ajustable en précharge
Freinage avant	2 disques de 320 mm de Ø avec étriers à 4 pistons et système ABS Integral
Freinage arrière	1 disque de 285 mm de Ø avec étrier à 4 pistons et système ABS Integral
Pneus avant/arrière	120/70 ZR17 & 160/70 ZR17
Empattement	1 637 mm
Hauteur de selle	770/800 mm
Poids à vide	353,5 kg
Réservoir de carburant	24 litres

Moteur

Type	4-cylindres en ligne à plat 4-temps, DACT, 4 soupapes par cylindre, refroidissement par liquide
Alimentation	injection à 4 corps de 36 mm
Rapport volumétrique	10,8:1
Cylindrée	1 171 cc
Alésage et course	70,5 mm x 75 mm
Puissance	116 ch @ 8 000 tr/min
Couple	88,6 lb-pi @ 5 250 tr/min
Boîte de vitesses	5 rapports et marche arrière électrique
Transmission finale	par arbre
Révolution à 100 km/h	environ 3 000 tr/min
Consommation moyenne	6,2 l/100 km
Autonomie moyenne	387 km

Conclusion

En 1999, BMW a mis le paquet pour s'imposer face à une Gold Wing arrivant en fin de cycle. En 2001, Honda a rappliqué avec une machine de nouvelle génération dotée d'une mécanique fabuleuse. En 2005, BMW a ajouté à son avantage sur le plan de l'équipement et a revu le moteur de la LT pour réduire l'écart à ce niveau. Pour 2006, Honda rapplique à nouveau en jouant à son tour la carte de l'équipement. On entend presque les ingénieurs, tant au Japon qu'en Allemagne, se crier : « Ah oui ? Ben prends ça d'abord ! » Une surenchère ? Sans doute. Et le grand gagnant est le mototouriste pour qui le mot trop n'existe pas. Comme sa rivale, la LT est une superbe avaleuse de kilomètres, compétente, confortable et luxueuse à souhait. Si le style et le jeu de jambes de l'école allemande vous inspirent, vous ne serez pas déçu de votre choix.

QUOI DE NEUF EN 2006 ?

- Aucun changement
- Coûte 1 540 $ de plus qu'en 2005

PAS MAL

- Un niveau de confort princier; il n'existe pas de façon plus confortable et plus luxueuse de traverser de longues distances à moto qu'aux commandes d'une K1200LT
- Une partie cycle particulièrement aboutie qui donne à la K1200LT une stabilité de train dans les courbes rapides et qui lui permet même de s'amuser sur une route en lacet
- Une mécanique puissante et coupleuse bien adaptée à la mission de la moto et qui est maintenant plus douce

BOF

- Une mécanique dont les performances ont effectivement augmenté depuis l'an dernier, mais qui n'est toujours pas l'équivalent du fabuleux moteur de la Gold Wing
- Un poids considérable et des dimensions imposantes qui compliquent les manoeuvres lentes et serrées, et rendent délicate la conduite urbaine
- Une selle large et haute qui empêche même les pilotes assez grands de poser fermement les pieds au sol à l'arrêt

BMW K1200GT

NOUVEAUTÉ 2006

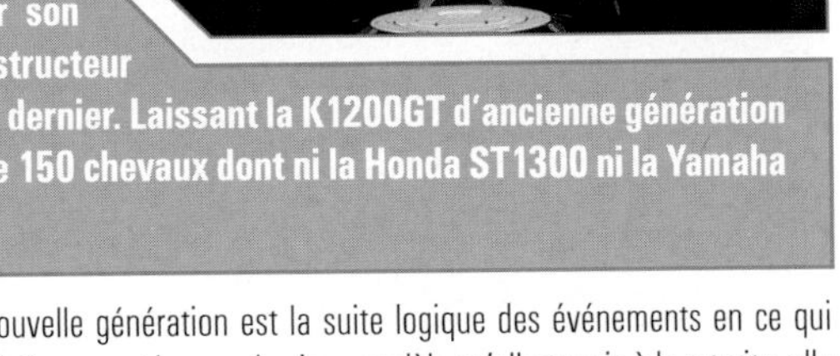

Artillerie lourde...

Depuis aussi longtemps qu'on puisse s'en souvenir, la R-RT de BMW a été perçue comme le pauvre petit cousin de la classe Sport-Tourisme, éternellement handicapée par son bicylindre dans une catégorie où règnent de puissants 4-cylindres. Pour 2006, le constructeur bavarois sort l'artillerie lourde en introduisant une version GT de la K1200S lancée l'an dernier. Laissant la K1200GT d'ancienne génération prendre une retraite bien méritée, la nouveauté s'amène avec une mécanique de plus de 150 chevaux dont ni la Honda ST1300 ni la Yamaha FJR1300 n'oseront se moquer.

TECHNIQUE

L'introduction de la K1200S l'an dernier annonçait un virage important pour la famille de montures allemandes de la série K. Cette dernière utilisait depuis le début des années 80 ce qui était essentiellement différentes évolutions du même moteur, un 4-cylindres couché sur son côté gauche qui, à ce jour, reste une exclusivité du constructeur bavarois. Or, cette mécanique avait évolué autant qu'elle le pouvait et si BMW entendait réellement donner suite à sa volonté de faire un virage vers la performance et de s'installer en position de force dans les créneaux où il est présent, bien plus que les 130 chevaux du 4-cylindres couché de l'ancienne série K seraient nécessaires. La réponse à ce problème, la K1200S et son 4-cylindres en ligne, surprirent un peu tout le monde lorsqu'elle fut annoncée, l'an dernier. Pour BMW, dont l'une des marques de commerce a toujours été l'utilisation de configurations mécaniques peu habituelles, avoir recours à un 4-cylindres en ligne si commun dans le motocyclisme semblait décidément étrange. Le constructeur avait toutefois annoncé que des changements importants s'amorçaient pour lui, et cette décision en faisait partie. Avec l'introduction cette année de la HP2 et l'annonce d'autres modèles de hautes performances, ainsi qu'avec l'introduction prochaine d'une F800S mue par un bicylindre parallèle inédit, l'arrivée de la K1200S et de son 4-cylindres semble soudainement moins bizarre. Petit à petit, on voit comme le plan majeur de restructuration de la division moto de BMW prend forme.

LA GT UTILISE UN AMALGAME DES ÉQUIPEMENTS RETROUVÉS SUR LA R1200RT ET DES TECHNOLOGIES DE LA K1200S.

La K1200GT de nouvelle génération est la suite logique des événements en ce qui concerne la série K. Reprenant le nom du vieux modèle qu'elle envoie à la retraite, elle s'amène au catalogue allemand sous la forme d'une monture incorporant toutes les technologies et les innovations mises de l'avant en 2005 par la K1200S, mais dans un ensemble conçu pour avaler les kilomètres avec beaucoup plus d'aisance. Compte tenu du niveau de confort et de fonctionnalité habituellement démontré par les touristes sportives allemandes, et en prenant en considération les performances très élevées de la K1200S sur laquelle la GT est étroitement basée, le moins qu'on puisse dire est que ça promet. Car il est tout simplement difficile d'imaginer comment une telle combinaison d'éléments ne représenterait pas une sérieuse compétition pour les Yamaha FJR1300 et Honda ST1300 trônant présentement sur la catégorie. Il serait d'ailleurs dans l'intérêt de BMW que la nouveauté fasse preuve d'un niveau de performances et de confort hors du commun puisque seules de telles qualités arriveront à justifier la facture corsée de 25 600 $ que commande la nouvelle K1200GT. Quant à la technologie que cette dernière utilise, elle est d'une certaine manière un amalgame des équipements retrouvés sur la R1200RT, comme le pare-brise à ajustement électrique, et des avancées technologiques introduites par la K1200S l'an dernier, comme la suspension avant Duolever, le centre de gravité bas, les suspensions à ajustement électronique, etc.

L'avenir de la série K

Ci-haut : dès le lancement du modèle, une série d'accessoires seront disponibles afin de le rendre encore plus pratique en voyage. Ci-bas : le 4-cylindres en ligne transversal de la K1200S, malgré sa configuration plus conventionnelle, est aussi beaucoup plus puissant que le 4-cylindres transversal et couché de l'ancienne K1200GT. Il indique la direction vers laquelle se dirige la série K tout entière, ce qui inclut aussi la luxueuse K1200LT de tourisme dont le tour viendra tôt ou tard.

Général

Catégorie	Sport-Tourisme
Prix	25 600 $
Garantie	3 ans/kilométrage illimité
Couleur(s)	bleu, beige, graphite, verdatre
Concurrence	BMW R1200RT, Honda ST1300, Yamaha FJR1300

Partie cycle

Type de cadre	périmétrique, en aluminium
Suspension avant	fourche Duolever avec monoamortisseur non ajustable (ajustable électroniquement en détente avec l'ESA optionnel)
Suspension arrière	monoamortisseur ajustable en précharge et détente (ajustable électroniquement en précharge, compression et détente avec l'ESA optionnel)
Freinage avant	2 disques de 320 mm de ø avec étriers à 4 pistons et système ABS Semi Integral
Freinage arrière	1 disque de 294 mm de ø avec étriers à 2 pistons et système ABS Semi Integral
Pneus avant/arrière	120/70 ZR17 & 180/55 ZR17
Empattement	1 571 mm
Hauteur de selle	820/840 mm (800/820 mm avec selle basse optionnelle)
Poids à vide	249 kg
Réservoir de carburant	24 litres

Moteur

Type	4-cylindres en ligne 4-temps, DACT, 4 soupapes par cylindre, refroidissement par liquide
Alimentation	injection à 4 corps de 46 mm
Rapport volumétrique	13:1
Cylindrée	1 157 cc
Alésage et course	70,5 mm x 75 mm
Puissance	152 ch @ 9 500 tr/min
Couple	96 lb-pi @ 7 750 tr/min
Boîte de vitesses	6 rapports
Transmission finale	par arbre
Révolution à 100 km/h	n/d
Consommation moyenne	n/d
Autonomie moyenne	n/d

Conclusion

On peine à imaginer comment une monture combinant autant d'éléments se prêtant aussi bien au tourisme sportif n'arriverait pas à écrire un nouveau chapitre dans l'histoire de la catégorie des Sport-Tourisme. Car lorsqu'on assemble le châssis et le moteur d'une sportive aussi agile et puissante que la K1200S à un niveau de confort et d'équipement aussi louangé que celui de la R1200RT, le résultat ne peut qu'être brillant. Il devra en tout cas l'être si la costaude facture qui accompagne l'acquisition d'une K1200GT doit être justifiée.

QUOI DE NEUF EN 2006 ?

- Nouveau modèle

PAS MAL

- Une partie cycle basée sur celle d'une monture particulièrement bien maniérée, la K1200S
- Des technologies avant-gardistes et efficaces comme l'excellente fourche Duolever, l'ESA qui ajuste les suspensions électroniquement, le sécuritaire système de freinage ABS Semi Integral
- Un niveau d'équipement basé sur celui de la R1200RT, l'un des plus complets et fonctionnels de l'industrie

BOF

- Une facture record pour une monture de tourisme sportif, et qui devra être justifiée par une qualité hors-normes de l'expérience de pilotage
- Un profil qui semble presque étrangement très sobre à côté des lignes considérablement plus expressive de la R1200RT; au fond, peut-être est-ce une bonne chose ?

BMW R1200RT

Pour l'amour de la route...

Ayant littéralement inventé la classe des Sport-Tourisme, BMW se devait absolument de mettre en marché une routière qui serait au sommet de son art lorsqu'il entreprit, l'an dernier, de renouveler sa respectée R1150RT. Le résultat, la R1200RT, s'avéra éloquent. Plus puissante, plus légère et plus équipée, la nouvelle RT s'est révélé être un outil de route tellement efficace qu'elle est presque arrivée à faire oublier le handicap de 2 cylindres avec lequel elle faisait face à ses principales concurrentes, les Honda ST1300 et Yamaha FJR1300. Avec l'arrivée de la K1200GT cette année, la R1200RT n'a toutefois plus l'obligation de défendre les honneurs du constructeur dans cette classe.

La vue du poste de commande de la R1200RT est tellement dense qu'elle en devient presque étourdissante. Un écran numérique aux fonctions apparemment infinies flanqué d'un tachymètre et d'un indicateur de vitesse de type classique retiennent l'attention les premiers, mais l'œil tombe rapidement sur une multitude de boutons envahissant non seulement les guidons, mais aussi la partie gauche du carénage. De ce véritable cockpit, le pilote contrôle un système audio avec lecteur de CD, actionne les éléments chauffants des poignées ou de la selle et varie la hauteur et l'angle de l'excellent pare-brise à sa guise. Entre autres. Pour les mordus de boutons, le constructeur propose en plus un système de navigation livrable en option.

Les manufacturiers font traditionnellement preuve d'une certaine retenue lorsque vient le temps d'équiper leur monture de tourisme sportif. L'idée derrière de tels engins étant d'offrir le meilleur compromis possible entre sport et confort, l'embonpoint qu'amènerait une trop grande générosité au chapitre des « gadgets » affecterait négativement l'aspect sportif de l'équation. Le constructeur de Munich a néanmoins brillamment relevé ce défi puisque sa nouvelle RT est non seulement l'un des modèles les mieux équipés de sa classe, elle est aussi allégée de quelque 26 kg par rapport à la version précédente et bénéficie d'une mécanique plus puissante et plus coupleuse. Avec ses 110 chevaux, le bicylindre Boxer de nouvelle génération ne permet toujours pas des accélérations capables d'inquiéter une Yamaha FJR, mais les performances qu'il génère demeurent très respectables. Non seulement la R1200RT surpasse-t-elle aisément les prestations du modèle précédent en ligne droite, mais elle devrait maintenant arriver à satisfaire les pilotes considérablement plus exigeants à ce chapitre. Allégée et adoucie par rapport aux versions 1100 et 1150, la mécanique n'a pourtant rien – ou du moins très peu – perdu de son attachant caractère. Ou de sa transmission « aux-bruits-étranges », d'ailleurs... En revanche, elle grimpe maintenant en régime de manière beaucoup plus dynamique et génère des accélérations franchement amusantes. Enchaînez les rapports, poignée droite tordue et tachymètre flirtant avec la zone rouge, et à défaut de vous mettre en extase, la R1200RT vous fera à tout le moins sourire.

SUR UNE ROUTE SINUEUSE, ELLE POURRAIT FACILEMENT SURPRENDRE UN PILOTE DE SPORTIVE UN PEU ENDORMI.

La réduction de poids si déterminante au niveau de l'amélioration des performances joue aussi un rôle majeur au jour le jour. Dans les situations plus serrées de l'environnement urbain et tout particulièrement dans une enfilade de courbes, la R1200RT se manie avec plus de facilité et de précision que dans le passé. Le châssis, qui a toujours fait preuve d'excellentes manières sur ces modèles, demeure un exemple de solidité et de stabilité, et ce, peu importe les circonstances. Une RT n'est évidemment pas une légère 600, mais avec un pilote enclin à s'aventurer vers les étonnantes limites de la partie cycle, le rythme et les inclinaisons qu'elle permet d'atteindre pourraient aisément surprendre un propriétaire de sportive un peu endormi.

Rapport Valeur/Prix

Vitesse de pointe 214 km/h

Index d'expérience — Novice Intermédiaire Expert

Accélération sur 1/4 mille 12,6 s à 174 km/h

Voir légende page 7

Général

Catégorie	Sport-Tourisme
Prix	23 600 $
Garantie	3 ans/kilométrage illimité
Couleur(s)	argent, gris, rouge
Concurrence	BMW K1200GT, Honda ST1300, Yamaha FJR1300

Partie cycle

Type de cadre	treillis en acier, moteur porteur
Suspension avant	fourche Telelever de 41 mm non ajustable
Suspension arrière	monoamortisseur ajustable en précharge et détente
Freinage avant	2 disques de 320 mm de Ø avec étriers à 4 pistons et système ABS Semi Integral
Freinage arrière	1 disque de 265 mm de Ø avec étrier à 2 pistons et système ABS Semi Integral
Pneus avant/arrière	120/70 ZR17 & 180/55 ZR17
Empattement	1 485 mm
Hauteur de selle	820/840 mm
Poids à vide	229 kg
Réservoir de carburant	27 litres

Moteur

Type	bicylindre 4-temps Boxer, SACT, 4 soupapes par cylindre, refroidissement par air et huile
Alimentation	injection à 2 corps de 47 mm
Rapport volumétrique	12:1
Cylindrée	1 170 cc
Alésage et course	101 mm x 73 mm
Puissance	110 ch @ 6 250 tr/min
Couple	85 lb-pi @ 6 000 tr/min
Boîte de vitesses	6 rapports
Transmission finale	par arbre
Révolution à 100 km/h	environ 3 200 tr/min
Consommation moyenne	5,9 l/100 km
Autonomie moyenne	457 km

Conclusion

Bien qu'à 23 600 $ pièce, la R1200RT exige un effort financier substantiel, quelques centaines de kilomètres à parcourir notre Belle Province à ses commandes suffisent pour réaliser à quel point il s'agit d'une option sérieuse dans ce créneau. Si elle s'avère capable de jouer les sportives de façon occasionnelle, son terrain de prédilection reste la route, préférablement en fortes doses. Enfiler de grandes quantités de chemins de tous genres semble même être ce pour quoi elle existe d'abord et avant tout tellement l'acte s'accomplit de manière naturelle et confortable. Chacun des équipements a son utilité et aucun ne tombe dans la catégorie des gadgets. Tous fonctionnent bien, tous apportent une plus-value à l'expérience de la longue distance à moto.

QUOI DE NEUF EN 2006 ?

- **Aucun changement**
- **Coûte 350 $ de plus qu'en 2005**

PAS MAL

- **Un niveau d'équipement incroyablement complet et parfaitement fonctionnel; la réalité est qu'il ne manque que très peu de choses par rapport une K1200LT, ce qui n'est pas banal**
- **Une mécanique qui prend ses tours avec beaucoup plus d'entrain que dans le passé et qui arrive maintenant à satisfaire un pilote d'expérience**
- **Une partie cycle admirablement posée dans toutes les circonstances, et surtout lorsqu'il s'agit de rouler vite et longtemps**

BOF

- **Un niveau d'équipement incroyablement coûteux; on parle de plusieurs milliers de dollars de plus que ce que coûte une FJR ou une ST**
- **Un poids qui est bel et bien à la baisse depuis le passage de 1 150 cc à 1 200 cc l'an dernier, mais qui ne fait pas pour autant de la R1200RT un poids plume; elle demeure une moto lourde avec laquelle il faut faire preuve de vigilance dans les manoeuvres lentes et serrées, et à l'arrêt**
- **Une transmission qui fonctionne bien lorsqu'il s'agit de passer les rapports en accélération, mais d'où sortent occasionnellement des bruits gênants; le jeu excessif du rouage d'entraînement n'est rien de très agréable non plus**

BMW R1200ST

Message douteux...

Les lignes sobres et prévisibles de la devancière de la R1200ST, la R1150RS, indiquaient de façon assez évidente qu'on avait affaire à une routière simple et sans prétention, ce que se révélait clairement être la RS sur la route. À l'inverse, la ST et son extravagante silhouette laissent perplexe. Sa vue de face, dominée sans la moindre gêne par un inhabituel phare juxtaposé, est même particulièrement troublante. Puis, il y eut ces rumeurs, lorsque le modèle fut dévoilé l'an dernier, de liens serrés avec la R1200RT laissant croire que la nouvelle ST était une version allégée de cette dernière. Mais qu'est-ce donc qu'une R1200ST ?

Si la documentation de presse de BMW fait effectivement état d'un lien étroit entre la nouvelle ST et les excellentes R1200GS et R1200RT, en ce qui concerne les sensations de pilotage, rien ne pourrait être plus loin de la réalité. Bien qu'elle soit mue par un Twin Boxer de nouvelle génération annoncé à 110 chevaux soit très près de celui qui propulse la R1200RT, et bien que sa partie cycle retienne une architecture elle aussi très similaire à celle des RT et GS, sur la route, on a clairement affaire à une bête d'un tout autre genre.

ELLE DOIT ÊTRE CONVAINCUE AVANT DE BIEN VOULOIR S'INCLINER, MAIS UNE FOIS EN ANGLE, LA ST EST IMPÉRIALE.

L'une des caractéristiques prédominantes de la R1200ST est sa lourdeur et sa lenteur de direction, un attribut surtout dû au faible effet de levier des guidons rapprochés. Il s'agit d'un trait de comportement étonnant puisqu'il se veut aujourd'hui presque totalement disparu chez les modèles de nouvelle conception. Même si la ST affiche un poids à sec fort raisonnable, l'effort prononcé qui doit être appliqué aux guidons afin d'amorcer une courbe donne l'impression de piloter une machine plus massive et plus longue qu'elle ne l'est réellement. Le bon côté de cette particularité est une stabilité absolument imperturbable à haute vitesse et une impressionnante solidité dans les courbes longues et rapides. Elle doit être convaincue avant de bien vouloir s'incliner, mais une fois en angle, la ST est impériale. Le plaisir d'une enfilade de virages demeure à la portée du pilote, mais celui-ci devra adapter son rythme à la lourdeur de direction en adoptant une conduite plus coulée que nerveuse.

Coupleux à souhait à bas et moyen régimes et ne demandant qu'à être amené à sa zone rouge, le bicylindre Boxer de nouvelle génération qui anime la ST est une motorisation gavée de caractère dont la facilité d'exploitation rend le pilotage d'autant plus amical et accessible. À l'exception d'une transmission qui, sans être mauvaise, affiche encore et toujours les traits parfois peu subtils des boîtes du manufacturier allemand, on trouvera peu à reprocher à l'aspect mécanique de la ST, tout spécialement si on fait partie de ceux qui apprécient les sensations et les sons propres à ces légendaires Twin Boxer.

Le sigle ST signifie habituellement Sport Touring et implique normalement qu'une dose appréciable de confort peut être retrouvée sur la moto qu'il orne. Dans le cas de la R1200ST, on découvre des suspensions plutôt fermes pour une BMW, une position relativement sportive, une protection au vent modérée et une selle correcte. Bref, s'il était injuste de la qualifier d'inconfortable, il est clair qu'une R1200ST ne rivalise absolument pas avec une moto de la trempe d'une R1200RT au niveau du confort.

Comme toutes les BMW haut de gamme, la R1200ST peut être livrée avec un système de freinage ABS à assistance hydroélectrique. Toujours le seul du genre de l'industrie, il est également le plus avancé, le plus efficace et le plus sécuritaire du marché. La sensation au levier est toujours un peu floue, mais la puissance des ralentissements ainsi que la facilité avec laquelle des distances de freinage courtes peuvent être régulièrement obtenues sont dans les deux cas exceptionnelles.

Général

Catégorie	Routière sportive
Prix	19 500 $
Garantie	3 ans/kilométrage illimité
Couleur(s)	bleu, rouge
Concurrence	aucune autre(s) possibilité(s) : Ducati Supersport 1000, Honda VFR800, Triumph Sprint ST

Partie cycle

Type de cadre	treillis en acier, moteur porteur
Suspension avant	fourche Telelever de 41 mm non ajustable
Suspension arrière	monoamortisseur ajustable en précharge et détente
Freinage avant	2 disques de 320 mm de Ø avec étriers à 4 pistons
Freinage arrière	1 disque de 265 mm de Ø avec étrier à 2 pistons
Pneus avant/arrière	120/70 ZR17 & 180/55 ZR17
Empattement	1 502
Hauteur de selle	830/806 mm
Poids à vide	205 kg
Réservoir de carburant	21 litres

Moteur

Type	bicylindre 4-temps Boxer, SACT, 4 soupapes par cylindre, refroidissement par air et huile
Alimentation	injection à 2 corps de 47 mm
Rapport volumétrique	12:1
Cylindrée	1 170 cc
Alésage et course	101 mm x 73 mm
Puissance	110 ch @ 7 500 tr/min
Couple	85 lb-pi @ 6 000 tr/min
Boîte de vitesses	6 rapports
Transmission finale	par arbre
Révolution à 100 km/h	environ 3 100 tr/min
Consommation moyenne	5,7 l/100 km
Autonomie moyenne	368 km

Conclusion

Probablement en raison de sa nature quelque peu anonyme, la R1150RS n'a jamais obtenu qu'un succès limité sur le marché nord-américain. Les lignes provocantes de sa remplaçante, la R1200ST, feront certainement tourner beaucoup plus de têtes, une qualité dont elle aura sans doute besoin pour aider à faire passer sa facture quelque peu salée de 19 500 $, système ABS de 1 800 $ en sus. Quant à la question posée plus tôt concernant la véritable vocation du modèle, sa réponse est finalement simple puisqu'il s'agit d'une routière au tempérament sportif modéré. En d'autres termes, la ST est tout simplement une RS de nouvelle génération. On aurait dû s'en douter, non ?

QUOI DE NEUF EN 2006 ?

- Aucun changement
- Coûte 250 $ de plus qu'en 2005

PAS MAL

- Un Twin Boxer adorable autant par ses bonnes performances en ligne droite que par son superbe couple à très bas régime; son caractère très particulier est également digne de mention
- Une partie cycle absolument imperturbable dans les longs virages rapides où la ST est l'une des motos les plus stables qui soient
- Une ligne inhabituelle, certes, mais qui a au moins le mérite de tenter de s'éloigner des formes prévisibles de la version précédente

BOF

- Une direction étonnamment lourde en raison du faible effet de levier des guidons très rapprochés; on s'y habitue, mais il faut s'attendre à devoir intervenir de manière musclée sur une route serrée négociée à un rythme agressif
- Un prix élevé qu'on a de la difficulté à expliquer puisque la R1200ST ne dispose d'aucun équipement particulier qui commencerait à le justifier, et n'a en fait rien de suffisamment spécial pour y arriver
- Une transmission qui fonctionne bien la majorité du temps, mais de laquelle se dégage régulièrement des bruits étranges, ainsi qu'un rouage d'entraînement montrant un jeu excessif

BMW K1200S

Hayabusa allemande...

Si la R1200GS fut le premier modèle annonçant le renouveau de la division moto de BMW, la K1200S fut sans aucun doute le plus étonnant puisqu'elle amenait le constructeur allemand dans un territoire dominé depuis toujours par des noms de modèles japonais produisant de très sérieuses quantités de chevaux. La naissance de la K1200S ne fut pas sans histoires puisqu'un défaut de conception de la chambre de combustion nécessita la refonte complète de cette dernière juste avant la mise en production l'an dernier. Selon le manufacturier allemand, tout serait aujourd'hui rentré dans l'ordre. Les rumeurs veulent qu'une version HP4 hautes performances soit en préparation.

Avec 167 chevaux sous le capot, la K1200S est l'allemande à deux-roues la plus puissante jamais produite. Tant qu'on ne la colle pas aux côtés d'une Suzuki Hayabusa ou d'une Kawasaki ZX-12R, deux des rares modèles du motocyclisme capables de la faire paraître, oserions-nous le dire, un peu lente, on a affaire à une moto pouvant générer des vitesses extrêmement élevées avec une facilité déconcertante. Le couple disponible dès les premiers régimes est excellent, et la puissance ne fait qu'augmenter à mesure que les tours montent, jusqu'à un niveau résolument grisant. Selon BMW, les problèmes de naissance du modèle ont été réglés depuis que la production a débuté. À l'exception d'une transmission dont le fonctionnement est précis mais parfois rude, il s'agit d'une mécanique particulièrement réussie.

ELLE COMBINE DES PERFORMANCES TRÈS ÉLEVÉES AU GENRE DE CONFORT AUQUEL ON S'ATTEND D'UNE BMW.

Le côté le plus intéressant de la K1200S est qu'elle combine un niveau de performances jusque-là exclusivement retrouvé sur des monstres de vitesse japonais à un degré de confort qui demeure aussi élevé qu'il a la réputation de l'être sur les montures plus traditionnelles du constructeur allemand. La position de conduite est sportive, mais reste juste au-delà de la limite du tolérable grâce à des guidons qui ne sont pas trop bas, à des repose-pieds qui ne plient pas les jambes exagérément et tout spécialement grâce à une selle qui est simplement l'une des plus confortables qui soit sur une moto à vocation sportive. La protection au vent permise par le généreux pare-brise est aussi digne de mention puisqu'elle est efficace et exempte de turbulences.

Si on peu se douter que le comportement de la K1200S soit caractérisé par une stabilité impeccable, ce qui est le cas, on peut difficilement soupçonner à quel point la moto, qui n'est pourtant pas particulièrement courte ou légère, s'avère agile. Impossible de dire quel rôle l'excentrique fourche Duolever joue à ce chapitre – elle se comporte tout simplement comme une excellente fourche conventionnelle –, mais il est certain que tous les efforts déployés par le constructeur afin d'abaisser le centre de gravité et centraliser la masse ont une part de responsabilité. Parmi ces efforts, on note une mécanique fortement inclinée vers l'avant qui a également permis à la selle d'être abaissée à un niveau résolument inhabituel pour une sportive. Un pilote de taille moyenne arrive sans problème à poser les deux pieds au sol à l'arrêt, ce qui est loin d'être commun chez ces motos.

Introduit en équipement optionnel sur la K1200S et disponible sur de plus en plus de modèles allemands, l'Electronic Suspension Adjustment est l'une des plus intéressantes innovations des dernières années en matière de suspensions. En gros, il permet d'ajuster ces dernières entre des modes Sport, Normal et Confort avec la simple pression d'un bouton. Les différences entre les niveaux sont notables, si bien qu'on se retrouve à régulièrement et facilement ajuster les suspensions en fonction du type de conduite, de route ou de chargement, ce que très peu de motocyclistes se donnent la peine de faire avec des réglages conventionnels.

Rapport Valeur/Prix

Vitesse de pointe 279 km/h

Index d'expérience
Novice Intermédiaire Expert

Accélération sur 1/4 mille 10,3 s à 222 km/h

Voir légende page 7

Général

Catégorie	Sportive
Prix	22 500 $ (23 485 $ avec ESA)
Garantie	3 ans/kilométrage illimité
Couleur(s)	gris, bleu, bleu et blanc, jaune et noir (surcharge de 400 $ pour peinture 2 tons)
Concurrence	Kawasaki ZX-14, Suzuki GSX1300R Hayabusa

Partie cycle

Type de cadre	périmétrique, en aluminium
Suspension avant	fourche Duolever avec monoamortisseur non ajustable (ajustable électroniquement en détente avec l'ESA optionnel)
Suspension arrière	monoamortisseur ajustable en précharge et détente (ajustable électroniquement en précharge, compression et détente avec l'ESA optionnel)
Freinage avant	2 disques de 320 mm de ø avec étriers à 4 pistons et système ABS Semi Integral
Freinage arrière	1 disque de 265 mm de ø avec étriers à 2 pistons et système ABS Semi Integral
Pneus avant/arrière	120/70 ZR17 & 190/50 ZR17
Empattement	1 571 mm
Hauteur de selle	820 mm (790 mm avec selle basse optionnelle)
Poids à vide	226,5 kg
Réservoir de carburant	19 litres

Moteur

Type	4-cylindres en ligne 4-temps, DACT, 4 soupapes par cylindre, refroidissement par liquide
Alimentation	injection à 4 corps de 46 mm
Rapport volumétrique	13:1
Cylindrée	1 157 cc
Alésage et course	70,5 mm x 75 mm
Puissance	167 ch @ 10 250 tr/min
Couple	96 lb-pi @ 6 750 tr/min
Boîte de vitesses	6 rapports
Transmission finale	par arbre
Révolution à 100 km/h	environ 3 600 tr/min
Consommation moyenne	6,9 l/100 km
Autonomie moyenne	275 km

Conclusion

La K1200S est non seulement une moto dont la conception diffère grandement de celle de ses rivales japonaises, elle est aussi une sportive ultra-rapide et étonnamment agile pour ses dimensions. Son impressionnant niveau de confort, qui n'est certes pas la norme pour cette classe de bolides, constitue décidément l'un des points forts du modèle. La K1200S se veut un genre de pont entre les puissantes japonaises propulsées par un 4-cylindres en ligne et le degré élevé de confort et de fonctionnalité traditionnellement retrouvés sur une BMW. Appelez ça une Hayabusa plus agile, plus confortable et beaucoup plus sophistiquée, et vous ne serez pas loin de la vérité.

QUOI DE NEUF EN 2006 ?

- **Aucun changement**
- **Aucune augmentation de prix**

PAS MAL 

- **Une mécanique qui ne fait pas dans la dentelle; les 167 chevaux annoncés sont présents et bien en forme**
- **Une tenue de route presque exceptionnelle pour une sportive de cette taille; la K1200S est parfaitement dans son élément en pleine inclinaison**
- **Un niveau de confort qui est au moins équivalent à ce qu'on s'est habitué de retrouver chez une allemande**

BOF 

- **Une transmission rude lors des passages de vitesses qui demande de se concentrer pour effectuer des changements propres et sans à-coups**
- **Un prix très élevé par rapport à celui des concurrentes directes; la K1200S ne raflera probablement pas beaucoup de ventes à Kawasaki ou à Suzuki pour cette raison**
- **Une série de problèmes liés à l'injection, à l'embrayage et à la conception de la culasse que BMW affirme être chose du passé, mais dont on ne peut complètement oublier l'existence**

BMW R1200S

NOUVEAUTÉ 2006

Réincarnation...

Au sein de l'univers sportif, la R1100S lancée en 1998 était dans une classe à part. Ni la plus légère, ni la plus puissante, ni la plus agile, la première génération du modèle n'avait, sur papier, rien pour elle. Du moins, selon les normes habituelles de ce monde trop souvent uniquement axé sur les chiffres. Et pourtant, malgré cette absence totale de statistiques pompeuses, la R1100S nous a impressionnés au plus haut point et reste, à ce jour, l'une des deux-roues favorites du Guide. La nouvelle génération du modèle, la R1200S, est entièrement repensée. Considérablement allégée, elle est également motorisée par le Twin Boxer le plus puissant de l'histoire du constructeur allemand.

TECHNIQUE

Si BMW a attendu si longtemps avant de toucher à sa R1100S – le modèle n'a jamais évolué depuis son introduction en 1998 –, c'est un peu parce que personne ne lui a demandé de le faire. Il est vrai que durant la période 1150/6 vitesses qui a touché toutes les autres montures de la série R, il aurait été logique de s'attendre à une R1150S, mais la version originale fonctionnait si bien que personne ne s'est vraiment plaint de la voir laissée intacte. Puis arriva la R1200GS et avec elle une promesse du constructeur de couper des kilos et d'ajouter des chevaux à chacun des modèles de sa gamme. C'était il y a presque deux ans, et depuis, la révision de la S est impatiemment attendue. Le résultat, illustré sur ces pages, est enfin dévoilé pour 2006. S'il témoigne d'une chose, c'est que BMW n'a pas tenté de réinventer le concept de la R1100S, mais qu'il l'a plutôt réincarné à l'intérieur des normes établies dans cette fameuse promesse. La R1200S conserve ainsi l'esprit routier de sa devancière et, bien que le côté sportif du modèle bénéficie infiniment de cette nouvelle génération, ce dernier ne tombe pas pour autant dans la catégorie des hypersportives. Afin de bien mettre en évidence l'étroit lien philosophique qui existe entre la R1100S et la nouvelle R1200S, BMW a volontairement choisi de conserver des lignes rappelant clairement l'ancienne génération. Comme on le constate en regardant la K1200S ou la R1200RT, si le constructeur avait décidé de dessiner une R1200S différente, il l'aurait fait.

AVEC 24 CHEVAUX DE PLUS ET 13 KILOS EN MOINS, LES ACCÉLÉRATIONS DEVRAIENT ÊTRE TRANSFORMÉES.

La nouvelle R1200S ne partage pas le moindre boulon avec sa devancière. Le carénage est entièrement neuf malgré son lien de famille visuel avec le passé, tandis que le nouveau cadre en treillis d'acier n'a plus rien à voir avec le « C » en aluminium de l'ancienne version. S'il est proche en conception de celui de la R1200GS, dans les faits, il reste exclusif à la S. La géométrie de direction est pratiquement inchangée – l'angle de la fourche a à peine été ouvert de 1 degré –, ce qui, selon BMW, conserverait l'imperturbable stabilité du modèle original.

Avec ses 122 chevaux annoncés, le Twin Boxer qui propulse la nouvelle R1200S est le plus puissant jamais produit par BMW, et par une bonne marge. Les performances de la nouveauté devraient d'ailleurs être d'un tout autre ordre puisqu'en plus de ce gain de 24 chevaux, la R1200S est allégée de 13 kilos par rapport à sa devancière. Il s'agit de chiffres qui devraient carrément transformer les accélérations. Pour arriver à de tels gains en puissance non seulement par rapport au moteur de 1 100 cc, mais aussi par rapport au Boxer de nouvelle génération utilisé sur les GS, RT et ST, la version qui propulse la S a été profondément remaniée. Tous les trucs connus pour accroître la puissance ont été appliqués. De nouveaux pistons font grimper le rapport volumétrique à 12,5:1, du jamais vu, selon BMW, sur un moteur refroidi par air et huile. Les arbres à cames ont désormais un profil plus agressif et de nouveaux ressorts de soupapes aident le moteur à atteindre une zone rouge de 8 800 tr/min, un record pour une mécanique Boxer.

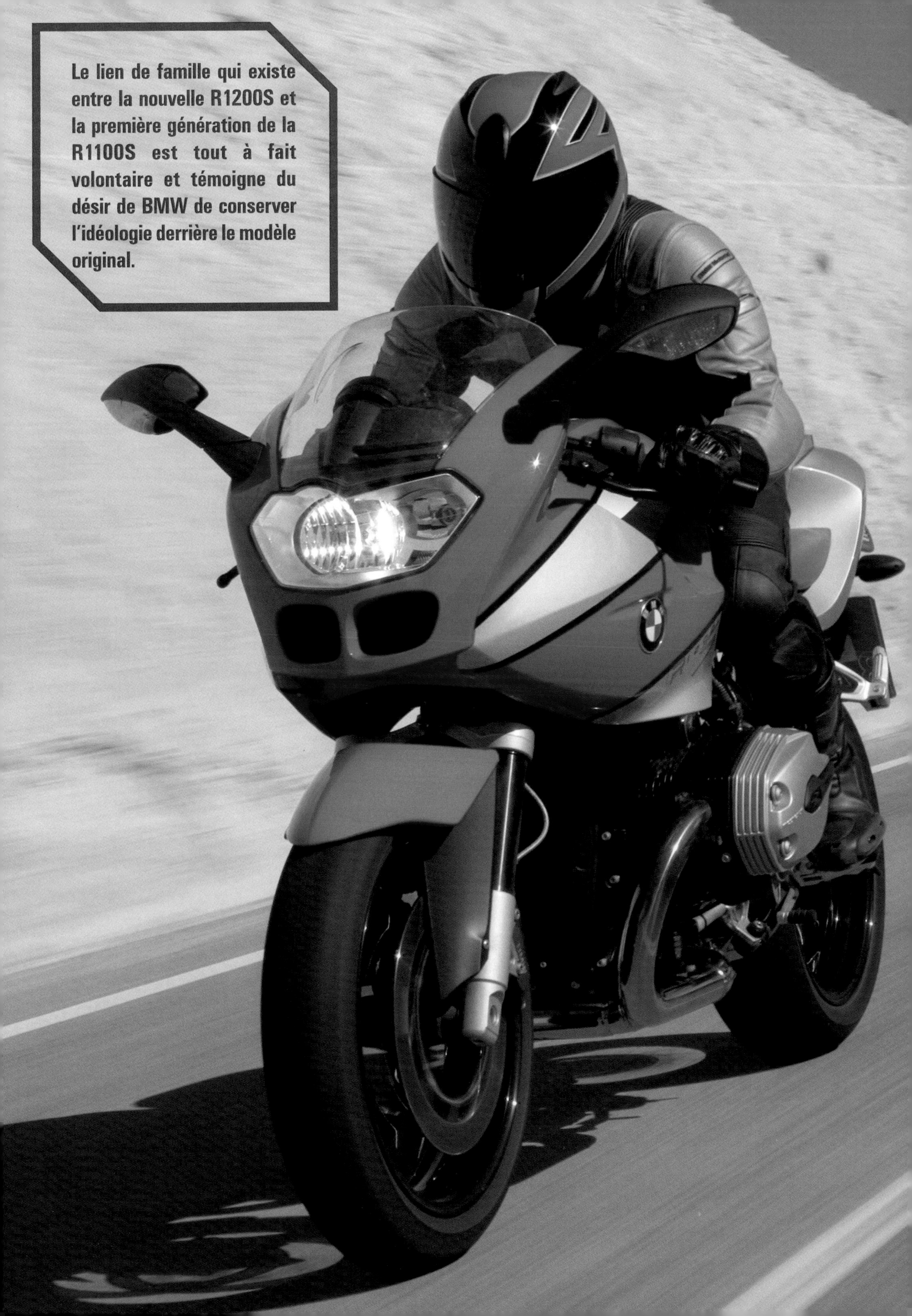

Le lien de famille qui existe entre la nouvelle R1200S et la première génération de la R1100S est tout à fait volontaire et témoigne du désir de BMW de conserver l'idéologie derrière le modèle original.

Déjà vu

De tous les angles, la R1200S rappelle clairement la R1100S, qui est presque devenue un classique au terme de sa longue carrière s'étalant de 1998 à 2005. Sous ce visage familier mais nouveau se trouve par contre une moto qui ne partage aucune composante avec sa devancière. Toutes les technologies « signatures » de BMW sont reprises, comme le Telelever et le Paralever évolué. L'ABS peut être désactivé pour une journée de piste, et remis en fonction lors de la besogne quotidienne, ce qui semble une excellente manière de vendre l'idée d'un tel système aux propriétaires de sportives.

Rapport Valeur/Prix

Vitesse de pointe 240 km/h

Index d'expérience: Novice Intermédiaire Expert

Accélération sur 1/4 mille 11,5 s à 195 km/h

Voir légende page 7

Performances estimées

Général

Catégorie	Sportive
Prix	22 500 $ (23 485 $ avec ESA)
Garantie	3 ans/kilométrage illimité
Couleur(s)	gris, bleu, bleu et blanc, jaune et noir (surcharge de 400 $ pour peinture 2 tons)
Concurrence	Kawasaki ZX-14, Suzuki GSX1300R Hayabusa

Partie cycle

Type de cadre	treillis en acier, moteur porteur
Suspension avant	fourche Telelever de 41 mm non ajustable
Suspension arrière	monoamortisseur ajustable en précharge et détente
Freinage avant	2 disques de 320 mm de Ø avec étriers à 4 pistons
Freinage arrière	1 disque de 265 mm de Ø avec étrier à 2 pistons
Pneus avant/arrière	120/70 ZR17 & 180/55 ZR17
Empattement	1 502
Hauteur de selle	830/806 mm
Poids à vide	205 kg
Réservoir de carburant	21 litres

Moteur

Type	bicylindre 4-temps Boxer, SACT, 4 soupapes par cylindre, refroidissement par air et huile
Alimentation	injection à 2 corps de 47 mm
Rapport volumétrique	12:1
Cylindrée	1 170 cc
Alésage et course	101 mm x 73 mm
Puissance	110 ch @ 7 500 tr/min
Couple	85 lb-pi @ 6 000 tr/min
Boîte de vitesses	6 rapports
Transmission finale	par arbre
Révolution à 100 km/h	environ 3 100 tr/min
Consommation moyenne	5,7 l/100 km
Autonomie moyenne	368 km

Conclusion

Il est heureux, nous croyons, que BMW ait choisi de réincarner la R1100S plutôt que d'en transformer le concept en celui d'une sportive trop radicale. Le constructeur ne dément pas pour autant le fait qu'un net accent a été mis sur l'accroissement des capacités sportives du modèle, mais il affirme que cela ne s'est pas fait au détriment de manières à tout le moins décentes en utilisation quotidienne. Nous, nous ne demandons qu'à le croire, mais avant de croire, il va falloir voir. Alors, c'est quand qu'on la roule, hein, c'est quand ?

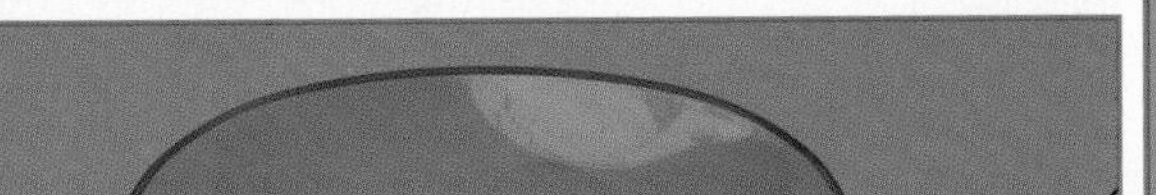

QUOI DE NEUF EN 2006 ?

- Nouveau modèle

PAS MAL

- Un concept de sportive modérée et caractérielle qui était absolument réussi sur la première génération et que BMW dit avoir conservé sur la nouvelle, avec une bonne touche de capacités sportives en plus
- Des chiffres de puissance et de poids qui témoignent du fait qu'il s'agit d'une machine entièrement nouvelle, et qui devraient littéralement transformer les accélérations du modèle

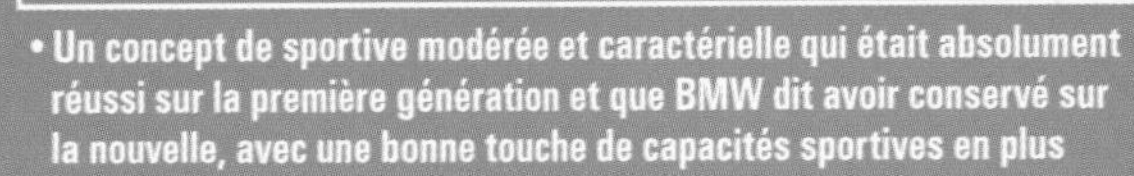

- Une intéressante exclusivité puisqu'il n'existe aucune autre véritable sportive qui soit propulsée par une mécanique de type Boxer

BOF

- Une ligne qui est très similaire à celle de l'ancienne version, peut-être même trop; si elle est indéniablement fort jolie, il aurait quand même été intéressant de voir ce à quoi les designers allemands seraient arrivés s'ils avaient eu carte blanche
- Un niveau de confort que le constructeur a beau jurer ne pas avoir négligé, mais qu'il serait étonnant – bien que pas impossible – de retrouver intact sur le nouveau modèle qui est, selon les dires mêmes de BMW, considérablement plus sportif
- Un prix costaud; on traite les Italiens de chérants depuis des années, et il semble qu'il va falloir commencer à le faire avec les Allemands

BMW K1200R

Poli animal...

Finalement, BMW se dégêne. Le constructeur allemand, qui est pourtant bien connu dans le monde automobile pour ses véhicules performants, s'est incompréhensiblement toujours tenu à l'écart d'un concept équivalent du côté de sa division moto. Puis, littéralement du jour au lendemain – ou disons d'une année à l'autre – le voilà qui se lance à la poursuite des Hayabusa de ce monde avec sa K1200S, et qui se targue désormais de produire la standard la plus puissante de la planète, rien de moins, avec une version *naked* de la K1200S, la K1200R. Annoncée à 163 chevaux, cette dernière est exactement ce que BMW prétend.

Même si l'excentrique fourche Duolever de BMW est aussi retrouvée sur la K1200S et la K1200GT, c'est sur la K1200R, où elle est entièrement exposée, qu'elle produit l'effet visuel le plus choquant. Cette fourche donne d'ailleurs le ton au reste du style à la fois épuré et tourmenté de la K1200R. Une standard de 163 chevaux n'a aucune raison d'avoir l'air anonyme, et celle-là dégage, au contraire, une impression de muscle qui traduit très bien l'expérience qu'elle réserve.

S'il ne fait aucun doute que la K1200R est particulièrement en santé d'un point de vue mécanique, elle surprend en se montrant étonnamment docile pour une bête d'une telle puissance. On s'attend à ce qu'une standard de plus de 160 chevaux soit violente, presque imprévisible en pleine accélération, mais c'est tout le contraire dans ce cas. La K1200R se contente plutôt de poliment étirer les bras du pilote qui tente tant bien que mal d'y rester accroché lorsque les gaz sont entièrement ouverts. La sensation a même quelque chose d'un peu étrange puisque le genre de poussée générée semble décidément du type qui soulève l'avant sans provocation, avec toutes les complexités qu'une telle figure amène au pilotage, mais il n'en est rien. Au contraire, la K1200R reste bien plantée au sol et fait preuve d'une stabilité exemplaire. L'avantage d'un tel comportement est qu'il rend ce genre de puissance régulièrement exploitable. En ville, chaque feu vert peut, au gré du pilote, se transformer en départ de course de drag intense, mais parfaitement maîtrisée. Sur les routes secondaires, toute cette puissance est plutôt utilisée pour doubler sans le moindre effort et sans besoin de rétrograder, ou pour se catapulter poliment à la sortie des virages. La K1200R est bel et bien une brute, mais une brute civilisée qui sait montrer ses muscles sans nécessairement devoir se battre. Et comme il s'agit d'une BMW, elle est aussi une brute plutôt confortable. Qu'il soit question de la douceur exemplaire de la mécanique ou de la belle position de conduite, la K1200R détient sans aucun doute la capacité de passer du rôle de brute à celui de routière de longue haleine. L'allemande n'est d'ailleurs pas méchamment équipée pour confortablement disposer de fortes doses de kilométrages puisque sa selle est excellente et que des équipements comme l'*Electronic Suspension Adjustment* et les poignées contribuent véritablement au plaisir de la route. L'absence d'un carénage réduit évidemment le confort à vitesse élevée, mais le travail du petit saute-vent transparent demeure surprenant puisqu'il soulage le torse du pilote d'une bonne partie de la pression du vent. BMW en propose d'ailleurs un de dimensions légèrement plus grandes dont l'efficacité est encore meilleure.

COMME IL S'AGIT D'UNE BMW, LA K1200R EST AUSSI UNE BRUTE PLUTÔT CONFORTABLE.

La K1200R n'a rien d'un poids plume, mais son centre de gravité bas et sa faible hauteur de selle font mentir la balance, autant à l'arrêt que lorsqu'il s'agit de la lancer en courbe ou de se faufiler dans la jungle urbaine. L'effort demandé au guidon pour négocier une série de virages est étonnamment faible tandis que la précision du châssis est sans reproches et transmet un flair décidément sportif.

Général

Catégorie	Standard
Prix	19 200 $
Garantie	3 ans/kilométrage illimité
Couleur(s)	argent, jaune et noir
Concurrence	Harley-Davidson Street Rod, Kawasaki Z1000 autre(s) possibilité(s) : Yamaha V-Max

Partie cycle

Type de cadre	périmétrique, en aluminium
Suspension avant	fourche Duolever avec monoamortisseur non ajustable (ajustable électroniquement en détente avec l'ESA optionnel)
Suspension arrière	monoamortisseur ajustable en précharge et détente (ajustable électroniquement en précharge, compression et détente avec l'ESA optionnel)
Freinage avant	2 disques de 320 mm de ø avec étriers à 4 pistons (système ABS Semi Integral optionnel)
Freinage arrière	1 disque de 265 mm de ø avec étriers à 2 pistons (système ABS Semi Integral optionnel)
Pneus avant/arrière	120/70 ZR17 & 180/55 ZR17
Empattement	1 571 mm
Hauteur de selle	820 mm (790 mm avec selle basse optionnelle)
Poids à vide (avec essence)	237 kg
Réservoir de carburant	19 litres

Moteur

Type	4-cylindres en ligne 4-temps, DACT, 4 soupapes par cylindre, refroidissement par liquide
Alimentation	injection à 4 corps de 46 mm
Rapport volumétrique	13:1
Cylindrée	1 157 cc
Alésage et course	70,5 mm x 75 mm
Puissance	163 ch @ 10 250 tr/min
Couple	93,7 lb-pi @ 8 250 tr/min
Boîte de vitesses	6 rapports
Transmission finale	par arbre
Révolution à 100 km/h	environ 3 800 tr/min
Consommation moyenne	7,0 l/100 km
Autonomie moyenne	271 km

Conclusion

Il n'est pas rare du tout qu'on se surprenne à rapidement s'habituer à un niveau de puissance qui nous semblait au départ démesuré. Les bétails que sont les Triumph Rocket III et Kawasaki Vulcan 2000 Classic, sans parler des dernières 1000 sportives, font dans chaque cas une excellente démonstration de ce fait. Cette situation décrit très bien la K1200R, car bien que sa puissance ait pu paraître immense lors des premières annonces, après en avoir fait connaissance, on renoncerait vigoureusement à rendre le moindre cheval-vapeur. BMW a non seulement lâché sur nos routes la plus puissante standard de la planète, il a aussi ajouté une fort plaisante routière à son catalogue.

QUOI DE NEUF EN 2006 ?

- **Aucun changement**
- **Aucune augmentation de prix**

PAS MAL

- **Un comportement étonnamment docile compte tenu du genre de performances élevées dont il est question; la K1200R se montre particulièrement civilisée pour une brute de 163 chevaux**
- **Un niveau de confort à la hauteur de la réputation du constructeur allemand, et qui est amené par une position de conduite bien choisie, par une bonne selle et par des suspensions bien calibrées**
- **Une tenue de route solide et précise qui transmet aussi une impression générale de légèreté sur une route sinueuse**

BOF

- **Un prix plutôt costaud qui ne met certainement pas la K1200R à la portée de toutes les bourses, surtout lorsqu'on rajoute le prix des systèmes ABS et ESA**
- **Une exposition totale au vent qui limite les vitesses qu'on peu confortablement maintenir sur l'autoroute**
- **Un style aux lignes très tourmentées qui attire les regards, mais que tout le monde ne trouve pas instantanément joli**

BMW **R1150R**

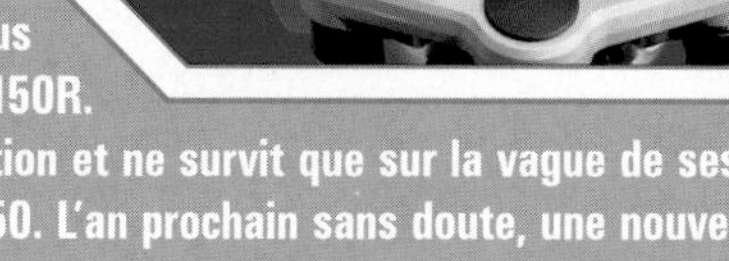

L'étape radio nostalgie...

Un jour, t'es une rockstar, puis le lendemain, tu te retrouves au palmarès d'une station radio nostalgie, avant de disparaître complètement du portrait pour laisser place à un « plus jeune, plus fou », comme l'a déjà chanté Charlebois. C'est un peu l'histoire de cette R1150R. Paradant en tant que Rockster pas plus tard que l'an dernier, elle a perdu cette appellation et ne survit que sur la vague de ses succès passés, en tant que dernier modèle Boxer du catalogue allemand à utiliser le moteur 1150. L'an prochain sans doute, une nouvelle 1200 d'entrée de gamme va la chasser définitivement des ondes. La gloire est éphémère, comme diraient les Spice Girls.

Il y a environ deux ans, juste avant le dévoilement de la R1200GS, BMW a affirmé que dans un avenir rapproché chaque modèle de la série R allait renaître sous une forme améliorée, bénéficiant d'une diminution considérable au niveau du poids et d'une augmentation notable de la puissance. L'aventurière GS, la routière ST et la voyageuse RT ont déjà reçu le traitement, et cette année ce sont les R1150GS Adventure et R1150R Rockster qui font les frais de ce mouvement jeunesse en disparaissant du catalogue. Ne reste plus que la R1150R standard, dernière représentante de la série Boxer à ne pas utiliser le nouveau moteur 1200. On peut facilement comprendre que BMW ait préféré renouveler cette série en insistant d'abord sur les modèles les plus visibles, ceux qui doivent affronter la concurrence la plus vive. Mais on peut aussi se demander pourquoi la moto la plus simple du groupe se retrouve aussi loin en queue de peloton sur l'échéancier de la renaissance.

DANS LA PLUS PURE TRADITION DES BICYLINDRES BOXER ALLEMANDS, LA MÉCANIQUE DÉBORDE DE CARACTÈRE.

Une des raisons est probablement que la R1150R s'acquitte encore relativement bien de sa tâche de machine d'entrée offrant un accès facile à l'univers BMW. En plus de représenter avec l'efficacité d'un cliché la traditionnelle BMW d'allure sobre et tranquille se distinguant surtout par son classique bicylindre à plat refroidi par air et l'huile, la R1150R demeure l'expression même de la moto élémentaire : un moteur, un cadre, deux roues, une selle et un guidon. La combinaison de tous les éléments de cette dernière phrase nous donne une moto hautement caractérielle qui n'a rien d'excitant, mais qui sait faire vibrer une fibre très primaire branchée au cœur même de l'âme motocycliste.

Malgré son allure quelque peu pépère, la R1150R se montre à la fois joueuse et agréable dans une enfilade de virages, affichant une stabilité et un aplomb dignes de mention. On ne parle pas vraiment d'un comportement sportif puisqu'elle préfère les virages ouverts enchaînés de façon coulée à une série de courbes serrées attaquées avec agressivité. Dans la plus pure tradition des bicylindres Boxer allemands, la mécanique déborde de caractère, bourdonnant et tremblant sans gêne, comme seules les BMW de cette série R savent le faire. Pas tout le monde aime, mais ceux qui apprécient une présence mécanique forte et dense ne peuvent qu'adorer. Heureusement, même si le bicylindre vibre abondamment, ce n'est jamais de façon inconfortable. Les 85 chevaux sont relativement peu nombreux, mais la souplesse est tellement bonne et le couple arrive si tôt et en si grande quantité qu'on a rarement l'impression de manquer de puissance. De toute façon, comme l'exposition totale au vent ne rend pas intéressantes les vitesses très élevées, l'absence des chevaux qui permettraient de les atteindre n'est pas regrettée. Notons qu'aux alentours de la vitesse légale sur l'autoroute, le vent n'est pas vraiment un problème. Comme les suspensions se tirent généralement aussi bien d'affaire sur les routes dégradées qu'elles le font en pilotage sportif et que la selle n'est pas mauvaise du tout, la R1150R se montre parfaitement à l'aise dans un rôle de voyageuse occasionnelle.

Général

Catégorie	Standard
Prix	15 200 $
Garantie	3 ans/kilométrage illimité
Couleur(s)	rouge, gris, bleu
Concurrence	Buell XB9SX City X et XB12S Lightning, Ducati Monster 1000S, Yamaha MT-01 autre(s) possibilité(s) : Honda 919, Kawasaki Z1000, Triumph Speed Triple

Partie cycle

Type de cadre	treillis en acier, moteur porteur
Suspension avant	fourche Telelever de 35 mm avec monoamortisseur ajustable en détente
Suspension arrière	monoamortisseur ajustable en précharge et détente
Freinage avant	2 disques de 320 mm de Ø avec étriers à 4 pistons
Freinage arrière	1 disque de 276 mm de Ø avec étrier à 2 pistons
Pneus avant/arrière	120/70 ZR17 & 170/60 ZR17
Empattement	1 487 mm
Hauteur de selle	800 mm
Poids à vide	218 kg
Réservoir de carburant	20,5 litres

Moteur

Type	bicylindre 4-temps Boxer, SACT, 4 soupapes par cylindre, refroidissement par air et huile
Alimentation	injection à 2 corps de 45 mm
Rapport volumétrique	10,3:1
Cylindrée	1 130 cc
Alésage et course	101 mm x 70,5 mm
Puissance	85 ch @ 6 750 tr/min
Couple	72 lb-pi @ 5 250 tr/min
Boîte de vitesses	6 rapports
Transmission finale	par arbre
Révolution à 100 km/h	environ 3 600 tr/min
Consommation moyenne	6,8 l/100km
Autonomie moyenne	301 km

Conclusion

La R1150R est une moto solidement ancrée dans le passé : celui de l'histoire même de la moto avec son allure élémentaire et dépouillée, et celui de la marque BMW avec sa mécanique classique datant d'une génération qui en est à ses derniers moments. Malgré cela – ou peut-être grâce à cela –, la R1150R demeure une machine attrayante qui démontre beaucoup de caractère. Le superbe niveau de fonctionnalité pour lequel elle est réputée depuis bien longtemps n'a rien perdu de son lustre, et la moto a beaucoup à offrir à qui sait l'apprécier. Il est clair qu'il ne s'agit pas d'une moto très performante, mais pour cette catégorie de motocyclistes qui favorisent une approche à la fois simple et traditionnelle, la R1150R demeure de charmante compagnie.

QUOI DE NEUF EN 2006 ?

- **Disparition de la R1150R Rockster**
- **Aucun changement**
- **Coûte 210 $ de plus qu'en 2005**

PAS MAL

- **Une mécanique admirablement coupleuse et pleine de sons et de sensations qui est absolument charmante**
- **Un très bon niveau de confort rendu par la position dégagée et équilibrée, par les bonnes suspensions et par la selle confortable**
- **Un comportement routier toujours stable et rassurant qui lui permet même de jouer les sportives à l'occasion**

BOF

- **Un niveau de performances qui fera l'affaire des amoureux de caractère et de couple, mais qui ne satisfera pas les pilotes recherchant uniquement des accélérations intenses**
- **Une exposition totale au vent qui est pratiquement la seule entrave au confort sur de longs trajets**
- **Un concept qui commence à prendre du vieux et qui sera vraisemblablement renouvelé en 2007**

BMW HP2

NOUVEAUTÉ 2006

Nouvelle ère...

L'amateur moyen de routières ou de sportives pourrait facilement ne voir en la HP2 qu'une étrange nouveauté à saveur hors-route affichant un prix complètement démesuré. La réalité est toutefois que la signification du modèle est beaucoup profonde, et que son arrivée sur le marché pourrait même affecter le prochain choix de monture de notre amateur moyen. Car cette HP2 ouvre une nouvelle ère dans l'histoire de la division moto du constructeur, une ère qui verra naître des modèles exclusifs, dispendieux et surtout hautement performants. Ces modèles seront les équivalents motos des redoutables versions M de la gamme automobile de BMW.

TECHNIQUE

Les automobiles BMW de série M sont des véhicules pur-sang dédiés aux amateurs invétérés de performance pure et brute. Elles affichent invariablement une facture prohibitive et sont même souvent moins pratiques que leur équivalent régulier. Pour une certaine catégorie d'individus, il n'y a tout simplement aucun autre choix possible. D'une manière totalement opposée, la division moto du constructeur bavarois s'est toujours maintenue très loin du concept de la performance, préférant apparemment ne pas affronter les manufacturiers japonais sur un territoire où ils règnent en maîtres absolus depuis maintenant des décennies. L'arrivée de la HP2 inaugure un drastique changement de cap à ce sujet puisque BMW entend désormais non pas joindre la lutte à la performance, mais bien la dominer. Bien qu'il soit étonnant – mais pas impossible – de voir le constructeur allemand aligner un jour une sportive de 600 cc aux côtés des modèles japonais, il est déjà établi que des HP1 et des HP4 verront le jour dans un avenir rapproché. Pour ceux qui ne l'auraient pas encore deviné, HP signifie *High Performance* et le chiffre 1, 2 ou 4 qui suit fait référence au nombre de cylindres du modèle en question. Bien que BMW n'ait pas encore annoncé quels modèles exactement bénéficieront de cette médecine de performance, il n'est pas difficile d'imaginer une HP4 basée sur une K1200S ou une autre HP2, cette fois non pas dérivée de la R1200GS comme c'est le cas pour celle-là, mais plutôt de la nouvelle R1200S.

HP SIGNIFIE *HIGH PERFORMANCE* ET LE CHIFFRE QUI SUIT FAIT RÉFÉRENCE AU NOMBRE DE CYLINDRES DU MODÈLE.

Selon BMW, le développement de la HP2 fut particulièrement ardu. Le constructeur explique avoir dû tester le modèle par temps glacial comme par de torrides chaleurs similaires à celle retrouvées dans les déserts, bref lui avoir fait vivre les pires conditions possibles puisque telle est sa vocation : il s'agit d'une monture tout terrain de l'espèce la plus extrême destinée à pouvoir bien figurer dans des épreuves comme les Baja californiens et les rallyes internationaux. À ce sujet, la contenance limitée du réservoir d'essence, qui n'accepte que 13 litres, laisse quelque peu perplexe, mais la réalité est qu'il s'agit d'un obstacle facilement surmontable par l'installation d'un réservoir plus volumineux.

Si la HP2 est basée sur la R1200GS, c'est presque uniquement de façon spirituelle puisqu'elle ne reprend en fait que le moteur de cette dernière, qui produit grâce à une nouvelle gestion de l'injection une puissance légèrement plus élevée, soit 105 chevaux. Le cadre est exclusif au modèle, mais ce sont surtout le poids faible de l'ensemble – 175 kilos à sec et moins de 200 kilos en ordre de marche – et ses suspensions qui retiennent l'attention. La fourche inversée de 45 mm, avec son débattement monstre de 270 mm, est d'une complexité peu commune, tandis que la suspension arrière est la première du genre à être installée sur une moto puisqu'il s'agit d'un amortisseur à air dont l'efficacité ne serait rien de moins que révolutionnaire selon ce qu'affirme avec confiance le constructeur. Même si son apparence semble simple et dénudée, la vérité est qu'il faudrait plusieurs pages pour survoler toutes les caractéristiques de cette particulière nouveauté.

Ce genre de conduite intense et ce genre de conditions extrêmes sont la raison d'être de la nouvelle HP2. Elle s'adresse aux inconditionnels de la performance hors-route.

Droit au but

La HP2 n'a pas été conçue pour remporter des concours d'élégance ou pour transporter un passager, mais plutôt pour offrir le niveau de performances le plus élevé possible pour une monture de ce type. Des HP1 et HP4 suivront d'ailleurs dans un avenir rapproché.

Rapport Valeur/Prix

Vitesse de pointe	Index d'expérience	Accélération sur 1/4 mille
200 km/h	Novice Intermédiaire Expert	12,0 s à 180 km/h

Voir légende page 7

Général

Catégorie	Routière Aventurière
Prix	23 000 $
Garantie	3 ans/kilométrage illimité
Couleur(s)	gris
Concurrence	aucune

Partie cycle

Type de cadre	treillis en acier, moteur non porteur
Suspension avant	fourche inversée de 45 mm ajustable en précharge, compression et détente
Suspension arrière	monoamortisseur pneumatique ajustable en pression
Freinage avant	1 disque de 305 mm de Ø avec étrier à 2 pistons
Freinage arrière	1 disque de 265 mm de Ø avec étrier à 2 pistons
Pneus avant/arrière	90/90-21 & 140/80-17
Empattement	1 610 mm
Hauteur de selle	920 mm
Poids à vide	175 kg
Réservoir de carburant	13 litres

Moteur

Type	bicylindre 4-temps Boxer, SACT, 4 soupapes par cylindre, refroidissement par air et huile
Alimentation	injection à 2 corps de 45 mm
Rapport volumétrique	11:1
Cylindrée	1 130 cc
Alésage et course	101 mm x 73 mm
Puissance	105 ch @ 7 000 tr/min
Couple	85 lb-pi @ 5 500 tr/min
Boîte de vitesses	6 rapports
Transmission finale	par arbre
Révolution à 100 km/h	n/d
Consommation moyenne	n/d
Autonomie moyenne	n/d

Conclusion

À 23 000 $ pièce, la HP2 est, comme son constructeur la présente, chère et exclusive. Il s'agit d'une monture hautement spécialisée construite par des puristes pour des puristes. Si tout ce que le constructeur avance s'avère vérifiable dans des mains expérimentées, ces fameux puristes devront se considérer privilégiés qu'un constructeur se soit donné comme but de mettre en marché un tel engin, peu importe sa facture.

QUOI DE NEUF EN 2006 ?

- **Nouveau modèle**

PAS MAL

- **Une idéologie qui semble indiquer que le futur réserve de bien belles choses du côté de chez BMW**
- **Une conception exceptionnellement pointue qui n'a pour seul but que la performance pure; dans ce cas, dans un contexte de pilotage hors-route**
- **Des capacités qui s'annoncent décidément hors de l'ordinaire, du moins si on en croit les dires du constructeur, qui semble tout de même on ne peut plus sérieux**

BOF

- **Une contenance du réservoir limitée à 13 litres à peine, et qui constitue un obstacle aux rallyes de longue haleine auxquels la HP2 est censée pouvoir participer sans problèmes**
- **Des débattements de suspensions très longs qui amènent avec eux une hauteur de selle stratosphérique**
- **Un prix très élevé pour une monture d'utilité restreinte destinée à être passablement brassée dans la nature**

R1200GS Adventure

BMW R1200GS

NOUVEAUTÉ 2006

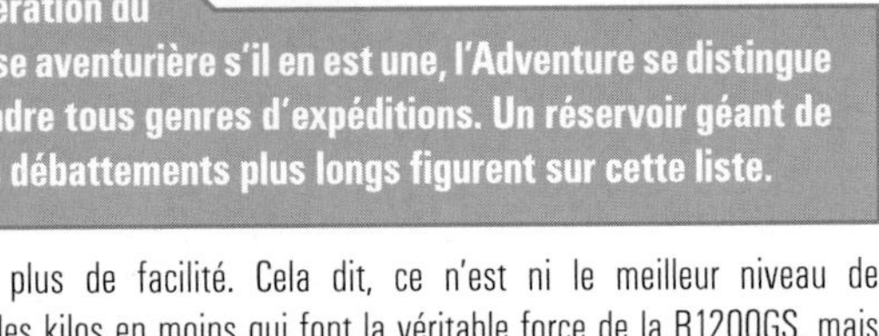

Globe-trotter...

S'il est une moto dont la réputation de globe-trotter est intouchable, c'est la BMW R-GS. Ayant vu sa cylindrée croître de façon régulière au fil des ans, elle fait aujourd'hui 1 200 cc et utilise depuis 2005, année où elle fut profondément remaniée, la toute dernière génération du Twin Boxer allemand. En 2006, l'attendue version Adventure est enfin introduite. Grosse aventurière s'il en est une, l'Adventure se distingue du modèle original par une série d'équipements destinés à la rendre prête à entreprendre tous genres d'expéditions. Un réservoir géant de 33 litres, des protecteurs de cylindres et de carénage, un plus grand pare-brise et des débattements plus longs figurent sur cette liste.

Quiconque connaît la version antérieure de la R-GS, la 1150, n'aura besoin que d'une poignée de kilomètres aux commandes de la nouvelle 1200 pour saisir à quel point cette génération se montre améliorée sous tous les aspects de la conduite. BMW avait annoncé, il y environ 2 ans, un ambitieux plan de restructuration entière de sa gamme moto qui verrait les nouveaux modèles s'alléger et gagner en puissance. La GS, qui fut le premier modèle du catalogue à subir cette médecine, est en effet nettement plus puissante – d'une quinzaine de chevaux –, et beaucoup plus légère – d'une trentaine de kilos – que la version précédente. En ligne droite, par rapport à cette dernière, la GS actuelle a littéralement des ailes.

LA GS SE PRÊTE VOLONTIERS À UNE MULTITUDE DE RÔLES, ET LE FAIT BRILLAMMENT CHAQUE FOIS.

Agréablement coupleux à tous les régimes à partir des tout premiers, le bicylindre Boxer de nouvelle génération se montre également plus doux. À ce chapitre, BMW semble avoir trouvé le juste milieu en conservant juste assez des pulsations bien particulières qui font le caractère de cette mécanique et qu'adorent les connaisseurs, tout en réduisant leur intensité, surtout à haut régime, de manière à ne pas trop dérouter les nouveaux venus à la marque pour qui ce genre de sensations est inconnu.

L'allégement de l'ensemble – on parle de pas moins d'une trentaine de kilos, ce qui n'a rien de banal – est immédiatement notable et n'implique que des avantages pour la conduite. Par exemple, même si on a toujours affaire à une moto haute, les manœuvres très lentes ou serrées se réalisent avec clairement plus de facilité. Cela dit, ce n'est ni le meilleur niveau de performances ni les kilos en moins qui font la véritable force de la R1200GS, mais plutôt à quel point l'ensemble de ces qualités forme un tout polyvalent et facile à manier. La grosse GS fait partie de ces rares motos qui mettent tout de suite à l'aise.

Sans aucun préavis, sans aucune modification et sans aucun ajustement, la GS se prête volontiers à une multitude de rôles, et le fait brillamment chaque fois. Qu'il s'agisse de négocier des routes sinueuses, de parcourir d'importantes distances pour arriver jusqu'à ces dernières ou de piquer à travers champ pour s'amuser ou pour s'éviter un détour, la GS reste invariablement à la hauteur. Elle arrive à jouer les sportives avec une précision et un aplomb que ses lignes d'aventurière ne laisseraient jamais soupçonner. La direction ne demande qu'un effort léger pour balancer doucement la moto d'un arc à l'autre, tandis que la trajectoire est maintenue comme si un rail servait de guide. Le rythme est élevé, les vitesses sont hautes, les angles sont prononcés et pourtant, tout est facile, coulé, précis. En ce qui concerne les capacités hors-route du modèle, elles se limitent pour la moyenne des pilotes à une très grande aisance sur tous genres de routes non pavées. Les plus téméraires et surtout les plus expérimentés arriveront néanmoins à traverser des surfaces étonnamment abîmées. La nouvelle version Adventure est d'ailleurs destinée à ces derniers qui devraient être capables de l'amener au bout du monde pour autant qu'ils arrivent à se faire à son poids substantiel pour une machine hors-route, ainsi qu'à sa hauteur.

Rapport Valeur/Prix

Vitesse de pointe 208 km/h

Index d'expérience — Novice Intermédiaire Expert

Accélération sur 1/4 mille 12,2 s à 179 km/h

Voir légende page 7

Général

Catégorie	Routière Aventurière
Prix	18 700 $ (Adventure : 20 000 $)
Garantie	3 ans/kilométrage illimité
Couleur(s)	argent, jaune, rouge (Adventure : blanc, aluminium)
Concurrence	BMW HP2; Buell XB12X Ulysses, KTM 990 Adventure, Suzuki V-Strom 1000, Triumph Tiger

Partie cycle

Type de cadre	treillis en acier, moteur porteur
Suspension avant	fourche Telelever de 41 mm avec monoamortisseur ajustable en précharge
Suspension arrière	monoamortisseur ajustable en précharge et détente
Freinage avant	2 disques de 305 mm de Ø avec étriers à 4 pistons
Freinage arrière	1 disque de 265 mm de Ø avec étrier à 2 pistons
Pneus avant/arrière	110/80 ZR (TL) 19 & 150/70 ZR (TL) 17
Empattement	1 520 mm (1 511 mm)
Hauteur de selle	840/860 mm (895/915 mm)
Poids à vide	199 kg (223 kg)
Réservoir de carburant	20 litres (33 litres)

Moteur

Type	bicylindre 4-temps Boxer, SACT, 4 soupapes par cylindre, refroidissement par air et huile
Alimentation	injection à 2 corps de 47 mm
Rapport volumétrique	11:1
Cylindrée	1 170 cc
Alésage et course	101 mm x 73 mm
Puissance	98 ch @ 7 000 tr/min
Couple	85 lb-pi @ 5 500 tr/min
Boîte de vitesses	6 rapports
Transmission finale	par arbre
Révolution à 100 km/h	environ 3 400 tr/min (GS)
Consommation moyenne	5,8 l/100 km (GS)
Autonomie moyenne	345 km (GS)

Conclusion

La R1200GS définit la notion de polyvalence chez une deux-roues. Elle est plusieurs motos à plusieurs pilotes. Vous pourriez ne vivre que pour les longues distances et en être parfaitement satisfait, vous pourriez partir à l'aventure sans que rien ne vous arrête et vous pourriez aussi l'utiliser pour taquiner des pilotes de sportives sur leurs propres routes préférées sans qu'ils comprennent ce qui vient de leur arriver. Avec le temps, et en se forçant beaucoup, on lui découvre des petites bibites, comme une direction un peu nerveuse et une transmission pas toujours polie. Mais dans l'ensemble, elle reste l'étalon de mesure chez les routières aventurières, celle à laquelle les nouvelles arrivantes au créneau doivent être comparées et celle par rapport à laquelle elles seront jugées.

R1200GS

QUOI DE NEUF EN 2006 ?

- Introduction de la version Adventure avec réservoir de 33 litres, pare-brise plus grand, ensemble de protecteurs pour les cylindres et le réservoir, porte-bagages en inox, suspensions à débattement plus long, pneus à gros crampons, repose-pieds larges et alternateur plus puissant
- Aucun changement à la R1200GS
- R1200GS coûte 350 $ de plus qu'en 2005

PAS MAL

- Un niveau de polyvalence extraordinaire; la R1200GS passe de la route à la poussière et aux courbes avec une facilité et un naturel déconcertant
- Une mécanique qui garde son tremblement bien particulier de Twin Boxer, mais qui s'adoucit juste assez pour permettre de hauts régimes sans vibrations excessives
- Une partie cycle dont les capacités étonnent franchement et un excellent degré de confort

BOF

- Une selle qui est toujours un peu haute, nature du modèle oblige, et qui fera pointer des pieds les pilotes de taille moyenne et moins
- Une mécanique qui a perdu un tout petit peu de son grondant caractère dans l'adoucissement qu'elle a subi lors de son passage de 1150 à 1200
- Une direction tellement légère qu'elle en est parfois hypersensible; par périodes de forts vents, ou en pilotage sportif, les mouvements du pilote peuvent involontairement induire de légères impulsions dans le guidon qui sont immédiatement traduites en réaction de la direction

F650GS

BMW F650GS

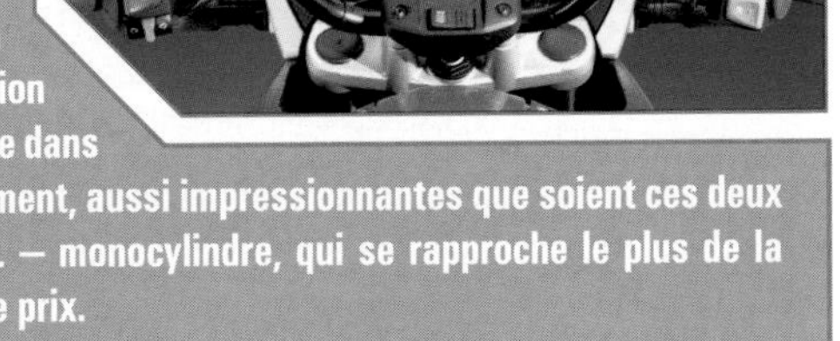

L'aventure BMW à plus petite échelle...

BMW créa une nouvelle catégorie, et définit une partie importante de son avenir, en lançant sa maintenant légendaire R80GS il y a quelque 25 ans. Et malgré une évolution constante, l'esprit de cette toute première aventurière à moteur Boxer demeure bien en vie dans la R1200GS lancée l'an dernier, de même que dans la toute nouvelle HP2. Mais curieusement, aussi impressionnantes que soient ces deux motos, c'est probablement la F650GS, propulsée par un vulgaire – pour les puristes... – monocylindre, qui se rapproche le plus de la première R80GS, du moins en termes de cylindrée, de gabarit, de relative simplicité et de prix.

Avec la disparition de la F650CS à vocation routière, la F650GS et sa variante Dakar sont les seules monocylindres au catalogue BMW Canada pour 2006. L'année marque par ailleurs un anniversaire puisque la toute première version Paris-Dakar de la R80GS a fait son entrée sur le marché canadien il y a maintenant 20 ans, honorant du coup la victoire au célèbre Rallye Paris-Dakar d'une GS de compétition pilotée par le champion mondial de motocross belge Gaston Rahier, qui nous a malheureusement quittés récemment. Avec ses suspensions à débattement plus généreux et ses pneus à crampons beaucoup plus efficaces sur terrain meuble, la Dakar demeure facilement la F650GS de choix pour le véritable aventurier. Mais le modèle de base, qui partage le même moteur à injection d'essence et une approche double-usage similaire quoique légèrement plus typée route, a aussi son charme. Il est toutefois plus difficile de justifier le prix d'une F650GS de base, surtout quand on constate qu'il fait près du double de celui d'une Kawasaki KLR650, une double-usage certes vieillotte, mais qui n'en demeure pas moins tout à fait comparable.

LA DAKAR DEMEURE FACILEMENT LA F650GS DE CHOIX POUR LE VÉRITABLE AVENTURIER.

Le monocylindre 4-temps de la F650GS annonce 50 chevaux. C'est tout à fait respectable pour un moteur de ce type, mais ça demeure bien en deçà de la moyenne des routières circulant au pays. Dans l'ensemble, ce moteur offre des prestations acceptables, surtout caractérisées par une bonne puissance à mi-régime et une douceur de fonctionnement surprenante, du moins tant qu'on ne s'entête pas à maintenir de hautes vitesses – ce dont il est tout de même capable – et les hauts régimes qu'elles amènent. À l'exception d'une occasionnelle hésitation, voire un calage à très bas régime, l'injection fait généralement son travail sans accrocs et régularise le rendement.

La tenue de route est l'une des facettes de la conduite où les petites GS font honneur à leur marque. Toujours très stables, elles s'inscrivent en virage avec peu d'efforts et maintiennent de manière neutre et solide l'arc choisi. Leur combinaison de précision de direction, de solidité en pleine inclinaison et de généreuse garde au sol en fait d'ailleurs des armes surprenantes sur une route en lacets. À l'exception d'une selle qui, sans être mauvaise, finit par devenir incommodante en raison de son étroitesse, le niveau de confort est dans l'ensemble très correct, aidé par la position de conduite relevée, la suspension évoluée et le petit carénage efficace.

Laissez l'asphalte derrière, et les F650GS continuent à bien se tirer d'affaire. Tant qu'on s'en tient aux chemins de terre ou de gravier relativement carrossables ou aux terrains accidentés négociés modérément, elles se montrent agiles et faciles à contrôler en dérapage. Dans du sable ou de la boue, les pneus plus agressifs de la Dakar sont de beaucoup supérieurs aux beignets glacés de la version de base. Évidemment, l'équation est inversée sur l'asphalte, comme quoi tout est toujours question de compromis dans le monde des double-usage. Dans cet univers où le poids est toujours un ennemi, une petite GS monocylindre demeure beaucoup moins intimidante qu'une grosse R1200GS.

Rapport Valeur/Prix

Vitesse de pointe 163 km/h

Index d'expérience: Novice Intermédiaire Expert

Accélération sur 1/4 mille 14,5 s à 163 km/h

Voir legende page 7

Général

Catégorie	Double-Usage
Prix	10 800 $ (Dakar : 11 600 $)
Garantie	3 ans/kilométrage illimité
Couleur(s)	jaune, noir, argent (Dakar : aluminium et blanc)
Concurrence	Honda XR650L, Kawasaki KLR650, KTM 640 Adventure, Suzuki DR650S

Partie cycle

Type de cadre	périmétrique, en acier
Suspension avant	fourche conventionnelle de 41 mm non ajustable
Suspension arrière	monoamortisseur ajustable en précharge et détente
Freinage avant	1 disque de 300 mm de Ø avec étrier à 2 pistons
Freinage arrière	1 disque de 240 mm de Ø avec étrier à 1 piston
Pneus avant/arrière	100/90 S19 (Dakar : 90/90 S21) & 130/80 S17
Empattement	1 479 mm (Dakar : 1489 mm)
Hauteur de selle	780 mm (Dakar : 870 mm)
Poids à vide	175,4 kg (Dakar : 177,2 kg)
Réservoir de carburant	17,3 litres

Moteur

Type	monocylindre 4-temps, DACT, 4 soupapes, refroidissement par liquide
Alimentation	injection à 1 corps de 43 mm
Rapport volumétrique	11,5:1
Cylindrée	652 cc
Alésage et course	100 mm x 83 mm
Puissance	50 ch @ 6 500 tr/min
Couple	44 lb-pi @ 4 800 tr/min
Boîte de vitesses	5 rapports
Transmission finale	par chaîne
Révolution à 100 km/h	environ 4 000 tr/min
Consommation moyenne	4,5 l/100 km
Autonomie moyenne	384 km

Conclusion

Avant même d'enfourcher une F650GS, il faut enjamber son prix, qui est suffisamment élevé pour en enfarger plusieurs. Le fait que l'on puisse se payer une KLR650 et une véritable moto hors-route pour environ le même prix qu'une GS constitue certes une barrière importante, à plus forte raison si vous optez pour les freins ABS offerts en option. Mais la petite GS n'en affiche pas moins des qualités fort attrayantes, du moins pour l'amateur de BMW qui a un compte en banque suffisamment bien garni. Pour le véritable aventurier, la Dakar demeure le meilleur choix avec sa partie cycle à penchant plus poussiéreux. La garantie de trois ans au kilométrage illimité est nettement un plus, et puis, finalement, l'allemande n'est pas plus chère qu'une KTM 640 Adventure.

F650GS Dakar

QUOI DE NEUF EN 2006 ?

- **Aucun changement**
- **F650GS coûte 210 $ de plus et F650GS Dakar coûte 250 $ de plus qu'en 2005**

PAS MAL

- **Un monocylindre dont les performances, la douceur de fonctionnement et la souplesse étonnent**
- **Une tenue de route solide et précise agrémentée par un excellent niveau de maniabilité**
- **Un passe-partout en bonne et due forme capable non seulement d'affronter tous types de routes, mais aussi des terrains considérablement accidentés**

BOF

- **Un prix costaud pour une moto avec un monocylindre de 650 cc, même si sa technologie est avancée**
- **Des performances qu'on ne peut trop critiquer vu le genre de moteur et sa cylindrée, mais qui laisseront sur leur faim les motocyclistes gourmands en chevaux**
- **Une selle étroite qui devient la première source d'inconfort**

Firebolt XB12R

BUELL FIREBOLT XB-R

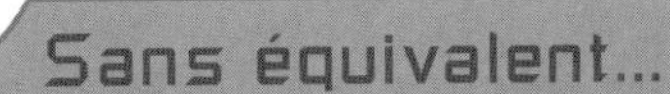

Dans l'univers motocycliste, personne ne niera que les Américains sont d'abord et avant tout associés à leurs rutilantes customs. Or, dans ces customs vrombissent de gros V-Twin et il est donc parfaitement naturel qu'une sportive américaine soit propulsée par une telle mécanique. Mais attention, toute comparaison avec une sportive provenant de chez Ducati ou Honda serait futile puisqu'au coeur d'une Buell XB-R ne bat pas un Twin hypercomplexe, mais plutôt un proche parent du bicylindre en V qui anime depuis toujours la Harley-Davidson Sportster 1200. Proposées en version de 984 cc ou 1 203 cc, les sportives de Buell n'ont absolument aucun équivalent sur le marché.

Qui parle de moto sportive de pointe ne peut échapper longtemps à l'arrivée des produits asiatiques dans sa discussion. Les sportives japonaises sont en fait tellement avancées qu'on doit les qualifier d'intouchables en termes de performances pures. Que doit donc faire un constructeur non japonais pour produire une sportive crédible ? Tout simplement choisir une autre mission que celle de la performance pure et absolue. Comme le font d'ailleurs admirablement bien ces Buell XB-R. Les japonais ont beau être capables de tout, une sportive à moteur de Sportster tient pour eux de la fiction. Mettez d'ailleurs une XB-R à côté d'une sportive asiatique « ordinaire » et l'américaine passe justement pour l'équivalent d'un extraterrestre : moteur de Harley, immense cadre en alu contenant l'essence, bras oscillant contenant l'huile de la mécanique à carter sec, empattement microscopique. Décidément, une Buell, c'est différent, et pas seulement à regarder mais aussi à conduire. La combinaison de cet empattement réduit et d'une géométrie de direction, par exemple, devrait logiquement se solder par un comportement nerveux et agité. Or, la stabilité des XB-R est sans faute et leur tenue de route est sûre et précise. Il s'agit de machines pouvant atteindre des performances impressionnantes sur circuit, où elles se montrent capables d'angles quasi infinis. La précision et la solidité du châssis sont sans reproche, tandis que les freinages sont puissants et endurants malgré la présence d'un disque unique à l'avant. Contrairement à ce que les proportions compactes pourraient laisser croire, la direction n'est pas particulièrement rapide ou légère, si bien que les XB-R demandent tout de même une dose minimale de muscle pour effectuer un tour de piste rapide.

LES JAPONAIS ONT BEAU ÊTRE CAPABLES DE TOUT, UNE SPORTIVE À MOTEUR DE HARLEY-DAVIDSON TIENT POUR EUX DE LA FICTION.

Le côté le plus différent des XB-R est sans contredit l'existence d'un lien entre leur caractère-moteur et le monde des customs. La 9R de 984 cc et la 12R de 1 203 cc, malgré leur écart de cylindrée, exhibent certains traits caractériels semblables puisque de chacun des V-Twin s'échappe la typique sonorité saccadée d'une mécanique américaine et que chacun gronde et tremble non seulement sans la moindre gêne, mais aussi toujours de façon plaisante. Toutefois, là où la 9R accélère poliment et progressivement, mais sans vraiment épater, la 12R bondit dès que l'embrayage est relâché pour ensuite grimper en régime avec beaucoup plus de motivation et de force. La 12R est plus chère, mais le supplément achète indéniablement une dose supérieure d'agrément.

Si elles sont différentes de la sportive « commune » à de nombreux points de vue, les XB-R n'échappent toutefois pas à certaines caractéristiques typiques de la catégorie, notamment au sujet du confort, qui est plutôt limité. Leurs suspensions fermement calibrées, leur protection au vent minimale, leur position de conduite assez sévère et leur selle plutôt moyenne sont les facteurs responsables de ce fait.

Général

Catégorie	Sportive
Prix	11 519 $ (9R) - 13 389 $ (12R)
Garantie	2 ans/kilométrage illimité
Couleur(s)	noir, rouge, noir (12S) - jaune (9S)
Concurrence	Ducati Supersport, Honda VTR1000F, Suzuki SV1000S

Partie cycle

Type de cadre	périmétrique, en aluminium, agit aussi à titre de réservoir d'essence
Suspension avant	fourche inversée de 43 mm ajustable en précharge, compression et détente
Suspension arrière	monoamortisseur ajustable en précharge, compression et détente
Freinage avant	1 disque de 375 mm de Ø avec étrier à 6 pistons
Freinage arrière	1 disque de 240 mm de Ø avec étrier à 1 piston
Pneus avant/arrière	120/70 ZR17 & 180/55 ZR17
Empattement	1 320 mm
Hauteur de selle	775 mm
Poids à vide	175 (179) kg
Réservoir de carburant	14,5 litres

Moteur

Type	bicylindre 4-temps en V à 45 degrés, culbuté, 2 soupapes par cylindre, refroidissement par air forcé et air ambiant
Alimentation	injection à corps unique de 45 mm (49 mm)
Rapport volumétrique	10,0:1
Cylindrée	984 (1 203) cc
Alésage et course	88,9 mm x 79,4 (96,8) mm
Puissance	92 (103) ch @ 7 500 (6 800) tr/min
Couple	70 (84) lb-pi @ 5 500 (6 000) tr/min
Boîte de vitesses	5 rapports
Transmission finale	par courroie
Révolution à 100 km/h	environ 3 300 (3 000) tr/mn
Consommation moyenne	6,7 l/100 km
Autonomie moyenne	209 km

Conclusion

Il faut carrément exiger sortir de l'ordinaire pour envisager une Buell XB-R, voire être un brin excentrique, mais pour qui collerait à cette description, l'existence de ces sportives à moteur de Sportster tient presque du miracle. Car qui d'autre sur Terre que Buell aurait bien pu imaginer marier un Twin de Harley — avec tout ce qu'un tel choix de motorisation implique — à une partie cycle sportive presque aussi anticonformiste. On n'aurait pas souhaité à son pire ennemi (oh, peut-être...) les problèmes de fiabilité des Buell d'antan, surtout aux prix auxquels elles étaient vendues. Non seulement les modèles actuels semblent tenir le coup à ce sujet, mais leur prix baisse et baisse aussi au point que n'importe quel motocycliste potentiellement acheteur d'une sportive neuve peut désormais les envisager. Une suggestion : ignorez la 9R et n'acceptez que la 12R. Le couple et le charisme supérieurs de sa mécanique justifient amplement le surplus monétaire demandé. Et au cas où vous ne pourriez vous payer la 12R, choisissez-la quand même.

Firebolt XB9R

QUOI DE NEUF EN 2006 ?

- Améliorations apportées à la transmission; effort au levier d'embrayage réduit de 22 % sur la 12R et de 15 % sur la 9R; courroie d'entraînement sans besoin d'ajustement ou de remplacement; bras oscillant allégé et plus rigide; entrée d'air déplacée vers le bouchon du « réservoir d'essence » permettant une capacité de carburant accrue
- XB12R coûte 1 210 $ et XB9R coûte 780 $ de moins qu'en 2005

PAS MAL

- Quel changement de pouvoir enfin parler des Buell sans immédiatement tomber dans le sujet de la fiabilité, des rappels, de la qualité de fabrication et de prix gonflés
- Une mécanique très caractérielle qui donne au pilotage une saveur non seulement forte, mais aussi absolument unique
- Une tenue de route d'un calibre élevé qui permet aux XB-R d'être utilisées agressivement sur circuit

BOF

- Un niveau de performances et un agrément de pilotage nettement en retrait sur la 9R par rapport à la 12R et son grondant V-Twin de 1203 cc
- Une position de conduite très compacte qui pourrait ne pas convenir aux très grands pilotes; la XB12Ss a d'ailleurs été créée pour régler ce même problème chez les XB-S
- Un niveau de confort tolérable, mais limité par une protection au vent réduite, des suspensions fermes et une position agressive

BUELL **ULYSSES XB12X**

NOUVEAUTÉ 2006

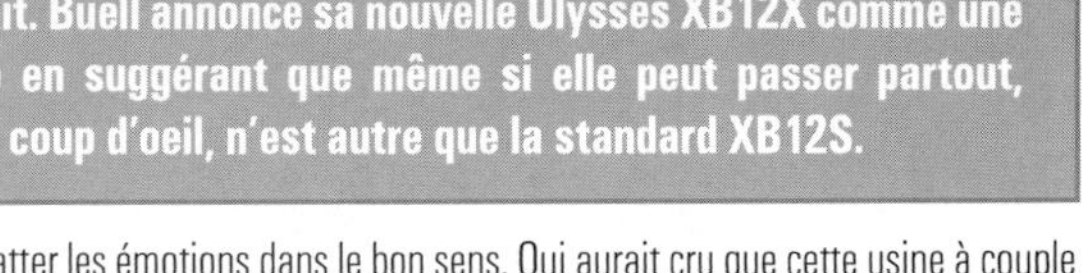

La Buell qu'on n'attendait pas...

Une aventurière sur base de XB12S ? On ne l'avait décidément pas vue venir, celle-là. Mais on l'accueille volontiers, car tant qu'elles sont bien réalisées, les machines de ce genre se révèlent presque toujours exceptionnelles. Évoquer des modèles comme les BMW R1200GS, Triumph Tiger et autres Suzuki V-Strom devrait suffire à convaincre qui en douterait. Buell annonce sa nouvelle Ulysses XB12X comme une sportive aventurière plutôt que comme une routière aventurière, puis explique en suggérant que même si elle peut passer partout, sa nouveauté n'a pas pour autant renié son origine qui, on le remarque au premier coup d'oeil, n'est autre que la standard XB12S.

Si elle reprend plusieurs composantes de la XB12S, notamment le moteur, les roues et les freins, la nouvelle Ulysses XB12X est pour le reste une nouvelle moto et arbore donc une majorité de pièces inédites. Elle brise ainsi la tradition Buell/Harley-Davidson dictant que la production de nouveautés doit être réalisée en se limitant presque exclusivement aux plateformes existantes.

Comme c'est souvent le cas chez les aventurières, la XB12X vous perche haut et loin du sol, la largeur considérable de l'accueillante selle ne faisant rien pour aider le pilote à mettre pied à terre. Une fois en selle, l'Ulysses se révèle comme un étrange, mais plaisant mélange de genres. Sa conception a beau avoir nécessité la création d'un nouvel ensemble cadre-bras oscillant plus long, la XB12X reste ultracourte pour la catégorie. Même si la compacité habituelle d'une Buell continue d'être ressentie, on la sent combinée à la traditionnelle position relevée provenant des machines hors-route qu'offrent la plupart des aventurières.

NEUTRE ET PRÉVISIBLE EN PLEINE INCLINAISON, PRÉCISE AU FREINAGE, LA XB12X N'A RIEN PERDU DE SON HÉRITAGE SPORTIF.

Dès l'instant où elle prend vie, l'Ulysses est indiscutablement, irréfutablement Buell, le massif tremblement du gros V-Twin de 1 203 cc convainquant quiconque en aurait douté. Là encore se manifeste une sorte de contraste entre l'environnement sportif – celui des XB-R et des XB-S – dans lequel l'expérience de ce moteur est habituellement vécue et le fait qu'on ne soit dans ce cas bien évidemment pas aux commandes d'une sportive.

Toute confusion est néanmoins vite oubliée dès l'instant où on se met en route puisque comme les autres Buell à moteur 1200, l'Ulysses ne tarde pas à flatter les émotions dans le bon sens. Qui aurait cru que cette usine à couple de mécanique puisse performer aussi brillamment dans une partie cycle aventurière ?

La caractéristique de l'Ulysses qui la démarque le plus du reste de la catégorie est sans l'ombre d'un doute la qualité de sa tenue de route, qui, pour la classe, est d'un calibre exceptionnel. Très légère à lancer en courbe, neutre, posée et prévisible en pleine inclinaison, forte et précise au freinage, la XB12X n'a rien perdu de son héritage sportif. À l'exception d'un frein arrière à la fois peu puissant et très difficile à doser sur notre moto d'essai, et d'un guidon qui semble arrêter de tourner au trois quarts de ce qu'on jugerait normal, le comportement routier n'attire presque que des éloges. Du bon travail des suspensions sur mauvaise route jusqu'à l'agilité en ville en passant par l'agrément élevé de la mécanique, l'Ulysses s'attire décidément bien peu de reproches. Quant à ses capacités lorsque la route devient sentier, d'une manière réaliste, elles devraient se limiter aux chemins non asphaltés, où l'Ulysses se débrouille de façon étonnamment naturelle. Mais dès que le terrain devient sablonneux ou boueux – ou, pire, si l'on tente de quitter le plancher des vaches – ce qu'on constate bien souvent sur ces engins, surtout ceux dont la vocation est surtout routière, c'est tout simplement qu'on commence à en demander beaucoup. Mettez toutefois l'Ulysses dans les mains d'un pilote vraiment capable de brasser des motos de ce poids en pilotage hors-route – ce que Môssieur Gahel n'est certes pas – et la Buell passerait probablement n'importe où.

La Buell de toutes les occasions

Avec un héritage comme le sien, pas étonnant que l'Ulysses XB12X attaque toute portion de bitume avec autant de confiance. En transformant l'excellente partie cycle sportive des XB pour une utilisation plus large et en donnant à l'Ulysses une position relevée et un large guidon de type hors-route, Buell a créé une moto qui peut passer de la route à la glisse sur piste et à la route de gravier de manière continue et totalement transparente. L'Ulysses reprend toute l'excentricité et le charisme des Buell courantes à moteur 1200 et y joint un côté pratique et polyvalent jusque-là inconnu chez le constructeur.

Une Buell Ulysses XB12X jouant les motos de Supermotard ? Bertrand Gahel tente l'expérience sur le circuit de Mécaglisse, dans les Laurentides, sous l'habile lentille de Presse Pixels International.

Une partie cycle inédite

Chez Buell comme chez Harley-Davidson, on a l'habitude de faire du neuf avec du vieux. Pas dans le cas de l'Ulysses XB12X puisque sa réalisation a nécessité, entre autres, la conception d'un nouveau cadre qui contiendrait plus d'essence et l'adoption d'une géométrie de partie cycle qui serait moins radicale que celle des XB sportives. Le résultat est un angle de fourche légèrement plus relâché et un empattement allongé de 61 mm. À quelques 1 381 mm, celui-ci reste quand même ultracourt pour la classe. Étonnamment, Buell a été capable de concevoir la XB12X en n'ajoutant qu'une quinzaine de kilos au poids d'une XB12S. Notons que le petit porte-bagages ici rabattu sur le siège arrière se relève pour devenir un dossier – plus ou moins efficace – pour le passager, et peut aussi pivoter sur 180 degrés et redevenir un porte-bagages tout en libérant la place arrière.

À gauche, la séquence montre l'auteur en train de se faire peur dans un environnement qui n'est certes pas le plus naturel pour lui, sur une moto n'ayant pas été conçue pour prendre de l'altitude. Son expression suffira à convaincre tout le monde, lui inclus, qu'il devrait s'en tenir à l'asphalte...

Photos croquées par Presse Pixels International.

Un V-Twin intelligemment laissé intact

Comme l'Aprilia Caponord, la Honda Varadero, la KTM 950 Adventure et la Suzuki V-Strom 1000, la nouvelle Buell Ulysses XB12X utilise un bicylindre en V. Il est toutefois le seul de la classe qui n'utilise pas un système de refroidissement par liquide. Il ne faut pas chercher loin pour trouver l'origine de la mécanique puisqu'elle a été piratée aux Buell XB12R et XB12S. Contrairement à ce que veut la coutume lorsqu'une transplantation de la sorte survient, Buell a été assez sage pour ne rien changer au tempérament coupleux, grondeur et trembleur du V-Twin et l'a installé sur l'aventurière sans la moindre recalibration. Le résultat est un niveau de performances pratiquement équivalent à celui des sportives de la marque, mais surtout la présence d'un couple omniprésent sur la plage de régimes. Les habitués de la marque américaine, filiale de Harley-Davidson, auront tôt fait de reconnaître le V-Twin de la Sportster 1200 apprêté à la sauce Buell, ce qui se traduit par une zone rouge qui demeure relativement basse, à tout près de 7 000 tr/min, par une puissance de 103 chevaux très respectable pour la classe et par un couple de 84 lb-pi.

Général

Catégorie	Routière Aventurière
Prix	14 699 $
Garantie	2 ans/kilométrage illimité
Couleur(s)	noir, jaune orangé
Concurrence	BMW R1200GS, Ducati Multistrada 1000, KTM 950 Adventure, Suzuki V-Strom 1000, Triumph Tiger

Partie cycle

Type de cadre	périmétrique, en aluminium, agit aussi à titre de réservoir d'essence
Suspension avant	fourche inversée de 43 mm ajustable en précharge, compression et détente
Suspension arrière	monoamortisseur ajustable en précharge, compression et détente
Freinage avant	1 disque de 375 mm de Ø avec étrier à 6 pistons
Freinage arrière	1 disque de 240 mm de Ø avec étrier à 1 piston
Pneus avant/arrière	120/70 R17 & 180/55 R17
Empattement	1 381 mm
Hauteur de selle	841 mm
Poids à vide	193 kg
Réservoir de carburant	16,7 litres

Moteur

Type	bicylindre 4-temps en V à 45 degrés, culbuté, 2 soupapes par cylindre, refroidissement par air forcé et par air ambiant
Alimentation	injection à corps unique de 49 mm
Rapport volumétrique	10,0:1
Cylindrée	1 203 cc
Alésage et course	88,9 mm x 96,8 mm
Puissance	103 ch @ 6 800 tr/min
Couple	84 lb-pi @ 6 000 tr/min
Boîte de vitesses	5 rapports
Transmission finale	par courroie
Révolution à 100 km/h	environ 3 000 tr/mn
Consommation moyenne	6,7 l/100 km
Autonomie moyenne	249 km

Conclusion

L'Ulysses XB12X est un coup brillant pour Buell. Elle marie l'immense charisme du V-Twin de 1 203 cc et les capacités sportives bien documentées des motos construites jusque-là sur la plateforme XB à un côté polyvalent et pratique qu'on n'a jamais connu aux commandes des motos du constructeur américain. Ce dernier a choisi de qualifier l'Ulysses de sportive aventurière et force est d'admettre que c'est exactement ce qu'elle est. C'est d'ailleurs ce qui la distingue des autres motos du créneau, car s'il existe, à n'en pas douter, des machines plus habiles et plus capables qu'elles dans un environnement sans asphalte, une fois de retour sur le bitume, la Buell risque de donner du fil à retordre à bien des gros noms.

QUOI DE NEUF EN 2006 ?

- Nouveau modèle

PAS MAL

- Un côté polyvalent qui n'existe tout simplement pas sur les autres Buell; la XB12X tient la route, fait de la route et sort de la route
- Un moteur non seulement grassement gavé de couple, mais aussi bourré de caractère et qui fait trembler la moto comme seule une mécanique américaine peut le faire
- Une qualité de tenue de route digne d'une sportive, ce qu'est d'ailleurs la XB12X sous ses fringues d'aventurière

BOF

- Un guidon qui frappe sa butée prématurément puisqu'il arrête de tourner vers les trois quarts de ce à quoi on s'attendrait, ce qui complique les manoeuvres lentes et serrées; c'est dommage et on s'en serait passé
- Une capacité à affronter toute sortes de routes et de chemins non pavés qui est bien réelle, mais s'engager plus loin demande une solide expérience de pilotage hors-route
- Une hauteur de selle considérable, ce qui est aussi le défaut de bien d'autres motos de cette classe; il faut simplement vivre avec

Lightning XB9SX City X

BUELL LIGHTNING XB-S

NOUVELLE VARIANTE

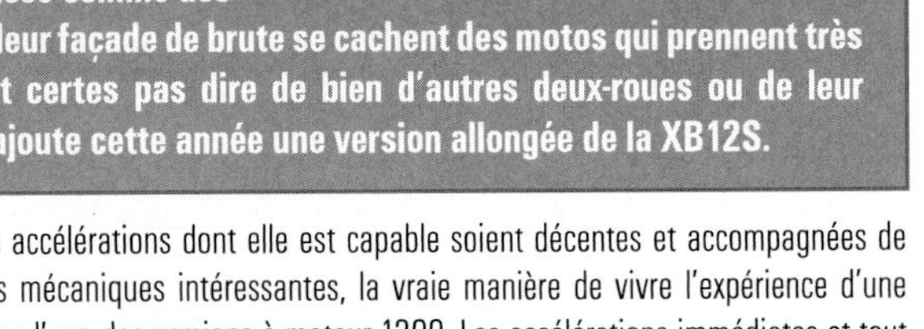

Couple en vrac...

Avant les sportives Firebolt XB-R, avant la surprenante Ulysses XB12X et certainement bien avant la modeste Blast, les Lightning XB-S sont le visage de Buell. Inhabituelles sous tous leurs angles, propulsées par des V-Twin rescapés de chez Harley et dessinées comme des crapules dans l'âme, les XB-S ont aussi un côté étonnamment humain. Car sous leur façade de brute se cachent des motos qui prennent très au sérieux les différentes physionomies des motocyclistes, ce qu'on ne peut certes pas dire de bien d'autres deux-roues ou de leur manufacturier. En effet, en plus de la version basse de la moto d'origine, Buell ajoute cette année une version allongée de la XB12S.

Une année entière ne passe jamais sans que Buell ait fignolé quelque chose sur ses XB-S chéries. Pour 2006, quelques améliorations techniques – dont une transmission moins récalcitrante et un levier d'embrayage plus facile à tirer – sont apportées au modèle, tandis que le constructeur continue d'affiner le look des motos poussant toujours plus loin le jeu des teintes hors-normes et des matériaux translucides. Mais l'annonce la plus importante traite plutôt de l'arrivée d'une nouvelle version, la Lightning XB12Ss Long – ils vont finir par rivaliser avec Harley-Davidson, avec ces noms – dont la mission est d'offrir une ergonomie mieux adaptée aux pilotes qui ne sont pas bâtis sur des châssis de jockeys. Plus longue, plus haute et utilisant une géométrie de direction légèrement relâchée, la XB12Ss est réellement plus spacieuse pour le pilote comme pour son passager, tandis que la partie cycle n'a perdu que peu de la vivacité et de la précision de celle du modèle d'origine. Les différences se limitent à un effort légèrement plus élevé en entrée de courbe, à un léger recul au niveau de la pureté de la tenue de route et à une amélioration notable du confort. Peu importe la variante du modèle, la position de conduite proposée est la même posture relevée, compacte et ramassée qui donne l'impression d'être aux commandes d'une machine légère, mince, agile et immédiatement maîtrisable.

La Lightning XB9SX City X est la seule version qui utilise la plus petite cylindrée. Malgré le fait que celle-ci soit de tout près d'un litre et que les accélérations dont elle est capable soient décentes et accompagnées de sensations mécaniques intéressantes, la vraie manière de vivre l'expérience d'une XB-S est sur l'une des versions à moteur 1200. Les accélérations immédiates et tout en couple du gros V-Twin ainsi que son caractère grondeur en font la motorisation de choix sur ces américaines, et de loin. Jamais intimidant, il incite au contraire fortement le pilote à le provoquer, tentation à laquelle il s'avère d'ailleurs fort difficile de résister. Tremblant assez lourdement pour réveiller un sismographe entre le ralenti et les mi-régimes – il s'adoucit ensuite – le gros Twin de Milwaukee est tellement à l'aise à rouler sur le couple qu'on a presque l'impression d'accélérer sans que les régimes montent. Extraordinairement caractériel, bien assez performant, grassement coupleux, il s'agit d'un des moteurs les mieux réussis de l'industrie et d'une motorisation qui représente l'essence même de ce qu'est Buell.

LE GROS TWIN EST TELLEMENT À L'AISE À ROULER SUR LE COUPLE QU'ON A L'IMPRESSION D'ACCÉLÉRER SANS QUE LES RÉGIMES MONTENT.

Utilisant la même partie cycle que les sportives XB-R, les XB-S affichent une tenue de route tout aussi solide et relevée, et se montrent parfaitement à l'aise à des angles extrêmes ou sur piste. Leur guidon large allège toutefois beaucoup la direction par rapport aux XB-R, tandis que l'exposition totale du pilote au vent peut les rendre occasionnellement nerveuses. Les XB-S rappellent le fait qu'elles sont issues de montures sportives par leurs suspensions et leur selle plutôt fermes, mais se montrent, pour ce qui est du reste, tout à fait tolérables et faciles à vivre dans la besogne quotidienne.

EN FAIT DE GUEULE DE VOYOU, LES BUELL XB-S NE DONNENT PAS LEUR PLACE. MÊME LA MAL FAMÉE DE TRIUMPH SPEED TRIPLE N'AFFICHE PAS UNE MINE AUSSI COUPABLE.

Lightning XB12S

Petites pattes

Buell semble être l'un des rares manufacturiers conscients du fait que tout le monde ne mesure pas 6 pieds. Sa Lightning XB12Scg – cg pour centre de gravité – est équipée de suspensions dont les débattements ont été réduits plutôt radicalement (de 46 mm à l'avant et de 39 mm à l'arrière) ainsi que d'un siège dont le rembourrage a été creusé. Le but de l'exercice est bien entendu d'abaisser la hauteur de selle afin de permettre à des clients potentiels d'envisager le modèle même s'ils sont courts sur pattes. Le résultat, une selle dont la hauteur est réduite de près d'une quarantaine de millimètres, est suffisamment important pour faire une différence considérable auprès d'un pilote court, qui se sentira indéniablement plus en confiance à ses commandes en sachant qu'il peut facilement rejoindre le sol à l'arrêt. Notons, premièrement, que Buell propose la XB12Scg au même prix que la XB12S et, deuxièmement, qu'un certain recul au niveau du confort doit être attendu par les intéressés. Pour 2006, toutes les Buell XB voient leur entrée d'air prendre sa source non plus à l'avant de la moto en passant au travers du cadre, mais plutôt tout juste à l'arrière du bouchon du cadre-réservoir d'essence. La place ainsi libérée dans le cadre permet d'accepter un demi-litre additionnel de carburant.

Lightning XB12Scg

XB12Ss : format extra large

À l'opposé de la XB12Scg, la XB12Ss Long existe afin de mieux accepter les motocyclistes dont la stature tient davantage du bûcheron que du jockey. Il faut savoir que la XB12S originale est une monture particulièrement compacte au niveau de la position de conduite. Les Américains étant connus pour leur stature souvent imposante et la XB12S (à gauche) étant américaine, l'évolution de cette dernière en XB12Ss (à droite) était probablement inévitable. Il est intéressant de constater que cette version « pour grands » n'a pas coûté très cher à Buell en développement puisqu'elle utilise le plus gros cadre et le bras oscillant allongé de la nouvelle XB12X Ulysses. La géométrie de direction de ce cadre est légèrement relâchée, avec un angle de colonne à 23,5 degrés plutôt que 21 degrés et un empattement qui, à 1 372 mm, grandit de 52 mm. Parmi les besoins spécifiques de l'Ulysses ayant dicté la conception de ce cadre grand format se trouve la nécessité d'une contenance d'essence accrue, une caractéristique dont hérite la XB12Ss qui accepte 2,2 litres de plus que les 14,5 litres de la XB12S. La selle allongée de la 12Ss est considérablement plus spacieuse pour le pilote et son passager, et est également mieux rembourrée et plus haute de manière à permettre plus de dégagement au niveau des jambes. Malgré toutes ces modifications, la moto ne prend que 2 kg, ce qui est minimal. Comme c'est le cas pour la 12Scg, la 12Ss est offerte à un prix identique à celui de la 12S originale.

Lightning XB12S

Lightning XB12Ss

Général

Catégorie	Standard
Prix	11 519 $ (9SX) 13 389 $ (12S, 12Scg et 12Ss)
Garantie	2 ans/kilométrage illimité
Couleur(s)	bleu ou noir translucide (9SX) noir, orange translucide (12S et 12Ssg) bleu, rouge, noir (12Ss)
Concurrence	BMW R1150R, Ducati Monster 1000, Harley-Davidson Street Rod, Honda 919, Kawasaki Z1000 et ZRX1200R, Triumph Speed Triple, Yamaha V-Max et MT-01

Partie cycle

Type de cadre	périmétrique, en aluminium, agit aussi à titre de réservoir d'essence
Suspension avant	fourche inversée de 43 mm (12Scg : 41 mm) ajustable en précharge, compression et détente
Suspension arrière	monoamortisseur ajustable en précharge, compression et détente
Freinage avant	1 disque de 375 mm de Ø avec étrier à 6 pistons
Freinage arrière	1 disque de 240 mm de Ø avec étrier à 1 piston
Pneus avant/arrière	120/70 ZR17 & 180/55 ZR17
Empattement	1 320 mm (XB12Ss : 1 372 mm)
Hauteur de selle	797 mm (9SX), 765 mm (12S), 726 mm (12Scg) 775 mm (12Ss)
Poids à vide	177 kg (9S), 179 kg (12S et 12Scg), 181 kg (12Ss)
Réservoir de carburant	14,5 litres (12Ss : 16,7 litres)

Moteur

Type	bicylindre 4-temps en V à 45 degrés, culbuté, 2 soupapes par cylindre, refroidissement par air forcé et par air ambiant
Alimentation	injection à corps unique de 45 mm (49 mm)
Rapport volumétrique	10,0:1
Cylindrée	984 (1 203) cc
Alésage et course	88,9 mm x 79,4 (96,8) mm
Puissance	92 (103) ch @ 7 500 (6 800) tr/min
Couple	70 (84) lb-pi @ 5 500 (6 000) tr/min
Boîte de vitesses	5 rapports
Transmission finale	par courroie
Révolution à 100 km/h	environ 3 300 (3 000) tr/mn
Consommation moyenne	6,7 l/100 km
Autonomie moyenne	216 km (12Ss : 249 km)

Conclusion

Sans égard au « format » choisi, les Lightning XB-S ont en commun l'enviable caractéristique de figurer parmi les montures les plus caractérielles et inusitées du marché. Quant au choix de la mécanique, disons simplement que *Le Guide de la Moto* n'aurait aucune objection à ce que la version de 984 cc soit mise au rancart. Non pas qu'elle soit déplaisante, puisqu'elle ne l'est pas. Mais le fait de la favoriser au détriment de la 1200 équivaut à rendre ordinaire l'extraordinaire expérience qu'est le pilotage d'une Buell Lightning. Inacceptable.

Lightning XB12Ss

QUOI DE NEUF EN 2006 ?

- Introduction de la XB12Ss Long avec empattement plus long, cadre-réservoir plus gros et accueil pilote-passager plus généreux
- Améliorations apportées à la transmission; effort au levier d'embrayage réduit de 22 % sur la 12S et de 15 % sur la 9SX; courroie d'entraînement sans besoin d'ajustement ou de remplacement; bras oscillant allégé et plus rigide; entrée d'air déplacée vers le bouchon du « réservoir d'essence » permettant une capacité de carburant accrue
- XB12S coûtent 1 210 $ et XB9SX coûte 780 $ de moins qu'en 2005

PAS MAL

- Une mécanique qui a décidément du coeur au ventre (1200) et qui va chercher tous les sens par son unique façon de trembler et de gronder
- Un châssis solide et précis identique à celui des sportives XB-R qui donne aux XB-S un potentiel élevé en pilotage sportif
- Une gamme de variantes qui démontre un intérêt essentiellement unique de la part de Buell envers le problème on ne peut plus commun des motos qui ne correspondent pas à l'anatomie des acheteurs

BOF

- Une mécanique qui se montre un peu timide à tous les niveaux dans le cas de la XB9SX, surtout une fois qu'on a fait connaissance avec la caractérielle version 1200
- Un guidon qui ne tourne pas très loin, ce qui élargit le rayon de braquage et complique certaines manoeuvres très serrées
- Des commandes aux mains qui fonctionnent sans aucun problème, mais qui semblent empruntées à un scooter

BUELL BLAST

Moto, ou jouet ?

On réalise assez rapidement en examinant la Blast qu'aucune moto ne lui ressemble. Le nombre de pièces nécessaire à l'assembler, par exemple, s'avère inhabituellement faible, un résultat direct des rôles multiples qui sont donnés à une même composante. L'effet est tel qu'on dirait par moments avoir presque affaire à un jouet. Mais la Blast est bien une vraie moto, dont l'apparence et la conception ont toutefois été dictées par une seule et unique mission, celle de rendre la conduite d'une deux-roues aussi accessible, amicale et peu intimidante qu'il est possible de le faire. Lancé en 2000, le modèle n'a jamais subi de modification. Son prix continue de baisser pour 2006.

À la base même de la conception de la Blast se trouve le fait que la clientèle de Harley-Davidson ne rajeunit pas, le contraire étant même plutôt vrai. Buell, une filiale du géant de Milwaukee, hérita donc de la mission de créer une monture extraordinairement accessible dont le but serait de recruter des motocyclistes dès leur arrivée sur le marché, avec l'espoir que ceux-ci restent dans « la famille » une fois le temps venu de graduer vers une monture plus substantielle. La tactique n'a d'ailleurs rien de nouveau puisque les japonais l'utilisent depuis des lustres, à un autre niveau, toutefois, puisque c'est plutôt à de tout jeunes enfants et avec des machines hors-route miniatures qu'ils tentent d'imprégner un sentiment d'appartenance à leur marque.

Si le rôle de modèle d'entrée en matière de la Blast est donc semblable à celui de Sportster 883, contrairement à celle-ci, la Buell ne peut absolument pas être considérée comme un échantillonnage fidèle de l'expérience qu'offrent les autres montures de la gamme. Autrement dit, même s'il est vrai que le monocylindre qui anime la Blast partage certaines pièces avec les V-Twin des modèles XB, aucun lien ne peut être fait avec les sensations bien particulières que renvoient les moteurs de ces dernières et le bourdonnement du monocylindre de la petite Buell. Les 34 chevaux générés suffisent à déplacer pilote et moto sans problème, mais jamais les accélérations ne pourront être qualifiées d'excitantes, pas même par un néophyte absolu.

LA BLAST OFFRE LE GENRE DE PERFORMANCES PARFAITEMENT ADAPTÉES À LA FORMATION D'UN PILOTE DÉBUTANT.

Cela dit, la Blast offre le genre de performances parfaitement adaptées à la formation d'un pilote débutant, bien qu'il soit pratiquement certain que celui-ci s'en lasse rapidement dès la fin de l'apprentissage. Le petit moteur tremble abondamment dès le relâchement de l'embrayage, mais pas de façon dérangeante. C'est le contraire en ce qui concerne la transmission puisqu'elle est sans doute la pire de l'industrie. En effet, chaque fois qu'une Blast est passée dans nos mains, une caractéristique se faisait remarquer. Il s'agit d'un son d'engrenages martyrisés qui accompagne chaque passage de rapport, du moins tant que les changements de vitesses ne sont pas effectués avec une attention méticuleuse.

La Blast est si mince et sa selle est si basse que même si elle n'est pas extraordinairement légère sur papier, son agilité peut être qualifiée d'excellente, une caractéristique qui facilite grandement la vie aux débutants. Ces derniers ne devront toutefois pas être trop grands puisqu'il s'agit d'une moto qui semble minuscule lorsqu'on s'y installe, une impression que la selle basse optionnelle amplifie davantage. Bien qu'il soit un peu sensible, le freinage est plus qu'à la hauteur.

Le niveau de confort offert par la Blast n'est pas mauvais tant qu'on demeure dans un environnement urbain et que les sorties sont de courte durée. La selle peu rembourrée, surtout la basse, l'exposition au vent sur l'autoroute et le travail rudimentaire des suspensions sont les premiers facteurs qui limitent le confort.

Général

Catégorie	Standard
Prix	5 999 $
Garantie	2 ans/kilométrage illimité
Couleur(s)	noir, bleu
Concurrence	Kawasaki Ninja 500R, Suzuki GS500F

Partie cycle

Type de cadre	poutre centrale, en acier, agit aussi à titre de réservoir d'huile
Suspension avant	fourche conventionnelle de 37 mm non ajustable
Suspension arrière	monoamortisseur non ajustable
Freinage avant	1 disque de 320 mm de Ø avec étrier à 2 pistons
Freinage arrière	1 disque de 220 mm de Ø avec étrier à 1 piston
Pneus avant/arrière	100/80-16 & 120/80-16
Empattement	1 397 mm
Hauteur de selle	699 mm (selle optionelle : 648 mm)
Poids à vide	163 kg
Réservoir de carburant	10,6 litres

Moteur

Type	monocylindre 4-temps, culbuté, 2 soupapes par cylindre, refroidissement par air
Alimentation	carburateur simple Keihin à corps de 40 mm
Rapport volumétrique	9,2:1
Cylindrée	492 cc
Alésage et course	88,9 mm x 79,38 mm
Puissance	34 ch @ 7 500 tr/min
Couple	30 lb-pi @ 3 200 tr/min
Boîte de vitesses	5 rapports
Transmission finale	par courroie
Révolution à 100 km/h	environ 4 000 tr/min
Consommation moyenne	4,5 l/100 km
Autonomie moyenne	235,5 km

Conclusion

On ne croise pas des Blast à tous les coins de rues, et pour cause. Le modèle n'a rien de fondamentalement mauvais, même si sa transmission mérite un sérieux moment d'attention de la part du constructeur, mais il n'affiche pratiquement rien de bien impressionnant non plus. La moto est effectivement maniable à l'extrême et il est indéniable qu'elle se montre facile d'accès à tous les niveaux. Mais encore ? Non seulement le marché offre-t-il de bien meilleures motos ayant exactement ces qualités, et ce, pour à peine plus cher, mais le fait est aussi qu'en essayant aussi fort de coller aux besoins d'une clientèle littéralement chétive, la Blast s'est plus qu'un peu éloignée du motocycliste débutant moyen. Elle n'est pas chère et n'est pas méchamment conçue, et il est clair qu'il vaut mieux être à ses commandes qu'à celles d'une anémique 250. Mais il est tout aussi clair qu'il vaut mieux être aux commandes d'une Suzuki GS500F ou d'une Ninja 500R, même si elles coûtent quelques centaines de dollars en plus.

QUOI DE NEUF EN 2006 ?

- Aucun changement
- Coûte 400 $ de moins qu'en 2005 et 1 300 $ de moins qu'en 2003

PAS MAL

- Des baisses de prix considérables depuis 3 ans la rendent désormais bien plus concurrentielle face aux modèles japonais ayant la même mission : la Blast est maintenant plus chère qu'une Rebel 250 et moins chère qu'une Ninja 500R, ce qui est logique
- Une agilité phénoménale qui met immédiatement en confiance les novices les plus craintifs
- Une hauteur de selle si faible, surtout avec la selle optionnelle, que la Blast est carrément l'une des deux-roues non customs les plus basses

BOF

- Des dimensions tellement réduites qu'un pilote le moindrement grand s'y sentira immédiatement à l'étroit et positionné de façon étrange
- Une transmission désagréable en raison de sa rudesse et de son imprécision, du moins tant qu'on ne se montre pas très attentionné lors des passages de rapports
- Des suspensions qui effectuent un travail rudimentaire et un rembourrage plutôt avare de la selle basse

Tourisme sportif à l'italienne...

Avec comme mission la difficile tâche de marier sport et confort, aucune catégorie de moto n'est aussi profondément définie par la notion de compromis que celle qu'on appelle Sport-Tourisme. Si les monstres sacrés du genre, des multicylindres généralement aussi lourdes que luxueusement équipées, ont traditionnellement retenu une approche plaçant le confort d'abord et le sport ensuite, il existe quelques rares montures qui, elles, préfèrent aborder la problématique en commençant par le sport. La Ducati ST3 est l'une d'elles. En 2006, la version ST4s-ABS est remplacée par une ST3s-ABS beaucoup moins coûteuse.

Chez Ducati, où la compétition de niveau mondial et les montures hypersportives ont toujours fait et feront probablement toujours partie intégrante du décor, on a choisi de donner au côté sportif de l'équation d'une Sport-Tourisme toute la place qu'il méritait. Le résultat, la ST3, utilise ainsi une architecture générale clairement inspirée des célèbres et racées machines de courses du constructeur de Bologne. Le cadre en treillis d'acier tubulaire est évidemment retenu, tandis que toutes les composantes qui y sont rattachées, des suspensions aux freins en passant par les pneus, ont, elles aussi, des origines sportives.

En utilisant un thème aussi sportif comme point de départ, il serait facile de croire que l'élément confort ait été délaissé, mais Ducati a heureusement évité le piège. Grâce à une protection au vent, à une selle et à des suspensions qui sont toutes rien de moins qu'excellentes, la ST3 devient une compagne de route étonnamment agréable, et ce, qu'il s'agisse de traverser des portions longues et droites du pays ou de négocier des routes secondaires en mauvais état. Il est vrai qu'on ne dispose pas des gadgets retrouvés sur les gros canons de la classe comme un pare-brise ajustable, des poignées chauffantes ou une ergonomie variable, mais le fait est que la ST3 – qui est quand même livrée avec une paire de valises latérales de série – représente un ensemble abouti et joliment fonctionnel même sans ces équipements.

LE V-TWIN EST PARTICULIÈREMENT GÉNÉREUX EN SENSATIONS TANT AUDITIVES QUE TACTILES.

Si la ST3 ne peut ainsi faire un long étalage de sa liste d'équipement de tourisme, elle peut en revanche vanter la richesse de sa partie cycle aux origines sportives. Son impressionnante fiche technique se traduit sur la route par des prestations tout aussi impressionnantes à certains niveaux, comme le freinage et la solidité en courbe. Mais la réalité est qu'on a davantage affaire à une routière sportive très compétente qu'à une machine de course confortable. Le meilleur exemple en est le comportement routier : caractérisé par une grande stabilité et une certaine lourdeur de direction, il démontre des attributs qui dictent une conduite plus posée et coulée que nerveuse et incisive. L'italienne permet quand même de tirer un grand et réel plaisir d'une portion de route en lacet, mais elle demande du pilote qu'il se satisfasse d'un rythme qui, sans d'aucune façon être lent, demeure relativement modéré, point au-delà duquel la souplesse des suspensions amènera un certain flou au comportement.

Lorsqu'on parle Ducati, on parle aussi de V-Twin forts en caractère. Annoncée à 107 chevaux, la version qui propulse la ST3 est particulièrement généreuse en sensations tant auditives que tactiles, car quel que soit le régime ou l'intensité de l'accélération, il s'agit d'une mécanique dont le travail est constamment et clairement ressenti par le pilote. Sans être hyperpuissant, le V-Twin réussit tout de même à plaire grâce à des montées en régime suffisamment énergiques pour soulever l'avant à l'accélération, sur le premier rapport. Outre le fait qu'elle soit légèrement paresseuse à très bas régime et que l'injection demande quelques minutes de réchauffement avant de bien fonctionner, la mécanique qui anime la ST3 attire surtout de bons commentaires.

Général

Catégorie	Routière Sportive
Prix	16 995 $ (ST3s-ABS : 19 995 $)
Garantie	2 ans/kilométrage illimité
Couleur(s)	rouge, noir
Concurrence	Honda VFR800, Triumph Sprint ST

Partie cycle

Type de cadre	treillis en acier tubulaire
Suspension avant	fourche inversée de 43 mm ajustable en précharge
Suspension arrière	monoamortisseur ajustable en précharge, compression et détente
Freinage avant	2 disques de 320 mm de Ø avec étriers à 4 pistons
Freinage arrière	1 disque de 245 mm de Ø avec étrier à 2 pistons
Pneus avant/arrière	120/70 ZR17 & 180/55 ZR17
Empattement	1 430 mm
Hauteur de selle	820 mm
Poids à vide	201 kg
Réservoir de carburant	21 litres

Moteur

Type	bicylindre 4-temps en V à 90 degrés, contrôle desmodromique des soupapes, 3 soupapes par cylindre, refroidissement par liquide
Alimentation	injection à 2 corps de 50 mm
Rapport volumétrique	11,3:1
Cylindrée	992 cc
Alésage et course	94 mm x 71,5 mm
Puissance	107 ch @ 8 750 tr/min
Couple	72,5 lb-pi @ 7 250 tr/min
Boîte de vitesses	6 rapports
Transmission finale	par chaîne
Révolution à 100 km/h	environ 3 500 tr/min
Consommation moyenne	6,9 l/100 km
Autonomie moyenne	304 km

Conclusion

S'il existe sur le marché plusieurs autres façons – la plupart étant d'origine japonaise – de rouler vite, longtemps et confortablement, aucune ne chatouille les sens comme le fait la ST3 à chaque ouverture des gaz. C'est non seulement là la plus grande force de l'italienne, mais aussi une caractéristique que l'acheteur doit absolument privilégier. Sinon, un effort financier supplémentaire relativement léger permettrait d'envisager des montures beaucoup mieux équipées comme la ST1300 et la FJR1300.

QUOI DE NEUF EN 2006 ?

- ST4s-ABS n'est plus en production et est remplacée par la ST3s-ABS
- ST3 coûte 1 000 $ de moins qu'en 2005

PAS MAL

- Une mécanique particulièrement caractérielle qui a une façon de trembler et de gronder fort plaisante, et ce, à l'accélération, à vitesse d'autoroute et même en ville
- Une partie cycle solide dérivée de celle des modèles sportifs de la marque; la ST3 fait preuve d'une grande assurance en courbe et son freinage est excellent
- Un niveau de confort étonnant puisqu'il est vraiment possible de parcourir de longues distances sans souffrir

BOF

- Une réputation de machine de course confortable un peu surfaite puisque si la ST3 a effectivement une belle tenue de route, c'est avant tout une routière; poussez un peu trop et elle le prouvera
- Une mécanique qui, comme c'est souvent le cas pour une Ducati, utilise une démultiplication tellement longue que le moteur cafouille et rouspète lorsqu'on ouvre les gaz sous les 3 000 tr/min, à partir du troisième rapport; or, les V-Twin ne sont-ils pas censés être coupleux ?
- Un prix un peu élevé, même s'il est à la baisse en 2006; on peut acheter une ST1300 pour à peine 1 500 $ de plus

De rêve et de mythe...

Peu de sportives ont autour d'elles une aura aussi mythique que celles qui appartiennent à la famille Superbike de Ducati. En fait, à part certaines Harley-Davidson, on trouve même peu de motos qui suscitent tant le désir. De la relativement abordable 749 Dark à 17 000 $ jusqu'à la rarissime 999R et ses 40 000 $, les Superbike incarnent le savoir-faire du constructeur de Bologne en matière de sportives pures, une catégorie de motos qui définit mieux que toute autre l'essence de ce qui fait une Ducati une Ducati. Les modèles d'essai du constructeur se sont faits rares ces dernières années, mais la situation se rétablit tranquillement, et nous avons enfin pu prendre contact avec une 999.

L'essai d'une moto aussi mythique qu'une Ducati ou une Harley est toujours intéressant puisqu'il permet de départager le mythe de la réalité, qui n'est d'ailleurs pas toujours rose. Une chose est certaine, c'est que controversée ou pas, la ligne de la 999 fait tourner les têtes et attire abondamment de commentaires flatteurs. « Merci, mais je l'ai juste empruntée... » S'il y a une réalité qui demeure évidente à chaque instant de conduite, c'est que la 999 est d'abord et avant tout une sportive pure et totalement dédiée au pilotage sportif. Les guidons sont non seulement très bas, mais aussi très éloignés, si bien qu'ils dictent une position de conduite qui n'a rien de modéré. Une autre particularité de la moto qui fait peu de concessions au confort est la quantité de chaleur qui atteint le pilote. Elle ne vient pas réellement du silencieux logé sous la selle, mais plutôt du moteur dont la chaleur semble directement canalisée entre les jambes plutôt qu'à l'extérieur. Les Ducatistes endurcis défendent le modèle en rappelant qu'il s'agit d'une bête de circuit et non pas d'une routière citadine. Et ils ont raison, puisqu'il y a beaucoup plus à une 999 que ces inconvénients d'utilisation quotidienne, comme une tenue de route de haut calibre, mais également particulière. Particulière, car même s'il s'agit de la plateforme utilisée par le constructeur sur ses très concurrentielles machines de course, la 999 n'est pas la plus facile des sportives à piloter. La stabilité en ligne droite ou dans les longues courbes rapides est sublime et absolument sans reproche, et la précision en courbe n'a d'égal que celle de la direction lorsqu'un virage doit être amorcé de manière exacte. Mais cette direction demande aussi un certain effort de la part du pilote puisqu'elle n'a rien à voir avec celle de la plupart des sportives multicylindres actuelles qui, elles, n'exigent qu'une pensée pour s'incliner. Il ne s'agit pas d'un défaut, mais plutôt d'un caractère de comportement différent qui demande du pilote qu'il soit davantage impliqué dans les transitions de direction. Les suspensions de notre moto d'essai, que nous n'avons malheureusement pas pu rouler en piste, il faut le préciser, étaient ajustées de façon particulièrement souple. Suspendue de cette façon, la 999 s'est montrée étonnamment conviviale sur les routes abîmées, mais elle s'est aussi montrée facilement « dérangeable » dans les courbes bosselées qui la poussaient à se relever en milieu de courbe. Le freinage est excellent tant qu'il s'agit de l'avant, mais l'arrière s'est avéré pauvre tant en sensation qu'en puissance.

LA 999 N'EST PAS LA PLUS FACILE DES SPORTIVES À PILOTER.

Le cœur de la 999, le célèbre V-Twin italien, génère un niveau de performances agréablement élevé, bien que celui-ci demande des tours relativement hauts pour être obtenu. Ordinaire sous les 4 000 tr/min, il s'éveille ensuite et livre ses meilleures prestations entre 7 000 tr/min et presque 10 500 tr/min où les 140 chevaux annoncés se transforment en une impressionnante poussée pour un moteur d'une telle configuration. Jamais, même à haut régime, ses vibrations ne peuvent être qualifiées autrement que plaisantes et modérées. Sa sonorité est, quant à elle, tellement particulière qu'on aimerait toujours l'entendre avec plus d'intensité.

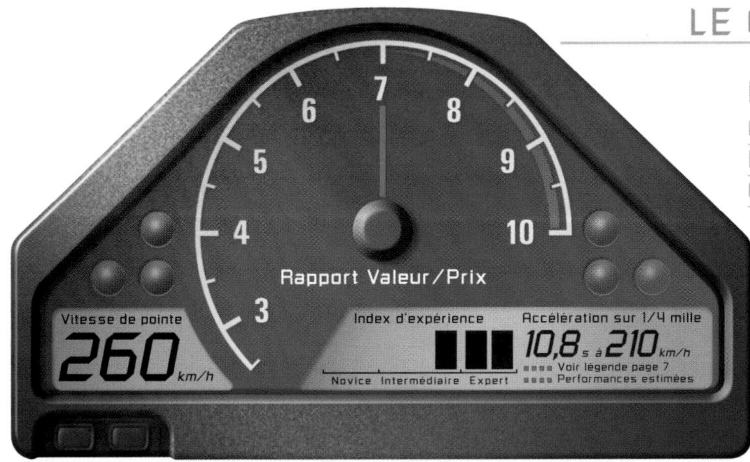

Général

Catégorie	Sportive
Prix	16 995-41 995
Garantie	2 ans/kilométrage illimité
Couleur(s)	noir, noir mat, rouge, édition Xerox (999R)
Concurrence	Aprilia RSV 1000 R et RSV 1000 R Factory

Partie cycle

Type de cadre	treillis en acier tubulaire
Suspension avant	fourche inversée de 43 mm ajustable en précharge, compression et détente
Suspension arrière	monoamortisseur ajustable en précharge, compression et détente
Freinage avant	2 disques de 320 mm de ø avec étriers à 4 pistons (R : étriers à montage radial)
Freinage arrière	1 disque de 240 mm de ø avec étrier à 2 pistons
Pneus avant/arrière	120/70 ZR17 & 190/50 (749 : 180/55) ZR17
Empattement	1 420 mm
Hauteur de selle	780 mm
Poids à vide	749 : 188 kg; 749S : 186 kg; 749R : 183,5 kg;999 : 186 kg; 999S : 186 kg; 999R : 181 kg
Réservoir de carburant	15,5 litres

Moteur

Type	bicylindre 4-temps en V à 90 degrés, contrôle desmodromique des soupapes, 4 soupapes
Alimentation	injection à 2 corps de 54 mm
Rapport volumétrique	749:11,7:1; 749R:12,7:1; 999:11,4:1; 999R:12,5:1
Cylindrée	749 : 748 cc; 749R : 749 cc; 999 : 998 cc; 999R : 999 cc
Alésage et course	749 : 90 x 58,8 mm; 749R : 94 x 54 mm; 999 : 100 x 63,5 mm; 999R : 104 x 58,8 mm
Puissance	749 : 108 ch; 749S : 116 ch; 749R : 121 ch; 999 : 140 ch; 999S : 143 ch; 999R : 150 ch
Couple	749 : 59,8 lb-pi;749S : 60,6 lb-pi;749R : 62,1 lb-pi; 999 : 79,8 lb-pi;999S : 82,8 lb-pi;999R : 86,2 lb-pi
Boîte de vitesses	6 rapports
Transmission finale	par chaîne
Révolution à 100 km/h	environ 3 400 tr/min
Consommation moyenne	6,7 l/100 km
Autonomie moyenne	231 km

Conclusion

Honnêtement, nous allons devoir passer plus de temps avec la 999 et ses nombreuses variantes, et décidément l'amener en piste avant de nous faire une opinion finale sur le produit. Il est toutefois clair, à la lumière de ce premier contact, qu'il ne s'agit pas uniquement d'un rêve, mais aussi d'une moto très particulière qui démontre non seulement un côté mythique bel et bien présent – et qui est surtout amené par sa mécanique, sa ligne et son comportement –, mais aussi un nombre de réalités plus ou moins faciles à vivre en utilisation quotidienne. Comme quoi même une top modèle n'est pas que mythe et beauté, une fois qu'on la côtoie sur une base régulière.

QUOI DE NEUF EN 2006 ?

- Édition Xerox aux couleurs de la moto de Superbike Mondial
- Retrait de la version R de la 749
- Plusieurs réductions substantielles de prix par rapport à 2005 : 999 Biposto coûte 2 000 $ de moins, 999S coûte 5 000 $ de moins, 999R coûte 5 000 $ de moins, 749 Dark coûte 1 000 $ de moins, 749 Biposto coûte 2 000 $ de moins et 749S coûte 2 500 $ de moins

PAS MAL

- Une ligne qui reste controversée, mais dont le côté spectaculaire est indéniablement prouvé par les nombreux regards qu'elle attire et les tout aussi nombreux commentaires flatteurs
- Un V-Twin dont la sonorité est caractérisée par un intense cliquetis qui se veut une signature mécanique exclusive à Ducati
- Une stabilité qu'il est pratiquement impossible à prendre en défaut à haute vitesse, que ce soit à fond en ligne droite ou dans les grandes courbes rapides

BOF

- Un niveau de confort peu invitant en raison d'une position particulièrement allongée et basculée sur les guidons, ainsi que d'une grande quantité de chaleur générée par le moteur et qui semble directement dirigée entre les jambes du pilote
- Une direction qui ne peut être qualifiée de légère puisqu'elle demande un bon effort aux guidons pour amorcer un virage pris à haute vitesse
- Une mécanique qui ne s'éveille vraiment que sur la seconde partie de sa plage de régimes et dont le silencieux pourrait être plus bavard

DUCATI PS1000 L.E. ET SPORT 1000

NOUVEAUTÉ 2006

Hommage historique...

Les premières grosses cylindrées de Ducati furent produites au début des années 70. Il s'agissait de sportives hautement performantes pour l'époque, de motos qui couraient et qui gagnaient. Figurant aujourd'hui parmi les modèles les plus convoités des collectionneurs, elles sont les motos qui bâtirent l'héritage du constructeur de Bologne. Pour la première fois il y a 2 ans, Ducati dévoilait une série de prototypes rendant hommage à ces mythiques montures. Enfin, en 2006, celles qui forment la nouvelle famille des Sport Classic sont mises en production. Les premières, les Paul Smart 1000 L.E. et Sport 1000 illustrées sur ces pages, seront suivies d'une GT 1000 au printemps 2006.

TECHNIQUE

Avant de parler technique, un peu d'histoire s'impose dans le cas des nouvelles montures de la famille Sport Classic. La Paul Smart 1000 L.E. prend son inspiration de la Super Sport 750 de 1974, un modèle lui-même issu d'une moto de course baptisée 750 Imola que le coureur Paul Smart mena à une extraordinaire victoire lors de l'Imola 200, un certain jour d'avril 1972. La particularité de cette victoire vient du fait qu'elle fut obtenue aux commandes d'une moto de conception entièrement nouvelle n'ayant jamais été testée. Inspiré de telles performances, Ducati décida de créer un modèle de production basé sur la machine de course. La sportive mue par un gros V-Twin, celle qui aujourd'hui représente l'essence de la marque italienne, était née.

LA SPORTIVE MUE PAR UN GROS V-TWIN QUI EST AUJOURD'HUI L'ESSENCE DE LA MARQUE ITALIENNE ÉTAIT NÉE.

La Sport 1000 fait, quant à elle, revivre l'esprit de la 750 Sport de 1973, un modèle qui fut le prédécesseur de la Super Sport 1974 sur laquelle la Sport Classic Paul Smart est basée. Présentée en jaune lors de son introduction et affichant une ligne épurée reprenant le style Café Racer émergeant à l'époque, la ligne de la 750 Sport 1973 était caractérisée pas son phare rond, sa selle solo et ses guidons bracelets positionnés très bas. C'est avec une grande fidélité que la Sport Classic Sport 1000 reprend ces mêmes traits.

Étant non seulement des Ducati, mais aussi des Ducati rendant hommage à une importante époque de l'histoire du constructeur, il était essentiel que leur conception fasse appel à certains éléments traditionnels comme un classique cadre en treillis et un moteur en V – ou en L si vous tenez le langage des puristes – refroidi par air. Une nécessité qui n'a pas été trop difficile à satisfaire puisque chaque Ducati du catalogue actuel dispose de ces éléments. Le V-Twin d'un litre Dual Spark, aussi utilisé sur la Multistrada 1000, sur la Monster 1000 et sur la Supersport 1000, est la motorisation retenue tandis qu'un cadre spécifique à la nouvelle famille a été conçu. Semblable à un cadre de Supersport, il a été allongé de 25 mm au niveau de la colonne de direction afin de donner aux modèles l'allure allongée plutôt que compacte qui caractérisait les sportives de cette époque.

Les Sport Classic se doivent aussi de refléter le degré de qualité et de performances retrouvé aujourd'hui sur les montures italiennes. Pour cette raison, la Paul Smart dispose de suspensions Öhlins entièrement ajustables à l'avant comme à l'arrière, tandis que la Sport 1000 utilise plutôt une fourche inversée Marzocchi de 43 mm et un amortisseur arrière Sachs, eux aussi complètement réglables. Les amortisseurs de direction sont, par ailleurs, également fabriqués par Sachs. Un bras oscillant asymétrique d'un genre jamais vu sur une Ducati est utilisé sur les deux modèles. Formé d'acier tubulaire de 60 mm de section et ayant des parois faisant 2 mm d'épaisseur, il a la particularité de porter le monoamortisseur sur son côté gauche, alors que son côté droit est courbé dans le but de laisser plus de place à l'échappement double et peint en noir, comme à l'époque. Enfin, de superbes roues à rayons de 17 pouces montées de larges gommes sportives sont utilisées sur la Sport comme sur la Paul Smart.

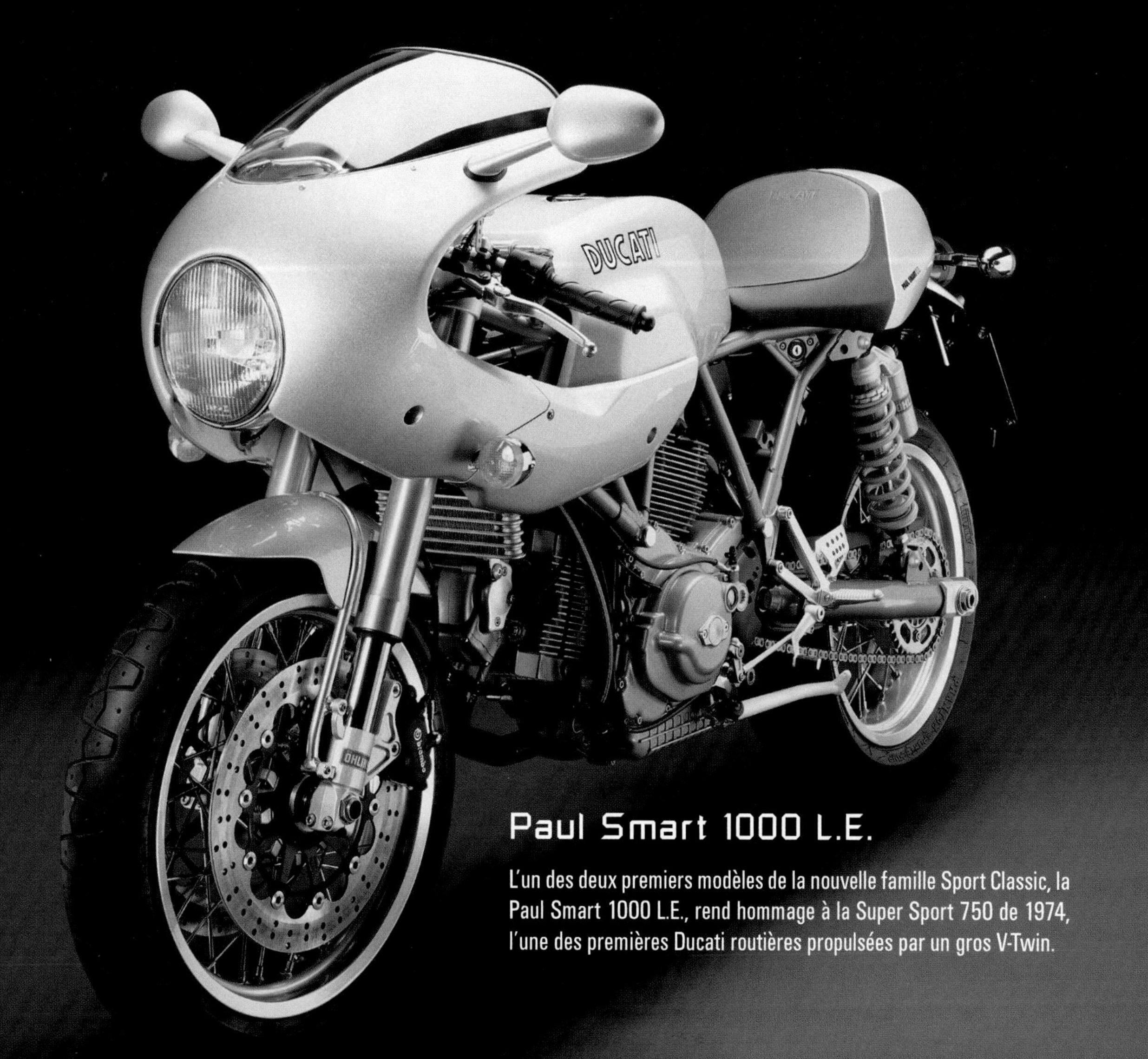

Paul Smart 1000 L.E.

L'un des deux premiers modèles de la nouvelle famille Sport Classic, la Paul Smart 1000 L.E., rend hommage à la Super Sport 750 de 1974, l'une des premières Ducati routières propulsées par un gros V-Twin.

Sport 1000

C'est de la 750 Sport de 1973 que s'inspire la nouvelle Sport 1000. Il s'agissait d'un des premiers modèles de production de l'époque à reprendre un style émergeant appelé Café Racer et caractérisé par une ligne sobre et réduite au strict nécessaire. Comme celle de la réplique de 2006.

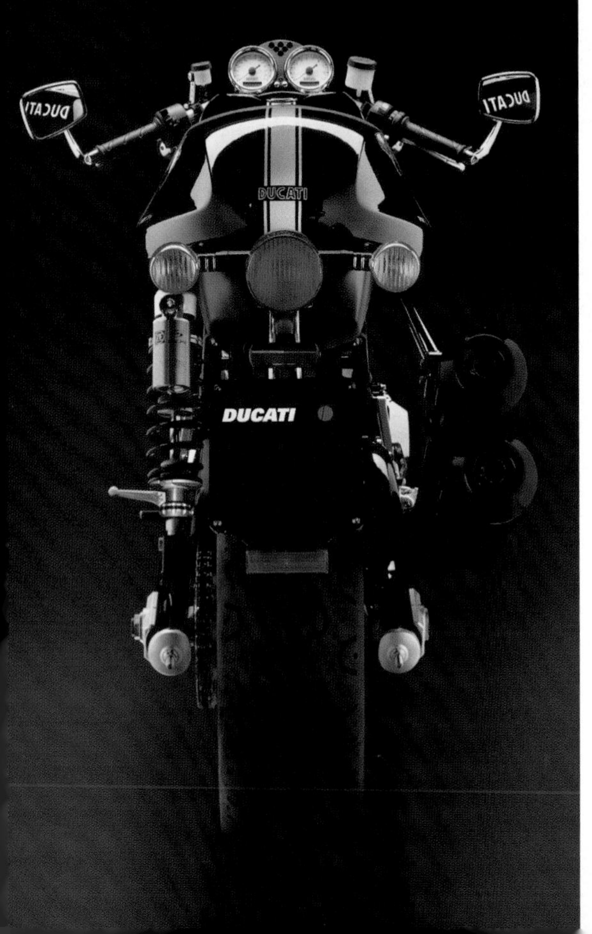

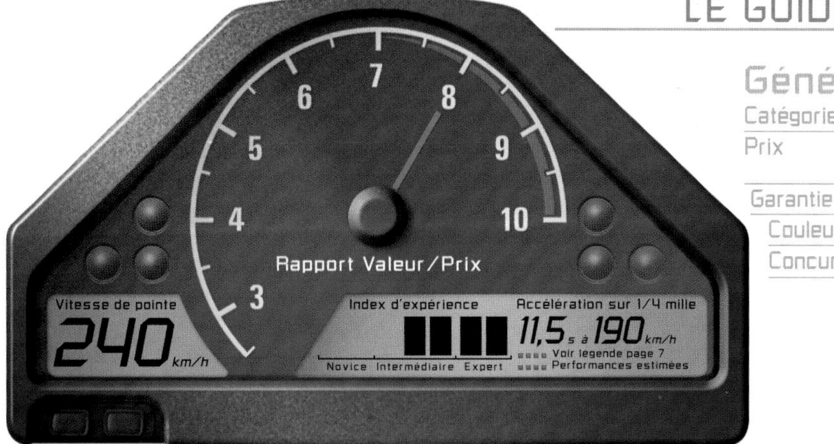

Général

Catégorie	Routière Sportive
Prix	PS 1000 L.E. : 17 995 $ Sport 1000 : 13 995 $
Garantie	2 ans/kilométrage illimité
Couleur(s)	argent (PS), jaune, noir, rouge (Sport 1000)
Concurrence	Triumph Thruxton

Partie cycle

Type de cadre	treillis en acier tubulaire
Suspension avant	fourche inversée de 43 mm ajustable en précharge, compression et détente
Suspension arrière	monoamortisseur ajustable en précharge, compression et détente
Freinage avant	2 disques de 320 mm de Ø avec étriers à 2 pistons
Freinage arrière	1 disque de 245 mm de Ø avec étrier à 2 pistons
Pneus avant/arrière	120/70 R17 & 180/55 R17
Empattement	1 425 mm
Hauteur de selle	825 mm
Poids à vide	PS 1000 L.E. : 181 kg, Sport 1000 : 179 kg
Réservoir de carburant	15 litres

Moteur

Type	bicylindre 4-temps en V à 90 degrés, contrôle desmodromique des soupapes, 2 soupapes par cylindre, refroidissement par air
Alimentation	injection à 2 corps de 45 mm
Rapport volumétrique	10:1
Cylindrée	992 cc
Alésage et course	94 mm x 71,5 mm
Puissance	92 ch @ 8 000 tr/min
Couple	67 lb-pi @ 6 000 tr/min
Boîte de vitesses	6 rapports
Transmission finale	par chaîne
Révolution à 100 km/h	n/d
Consommation moyenne	n/d
Autonomie moyenne	n/d

Conclusion

Les Sport Classic, qu'il s'agisse de la Paul Smart 1000 L.E. ou de la Sport 1000, sont décidément de belles pièces que Ducati a manifestement conçues avec une grande attention et un grand respect pour son passé. Elles attireront évidemment ceux qui ont vécu cette époque de l'histoire de la moto, mais il y a fort à parier que bien d'autres s'y intéresseront également. Car les véhicules rétro, lorsqu'ils sont bien réalisés – ce qui est certainement le cas ici –, semblent avoir ce genre de pouvoir. L'un des côtés intéressants des modèles est qu'ils sont construits avec de la technologie actuelle et connue, ce qui laisse croire qu'un propriétaire de Supersport 1000, par exemple, ne devrait pas du tout être dépaysé à leurs commandes. L'autre est que leur prix n'est franchement pas déraisonnable. Au lieu d'en faire des exclusives et dispendieuses montures dont seule une poignée de bien nantis pourra jouir, les Sport Classic sont bel et bien accessibles à quiconque aurait envisagé l'acquisition d'une Ducati de 1 000 cc. Voilà un geste qui, nous croyons, devrait être très bien reçu.

QUOI DE NEUF EN 2006 ?

- **Nouveaux modèles**

PAS MAL

- **Des styles non seulement extrêmement fidèles aux modèles d'époque, mais aussi très agréables à l'oeil du motocycliste actuel, quelle que soit la génération ou les goûts de ce dernier en matière de motos**
- **Une mécanique connue et appréciée pour son plaisant couple à mi-régime, ses performances très honnêtes et son caractère franc**
- **Une partie cycle construite à partir d'éléments de qualité qui peuvent être retrouvés sur les modèles haut de gamme actuels; les Sport Classic ne sont des antiquités que par leur style**

BOF

- **Une position de conduite qui semble passablement sévère; il s'agit d'une caractéristique que Ducati a volontairement incluse dans les concepts par respect pour les modèles originaux, mais qui pourrait aussi affecter le niveau de confort des nouveautés**
- **Une mécanique plaisante, mais qui est aussi bien connue, sur les modèles actuels, pour sa timidité à très bas régime sur les rapports supérieurs**
- **Des selles dont la forme semble avoir été davantage dictée par les stylistes que par souci du confort, mais rien à ce sujet ne peut évidemment être confirmé avant que l'essai des modèles ne soit complété**

DUCATI MULTISTRADA

Sportive généraliste...

Imaginez une nouvelle loterie baptisée *Véhicule de rêve italien*. Si vous grattez et qu'une Ferrari 575M Maranello apparaît sur chacune des trois cases du billet, vous êtes l'heureux gagnant de ladite caisse exotique, le premier des trois prix offerts. Si trois Ducati 999 apparaissent, bravo, vous venez de gagner le second prix. Et si les trois cases alignent une ST3, une Supersport et une Monster, vous remportez le troisième prix : une Multistrada. Cette Ducati à vocation un peu floue concentre en effet les essences de voyageuse, de sportive et de baladeuse des trois derniers modèles mentionnés. La Ducati des indécis, en quelque sorte.

Décrire la Multistrada comme un amalgame des personnalités de la ST3 pour tourisme sportif, de la sportive Supersport 1000 et de la boulevardière Monster donne une image assez juste de la nature de cette machine qui favorise la polyvalence. Une monture pour toutes les routes, comme le suggère son nom. Combinant le traditionnel V-Twin refroidi par l'air de la marque, accroché bien en vue sous un tout aussi classique cadre en treillis, à une partie cycle athlétique, un carénage partiel et une position de conduite relevée, la Multistrada confond les genres. Certains y perçoivent une adaptation du thème de la routière aventurière façon BMW R1200GS ou Suzuki V-Strom 1000, mais l'italienne n'affiche a priori aucune prétention en matière de pilotage hors route. Les longs débattements de ses suspensions, une caractéristique habituellement associée aux motos à vocation double-usage, existent surtout pour lui permettre d'affronter l'état rarement parfait des routes publiques. Pensez à une sportive pour la vraie vie, et vous venez de saisir le concept relativement terre à terre qui a motivé sa création. Car même si ses lignes étranges ne lui donnent pas l'immédiate crédibilité sportive dont jouissent tous les autres modèles de la gamme Ducati, il reste que la Multistrada est construite très sérieusement. Le cadre en treillis d'acier tubulaire est très similaire à celui de la Superbike 999, tandis que le reste des composantes de sa partie cycle, des freins au bras oscillant monobranche en passant par les belles roues à cinq branches, est littéralement emprunté aux modèles sportifs du catalogue.

PENSEZ À UNE SPORTIVE POUR LA VRAIE VIE, ET VOUS VENEZ DE SAISIR LE CONCEPT.

Sur la 1000 essayée, le comportement est caractérisé par une mise en angle ne demandant qu'un effort au guidon minimal et un caractère neutre, précis et posé en virage. La position de conduite relevée et avancée à saveur hors-route met instantanément le pilote en confiance et lui donne l'impression d'une maîtrise parfaite des réactions de la moto. Cette position ne taxant aucune partie de l'anatomie contribue aussi grandement au confort, tout comme l'agréable souplesse des suspensions. Le V-Twin d'un litre qui propulse la Multistrada 1000 est la plus récente évolution du traditionnel bicylindre en V – les snobs disent L, mais c'est bien un V – du constructeur de Bologne. Son niveau de puissance n'est pas extraordinaire, mais reste amusant, tandis que le bon contrôle de ses vibrations et sa volonté de tourner le rendent très plaisant à solliciter. On regrette toutefois la timidité du silencieux qui ne permet pas au Twin italien de chanter comme il devrait pouvoir le faire.

L'an dernier, un plus grand pare-brise est venu améliorer la protection au vent, et une nouvelle selle a tenté de remédier, avec un résultat que nous ignorons toujours, au pire défaut de la première version de la 1000. L'arrivée d'une version 1000DS dotée de suspensions Öhlins offre une façon théoriquement plus précise de rouler sur cette machine par ailleurs fort bien adaptée au réseau routier québécois. Quant à l'économique Multistrada 620, elle propose une intéressante facilité d'accès tant sur le plan de la prise en mains que sur celui des finances, qui en font probablement l'un des choix les plus logiques de toutes les Ducati.

Général

Catégorie	Routière Aventurière
Prix	10 495 $ à 18 995 $
Garantie	2 ans/kilométrage illimité
Couleur(s)	rouge, noir
Concurrence	BMW R1200GS, Buell XB12X Ulysses, KTM 950 Adventure, Suzuki V-Strom 1000, Triumph Tiger

Partie cycle

Type de cadre	treillis en acier tubulaire
Suspension avant	fourche inversée de 43 mm ajustable en précharge, compression et détente (620 : non ajustable)
Suspension arrière	monoamortisseur ajustable en précharge, compression et détente (620 : en précharge et détente)
Freinage avant	2 (620 Dark : 1) disques de 320 mm de Ø avec étriers à 4 pistons (620 : 2 disques de 300 mm de Ø avec étriers à 2 pistons)
Freinage arrière	1 disque de 245 mm de Ø avec étrier à 2 pistons
Pneus avant/arrière	120/70 ZR17 & 180/55 ZR17 (620 : 120/60 ZR17 & 160/60 ZR17)
Empattement	1 462 mm (620 : 1 459 mm)
Hauteur de selle	850 mm (620 : 830 mm)
Poids à vide	196 kg (620 : 183 kg)
Réservoir de carburant	20 litres (620 : 15 litres)

Moteur

Type	bicylindre 4-temps en V à 90 degrés, contrôle desmodromique des soupapes, 2 soupapes par cylindre, refroidissement par air
Alimentation	injection à 2 corps de 45 mm
Rapport volumétrique	10:1 (620 : 10,5:1)
Cylindrée	992 cc (620 : 618 cc)
Alésage et course	94 mm x 71,5 mm (620 : 80 mm x 61,5 mm)
Puissance	92 ch @ 8 000 tr/min (620 : 63 @ 9 500)
Couple	68 lb-pi @ 5 000 tr/min (620 : 41,3 @ 9 500)
Boîte de vitesses	6 rapports
Transmission finale	par chaîne
Révolution à 100 km/h	environ 4 000 tr/min (1000)
Consommation moyenne	6,4 l/100 km (1000)
Autonomie moyenne	312 km (1000)

Conclusion

L'idéal pour un vrai *rouleux* qui est aussi un fervent de Ducati serait sans doute d'avoir assez d'espace dans son garage, et surtout assez de profondeur dans son compte en banque, pour se permettre une 999, une ST3 et une Monster. Il aurait alors une belle italienne pour chaque occasion. D'une certaine façon, la Multistrada comble ce rêve à elle seule. Sa partie cycle compétente, son moteur fort en couple et sa position de conduite qui met en confiance lui confèrent des compétences sportives remarquables sur nos routes souvent défoncées, tandis que sa suspension souple et efficace, sa position de conduite peu taxante et son carénage en font une excellente routière. Il s'agit de l'italienne de tous les états d'esprit et de toutes les occasions.

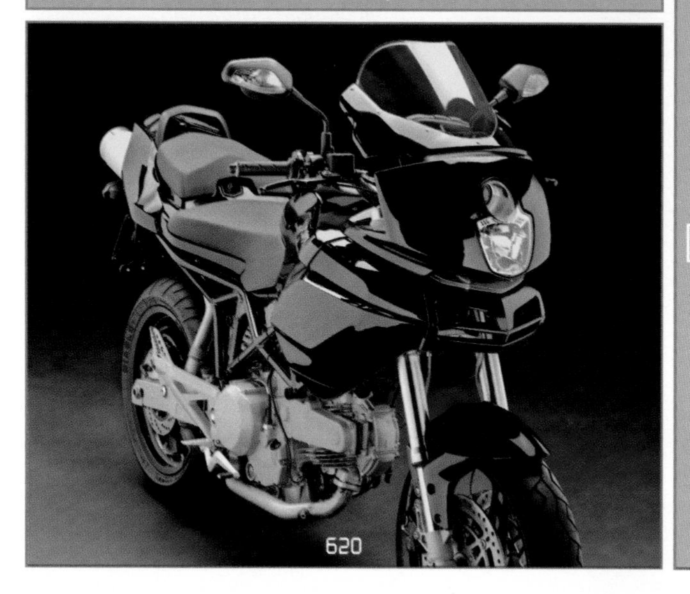
620

QUOI DE NEUF EN 2006 ?

- **Plusieurs intéressantes réductions de prix par rapport à 2005 : la 620 Dark coûte 800 $ de moins, la 620 coûte 1 000 $ de moins, la 1000 coûte 1 700 $ de moins et la 1000DS coûte 1 000 $ de moins**

PAS MAL

- **Une position de conduite à mi-chemin entre celle d'une standard et celle d'une monture hors-route qui met immédiatement en confiance et qui ne fait pas souffrir les mains et les poignets**
- **Une partie cycle de haute qualité qui permet un comportement léger, précis et solide en pilotage sportif**
- **Des suspensions particulièrement bien calibrées qui se montrent non seulement posées en mode sport, mais aussi contrôlées et confortables sur route abîmée**

BOF

- **Un niveau de confort qui était limité par une selle atroce en 2004, selle que Ducati affirme avoir améliorée pour 2005, et selle qui reste pour nous une inconnue en raison de la rareté des modèles d'essais du constructeur; on nous annonce toutefois du changement à ce sujet en 2006; nous serons prêts**
- **Un système d'échappement dont la voix est tellement faible qu'on entend à peine le V-Twin italien**
- **Une mécanique (1000) qui, en raison d'une démultiplication trop longue, n'est pas à l'aise à très bas régime, sur un des rapports supérieurs, et qui préfère qu'on la garde au-dessus des 3 000 tr/min**

Rapport Valeur/Prix
Vitesse de pointe
- - -
Index d'expérience
Novice Intermédiaire Expert
Accélération sur 1/4 mille

DUCATI SUPERSPORT

Pont historique...

Chez Ducati, les Supersport représentent le pont qui joint les technologies sans cesse renouvelées de l'ère moderne du constructeur et la riche histoire sur laquelle s'est bâtie sa renommée. Elles ont une allure sportive sans être extrême, une mécanique sophistiquée, mais quand même traditionnelle et une partie cycle solide sans toutefois être celle d'une machine de course.

Lorsqu'on prend en considération le respect qu'elles doivent à l'histoire et à la tradition du constructeur de Bologne, on comprend pourquoi les Supersport ne pourraient être propulsées par un autre moteur que le classique V-Twin italien refroidi par air. À la fois simple et moderne, il dispose d'une culasse à 2 soupapes et d'une alimentation par injection. Toujours disponible en version de 800 ou de 1000 cc – cette dernière voit son prix chuter de 1 500 $ cette année –, le modèle ne change pas en 2006, ce qui est un peu normal puisque plusieurs améliorations ont été faites l'an dernier. On notait alors des gains en puissance plutôt considérables. Alors que la version de 800 cc passait à 77 chevaux (de 74,5), celle de 1 000 cc gagnait presque une dizaine de chevaux puisqu'elle était désormais annoncée à 95 chevaux, ce qui est excellent pour un moteur affichant une technologie plus traditionnelle que moderne. La même philosophie conservatrice qui est appliquée à la mécanique l'est aussi à la partie cycle sur les Supersport puisque cette dernière reste moderne sans être exceptionnelle. Ainsi, même si elles ne sont pas du tout lourdes, il ne s'agit pas de sportives hyperlégères, et même si toutes leurs pièces sont de haute qualité, elles n'utilisent pas non plus le dernier cri en matière de composantes de freinage ou de suspensions. Les Supersport se veulent un échantillon légitime et atteignable de la technologie de pointe qui fait la marque des exotiques et dispendieux modèles Superbike.

Général

Catégorie	Sportive
Prix	11 995 $ (800); 14 995 $ (1000)
Garantie	2 ans/kilométrage illimité
Couleur(s)	rouge
Concurrence	Buell XB12R, Suzuki SV1000S

Moteur

Type	bicylindre 4-temps en V à 90 degrés, contrôle desmodromique des soupapes, 2 soupapes par cylindre, refroidissement par air
Alimentation	injection à 2 corps de 45 mm
Rapport volumétrique	10:1
Cylindrée	992 (803) cc
Alésage et course	94 (88) mm x 71,5 (66) mm
Puissance	95 (77) ch @ 7 750 (8250) tr/min
Couple	70,3 (52) lb-pi @ 5 750 (6250) tr/min
Boîte de vitesses	6 rapports
Transmission finale	par chaîne

Partie cycle

Type de cadre	treillis en acier tubulaire
Suspension avant	fourche inversée de 43 mm ajustable en précharge, compression et détente (800 : non ajustable)
Suspension arrière	monoamortisseur ajustable en précharge, compression et détente
Freinage avant	2 disques de 320 mm de Ø avec étriers à 4 pistons
Freinage arrière	1 disque de 245 mm de Ø avec étrier à 2 pistons
Pneus avant/arrière	120/70 ZR17 & 180/55 (170/60) ZR17
Empattement	1 395 (1 405) mm
Hauteur de selle	820 (815) mm
Poids à vide	189 (185) kg
Réservoir de carburant	16 litres

S2R 1000

Général

Catégorie	Standard
Prix	9 995 $ à 13 995 $
Garantie	2 ans/kilométrage illimité
Couleur(s)	noir, rouge, noir mat, rouge et blanc, blanc et noir, argent et noir
Concurrence	Buell XB9SX City X et XB12S, BMW R1150R, Honda 919, Kawasaki Z1000, Triumph Speed Triple, Yamaha MT-01

Moteur

Type	bicylindre 4-temps en V à 90 degrés, contrôle desmodromique des soupapes, 2 soupapes par cylindre, refroidissement par air
Alimentation	injection à 2 corps de 45 mm
Rapport volumétrique	620 : 10,5:1; 800 : 10,5 :1; 1000 : 10,1:1
Cylindrée	620 : 618 cc; 800 : 803 cc; 1000 : 992 cc
Alésage et course	620 : 88 x 61,5 mm; 800 : 88 x 66 mm; 1000 : 94 x 71,5 mm
Puissance	620 : 63 ch; 800 : 77 ch; 1000 : 94 ch
Couple	620 : 41,3 lb-pi; 800 : 53,6 lb-pi; 1000 : 69,6 lb-pi
Boîte de vitesses	6 rapports
Transmission finale	par chaîne

Partie cycle

Type de cadre	treillis en acier tubulaire
Suspension avant	fourche inversée de 43 mm non ajustable (1000 : ajustable en précharge, compression et détente)
Suspension arrière	monoamortisseur ajustable en précharge, compression et détente
Freinage avant	2 disques de 300 mm (1000 : 320 mm) de Ø avec étriers à 4 pistons
Freinage arrière	1 disque de 245 mm de Ø avec étrier à 2 pistons
Pneus avant/arrière	120/60 ZR17 & 180/55 (620 : 160/60) ZR17
Empattement	1 440 mm
Hauteur de selle	800 mm (620 : 770 mm)
Poids à vide	620 : 168 kg; 800 : 173 kg; 1000 : 178 kg
Réservoir de carburant	14 litres

Essence italienne...

Ramenez une Ducati à son expression la plus pure, et vous obtenez une Monster. Pas de pedigree de machine de course, pas de position de conduite sans bon sens, pas même de carénage. Le V-Twin italien, le cadre en treillis et la partie cycle moderne – bref, l'essentiel – sont toutefois tous bien présents. En 2006, la puissante S4R est retirée et une S2R de 1 000 cc est introduite.

Ce sont les Ducati Monster qui, en 1993, firent naître le phénomène des roadsters caractériels en amenant le motocycliste à redécouvrir les plaisirs de la simplicité sur deux roues. Le créneau dont elles sont l'origine est aujourd'hui l'un des plus prolifiques du marché et génère certains des modèles les plus intéressants du motocyclisme. Plus d'une douzaine d'années après l'introduction du premier modèle, la fiche technique s'est étoffée et une véritable famille s'est créée, mais le concept original demeure intact. On peut accéder à la Monster pour aussi peu que 9 995 $ avec la 620 Dark, tandis que 2 000 $ de plus permettront d'envisager une version Dark de la S2R 800 lancée l'an dernier. Ajoutez encore une fois ce montant et c'est cette fois avec la S2R 1000, une nouveauté en 2006, que vous pourriez faire l'expérience de la Monster. Cette dernière reprend le style très bien accueilli de la 800 introduite en 2005 et le marie à l'excellent V-Twin Dual Spark qui anime aussi, entre autres, la Multistrada 1000. Dans tous les cas, la partie cycle fait appel au traditionnel cadre périmétrique en treillis d'acier tubulaire, ainsi qu'à des éléments de suspensions, des roues, des pneus et des freins carrément empruntés aux modèles sportifs de la gamme. La puissante S4R et son moteur de 996 cc – celui de la sportive du même nom – ne sera plus produite en 2006. Loin d'abandonner l'idée d'une Monster ultime, Ducati a déjà annoncé l'arrivée, tard en 2006, d'une version 2007 encore plus puissante du modèle, la S4RS, qui sera cette fois basée sur la génération actuelle du V-Twin de la 999 Superbike. Son prix : 19 995 $.

Street Glide

HARLEY-DAVIDSON SÉRIE ELECTRA GLIDE

NOUVEAUTÉ 2006

Prendre ça cool...

De l'étonnamment abordable Electra Glide Standard jusqu'à la chérante Screamin'Eagle Ultra Classic Electra Glide et son moteur de 1 690 cc en passant par les diverses variantes élaborées autour de la même plateforme, les montures de tourisme de la famille FLH demeurent uniques dans le genre puisqu'elles sont les seules customs sur le marché qui traitent leurs prétentions touristiques avec autant de sérieux. Plusieurs petites améliorations techniques sont réalisées en 2006, mais ce sont surtout l'arrivée d'une nouvelle variante, la FLHXI Street Glide, ainsi que l'annonce de prix encore à la baisse – pour la troisième année consécutive – qui retiennent l'attention.

Il y a les amateurs de tourisme qui sont pressés, et ceux qui préfèrent flâner. Il y a les types Winnebago et les types décapotables. Il y a les genres « ligne droite » et les genres « détours ». Il y a ceux qui placent technologie et performances tout en haut de leur liste de priorités, et ceux qui privilégient plutôt l'ambiance toute simple d'une balade en custom. Alors que des modèles comme les Honda Gold Wing et BMW K1200LT sont tout indiqués pour les premiers, les montures à vocation touristique construites autour de la plateforme FLH de Harley-Davidson – rien de plus ou de moins que des customs de tourisme –, elles, s'adressent décidément aux autres. Si des différences notables existent au niveau des prix et du degré d'équipement, au chapitre des impressions de conduite, on parle d'une expérience qui ne varie que de façon mineure d'un modèle à l'autre. En fait, les différences les plus marquées entre les divers modèles n'ont rien à voir avec la position de conduite qui, dans tous les cas, est l'agréable posture retrouvée sur une custom classique, celle qui plie confortablement les jambes à 90 degrés, place les pieds sur de spacieuses plateformes, garde le dos droit et laisse tomber les mains de manière parfaitement naturelle sur un large guidon chromé. Ces différences ne concernent pas non plus les performances qui, peu importe le modèle, ne sont que modestes, mais tout de même satisfaisantes pour qui n'est ni pressé ni trop exigeant à ce niveau. Elles n'ont certainement rien à voir avec l'attachante manière qu'a le caractériel V-Twin de Milwaukee de tout secouer sans gêne jusqu'à 2 000 tr/min, puis de s'adoucir radicalement ensuite, si bien que seul un réconfortant vrombissement accompagne le pilote et son passager aux vitesses d'autoroute. Exception faite de la puissante version Screamin'Eagle et de son Twin Cam 88 vitaminé jusqu'à devenir un Twin Cam 103 (pour 103 pouces cubes ou 1 690 cc) dans tous les cas un couple honnête – mais sans plus – est libéré à pratiquement n'importe quel régime. Même l'accessibilité du comportement routier rendue par l'étonnante minceur des motos ainsi que par la légèreté des directions et par la faible hauteur des selles est à tout compte fait identique.

LE CARACTÉRIEL V-TWIN DE MILWAUKEE SECOUE TOUT SANS GÊNE JUSQU'À 2 000 TR/MIN, PUIS S'ADOUCIT DRASTIQUEMENT ENSUITE.

Non, si différences il y a, c'est principalement au niveau du confort et de l'étendue des commodités, qui va de sommaire sur l'Electra Glide Standard à généreux sur l'Ultra Classic. Si toutes les versions offrent une bonne protection au vent, celui-ci s'écoule néanmoins toujours de manière bruyante et turbulente à des degrés d'agacement plus ou moins élevés dépendamment des modèles et des pare-brise. Clairement, à ce sujet, Harley – comme trop d'autres constructeurs, d'ailleurs – aurait grand intérêt à investir quelques dollars en soufflerie. À cela près, les montures de tourisme décrites sur ces pages s'avèrent de fort agréables compagnes de voyage. En raison du poids considérable des montures, les freinages ne sont que satisfaisants, chaque passage de rapport est accompagné d'un solide et typique « clonk » et, enfin, l'annonce d'une réduction notable de l'effort au levier d'embrayage pour 2006 est exacte.

Vive le vent...

Il y a bien longtemps qu'un nouveau modèle n'est pas venu s'ajouter au reste de la famille des montures de tourisme de Harley-Davidson. Voilà qui change en 2006 avec l'arrivée de la nouvelle FLHXI Street Glide. Pouvant être perçue comme une Electra Glide Standard endimanchée ou comme une Electra Glide Classic en tenue légère, elle est caractérisée par un look minimaliste ainsi que par une suspension arrière légèrement abaissée. Elle bénéficie comme toutes les FLH d'un embrayage à effort réduit et d'un système audio Harman/Kardon amélioré, entre autres. Elle se distingue des autres Electra Glide par le remplacement du pare-brise haut habituel par un court saute-vent ainsi que par le repositionnement des rétroviseurs à un endroit plus discret. La surface réduite du pare-brise n'empêche pas la protection au vent de demeurer bonne, mais l'écoulement de l'air est bruyant et turbulent à la hauteur du casque. L'emplacement des rétroviseurs est en revanche tellement efficace qu'il mériterait d'être repris par les autres modèles de la famille.

L'Electra Glide Ultra Classic

Tout simplement la plus équipée et la plus dispendieuse des Electra Glide, si on fait bien entendu exception de la version Screamin'Eagle. Le surplus qu'elle commande par rapport à la Classic achète un système audio plus puissant avec haut-parleurs arrière et CB, un régulateur de vitesse, des valises avec sac intérieur, un bas de carénage et un niveau de finition plus détaillé.

L'Electra Glide Standard

Moteur peint en gris, instrumentation limitée au minimum et absence de top-case, tels sont les éléments principaux qui manquent à la Standard lorsqu'on la compare à la Classic. Les « bons » morceaux sont en revanche tous là. En effet, le carénage et le gros pare-brise, la mécanique de 1 450 cc et la partie cycle entière sont en tous points identiques aux composantes des autres Electra Glide.

L'Electra Glide Classic

Mieux équipée et mieux finie que la Standard, moins cossue et moins coûteuse que l'Ultra, l'Electra Glide Classic tente de combiner équipement et valeur. Étrangement, même si elle est plus accessoirisée que la nouvelle Street Glide, la Classic est vendue moins cher.

La Road Glide

Avec son gros carénage en forme de tête de bison, la Road Glide n'est certes pas la plus élégante création des stylistes américains. Elle est par contre la seule Harley-Davidson qui soit munie d'un carénage fixé au cadre et non à la fourche, ce qui favorise la stabilité à haute vitesse et allège la direction. Son niveau d'équipement est comparable à celui de l'Electra Glide Standard.

La Screamin'Eagle Ultra Classic Electra Glide

Prenez une Electra Glide Ultra Classic de série, jetez-lui une bonne partie du contenu de l'épais catalogue d'accessoires Harley-Davidson d'origine, remplacez le Twin Cam 88 par une version de 103 pouces cubes ou 1 690 cc du même moteur et vous obtenez la version Screamin'Eagle. Proposée à plus de 42 000 $ pièce, elle n'a rien d'une aubaine, mais se veut plutôt une manière d'acquérir une Harley hautement trafiquée sans avoir à exécuter soi-même ce trafiquage, qui peut, soit dit en passant, s'avérer particulièrement complexe et coûteux dans le cas du moteur.

Rapport Valeur/Prix

Vitesse de pointe 160 km/h

Index d'expérience: Novice Intermédiaire Expert

Accélération sur 1/4 mille 14,4 s à 140 km/h

Voir légende page 7

Général

Catégorie	Tourisme de luxe/léger
Prix	20 299 $ - 25 999 $ (SE : 42 099 $)
Garantie	2 ans/kilométrage illimité
Couleur(s)	noir, noir perle, violet, perle, bleu, argent, bourgogne, jaune, bleu et bleu, bleu et argent, violet et noir, bleu et argent, bourgogne et noir (Standard, Street Glide : noir, violet, bleu)
Concurrence	BMW K1200LT, Honda Gold Wing, Yamaha Royal Star Venture/Kawasaki Vulcan 1600 Nomad, Victory Touring Cruiser, Yamaha Royal Star Tour Deluxe et Stratoliner 1900

Partie cycle

Type de cadre	double berceau, en acier
Suspension avant	fourche conventionnelle de 41,3 mm ajustable pour la pression d'air
Suspension arrière	2 amortisseurs ajustables pour la pression d'air
Freinage avant	2 disques de 292 mm de Ø avec étriers à 4 pistons
Freinage arrière	1 disque de 292 mm de Ø avec étrier à 4 pistons
Pneus avant/arrière	MT90 B16 & MU85 B16
Empattement	1 613 mm
Hauteur de selle	780 mm
Poids à vide	358 kg (Ultra Classic), 352 kg (Classic), 344 kg (Standard) 338 kg (Street Glide), 332 kg (Road Glide)
Réservoir de carburant	19 litres

Moteur

Type	bicylindre 4-temps en V à 45 degrés (Twin Cam 88), culbuté, 2 soupapes par cylindre, refroidissement par air
Alimentation	par carburateur ou injection séquentielle
Rapport volumétrique	8,9:1
Cylindrée	1 450 cc
Alésage et course	95,2 mm x 101,6 mm
Puissance	67 ch @ 5 200 tr/min
Couple	86 lb-pi @ 3 500 tr/min
Boîte de vitesses	5 rapports
Transmission finale	par courroie
Révolution à 100 km/h	environ 2 700 tr/min
Consommation moyenne	5,9 l/100 km
Autonomie moyenne	322 km

Conclusion

S'il est vrai que les modèles de toursime de la Motor Company ne sont absolument pas des montures qui arrivent à leurs fins de la même manière que les Gold Wing et les K1200LT de ce monde, il est aussi vrai qu'elles ne s'adressent absolument pas à des motocyclistes qui désirent voyager dans le genre d'ambiance propre aux motos comme la Honda ou la BMW. Sur les Harley, tout se passe moins vite et de façon un peu moins structurée et sophistiquée. Il s'agit de customs d'abord et de machines de tourisme ensuite. Elles permettront de traverser les mêmes distances dans un niveau de confort qui, bien que pas aussi généreux – pas de poignées ou de sièges chauffants, pas de pare-brise ou de position ajustables, pas d'ABS, etc. – restera quand même très élevé. Le choix de l'une ou de l'autre des variantes est essentiellement une histoire de besoins et de budget, mais peu importe le modèle contemplé, leurs prix encore à la baisse cette année font de ces particulières voyageuses des propositions plus faciles que jamais à envisager.

QUOI DE NEUF EN 2006 ?

- Street Glide vient s'ajouter à la plateforme FLH
- Système audio Harman/Kardon amélioré; embrayage à effort réduit de 24 %; top case modifié, abaissé et ajustable en deux positions; alternateur de 650 watts; contact avec barrure de direction; phares auxiliaires du même design que celui du phare central
- EGUC coûte 2 030 $, EGC 1 850 $, EGS 1 230 $ et RG 1 850 $ de moins qu'en 2005; injection coûte 325 $ au lieu de 600 $

PAS MAL

- Un concept propre à Harley-Davidson, car s'il existe plusieurs customs à moteur V-Twin apprêtées pour plus de confort sur longue route, aucune n'est équipée pour le tourisme avec autant de sérieux que cette famille de modèles
- Un moteur au caractère charmant qui a une grande part de responsabilité dans l'agrément de conduite en général
- Un niveau de confort suffisamment élevé pour entreprendre de véritables voyages

BOF

- Un niveau de performances qui n'est pas dans le même univers que celui de montures comme la Honda Gold Wing ou la BMW K1200LT; on arrive à s'en satisfaire, mais on ne dirait pas non à une large dose de couple et de chevaux en plus
- Une tenue de route qui est bien davantage celle d'une custom que celle d'une « vraie » monture de tourisme
- Une efficacité aérodynamique pauvre puisque le vent s'écoule de manière bruyante et turbulente

Road King Classic

FLH en petite tenue...

Si les caractéristiques particulières à la plateforme FLH de Harley-Davidson vous intéressent, mais que vous préférez rouler une custom classique plutôt qu'une moto plus sérieusement apprêtée pour le tourisme, une bonne et une mauvaise nouvelle vous attendent. La mauvaise, d'abord, est que la Road King est la seule et unique FLH qui ne soit pas entièrement dédiée au tourisme. La bonne est qu'en revanche, cette même Road King est offerte en trois livrées différentes : la version originale dont l'introduction remonte à 1994, la Classic au style d'époque et enfin la Custom, lancée en 2004. Toutes bénéficient d'un embrayage à effort réduit cette année.

Si les Road King sont les seuls modèles de la famille FLH qui ne soient pas équipés de manière à pouvoir être légitimement qualifiés de motos de tourisme, ils n'en demeurent pas moins munis de valises latérales et, sauf pour la Custom, d'un gros pare-brise détachable. L'appellation « Tourisme Léger » en est une que nous trouvons particulièrement à point pour décrire ce genre de niveau d'équipement puisqu'elle décrit bien la capacité des motos équipées de cette façon à parcourir des distances relativement longues dans un confort plus que raisonnable, mais sans une cargaison de bagages. Les diverses variantes de la Road King représentent le dernier échelon du catalogue américain avant de passer à la catégorie des machines de tourisme costaudes et spécialisées. À plus ou moins 325 kilos, elles sont toutefois loin d'être des poids plume. Imposantes et lourdes à l'arrêt, quelque peu maladroites dans les manoeuvres serrées, elles s'allègent en revanche de façon marquée dès qu'elles se mettent en mouvement. En raison de la courbure aussi prononcée qu'inhabituelle du guidon de la version Custom, il faut s'attendre à expérimenter quelques difficultés à la piloter à vitesse réduite, surtout lorsqu'il s'agit de tourner la direction complètement.

LES ROAD KING SONT ÉQUIPÉES POUR ROULER LOIN DANS UN CONFORT TRÈS RAISONNABLE, MAIS SANS UNE CARGAISON DE BAGAGES.

Sur la route, les Road King s'avèrent posées, équilibrées et saines, mais comme les modèles de tourisme que sont les Electra Glide et compagnie, elles vous rappellent qu'il s'agit de montures de promenade dès l'instant où elles commencent à se faire bousculer, en se mettant tout simplement à perdre petit à petit leurs bonnes manières.

L'une des plus importantes caractéristiques des modèles de la famille FLH est l'unique système de supports souples avec lequel la mécanique est installée dans le châssis. C'est grâce à ce système que le V-Twin américain achemine une quantité bien définie de vibrations jusqu'au pilote. Au ralenti, le moteur est littéralement roi puisqu'il bouge à sa guise et dans tous les sens, entraînant avec lui non seulement chaque pièce de la moto, mais aussi chaque partie de l'anatomie du pilote. Ces intenses secousses ne restent présentes qu'à très bas régime, soit environ jusqu'à 2 000 tr/min, pour ensuite rapidement perdre de leur force. À plus ou moins 100 km/h, la mécanique s'est considérablement calmée, au point de ne plus trembler, mais de plutôt doucement ronronner.

Si, à 1 450 cc, le Twin Cam 88 qui anime les Road King fait aujourd'hui presque figure de nain lorsqu'on prend en considération les cylindrées les plus fortes des constructeurs rivaux, il n'en demeure pas moins plaisant à l'utilisation. On ne peut évidemment pas qualifier ses accélérations d'excitantes, mais tant qu'une comparaison directe n'est pas faite avec un V-Twin plus gros et plus puissant, celui des Road King reste à tout le moins satisfaisant, qualité qu'il doit surtout à sa forte présence ainsi qu'à la disponibilité d'une dose décente de couple à peu près partout sur la plage de régimes.

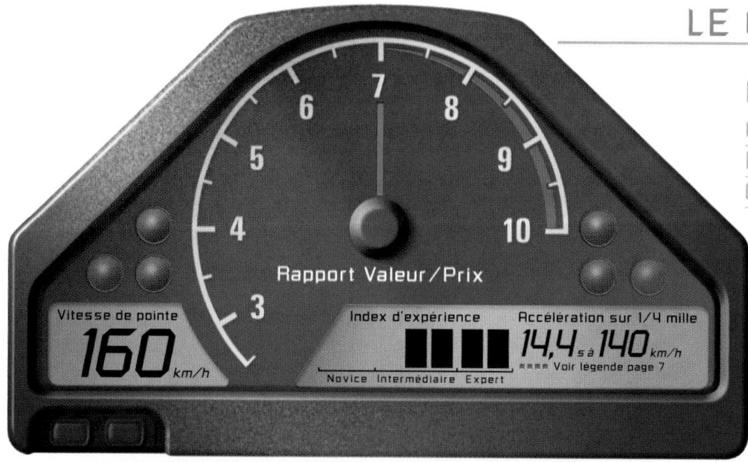

Général

Catégorie	Tourisme léger
Prix	22 389 $ - 22 999 $
Garantie	2 ans/kilométrage illimité
Couleur(s)	noir, bourgogne, violet, argent, noir perlé, blanc, bleu et bleu, bleu et argent, violet et noir, bourgogne et argent, bleu, jaune
Concurrence	Kawasaki Vulcan 1600 Nomad, Victory Touring Cruiser, Yamaha Royal Star Tour Deluxe et et Stratoliner 1900

Partie cycle

Type de cadre	double berceau, en acier
Suspension avant	fourche conventionnelle de 41,3 mm ajustable pour la pression d'air
Suspension arrière	2 amortisseurs ajustables pour la pression d'air
Freinage avant	2 disques de 292 mm de Ø avec étriers à 4 pistons
Freinage arrière	1 disque de 292 mm de Ø avec étrier à 4 pistons
Pneus avant/arrière	MT90 B16 & MU85 B16
Empattement	1 613 mm
Hauteur de selle	780 mm (Road King), 718 mm (Road King Custom), 749 mm (Road King Classic)
Poids à vide	328 kg (Road King), 327 kg (Road King Custom), 322 kg (Road King Classic)
Réservoir de carburant	19 litres

Moteur

Type	bicylindre 4-temps en V à 45 degrés (Twin Cam 88), culbuté, 2 soupapes par cylindre, refroidissement par air
Alimentation	par carburateur ou injection séquentielle
Rapport volumétrique	8,9:1
Cylindrée	1 450 cc
Alésage et course	95,2 mm x 101,6 mm
Puissance	67 ch @ 5 200 tr/min
Couple	86 lb-pi @ 3 500 tr/min
Boîte de vitesses	5 rapports
Transmission finale	par courroie
Révolution à 100 km/h	environ 2 700 tr/min
Consommation moyenne	5,9 l/100 km
Autonomie moyenne	322 km

Conclusion

Malgré le fait qu'elles ne disposent pas de cylindrées particulièrement imposantes, les Road King demeurent encore et toujours parmi les modèles customs les plus désirables de l'industrie. Si les trois variantes offertes par Harley-Davidson se comportent à peu de choses près de la même manière, les différents niveaux de finition permettent au moins aux acheteurs de marier le modèle à leur personnalité. Elles sont loin des Harley-Davidson qui, en raison d'un style ou d'une position de conduite peu orthodoxe, attirent des opinions largement divergentes. La vérité est qu'à part le souhait de pouvoir un jour prochain en faire l'expérience avec l'agrément de conduite supérieur qu'amènerait une cylindrée qui grimperait en direction des deux litres, il est simplement difficile de ne pas s'y attacher.

Road King Custom

QUOI DE NEUF EN 2006 ?

- **Embrayage à effort réduit de 24 %; alternateur de 650 watts; contact avec barrure de direction; phares auxiliaires maintenant du même design que celui du phare principal**
- **Road King coûte 1 410 $, Road King Classic 1 850 $ et Road King Custom 2 030 $ de moins qu'en 2005; injection coûte 320 $ au lieu de 600 $ en 2005**

PAS MAL

- **Des styles aussi différents et distincts qu'attirants et réussis pour les trois variantes; les Road King figurent parmi les customs les plus désirables du marché**
- **Un système de supports souples qui permet à la mécanique de renvoyer au pilote des sensations aussi particulières qu'agréables**
- **Un bon niveau de confort amené par des positions équilibrées, des suspensions quand même assez souples et de bonnes selles**

BOF

- **Un V-Twin plaisant pour les sens, mais dont le niveau de performances n'a certainement rien d'extraordinaire; Harley-Davidson pourra résister encore un bout à gonfler ses cylindrées mais pas éternellement**
- **Un guidon dont la forme étrange gêne les manoeuvres lentes et serrées sur la Road King Custom puisqu'il est difficile à tourner complètement**
- **Un poids substantiel peu importe le modèle, et qui exige du pilote une bonne attention lors des manoeuvres très lentes**

HARLEY-DAVIDSON HERITAGE SOFTAIL CLASSIC

Classique des temps modernes...

Observez la gamme de Honda, de Suzuki, de Yamaha, de Kawasaki, de Victory et même de Triumph et comptez le nombre de modèles customs équipés d'un gros pare-brise, d'une paire de sacoches, d'un dossier de passager et de phares auxiliaires. Vous en aurez pour un moment.
L'origine de ce look, de cette recette, n'est nulle autre que l'Heritage Softail Classic présentée sur ces pages. Construite autour de la plateforme Softail, elle est mue par la version B du Twin Cam 88 de 1 450 cc qui propulse toutes les grosses Harley-Davidson. Peu de changements sont annoncés pour 2006, mais pour une troisième année consécutive, on note une baisse considérable du prix.

Quiconque s'interrogerait sur le pouvoir du nom Harley-Davidson en 2006 n'a qu'à considérer les faits suivants. Malgré un prix largement supérieur à celui de sa concurrence directe – et ce, en dépit d'une troisième réduction considérable de prix en trois ans –, malgré un niveau de fonctionnalité à peu près équivalent, mais pas supérieur à celui d'une custom japonaise de plus ou moins 1 600 cc, malgré la nette supériorité de certains modèles que ce genre de montant permettrait d'envisager, l'Heritage Softail Classic continue an après an d'être l'un des modèles les plus populaires de la gamme américaine, ce qui équivaut à un nombre extrêmement élevé d'unités vendues. Imaginez ensuite le genre de difficultés qu'aurait Suzuki ou Honda à écouler une custom de 1 450 cc à quelque 23 000 $ et la véritable force du nom Harley-Davidson commence à devenir évidente.

IMAGINEZ LA DIFFICULTÉ QU'AURAIT HONDA OU SUZUKI À ÉCOULER UNE CUSTOM DE 1 450 CC À QUELQUE 23 000 $.

La monture qu'achètent ces 23 000 $ est, comme toutes les autres Softail, propulsée depuis l'an 2000 par une version contrebalancée du V-Twin de 1 450 cc qu'utilisent les modèles de tourisme et les membres de la famille Dyna. Dans le châssis Softail, cette mécanique a la particularité d'être particulièrement douce, un contraste marquant avec tout ce que le constructeur fabrique d'autre. L'expérience de pilotage est dépourvue du genre de tremblement franc provenant des familles Dyna et FLH, et la sonorité s'échappant des silencieux d'origine est plutôt timide, si bien qu'on doit parler de l'Heritage Softail Classic comme d'une moto ayant une présence mécanique qui n'est que moyenne. Beaucoup de propriétaires installent d'ailleurs des silencieux moins restrictifs dans le but de justement remettre un peu de piquant dans l'expérience.

Les performances générées par le Twin Cam 88B sont un peu à l'image de son caractère, c'est à dire plutôt moyennes. Pas faibles, mais moyennes. On a toujours assez de couple et de puissance pour se satisfaire, mais on ne parlera jamais du genre de poussée que proposent certaines customs japonaises de plus grosse cylindrée.

Les équipements qui donnent à l'Heritage son look particulier ne sont certainement pas que décoratifs. Il s'agit d'une moto capable d'accumuler de bonnes distances dans un confort raisonnable. La selle est bonne et le dossier toujours apprécié du passager. Les suspensions sont généralement correctes, du moins tant qu'on ne tombe pas sur un revêtement très abîmé. La protection du pare-brise est généreuse, bien que celui-ci produise quand même certaines turbulences au niveau du casque. Enfin, même si leur contenance n'est pas énorme, les sacoches latérales sont toujours utiles.

Ce n'est que lorsqu'on la pilote de façon modérée et coulée que l'Heritage Softail Classic se retrouve dans son élément. Elle affiche alors une direction légère et raisonnablement précise, un aplomb honnête en courbe et une stabilité rassurante. Les repose-pieds se mettent toutefois à frotter assez rapidement en virage.

Rapport Valeur/Prix

Vitesse de pointe: 175 km/h

Index d'expérience: Novice Intermédiaire Expert

Accélération sur 1/4 mille: 14,3 s à 147 km/h

Voir legende page 7

Général

Catégorie	Tourisme léger
Prix	22 909 $
Garantie	2 ans/kilométrage illimité
Couleur(s)	noir, argent, violet, bourgogne, blanc, bleu, bleu et bleu, noir et violet, bleu et argent, noir et bourgogne
Concurrence	Harley-Davidson Road King, Kawasaki Vulcan 1600 Nomad, Suzuki C90 SE, Victory Touring Cruiser, Yamaha Road Star 1700 Silverado et Stratoliner 1900

Partie cycle

Type de cadre	double berceau, en acier
Suspension avant	fourche conventionnelle de 41,3 mm non ajustable
Suspension arrière	2 amortisseurs ajustables en précharge
Freinage avant	1 disque de 292 mm de Ø avec étrier à 4 pistons
Freinage arrière	1 disque de 292 mm de Ø avec étrier à 4 pistons
Pneus avant/arrière	MT90 B16 & 150/80 B16
Empattement	1 638 mm
Hauteur de selle	696 mm
Poids à vide	316 kg
Réservoir de carburant	19 litres

Moteur

Type	bicylindre 4-temps en V à 45 degrés (Twin Cam 88B), culbuté, 2 soupapes par cylindre, refroidissement par air
Alimentation	par carburateur ou injection séquentielle
Rapport volumétrique	8,9:1
Cylindrée	1 450 cc
Alésage et course	95,2 mm x 101,6 mm
Puissance	63 ch @ 5 300 tr/min
Couple	85 lb-pi @ 3 000 tr/min
Boîte de vitesses	5 rapports
Transmission finale	par courroie
Révolution à 100 km/h	environ 2 800 tr/min
Consommation moyenne	5,5 l/100 km
Autonomie moyenne	345 km

Conclusion

L'une des plus grandes forces de l'Heritage Softail Classic – le très heureux mariage d'un style classique et d'une combinaison intelligente d'accessoires – est aussi sa plus grande faiblesse. Car l'indéniable succès de ce mariage est aussi la raison pour laquelle on retrouve des modèles accessoirisés exactement de la même manière chez tous les constructeurs ayant des customs dans leur catalogue. Résultat, on peut « acheter une Heritage Softail Classic » chez n'importe quel concurrent. Ce qu'il est impossible d'affirmer pour une Springer Softail, une Night Rod ou une Deuce, par exemple. Évidemment, tout le monde vous dira qu'on n'achèterait pas une Harley – ou nécessairement une meilleure moto – et c'est absolument vrai. Le problème, c'est que la possibilité d'acquérir une monture largement supérieure pour une somme équivalente ou inférieure à celle demandée par le constructeur de Milwaukee, et ce, même en ces années de prix toujours plus bas, existe de façon tout aussi absolue. L'Heritage Softail Classic a beau être pratique, confortable et jolie, il reste qu'elle a beaucoup de croûtes à manger avant d'arriver au niveau, disons, de la nouvelle Yamaha Stratoliner 1900. L'affirmation froissera à n'en pas douter de nombreux fidèles de la marque de Milwaukee, mais je défie personnellement n'importe quel propriétaire d'Heritage Softail Classic de ne pas revenir au bas mot fortement impressionné d'un essai sur la Yamaha. Le but de cet énoncé n'est pas d'essayer de vendre une Yamaha ou une quelconque autre moto à un acheteur potentiel de Harley-Davidson, mais plutôt de démontrer que seule la force du nom Harley-Davidson ne suffira pas éternellement à vendre des unités. Les dernières années ont vu le marché changer et la concurrence faire des pas de géant. Il sera très bientôt temps pour Harley de passer aux actes et de rétablir sa position de meneur dans ce créneau qu'il a fait naître et proliférer. Vivement, l'arrivée d'un V-Twin de gros calibre dans un ensemble parfaitement maniéré, parfaitement fini et visuellement émouvant. Le motocycliste est pleinement en droit de s'attendre à autant d'une compagnie avec un tel nom vendant des motos à de tels prix.

QUOI DE NEUF EN 2006 ?

- Phares auxiliaires maintenant du même design que celui du phare central
- Embrayage à effort réduit de 24 %
- Coûte 1 760 $ de moins qu'en 2005; injection coûte 320 $ au lieu de 600 $ en 2005

PAS MAL

- Un V-Twin plutôt doux, raisonnablement coupleux et assez silencieux qui plaira aux motocyclistes qui ne demandent rien de plus
- Une conduite facile d'accès, sûre et sans surprises
- Des équipements plus que décoratifs : les sacoches sont pratiques, les passagers adorent le dossier et le pare-brise protège bien du vent et du froid

BOF

- Un V-Twin que les amateurs de moteurs à caractère pourraient trouver trop doux, trop silencieux et un peu juste en matière de puissance et de couple
- Une suspension arrière qui n'est pas mauvaise la plupart du temps, mais qui devient rude sur route très abîmée
- Un pare-brise qui, comme c'est presque le cas sur tous les modèles semblables, crée un peu de turbulences autour du casque

HARLEY-DAVIDSON DEUCE

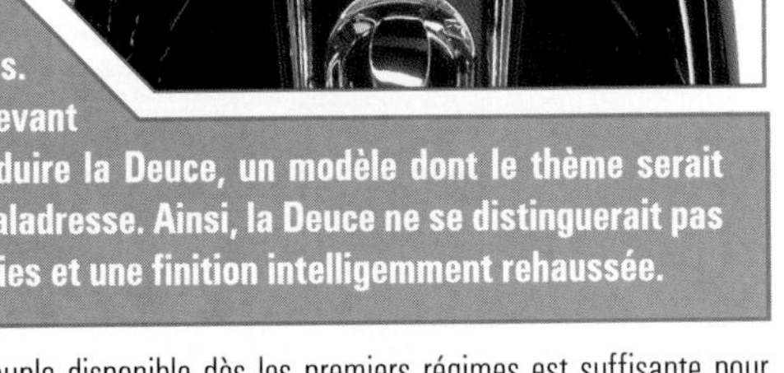

Crânes interdits...

Au moment où la Deuce fut introduite, en 2000, la popularité des produits de Milwaukee atteignait un niveau extraordinaire, avec une quantité proportionnelle de Harley modifiées. Aux dires mêmes de Willie G. Davidson, chef styliste de la Motor Company, c'est en apercevant nombre d'excès graves commis sur des projets de personnalisation qu'il décida de produire la Deuce, un modèle dont le thème serait l'amélioration d'une Softail, mais avec classe et élégance plutôt qu'avec grossièreté et maladresse. Ainsi, la Deuce ne se distinguerait pas par une peinture inspirée de crânes, mais plutôt par des proportions judicieusement choisies et une finition intelligemment rehaussée.

La Deuce a beau avoir été un genre de chou-chou pour le chef styliste américain au moment de sa conception, dans les faits, il s'agit d'une Softail qui est techniquement très proche des Softail Standard et Night Train. Une fourche chromée étreignant une mince roue de 21 pouces, un magnifique réservoir d'essence allongé ainsi qu'une combinaison habile de composantes et de finis habillent cette base. Celle-ci est bien connue puisque la Deuce utilise exactement le même châssis Softail – dans lequel est installé de façon rigide exactement le même V-Twin – que chacun des autres modèles de la famille. Bien que ce moteur n'ait rien eu à envier à la concurrence au chapitre de la performance lorsqu'il fut introduit en 2000, une sérieuse course aux centimètres cubes a depuis lieu chez les customs. Au point que le Twin Cam et ses 88 pouces cubes (1 450 cc) traînent aujourd'hui la patte derrière les 1600, 1700, 1800, 1900 et même 2000 des manufacturiers rivaux. C'est une chose de dire que l'acheteur typique d'une Harley n'accorde que très peu ou pas d'importance à ce qui se fait ailleurs, mais le fait est que le constructeur américain devra tôt ou tard réagir, ce qui se fera probablement par une version gonflée de la mécanique actuelle.

La rumeur d'une Harley de 2000 cc va d'ailleurs bon train depuis environ un an. Pour le moment, les performances du TC88B qui propulse la Deuce peuvent être qualifiées de satisfaisantes mais moyennes.

LA DEUCE FAIT PREUVE D'UNE STABILITÉ IMPECCABLE ET NE DEMANDE QU'UN EFFORT MODÉRÉ POUR S'INSCRIRE EN VIRAGE.

La quantité de couple disponible dès les premiers régimes est suffisante pour effectuer des départs autoritaires et permettre une conduite requérant un minimum de changements de rapports, mais la puissance n'est jamais d'un niveau vraiment excitant. À ce sujet, la tranquillité de ce moteur, autant en ce qui concerne le mutisme des silencieux que le contrôle assez sévère des vibrations, est une caractéristique dont on doit être conscient avant l'achat. Ceux qui préféreraient une présence mécanique réellement forte devraient sérieusement considérer une Dyna ou une FLH.

Autrefois vagues et imprécises, les Softail se sont considérablement améliorées depuis 2000. Un châssis rigide et des freins capables en font depuis des customs qui se pilotent sans tracas. La Deuce fait preuve d'une stabilité impeccable et ne demande qu'un effort modéré pour s'inscrire en virage, où elle est toutefois affligée d'un effet de pendule mineur. En revanche, on s'étonne des angles qu'elle est capable d'atteindre avant d'épuiser sa garde au sol. Sans être mauvaises, les suspensions ne sont pas un exemple de souplesse puisque l'arrière devient sec sur une route dégradée.

La Deuce illustre de belle manière la façon qu'a Harley-Davidson de donner à différents modèles d'une même famille une personnalité propre en fignolant les positions de conduite. Celle de la Deuce place pieds et mains très à l'avant. Sans que ce soit particulièrement confortable, ça reste très tolérable et c'est surtout agréablement américain comme posture.

Général

Catégorie	Custom
Prix	22 389 $
Garantie	2 ans/kilométrage illimité
Couleur(s)	noir, argent, violet, bleu, bourgogne, blanc, bleu et bleu, noir et violet, noir et bourgogne, bleu et argent
Concurrence	toutes les customs Harley de 1 450 cc, Kawasaki Mean Streak, Vulcan 1500 et 1600 Classic, Suzuki Boulevard C90, toutes les customs Victory, Yamaha Road Star 1700

Partie cycle

Type de cadre	double berceau, en acier
Suspension avant	fourche conventionnelle de 41,3 mm non ajustable
Suspension arrière	2 amortisseurs ajustables en précharge
Freinage avant	1 disque de 292 mm de Ø avec étrier à 4 pistons
Freinage arrière	1 disque de 292 mm de Ø avec étrier à 4 pistons
Pneus avant/arrière	MH90-21 & 160/70 V B16
Empattement	1 691 mm
Hauteur de selle	696 mm
Poids à vide	293 kg
Réservoir de carburant	18,5 litres

Moteur

Type	bicylindre 4-temps en V à 45 degrés (Twin Cam 88B), culbuté, 2 soupapes par cylindre, refroidissement par air
Alimentation	par carburateur ou injection séquentielle
Rapport volumétrique	8,9:1
Cylindrée	1 450 cc
Alésage et course	95,2 mm x 101,6 mm
Puissance	63 ch @ 5 300 tr/min
Couple	85 lb-pi @ 3 000 tr/min
Boîte de vitesses	5 rapports
Transmission finale	par courroie
Révolution à 100 km/h	environ 2 800 tr/min
Consommation moyenne	5,5 l/100 km
Autonomie moyenne	336 km

Conclusion

C'est fou comme certains modèles du catalogue Harley-Davidson vieillissent bien. Même une demi-douzaine d'années après son introduction à la gamme, la Deuce demeure encore aisément l'une des plus belles customs sur le marché. Et l'une des plus particulières aussi, puisqu'à ses commandes, on n'a décidément pas l'impression d'avoir affaire à une custom générique. La sensation vient beaucoup de cette position de conduite très typée, mais aussi de la façon dont les grosses commandes se prennent en main, de l'inimitable « clonk » qui accompagne chaque changement de rapport et de l'impression de minceur et de longueur qui émane des proportions de la moto. Son principal défaut – qui n'en est pas vraiment un pour tous les motocyclistes – est un V-Twin dont le vrombissement est peut-être un peu trop bien contrôlé, mais surtout dont la cylindrée est juste. À quand une Deuce non seulement belle, Monsieur Davidson, mais qui gronde et qui pousse fort aussi ?

QUOI DE NEUF EN 2006 ?

- **Embrayage à effort réduit de 24 %**
- **Coûte 2 010 $ de moins qu'en 2005; injection coûte 320 $ au lieu de 600 $ en 2005**

PAS MAL

- **Une ligne réellement magnifique que le chef styliste Willie G. Davidson a joliment réussi à rendre à la fois sobre et spectaculaire**
- **Une position de conduite comme on n'en retrouve nulle part ailleurs et qui donne à la Deuce une impression d'originalité et d'authenticité américaine**
- **Un V-Twin qui a le potentiel de jouer une musique envoûtante, mais seulement avec des silencieux plus bavards**

BOF

- **Une combinaison de position de conduite typée et de suspension arrière plutôt sèche qui ne se prête ni à de longues sorties, ni à des routes abîmées**
- **Une direction affligée d'un certain effet de pendule qui demande une légère correction après chaque mise en angle**
- **Un V-Twin dont les balanciers font peut-être trop bien leur travail; les amateurs de moteurs à caractère fort pourraient trouver les vrombissements de la Deuce un peu timides**

HARLEY-DAVIDSON SOFTAIL SPRINGER CLASSIC

Façon FL 1948...

Lorsque l'étincelante Heritage Softail Springer fut éliminée du catalogue Harley-Davidson pour la gamme 2004, un vide se créa dans le catalogue américain. Le style tout particulier qu'amenait à la plateforme Softail sa combinaison d'une fourche Springer, d'une roue avant de 16 pouces et de garde-boue pleine grandeur était simplement trop élégant pour qu'il soit relégué aux oubliettes. Le constructeur s'appliqua donc à mettre un frein aux coûts de production en limitant, par exemple, l'application de chrome, puis s'inspira fortement du thème de la FL de 1948 pour réintroduire le modèle sous le nom Softail Springer Classic, l'an dernier.

On a beau pertinemment savoir qu'une Softail Springer Classic n'est essentiellement qu'une plateforme Softail à laquelle un style particulier a été donné par la greffe d'une certaine combinaison de composantes, le résultat est si réussi qu'on accepte volontiers de jouer le jeu. On y arrive d'autant plus facilement que même si les similitudes avec les autres membres de la famille Softail sont nombreuses, certaines facettes de l'expérience de pilotage, comme la position de conduite, par exemple, sont propres à ce modèle. La posture choisie dans ce cas par Willie G. fait que vos mains tombent sans le chercher sur un large guidon et que vos pieds s'installent naturellement sur des plateformes juste assez avancées pour dégager vos jambes. Bien qu'elle soit fermement rembourrée, la selle large et bien formée reste invitante. Une fois en route, cette position combinée à des détails comme les gros leviers et le caractère typiquement « clonkeux » de la transmission confirme qu'il ne peut s'agir que d'une Harley-Davidson. Peu importe les efforts déployés par la concurrence, on ne peut toujours confondre ce genre de Harley avec quoi que ce soit d'autre. Le mouvement de la fourche Springer qui monte et descend derrière le phare en forme d'obus qui, lui, reflète à la fois ciel et terre, est un spectacle carrément hypnotique. Mieux vaut toutefois ne pas être distrait trop longtemps puisque le frein avant utilise encore les composantes des Harley pré-2000. Seule la Springer Softail emploie encore ce système à disque simple et piston unique qui n'est rien de moins que médiocre dans ses performances. Le fait qu'il arrive malgré sa faible force de freinage à faire régulièrement talonner la fourche Springer illustre le principal défaut de cette dernière. Pour ce qui est du reste de son comportement, la nouvelle Springer Classic rappelle beaucoup certaines autres Softail, surtout la Fat Boy. La direction est lente, mais quand même assez légère et précise pour que l'arrivée d'une section de route sinueuse soit un événement plaisant, du moins tant que le rythme de pilotage est coulé et modéré. Comme pour les autres Softail, les suspensions se débrouillent correctement tant que la chaussée reste dans un état décent, mais l'arrière devient sec si la route se dégrade.

LE MOUVEMENT DE LA FOURCHE SPRINGER ET LES REFLETS DU PHARE EN FORME D'OBUS DEVIENNENT UN SPECTACLE HYPNOTIQUE.

La mécanique qui anime la Softail Springer Classic est exactement la même que pour le reste de la famille Softail, soit la version contrebalancée du V-Twin américain de 1 450 cc. Il s'agit d'un moteur dont le niveau de performances est moyen, mais dont l'honnête production de couple à partir des tout premiers régimes laisse tout de même une impression de satisfaction, du moins tant qu'on n'est pas pressé ou trop exigeant de ce côté. Contrairement à la personnalité forte qu'il a lorsqu'il est installé dans une Dyna ou une FLH, le caractère du V-Twin, dans le châssis Softail, est plutôt discret et retenu. On le sent toujours vrombir, surtout en accélération, mais seulement de façon limitée, ce qui plaira aux amateurs de mécaniques relativement douces, mais qui pourrait bien ne pas satisfaire les fervents de caractères forts.

Général

Catégorie	Custom
Prix	22 569 $
Garantie	2 ans/kilométrage illimité
Couleur(s)	noir, noir perlé, violet, bleu, bleu et argent, noir et bourgogne
Concurrence	toutes les customs Harley de 1 450 cc, Kawasaki Mean Streak, Vulcan 1500 et 1600 Classic, Suzuki Boulevard C90, toutes les customs Victory, Yamaha Road Star 1700

Partie cycle

Type de cadre	double berceau, en acier
Suspension avant	fourche de type « Springer » non ajustable
Suspension arrière	2 amortisseurs ajustables en précharge
Freinage avant	1 disque de 292 mm de Ø avec étrier à 1 piston
Freinage arrière	1 disque de 292 mm de Ø avec étrier à 4 pistons
Pneus avant/arrière	MT90 B16 & 150/80 B16
Empattement	1 638 mm
Hauteur de selle	696 mm
Poids à vide	332 kg
Réservoir de carburant	19 litres

Moteur

Type	bicylindre 4-temps en V à 45 degrés (Twin Cam 88B), culbuté, 2 soupapes par cylindre, refroidissement par air
Alimentation	par carburateur ou injection séquentielle
Rapport volumétrique	8,9:1
Cylindrée	1 450 cc
Alésage et course	95,2 mm x 101,6 mm
Puissance	63 ch @ 5 300 tr/min
Couple	85 lb-pi @ 3 000 tr/min
Boîte de vitesses	5 rapports
Transmission finale	par courroie
Révolution à 100 km/h	environ 2 800 tr/min
Consommation moyenne	5,5 l/100 km
Autonomie moyenne	345 km

Conclusion

La Softail Springer Classic est, comme la Springer Softail, d'ailleurs, une Harley pour laquelle on a un coup de foudre, une Harley pour laquelle on éprouve des émotions si fortes que la raison n'a plus sa place dans le raisonnement. Non pas parce qu'il s'agit d'un choix déraisonnable, loin de là, mais plutôt parce qu'elle demande d'accepter certaines lacunes qui sont directement liées à la présence de sa fourche Springer, alors que cette fourche est justement l'une des grandes responsables du coup de foudre qu'on éprouve envers le modèle. Heureusement, à l'exception d'un frein avant qu'on aimerait vraiment voir sortir de la préhistoire, ces lacunes demeurent vivables et n'affectent finalement que peu l'expérience dans son ensemble.

QUOI DE NEUF EN 2006 ?

- Embrayage à effort réduit de 24 %
- Roue arrière de type disque perforé plutôt qu'à rayons comme en 2005
- Coûte 1 730 $ de moins qu'en 2005

PAS MAL

- Une ligne magnifique comme seul Harley semble capable d'en créer, appuyée par une myriade de détails d'époque
- Une position de conduite à la fois particulière et équilibrée qui ne devient pas une cause d'inconfort à la longue
- Une mécanique très agréable à l'oreille, mais seulement lorsque les timides silencieux de série sont remplacés

BOF

- Un frein avant presque honteux : un seul piston pour ralentir une moto de 332 kg et son pilote ? Ça frôle le ridicule, surtout à ce prix
- Une fourche Springer qui fonctionne correctement la majorité du temps, mais qui talonne trop facilement en freinages intenses
- Une mécanique que les amateurs de caractères forts pourraient trouver trop tranquille

Une Harley et rien d'autre...

Malgré la prolifération de modèles customs provenant de plus en plus de manufacturiers, on arrive encore à reconnaître une Harley d'assez loin. Dans le cas de la Springer Softail, même sans être trop connaisseur, on *sait* qu'on a affaire à une Harley. Roue arrière à disque perforé contre roue avant à rayon de 21 pouces, V-Twin sculpté bien en vue, garde-boue arrière Bobtail et silencieux courts sont autant d'indices qui mentent difficilement. Mais c'est d'abord et avant tout cette fourche de type Springer qui vend la mèche. Car la concurrence a beau s'inspirer sans gêne du style américain, personne d'autre n'a encore osé installer une telle fourche à l'avant d'une custom.

On exagérerait à peine si l'on affirmait que la seule et unique raison d'être de la Springer Softail est de permettre à cette excentrique fourche d'être pavanée à l'avant d'une moto. Les premières suspensions avant du genre sont apparues dès le début du siècle dernier, chez Harley-Davidson. Elles ont régulièrement évolué pendant une trentaine d'années pour enfin en arriver, en 1936, à un design se rapprochant beaucoup de celui de la fourche qui orne aujourd'hui l'avant des deux modèles de la gamme américaine l'utilisant encore : la Springer Softail et la Softail Springer Classic.

LE DESIGN DE LA FOURCHE SPRINGER ACTUELLE N'A QUE TRÈS PEU ÉVOLUÉ DEPUIS 1936.

Si elle est indéniablement spectaculaire, la fourche de type Springer n'apporte néanmoins aucun avantage à la conduite par rapport à une fourche téléhydraulique conventionnelle. Cela dit, malgré l'âge de sa conception, son rendement reste satisfaisant tant que l'utilisation de la moto sur laquelle elle est montée se limite à la tranquille croisière. Son débattement étant toutefois très limité, elle a tendance à talonner rapidement lors de freinages intensifs et préfère nettement qu'on la garde loin des nids de poules. En dehors de ces particularités, le fonctionnement de cette fourche est relativement normal puisqu'il n'affecte pratiquement pas la direction de la moto. Dans le cas de cette Springer Softail, l'effort requis au guidon en entrée de courbe est moindre depuis qu'il est plus large, mais la réaction qui en découle reste lente. L'élargissement du pneu arrière, cette année, augmente quant à lui très légèrement l'effort au guidon en entrée de courbe, mais ne change rien au reste du comportement. Comme cela se produit fréquemment sur les motos dont la roue avant affiche un diamètre extrême, un effet de pendule – la direction semble tourner plus qu'on le voudrait, ce qui engendre une correction qui est à son tour plus importante qu'on le voudrait, et ainsi de suite – peut être ressenti, surtout lors des manoeuvres à basse vitesse. Notons qu'il s'agit d'une caractéristique qu'on remarque, mais à laquelle on finit par s'habituer et qui, tout compte fait, ne gêne pas vraiment la conduite.

C'est en partie en jouant avec les positions de conduite que Harley-Davidson arrive à créer des distinctions au niveau des sensations que renvoient plusieurs modèles construits autour d'une base commune. Dans le cas de la Springer, cette position est plus naturelle depuis que l'ancien guidon en forme de cornes de bouc a été relégué aux oubliettes. La posture très typée est dictée par une hauteur de selle faible et par un positionnement avancé du guidon et des repose-pieds. Il s'agit d'une position tolérable pour la balade, mais qui se prête plutôt mal à des périodes prolongées en selle.

Autrefois vibreuses à l'excès, les Softail sont devenues des exemples de douceur depuis l'arrivée du Twin Cam 88B contrebalancé de 1 450 cc, en 2000. Les amateurs de V-Twin au caractère fort pourraient d'ailleurs trouver ce genre de présence un peu timide. Il s'agit d'une mécanique aboutie et raisonnablement performante dont l'une des plus grandes qualités est l'omniprésente disponibilité d'un bon couple.

Rapport Valeur/Prix

Vitesse de pointe 175 km/h

Index d'expérience — Novice Intermédiaire Expert

Accélération sur 1/4 mille 14,3 s à 147 km/h

Voir légende page 7

Général

Catégorie	Custom
Prix	22 529 $
Garantie	2 ans/kilométrage illimité
Couleur(s)	noir, violet, bleu clair, bleu foncé, bourgogne, bleu et argent, noir et violet
Concurrence	toutes les customs Harley de 1 450 cc, Kawasaki Mean Streak, Vulcan 1500 et 1600 Classic, Suzuki Boulevard C90, toutes les customs Victory, Yamaha Road Star 1700

Partie cycle

Type de cadre	double berceau, en acier
Suspension avant	fourche de type « Springer » non ajustable
Suspension arrière	2 amortisseurs ajustables en précharge
Freinage avant	1 disque de 292 mm de Ø avec étrier à 1 piston
Freinage arrière	1 disque de 292 mm de Ø avec étrier à 4 pistons
Pneus avant/arrière	MH-90 21 & 200/55 R17
Empattement	1 661 mm
Hauteur de selle	693 mm
Poids à vide	305 kg
Réservoir de carburant	19 litres

Moteur

Type	bicylindre 4-temps en V à 45 degrés (Twin Cam 88B), culbuté, 2 soupapes par cylindre, refroidissement par air
Alimentation	par carburateur
Rapport volumétrique	8,9:1
Cylindrée	1 450 cc
Alésage et course	95,2 mm x 101,6 mm
Puissance	63 ch @ 5 300 tr/min
Couple	85 lb-pi @ 3 000 tr/min
Boîte de vitesses	5 rapports
Transmission finale	par courroie
Révolution à 100 km/h	environ 2 800 tr/min
Consommation moyenne	5,5 l/100 km
Autonomie moyenne	345 km

Conclusion

On pourrait débattre longuement sur les lacunes de la fourche de type Springer dans l'environnement réaliste de la route, et l'on pourrait pestiférer tout aussi longuement sur la performance honteuse de son frein avant à piston unique. Mais ce serait ne rien comprendre à la raison d'être du modèle. La Springer Softail est à la fois une déclaration de non-conformisme et une marque de grande fascination pour le passé de la moto et de la marque américaine. On la choisit parmi la multitude de customs vendues chez Harley-Davidson non pas pour des raisons aussi crues que la tenue de route et le freinage, mais plutôt pour la fidélité absolue de son style d'époque.

QUOI DE NEUF EN 2006 ?

- Vue arrière élargie : roue de type disque perforé plus large; pneu passe de 150 mm à 200 mm; garde-boue Bobtail proportionnellement élargi; embrayage à effort réduit de 24 %
- Poulie arrière de la courroie de couleur agencée
- Coûte 1 370 $ de moins qu'en 2005; injection coûte 320 $ au lieu de 600 $ en 2005

PAS MAL

- Une ligne très particulière dont la spectaculaire fourche de type Springer est en grande partie responsable
- Une mécanique qui plaira aux motocyclistes qui recherchent un V-Twin doux et décemment coupleux
- Une position de conduite spéciale, mais qui ne tombe pas dans l'extrême et colle bien à l'idéologie du modèle

BOF

- Un système de freinage avant non seulement préhistorique, mais carrément insuffisant pour une moto de ce poids
- Une direction plutôt lourde et dont le comportement n'est pas toujours très naturel
- Une fourche Springer dont l'âge de la conception est responsable du talonnement prématuré en freinage intense et sur mauvaise chaussée

Heritage Softail

HARLEY-DAVIDSON FAT BOY
SOFTAIL DELUXE & HERITAGE SOFTAIL

NOUVEAUTÉ 2006

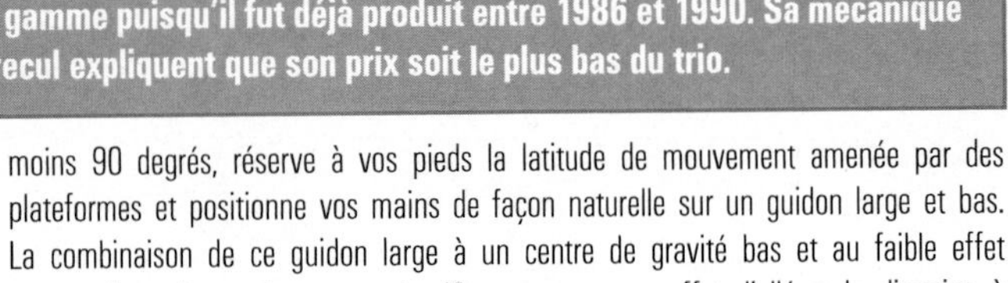

Fat Boy et sœurs...

S'il est un manufacturier de motos en ce monde qui maîtrise l'art de la diversification des plateformes, c'est bien Harley-Davidson. Ce trio de modèles en est un bel exemple puisqu'en réduisant froidement la célèbre Fat Boy, la Softail Deluxe introduite l'an dernier et la nouvelle Heritage Softail à de vulgaires données techniques, on a essentiellement affaire à une seule et unique moto. Bien que l'Heritage Softail soit une nouveauté en 2006, il s'agit en réalité d'un modèle réintroduit à la gamme puisqu'il fut déjà produit entre 1986 et 1990. Sa mécanique peinte en gris et son niveau de raffinement esthétique légèrement en recul expliquent que son prix soit le plus bas du trio.

Nous qualifiions l'an dernier la Softail Deluxe, alors nouvellement introduite, de défilé sur roues en raison de la quantité de détails esthétiques de tous genres qu'elle arborait. La Fat Boy n'a besoin d'aucune présentation puisque depuis ses débuts en 1990, elle s'est hissée au rang de célébrité et s'affiche année après année comme l'un des modèles les plus vendus du catalogue américain. Quant à l'Heritage Softail, qui fait un retour à la gamme après une absence de 16 ans, elle se veut la porte d'entrée dans l'univers des modèles de style classique de Harley-Davidson. Véritable signature visuelle caractérisée par des lignes pleines, rondes et sympathiques, ce style est avant tout celui des Softail, famille fétiche du constructeur. Le degré de finition n'est évidemment pas aussi poussé que sur les deux autres modèles, ce qui se reflète dans le prix, mais l'Heritage Softail possède tout de même plus de panache qu'une Softail Standard, par exemple, qui, elle, représente plutôt le plus bas échelon de la hiérarchie Softail.

Oubliez les distinctions visuelles et la plus grosse différence au niveau des impressions de conduite se limite à une position légèrement plus basculée vers l'arrière sur la Softail Deluxe que sur les deux autres en raison de sa selle plus basse et de son guidon un peu plus reculé. À cette mineure exception près, le trio réserve au pilote la position custom classique et amicale qui vous assoit bas, laisse votre dos presque droit, plie vos jambes confortablement à plus ou moins 90 degrés, réserve à vos pieds la latitude de mouvement amenée par des plateformes et positionne vos mains de façon naturelle sur un guidon large et bas. La combinaison de ce guidon large à un centre de gravité bas et au faible effet gyroscopique des petites roues de 16 pouces a pour effet d'alléger la direction à l'extrême. Sur un parcours sinueux, l'effort nécessaire à balancer l'un ou l'autre des modèles est ainsi presque inexistant. Le revers de la médaille est une certaine sensibilité de la direction lorsque le vent se met de la partie, à haute vitesse. D'une manière générale, la stabilité en ligne droite tout comme l'aplomb en virage peuvent être qualifiés de très bons. Les suspensions, quant à elles, effectuent un travail correct puisque seul l'arrière se montre occasionnellement rude, sur mauvais revêtement. Bref, on a affaire à des customs particulièrement amicales à manier, du moins dès qu'on se met à rouler, puisqu'à l'arrêt, c'est quand même plus de 300 kg qu'il faut bouger.

> **SELON LE CHÂSSIS DANS LEQUEL ILS SONT INSTALLÉS, LES V-TWIN HARLEY PEUVENT PRENDRE DE TRÈS DIFFÉRENTES PERSONNALITÉS.**

Qui dit Softail dit aussi Twin Cam 88B, nom de code du moteur qui anime la famille entière. Il s'agit d'une mécanique qui peut prendre de très différentes personnalités selon le genre de châssis dans lequel elle est installée et qui dans ce cas, en raison des gros chiffres de ventes de la plateforme Softail, doit absolument plaire à beaucoup de types d'acheteurs. Le résultat est un caractère « politiquement correct » : on sent le V-Twin vrombir assez mais pas trop, on l'entend assez mais pas trop et ses performances sont juste assez bonnes pour satisfaire, mais n'ont certes rien pour impressionner.

Les factures élevées des modèles Harley-Davidson haut de gamme ont toujours fait — et font toujours — partie intégrante de l'aura qui les entoure.

Après trois années consécutives de réductions substantielles, les produits de Milwaukee voient toutefois leur prix reculer jusqu'au niveau où ils se trouvaient il y a une demi-douzaine d'années.

Il s'agit d'une situation exceptionnelle puisque rarement, en ce bas monde, observe-t-on des prix à la baisse, encore moins de manière marquée.

Personne ne sait ce que l'avenir réserve à ce sujet, si la tendance se poursuivra longtemps ou non. Une seule chose reste néanmoins certaine : 2006 n'apparaît certes pas comme une mauvaise année pour acquérir une Harley-Davidson.

Softail Deluxe

Lancée l'an dernier, la Softail Deluxe est en quelque sorte une réinterprétation de l'Heritage Nostalgia Softail produite entre 1993 et 1996, un modèle avec lequel elle partage d'ailleurs son nom de code, FLSTN. Il s'agit de la plus dispendieuse du trio en raison des nombreux détails supplémentaires de finition qu'exige son thème, qui pourrait être décrit comme la célébration des plus belles Harley du dernier demi-siècle. Techniquement toutefois, à l'exception d'une selle plus basse, la Softail Deluxe est une jumelle presque parfaite de la Fat Boy.

Screamin'Eagle Fat Boy

Les quelques modèles à production limitée conçus par le département des Custom Vehicule Operations (CVO) de Harley-Davidson ont tous en commun le fait qu'ils s'adressent à des acheteurs très bien nantis. Dans le cas de cette Fat Boy à la sauce Screamin'Eagle, on parle d'une facture de 37 399 $, soit au-delà de 15 000 $ de plus qu'une Fat Boy standard. À la défense du constructeur de Milwaukee, l'édition limitée du modèle se veut beaucoup plus qu'une simple moto de série à laquelle on a ajouté quelques bouts de chrome et une peinture spéciale. D'ailleurs, ceux qui auraient l'intention d'ouvrir leur portefeuille à un sérieux projet de personnalisation auraient tout intérêt à attentivement inspecter la liste des modifications dont le résultat est l'édition Screamin'Eagle de la Fat Boy, puisqu'un tel projet – surtout s'il est réalisé par un atelier spécialisé – pourrait très facilement engloutir ces fameux 15 000 $ avant même qu'un « simple » élargissement de la roue arrière ait été complété. Et nous exagérons à peine.

La construction d'une Screamin'Eagle Fat Boy commence par l'élargissement du bras oscillant et de la partie arrière du cadre afin de permettre à un pneu de 200 mm de remplacer le maigre 150 mm d'origine. L'aile arrière est également élargie et le châssis en entier est agencé à la couleur de la moto. Des roues Road Winder de 17 pouces dont l'arrière a une largeur de 6 pouces sont installées tandis que des disques de frein et une poulie arrière, eux-aussi, de la série Road Winder assurent une homogénéité dans le thème. Une peinture sérieusement détaillée, la disparition de la place arrière et des repose-pieds correspondants ainsi que l'installation de dizaines de pièces et d'accessoires provenant du catalogue Harley-Davidson complètent les modifications esthétiques.

Comme c'est aussi le cas sur la V-Rod et l'Ultra Classic Electra Glide signées par le département CVO, l'un des aspects les plus intéressants de cette édition spéciale de la Fat Boy est qu'elle est propulsée par une version profondément remaniée du Twin Cam 88, qui passe d'ailleurs ici à 103 pouces cubes, ou 1 690 centimètres cubes. L'augmentation de cylindrée est réalisée grâce à un alésage qui passe de 95,2 mm à 98,3 mm et à une course qui passe de 101,6 mm à 111 mm. Selon le constructeur, le couple augmenterait de façon substantielle et passerait de 85 lb-pi à 3 000 tr/min à 97 lb-pi à 4 000 tr/min.

Général

Catégorie	Custom
Prix	20 419 $ - 22 709 $ (SE : 37 399 $)
Garantie	2 ans/kilométrage illimité
Couleur(s)	noir, argent, noir perlé, bleu, perle, jaune, bourgogne, violet, bleu et argent, noir et bourgogne, noir et violet, noir et blanc, bleu et blanc
Concurrence	toutes les customs Harley de 1 450 cc, Kawasaki Mean Streak, Vulcan 1500 et 1600 Classic, Suzuki Boulevard C90, toutes les customs Victory, Yamaha Road Star 1700

Partie cycle

Type de cadre	double berceau, en acier
Suspension avant	fourche conventionnelle de 41,3 mm non ajustable
Suspension arrière	2 amortisseurs ajustables en précharge
Freinage avant	1 disque de 292 mm de Ø avec étrier à 4 pistons
Freinage arrière	1 disque de 292 mm de Ø avec étrier à 4 pistons
Pneus avant/arrière	MT90 B16 & 150/80 B16
Empattement	1 638 mm
Hauteur de selle	698 mm (Fat Boy), 696 mm (Heritage Softail) 673 mm (Softail Deluxe)
Poids à vide	302 kg (Fat Boy), 305 kg (Heritage Softail) 307 kg (Softail Deluxe)
Réservoir de carburant	19 litres

Moteur

Type	bicylindre 4-temps en V à 45 degrés (Twin Cam 88B), culbuté, 2 soupapes par cylindre, refroidissement par air
Alimentation	par carburateur ou injection séquentielle
Rapport volumétrique	8,9:1
Cylindrée	1 450 cc
Alésage et course	95,2 mm x 101,6 mm
Puissance	63 ch @ 5 300 tr/min
Couple	85 lb-pi @ 3 000 tr/min
Boîte de vitesses	5 rapports
Transmission finale	par courroie
Révolution à 100 km/h	environ 2 800 tr/min
Consommation moyenne	5,5 l/100 km
Autonomie moyenne	345 km

Conclusion

Le trio des Fat Boy, Softail Deluxe et Heritage Softail représente d'une certaine manière le centre de l'univers custom puisque le style simple, élégant et sympathique qu'il arbore semble être celui à partir duquel proviennent les lignes de la vaste majorité des customs actuellement sur le marché, qu'elles soient américaines ou pas. Il en est ainsi parce qu'au fil des années, la combinaison d'un V-Twin coupleux, de ce genre de style et de ce type de position de conduite est celle qui semble avoir touché le plus de motocyclistes amateurs du genre. Alors qu'il faut, dans le cas de certaines autres Harley, rester conscient de l'implication d'une position de pilotage quelque peu étrange ou accepter le côté parfois marginal d'un quelconque style, il n'y a aucun « faites attention à » dans le cas de ces trois modèles. Il s'agit simplement de customs aussi plaisantes et faciles à rouler qu'à admirer.

Fat Boy

QUOI DE NEUF EN 2006 ?

- **Réintroduction de l'Heritage Softail après 16 ans d'absence**
- **Phares auxiliaires maintenant du même design que celui du phare central et béquille latérale plus facile d'accès (Softail Deluxe); embrayage à effort réduit de 24 %**
- **Fat Boy coûte 1 670 $ et Softail Deluxe coûte 1 710 $ de moins qu'en 2005; injection coûte 320 $ au lieu de 600 $ en 2005**

PAS MAL

- **Un style parmi les plus classiques de l'univers custom pour tout le trio, une gueule instantanément reconnaissable pour la Fat Boy et une ligne magnifiquement réussie pour la Softail Deluxe**
- **Un comportement général très sain tant en ce qui concerne la stabilité que l'aplomb en courbe ou encore la légèreté de direction**
- **Une mécanique honnêtement coupleuse dès les premiers régimes**

BOF

- **Une suspension arrière qui se montre correcte la majorité du temps, mais qui reste quand même capable de se montrer rude sur mauvais revêtement**
- **Un caractère « politiquement correct » de la mécanique qui semble être calibrée pour plaire à la majorité et déplaire à la minorité; les amateurs de Dyna et de FLH pourraient rester sur leur faim**
- **Un niveau de performances correct, mais certes pas excitant; le moment où Harley gonflera tous ses moteurs refroidis par air de façon substantielle n'arrivera pas trop tôt**

Night Train

HARLEY-DAVIDSON NIGHT TRAIN SOFTAIL STANDARD

Softail à « bas prix »...

Il n'existe pas de manière moins dispendieuse d'accéder à la famille Softail que par le choix de la Night Train ou de la Softail Standard. Bien qu'elles se distinguent l'une de l'autre par une finition différente, elles partagent la même base, soit une version de plateforme Softail disposant d'un angle de direction légèrement plus ouvert et d'une mince roue avant de 21 pouces. Si la Softail Standard est présentée comme point de départ idéal pour un projet de personnalisation, d'où sa finition plus crue, la Night Train arbore en revanche un thème noir qui contraste avec la tradition du catalogue Harley-Davidson. Les deux bénéficient d'un pneu arrière élargi à 200 mm pour 2006.

Encore une fois en 2006, grâce à la force du dollar canadien, la gamme Harley-Davidson entière subit une substantielle baisse de prix. Si cette baisse ne fait pas pour autant des Softail Standard et des Night Train des motos que le commun des mortels pourrait qualifier d'abordables, le fait est qu'il existe désormais de plus en plus de modèles japonais vendus à prix semblables. Certes, ces derniers sont tout en haut de leur gamme respective tandis que la Softail Standard et la Night Train sont au bas de la leur, avec le résultat qu'on parle carrément de modèles incomparables, mais le fait demeure que, lentement mais sûrement, l'écart se rétrécit.

Si elles restent dispendieuses selon les standards japonais, à plus ou moins 20 000 $, les Softail Standard et Night Train sont étonnamment abordables pour l'habitué des produits de Milwaukee. Dans le cas de la Standard, ce « bas prix » amène avec lui un niveau de finition plutôt cru, qui se veut toutefois un avantage dans l'éventualité où la moto est achetée dans le but d'être profondément modifiée. Harley-Davidson donne en d'autres mots l'option aux acheteurs de se procurer une moto sans finition particulière afin qu'ils puissent appliquer celle qu'ils désirent. L'histoire de la Night Train est un peu différente puisque ce sont dans ce cas les nombreuses pièces peintes en noir plutôt que chromées qui permettent une certaine économie.

LA STANDARD OFFRE L'OPTION D'UNE SOFTAIL QUI POURRA ÊTRE FINIE AUX GOÛTS DE L'ACHETEUR.

Bien que les similitudes entre les fiches techniques des deux modèles soient extrêmement nombreuses – on a à très peu de choses près affaire à la même moto – le comportement routier reste tout de même affecté par certaines différences. À cause de son guidon large et reculé, la Standard propose par exemple une position de conduite plus basculée vers l'arrière tandis que la Night Train, avec son étroit guidon de style drag, oblige le pilote à se plier vers l'avant. Toutes deux ont des repose-pieds placés loin devant. Alors que la Night Train demande un certain effort à inscrire en courbe et demeure toujours très stable, la largeur du guidon de la Standard allège sa direction de façon importante, au point de la rendre presque trop sensible à haute vitesse ou par temps très venteux.

La tenue de route de toutes les Softail s'est considérablement améliorée depuis la refonte de la plateforme, en 2000. La Night Train et la Softail Standard démontrent, par exemple, une belle stabilité en mode promenade en plus de bien se comporter en virage où elles affichent un solide aplomb et s'avèrent neutres, sans toutefois qu'elles raffolent des courbes trop bosselées. Tant que la chaussée n'est pas trop abîmée, les suspensions accomplissent un travail correct. On ne fait cependant pas de miracle avec de telles positions de conduite et comme tout le poids du pilote repose sur son fessier, tôt ou tard un dur coup sera transmis au bas du dos. Les freins travaillent honnêtement.

Le Twin Cam 88B qui les anime fera le bonheur de ceux qui aiment le rythme et la sonorité d'une Harley mais sans vibrations excessives. Il s'agit d'un moteur décemment coupleux sur toute sa plage de régimes mais pas réellement puissant.

Général

Catégorie	Custom
Prix	19 129 $ - 20 639 $
Garantie	2 ans/kilométrage illimité
Couleur(s)	noir, noir perlé, violet (Night Train) noir, bourgogne, argent, bleu (Standard)
Concurrence	toutes les customs Harley de 1 450 cc, Kawasaki Mean Streak, Vulcan 1500 et 1600 Classic, Suzuki Boulevard C90, toutes les customs Victory, Yamaha Road Star 1700

Partie cycle

Type de cadre	double berceau, en acier
Suspension avant	fourche conventionnelle de 41,3 mm non ajustable
Suspension arrière	2 amortisseurs ajustables en précharge
Freinage avant	1 disque de 292 mm de Ø avec étrier à 4 pistons
Freinage arrière	1 disque de 292 mm de Ø avec étrier à 4 pistons
Pneus avant/arrière	MH90-21 & 200/55 R17
Empattement	1 699 mm
Hauteur de selle	701 mm (Standard : 696 mm)
Poids à vide	296 kg
Réservoir de carburant	19 litres

Moteur

Type	bicylindre 4-temps en V à 45 degrés (Twin Cam 88B), culbuté, 2 soupapes par cylindre, refroidissement par air
Alimentation	par carburateur ou injection séquentielle
Rapport volumétrique	8,9:1
Cylindrée	1 450 cc
Alésage et course	95,2 mm x 101,6 mm
Puissance	63 ch @ 5 300 tr/min
Couple	85 lb-pi @ 3 000 tr/min
Boîte de vitesses	5 rapports
Transmission finale	par courroie
Révolution à 100 km/h	environ 2 800 tr/min
Consommation moyenne	5,5 l/100 km
Autonomie moyenne	345 km

Conclusion

Le genre d'acheteurs auxquels s'adressent ces Softail n'est pas difficile à isoler. La Standard intéressera ceux qui désirent simplement un point de départ dans le but de réaliser un projet de personnalisation sur base de Softail, ou alors ceux voulant absolument rouler en Softail, mais qui n'ont pas les moyens d'envisager les modèles plus cossus de la famille. Bref, on se dirige vers une Standard pour plusieurs raisons, sans toutefois que le traditionnel coup de foudre que génère une Harley fasse partie de celles-ci. Quant à la Night Train, elle intéressera d'abord et avant tout ceux qui affectionnent son thème plus sobre et retenu que celui de la moyenne des produits américains. Dans un cas comme dans l'autre, on a en fin de compte une paire de customs sans vice majeur et dont le comportement est relativement sain, mais qui demandent aussi qu'on soit capable de vivre avec une position de conduite assez typée, et ce, surtout dans le cas de la Night Train.

Softail Standard

QUOI DE NEUF EN 2006 ?

- Vue arrière élargie : roue de type disque perforé plus large; pneu passe de 150 mm à 200 mm; garde-boue Bobtail proportionnellement élargi
- Embrayage à effort réduit de 24 %
- Poulie arrière de la courroie agencée à la couleur de la moto
- Night Train coûte 1 180 $ et Softail Standard coûte 870 $ de moins qu'en 2005; injection coûte 320 $ au lieu de 600 $ en 2005

PAS MAL

- Un thème noir pour la Night Train qui est non seulement fort élégant, mais qui contraste aussi avec la copieuse utilisation de chrome traditionnelle
- Une partie cycle exempte de vice majeur qui se comporte de manière rassurante et solide en courbe
- Une mécanique honnêtement coupleuse sur toute sa plage de régimes et dont le niveau de vibration est très bien contrôlé

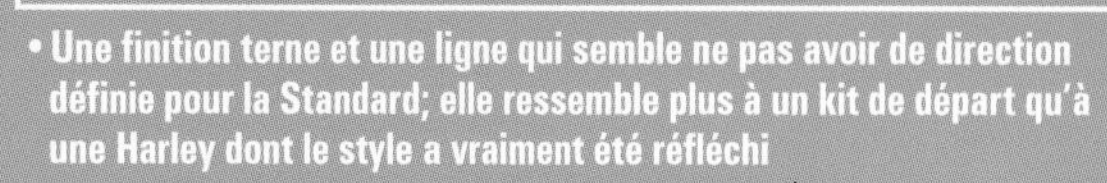

BOF

- Une finition terne et une ligne qui semble ne pas avoir de direction définie pour la Standard; elle ressemble plus à un kit de départ qu'à une Harley dont le style a vraiment été réfléchi
- Un niveau de performances honnête et satisfaisant mais sans plus; les gros V-Twin récemment mis en production par les japonais, entre autres, prouvent que l'agrément de conduite pourrait être décuplé avec une généreuse dose de centimètres cubes en plus
- Un niveau de confort limité par la position de conduite très typée, surtout sur la Night Train

V-Rod

HARLEY-DAVIDSON V-ROD

Bon temps pour magasiner les V-Rod...

Passée à l'histoire pour avoir fait entrer Harley-Davidson dans l'ère des radiateurs et de la plomberie, la V-Rod fut lancée en 2002. Son design mérita tellement d'éloges qu'elle est aujourd'hui devenue un véritable drapeau roulant pour le constructeur de Milwaukee. Pour 2006, de améliorations mineures sont apportées, mais la grosse nouvelle est qu'à 20 999 $, la V-Rod coûte la bagatelle de 4 350 $ de moins qu'en 2005. Pour ceux qui tiennent des statistiques, c'est plus de 8 500 $ en moins que l'édition 100e anniversaire de 2003. La version Screamin'Eagle de 1 250 cc est de retour, elle aussi moins chère qu'en 2005, et ce, même si elle dispose désormais d'un massif pneu arrière de 240 mm.

Dans l'univers custom, il y a la V-Rod et il y a le reste. Aucun modèle de cette catégorie pourtant fort populeuse – et qui représente maintenant largement plus de la moitié des motos vendues en Amérique du Nord, faut-il le rappeler – ne retient la même approche que la V-Rod. En effet, là où littéralement 99 pour cent des modèles sur le marché ont recours à de langoureux V-Twin ayant tous, ou presque, le même père spirituel – le vénérable Evolution 1340 de Harley-Davidson – la V-Rod, elle, reprend une motorisation née sur rien de moins qu'une machine de Superbike, la défunte VR1000. Comme si ce n'était pas suffisant pour faire bande à part, les stylistes américains ont ajouté à cette différence majeure l'un des coups de crayons les plus distinctifs et flamboyants de la race custom.

99 POUR CENT DES CUSTOMS ONT RECOURS À UN V-TWIN AYANT COMME PÈRE SPIRITUEL LE VÉNÉRABLE EVOLUTION 1340. PAS LA V-ROD.

Toutes ces particularités n'empêchent toutefois en aucune manière la V-Rod d'apparaître parfaitement « normale » au motocycliste habitué au genre custom. La selle est extrêmement basse, la moto est longue et très mince entre les jambes et la position de conduite mains-devant pieds-devant semble calquée sur celle d'une Softail Deuce ou d'une Softail Night Train – des classiques chez le constructeur de Milwaukee. Le comportement routier s'avère, lui aussi, relativement commun puisqu'il est caractérisé par une stabilité absolument sans faille en ligne droite à très haute vitesse – la V-Rod franchit les 200 km/h sans la moindre difficulté. La direction est quant à elle étonnament légère et à l'exception d'une certaine sensibilité qui oblige le pilote à parfois corriger la trajectoire, la tenue de route n'est pas méchante du tout puisqu'il est possible d'atteindre des angles décents en virage et que le châssis affiche une rigidité de première classe.

C'est au chapitre de la mécanique qu'il faut arriver avant de découvrir l'autre aspect de la V-Rod aussi particulier que ses lignes. Le V-Twin qui l'anime doit sa nature hybride – il est en partie custom et en partie sportif – au fait que Harley-Davidson a tenté de donner une âme custom à un moteur sportif. Sans toutefois qu'il fasse preuve de beaucoup de caractère dans cette situation, il reste parfaitement capable de se limiter à de très bas régimes et à « rouler sur le couple » toute la journée. Mais passez le cap des 5 500 tr/min et de là jusqu'à la zone rouge de 9 000 tr/min, il se met à tirer et à hurler avec une fougue et une musique qui ne sont pas sans rappeler celles d'une sportive japonaise à moteur V-Twin. Ses pulsations sont relativement timides, bien que tout de même présentes, si bien qu'il s'agit décidément d'une mécanique qui doit être qualifiée de douce. Avec son kit de 1 250 cc, l'édition Screamin'Eagle de la V-Rod relève encore davantage ce niveau de performances déjà impressionnant. Impressionnant est d'ailleurs un terme qui colle tout à fait à la très longue liste de modifications faites à ce modèle.

Général

Catégorie	Custom
Prix	20 999 $ (SE : 34 869 $)
Garantie	2 ans/kilométrage illimité
Couleur(s)	noir, noir perlé, aluminium, violet, bleu clair, bleu foncé, bleu nuit, bourgogne, bleu clair et argent, violet et noir, bleu nuit et noir
Concurrence	Harley-Davidson Night Rod, Kawasaki Vulcan 1600 Mean Streak, Suzuki M109R, Yamaha Road Star Warrior, Victory Hammer

Partie cycle

Type de cadre	périmétrique à double berceau, en acier
Suspension avant	fourche conventionnelle de 49 mm non ajustable
Suspension arrière	2 amortisseurs ajustables en précharge
Freinage avant	2 disques de 300 mm de Ø avec étriers à 4 pistons
Freinage arrière	1 disque de 300 mm de Ø avec étrier à 4 pistons
Pneus avant/arrière	120/70 ZR19 & 180/55 ZR18
Empattement	1 714 mm
Hauteur de selle	688 mm
Poids à vide	272 kg
Réservoir de carburant	14 litres

Moteur

Type	bicylindre 4-temps en V à 60 degrés (Revolution), DACT, 4 soupapes par cylindre, refroidissement par liquide
Alimentation	par injection
Rapport volumétrique	11,3:1
Cylindrée	1 130 cc
Alésage et course	100 mm x 72 mm
Puissance	115 ch @ 8 500 tr/min
Couple	74 lb-pi @ 7 000 tr/min
Boîte de vitesses	5 rapports
Transmission finale	par courroie
Révolution à 100 km/h	environ 4 000 tr/min
Consommation moyenne	5,5 l/100 km
Autonomie moyenne	254 km

Conclusion

La V-Rod n'est pas qu'une Harley-Davidson pas comme les autres, elle est aussi une custom pas comme les autres. L'agrément de conduite qu'elle apporte à son pilote est élevé, mais celui-ci doit être conscient qu'il fait l'acquisition d'une machine au caractère bien différent de celui de la presque totalité des motos de ce genre. Ce qui a bien plus à voir avec la cylindrée relativement faible et le tempérament sportif de la mécanique qu'avec le fait qu'elle soit refroidie par liquide. Pour ceux que ces conditions intéressent, compte tenu de la drastique baisse de prix pour 2006, disons simplement que le timing est bon. Quant à la version Screamin'Eagle du modèle et les quelque 35 000 $ qu'elle commande, elle semble chère jusqu'à ce qu'on commence à comptabiliser la valeur des modifications dont elle bénéficie : une sublime roue arrière Reactor large de 8 pouces et montée d'un massif pneu de 240 mm, un moteur gonflé à 1 250 cc, une peinture spéciale et une liste de pièces chromées longue comme le bras.

Screamin'Eagle V-Rod

QUOI DE NEUF EN 2006 ?

- Modèle VRSCB à thème noir discontinué
- Disques de 300 mm et étriers de frein par Brembo
- Fonctions ajoutées à l'instrumentation digitale
- Contrôles au guidon peints en noir
- Coûte 4 350 $ de moins qu'en 2005
- Version Screamin'Eagle gagne un pneu arrière de 240 mm et coûte 1 630 $ de moins qu'en 2005

PAS MAL

- Un style absolument unique qui semble très bien vieillir; la V-Rod fait encore tourner bien des têtes
- Une mécanique admirablement réussie d'un point de vue technique puisqu'à la fois souple en bas et puissante en haut
- Une version Screamin'Eagle dont le prix semble largement justifié par l'étendue des modifications apportées

BOF

- Un moteur plus fonctionnel qu'émotionnel; la V-Rod est à la fois rapide et souple, oui, mais son V-Twin est dépourvu du rythme lourd et saccadé des modèles classiques du constructeur
- Une suspension arrière qui n'est pas mauvaise, mais qui peut se montrer sèche sur une route en mauvais état
- Une position très typée qui n'a rien de désagréable sur de courtes distances, mais qui devient inconfortable lorsque les kilomètres commencent à se multiplier

HARLEY-DAVIDSON STREET ROD

NOUVEAUTÉ 2006

La Harley qui penche...

Quatre longues années se sont écoulées depuis la spectaculaire introduction de la V-Rod, le premier modèle refroidi au liquide de la célèbre compagnie de Milwaukee. Annoncée au milieu de 2005, la nouvelle Street Rod se veut le second chapitre de cette saga. Bien qu'elle soit construite sur une base très proche de celle de la V-Rod, la Street Rod est un tout autre animal puisqu'il ne s'agit pas d'une custom, mais bel et bien d'une standard. Voilà bien longtemps qu'on n'a pu affirmer telle chose d'une Harley... La Street Rod appartient ainsi à une classe qui compte dans ses rangs des modèles comme les BMW R1150R, Buell XB-S et Triumph Speed Triple, pour ne nommer que ceux-là.

Le moins qu'on puisse dire, c'est que la Street Rod s'éloigne sérieusement de ce qu'on s'est habitué à appeler une « Harley » au fil des ans. Enlevez d'abord le lourd rythme des traditionnels V-Twin de Milwaukee – rien de moins que la signature mécanique du constructeur – pour le remplacer par celui d'un puissant bicylindre au caractère non moins plaisant mais résolument différent, puis enchaînez avec une position de conduite bien plus routière que custom et vous n'obtenez rien d'autre qu'une Harley-Davidson avec une nouvelle couleur de peau. Le résultat est aussi surprenant qu'engageant. Du moins, tant que vous ne faites pas partie de ces irréductibles puristes pour lesquels tous les changements depuis le « Shovelhead » tiennent de l'hérésie.

La Street Rod est en réalité une monture qui appartient à une autre catégorie que le reste des modèles de la gamme Harley-Davidson puisqu'il ne s'agit simplement pas d'une custom. Jambes pliées à la façon d'une sportive sans toutefois entrer dans l'extrême, mains qui tombent naturellement sur un guidon large, bas et presque plat, assis sur une selle qui n'a aucune honte d'être « normalement » haute, on pourrait vous convaincre sans effort que vous êtes aux commandes d'une anglaise, d'une japonaise ou d'une allemande. Cela dit, la Street Rod est tout sauf commune ou banale. De la combinaison de la mécanique de la V-Rod et de dimensions totalement hors-normes – pour une standard, l'empattement, le poids et l'angle de direction sont tous immenses – émane un caractère unique et attachant.

ENCHAÎNEZ AVEC UNE POSITION DE CONDUITE QUI DIT BIEN PLUS ROUTIÈRE QUE CUSTOM ET VOUS OBTENEZ UNE HARLEY-DAVIDSON AVEC UNE NOUVELLE COULEUR DE PEAU.

Relativement lourde de direction et lente à faire changer de cap, la Street Rod n'affiche décidément pas une finesse de ballerine. L'agilité dont la privent ses dimensions costaudes est en revanche contrecarrée par une immuable stabilité et une fort plaisante impression de solidité autant ressenties à haute vitesse, en ligne droite, que dans les courbes rapides. La Street Rod n'est donc pas l'une de ces motos qui semblent se manier sans le moindre effort, mais pour autant que le pilote daigne bien s'investir un peu, le plaisir qu'on peut retirer de sa conduite dans une enfilade de virages est certain. En fait, la seule circonstance où ses généreuses proportions deviennent gênantes s'avère être les courbes bosselées qui semblent tout à coup mettre à jour l'excédent de poids et taxer les suspensions.

Si la Street Rod est donc indéniablement une standard bien en chair, au jour le jour, on s'y fait sans le moindre problème. Surtout que chaque tour de roue est accompagné du caractère bien particulier du V-Twin de 1 130 cc que Harley-Davidson appelle Revolution. Souple à souhait à bas régime, il génère une poussée tout à fait digne des 120 chevaux annoncés dans le dernier tiers de sa plage de régimes, et ce, dans une sonorité qui rendrait jalouses plus d'une rivale supposément caractérielle. Il s'agit sans l'ombre d'un doute d'une des mécaniques les plus réussies de l'industrie.

Malgré un poids largement plus élevé que la norme pour la classe, la Street Rod et ses 120 chevaux proposent des performances plus qu'intéressantes. On s'attend à ce que l'accélération soit intense sur les premiers rapports, mais la capacité du Twin à continuer de pousser fort en 3e, 4e et 5e étonne franchement.

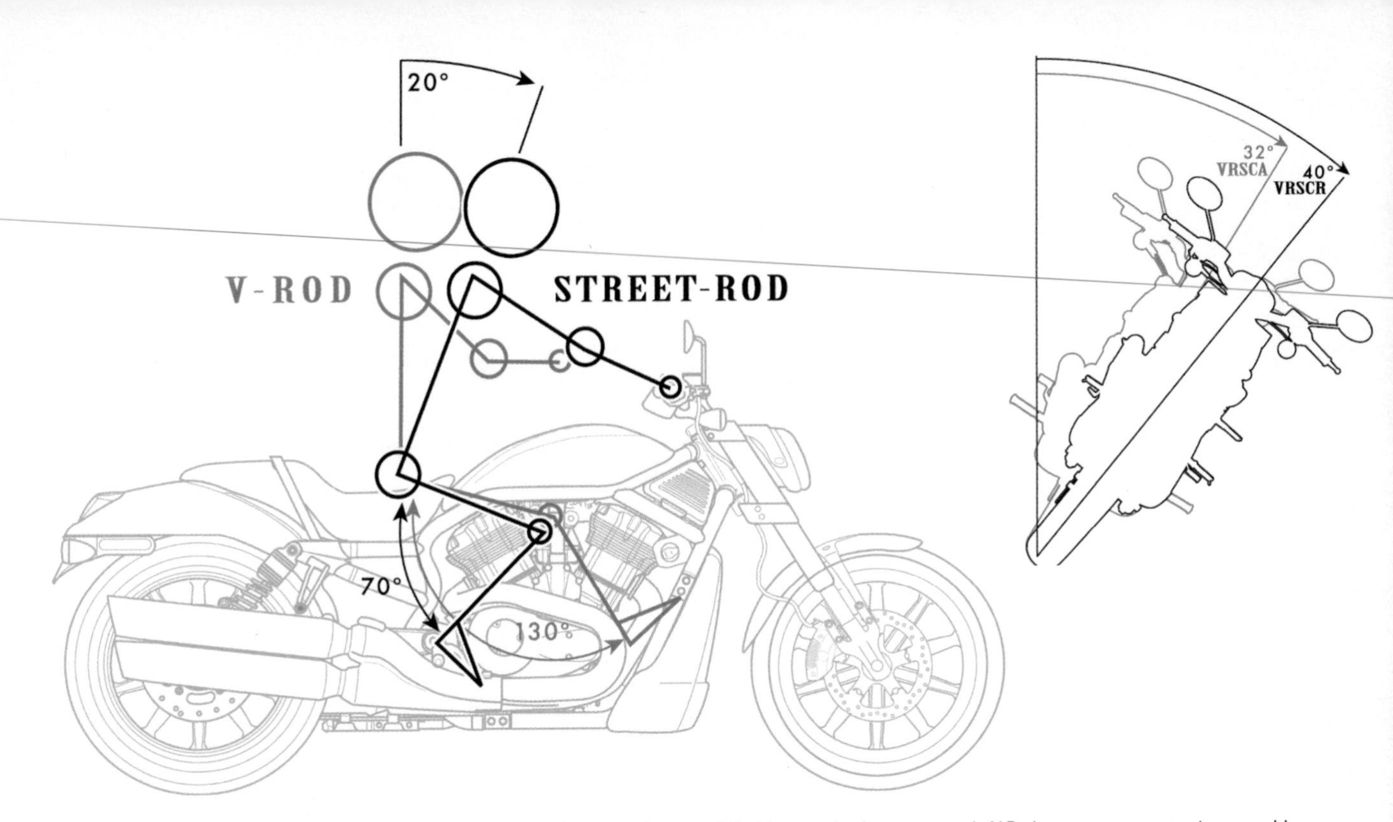

▲ C'est en dotant la nouvelle Street Rod de débattements de suspensions considérablement plus longs que sur la V-Rod et en ayant recours à une position haute et reculée pour les repose-pieds que Harley-Davidson est arrivé à augmenter la garde au sol de manière considérable. Le résultat est une moto qui peut aisément atteindre des angles assez prononcés, bien que pas extrêmes, et maintenir un rythme passablement soutenu sur une route sinueuse. En courbe, la Street Rod peut atteindre un angle fort respectable de 40 degrés. La V-Rod, elle, touche le sol à 32 degrés.

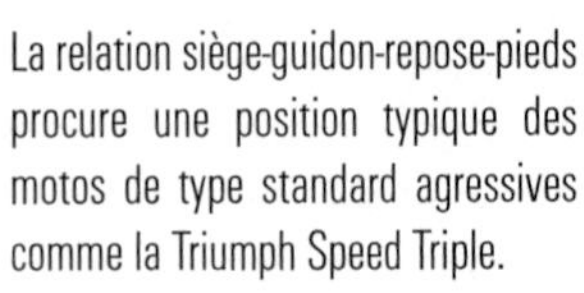

1

La relation siège-guidon-repose-pieds procure une position typique des motos de type standard agressives comme la Triumph Speed Triple.

2

La fourche inversée et les étriers de frein multipistons disent décidément « sport », mais le diamètre immense de la roue avant (19 pouces) rappelle que Harley est d'abord et avant tout un manufacturier de customs.

3

Des silencieux comme ça n'existent nulle part ailleurs. En dessinant la Street Rod, les stylistes américains sont arrivés à créer un magnifique croisement des styles standard et custom, une union qu'on aurait pourtant cru presque impossible avant d'apercevoir ce modèle.

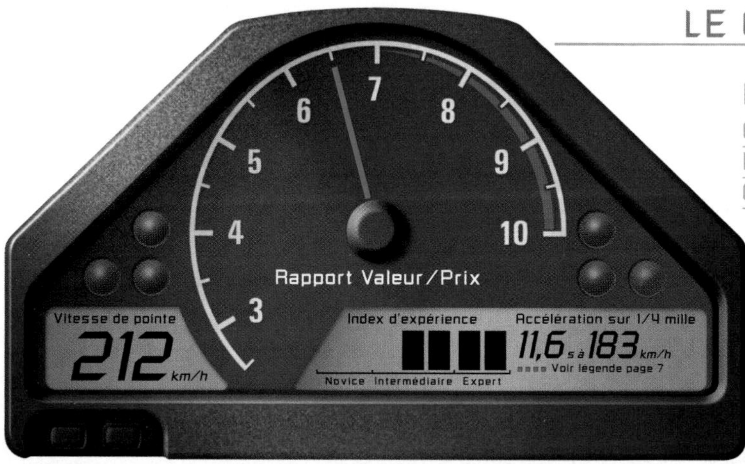

Général

Catégorie	Standard
Prix	20 399 $
Garantie	2 ans/kilométrage illimité
Couleur(s)	noir, violet, bleu, jaune, cerise, orange
Concurrence	BMW R1150R, Buell XB12S, Ducati Monster 1000, Honda 919, Kawasaki ZXR1200R et Z1000, Triumph Speed Triple, Yamaha V-Max et MT-01

Partie cycle

Type de cadre	périmétrique à double berceau, en acier
Suspension avant	fourche conventionnelle de 49 mm non ajustable
Suspension arrière	2 amortisseurs ajustables en précharge
Freinage avant	2 disques de 300 mm de Ø avec étriers à 4 pistons
Freinage arrière	1 disque de 300 mm de Ø avec étrier à 4 pistons
Pneus avant/arrière	120/70 ZR19 & 180/55 ZR18
Empattement	1 697 mm
Hauteur de selle	762 mm
Poids à vide	281 kg
Réservoir de carburant	14 litres

Moteur

Type	bicylindre 4-temps en V à 60 degrés (Revolution), DACT, 4 soupapes par cylindre, refroidissement par liquide
Alimentation	par injection
Rapport volumétrique	11,3:1
Cylindrée	1 130 cc
Alésage et course	100 mm x 72 mm
Puissance	120 ch @ 8 250 tr/min
Couple	80 lb-pi @ 7 000 tr/min
Boîte de vitesses	5 rapports
Transmission finale	par courroie
Révolution à 100 km/h	environ 4 000 tr/min
Consommation moyenne	5,5 l/100 km
Autonomie moyenne	254 km

Conclusion

Harley-Davidson ne fabrique plus qu'uniquement des customs, mais aussi des standards. Et il le fait maintenant au grand jour, sans se cacher derrière le nom Buell. Certains fronceront les sourcils, d'autres douteront et d'autres encore s'en désoleront. Mais le fait est qu'une société de l'envergure de Harley-Davidson ne peut éternellement continuer de croître en ne comptant que sur une seule et unique catégorie de moto. L'arrivée de la Street Rod n'est vraisemblablement qu'un début, et le constructeur de Miwaukee avoue ouvertement que le véritable but du modèle n'est pas nécessairement de convertir les Nord-Américains, du moins pas pour l'instant, mais plutôt de finalement percer le marché européen où les standards obtiennent les meilleures ventes et où les customs semblent encore et toujours incomprises. Fidèle à ses habitudes, Harley a mis en marché une monture différente, particulière. Dans ce cas, il s'agit aussi d'une monture tout à fait réussie.

QUOI DE NEUF EN 2006 ?

- Nouveau modèle élaboré à partir de la plateforme VRSC

PAS MAL

- Un comportement général différent de celui des standards plus connues, mais non moins attachant; la Street Rod est une routière performante, plaisante et bien maniérée
- Un concept qui risque d'être beaucoup plus facile à faire avaler aux très nombreux « motards » européens que celui de la custom traditionnelle, qu'il s'agisse d'une Harley-Davidson ou pas
- Un V-Twin brillant qui subit sans la moindre difficulté la transition d'une utilisation custom sur la V-Rod à routière sur la Street Rod

BOF

- Un poids élevé qui affecte le freinage, qui n'est que moyen, ainsi que les performances des suspensions dans les courbes bosselées
- Un concept qui risque d'être difficile, voire impossible à faire avaler aux puristes de la marque qui ne conçoivent pas qu'une Harley-Davidson puisse être autre chose qu'une custom
- Un prix beaucoup plus élevé que celui des modèles directement concurrents

« Douze coupé » made in Milwaukee...

Flanquée au sol tel un dragster, longue comme un train et aussi sombre que la nuit, la nouvelle Night Rod arbore non seulement l'une des lignes les plus particulières du marché actuel, mais elle confirme aussi – une fois de plus – les talents indéniables des stylistes de Milwaukee. Élaborée à partir de la plateforme VRSC introduite en 2002 avec la V-Rod, la Night Rod est aussi différente à rouler qu'à observer. Car contrairement à la position de pilotage décontractée qui accompagne généralement un tel style, celle que réserve la nouveauté rappelle plutôt la posture sévèrement crampée d'une moto d'accélération. Genoux fragiles s'abstenir.

Comment parler de la nouvelle Night Rod sans d'abord traiter de cette gueule à la fois chic et rebelle qu'ont réussi à lui donner les stylistes américains ? Notre monture d'essai, avec ses roues brossées à branches noires et ses couvercles de moteur chromés plutôt que polis – des options ajoutant environ un millier de dollars au prix d'achat – arborait un superbe jeu de noir et de chrome qui a vraiment fait l'unanimité. Et dire que tout ça n'est pas beaucoup plus qu'une V-Rod maquillée... Au-delà de ces nombreux détails esthétiques, l'une des facettes les plus remarquables du style de la Night Rod est que même en cette époque de prolifération de la race Custom, on ne trouve rien sur le marché qui lui ressemble, et qu'en la regardant, on se dit instantanément qu'il ne peut s'agir que d'une Harley.

Aussi particulière que soit la Night Rod à regarder, rien ne peut vous préparer à la surprise que celle-ci vous réserve lorsque vous y prenez place. Pas de problème en ce qui concerne le guidon large, bas et avancé qui tombe naturellement sous les mains, pas plus qu'avec la selle qui est extrêmement basse et quand même relativement accueillante malgré sa fermeté. En fait, tout va bien jusqu'au moment où vous réalisez que les repose-pieds ne sont pas à leur position avancée habituelle, mais qu'ils sont plutôt situés juste sous le bassin, à la façon d'une sportive pure. Leur position est exactement la même que sur la Street Rod, mais comme la selle de la Night Rod est considérablement plus basse, l'angle des jambes créé par la courte distance entre les repose-pieds et la selle devient extrême. Accroupissez-vous jusqu'à vous asseoir sur vos talons et vous aurez une bonne idée de la sévérité de la posture dictée et de la raison pour laquelle la Night Rod ne s'adresse décidément pas à n'importe qui. Des repose-pieds auxiliaires sont d'ailleurs installés sur la partie avant du cadre, en position classique, pour permettre au pilote de se délier les jambes lorsqu'il le peut. Ils sont bienvenus.

POUR UNE NICHE D'AMANTS DES MOTOS D'ACCÉLÉRATION ET DE LEUR AUTHENTIQUE POSITION DE PILOTAGE BASCULÉE VERS L'AVANT, LA NIGHT ROD EST UNE PROPOSITION UNIQUE.

S'il est clair que la clientèle type de Harley-Davidson pourrait ne pas du tout apprécier ce genre de posture, il est tout aussi clair que le constructeur offre littéralement des dizaines de modèles proposant une position de pilotage plus classique, ce qui donne aux amateurs plus traditionnels l'embarras du choix. La Night Rod prend donc le rôle d'une tentative de diversification de la part de Harley-Davidson qui semble tenter de s'aventurer dans une direction nouvelle, d'essayer quelque chose de différent.

Et pourquoi pas ? Car bien que cette position demande non seulement une période d'accoutumance – c'est un peu comme se conditionner à placer ses pieds sur les repose-pieds arrière –, mais aussi une certaine souplesse au niveau des jambes, pour une niche de motocycliste amants des machines d'accélération et de leur authentique position de pilotage basculée vers l'avant, la Night Rod est une proposition unique.

Écran de fumée...

La nouvelle Night Rod n'est pas nécessairement ce qu'on imagine instinctivement lorsqu'on parle de customs de performance, mais le terme colle étonnamment bien à sa personnalité. D'un côté, sa ligne est à la fine pointe des tendances esthétiques chez Harley-Davidson, et de l'autre, les 120 chevaux annoncés sont non seulement tous présents, mais ils s'avèrent aussi très faciles à exciter.

Parlant de s'exciter, oui, la photo a coûté un pneu à Gahel, mais aussi beaucoup plus. C'est que Môssieur Graetz, notre très cher photographe et maître du « J'te l'avais dit » avait cette fois parié avec l'auteur que celui-ci n'arriverait pas à générer le genre de fumée nécessaire pour la photo sans détruire le pneu arrière de la Night Rod. Toujours aussi réceptif aux suggestions d'autrui, et fort d'un dense historique de pneus brûlés, M. Gahel expliqua qu'en choisissant l'endroit du contact au sol et en limitant les régimes, il arriverait à faire toute la fumée nécessaire sans ruiner le pneu. Et il releva le pari. Les enjeux : une coûteuse soirée dans un bar à demoiselles en tenue légère si Graetz perdait, et la honteuse publication d'un portait de Gahel signé Môssieur le photographe si l'auteur perdait. Il faut savoir que notre cher photographe fête chaque session de photo avec la réalisation d'un tel portrait, chacun plus flatteur que le précédent.

Malgré toutes les explications du monde, Gahel dû se rendre à l'évidence et installer un nouveau pneu sur la Night Rod avant le retour de celle-ci chez le manufacturier. Quant à Môssieur Graetz, c'est avec grand plaisir qu'il se surpassa. Vous pouvez contempler son oeuvre à la page suivante, mais selon l'auteur, il n'y a rien à voir et vous ne devriez pas faire cela.

Vestige de l'ère industrielle du Vieux Montréal, une minoterie et ses silos jouent le rôle d'arrière-plan pour notre shooting, signé Studio Graetz et réalisé rapido presto, au grand dam du gardien de sécurité des lieux. Votre farine pourrait sentir drôle...

Une fois passé le choc de cette fameuse position de conduite, il y a beaucoup à aimer sur la Night Rod, à commencer par la mécanique. À l'exception de l'annonce de quelques 5 chevaux supplémentaires – une augmentation dont nous ne doutons pas, mais qui s'avère difficilement perceptible en selle – on a, à très peu de choses près, affaire au V-Twin refroidi par liquide de la V-Rod. Il s'agit d'un moteur dont la nature est unique sur le marché puisqu'elle se situe à mi-chemin entre celle d'un puissant V-Twin de sportive et celle d'un langoureux V-Twin de custom classique. Sa zone rouge fixée à 9 000 tr/min illustre d'ailleurs bien ce fait puisqu'elle-même se situe à mi-chemin entre les quelque 11 000 tr/min d'une sportive et les quelque 6 000 tr/min d'une custom traditionnelle.

Cette double nature est clairement ressentie sur la route puisqu'il s'agit à la fois d'un moteur très communicatif et très performant. Sans qu'il fasse trembler la moto entière à la façon d'une FLH ou d'une Dyna, on sent clairement ses pulsations au ralenti, pulsations qui se transforment en tranquille vrombissement à 100 km/h. Même à haut régime, jamais ces vibrations ne deviennent gênantes.

Mais c'est probablement au niveau des performances que la double personnalité de ce bicylindre se manifeste le plus. En effet, comme tout bon gros V-Twin de custom, il ne demande pas mieux que de traîner tout en bas de sa plage de régimes. Parfaitement à l'aise en traversant un petit village à 2 000 tr/min sur le dernier rapport, sa souplesse lui permet d'accélérer franchement une fois la route de nouveau ouverte. En fait, on pourrait rouler longtemps de manière plus que satisfaisante sans passer la barre des 6 000 tr/min. Mais ce serait se limiter à une sonorité relativement banale qui n'a que très peu en commun avec le lourd et traditionnel « patate, patate » des Harley-Davidson à moteur 1450. Ensuite, ce serait se priver d'un niveau de performances exceptionnel pour une custom. Car s'il peut être décrit comme souple et bien maniéré sous les 5 500 tr/min, le bicylindre de la Night Rod s'emballe littéralement une fois ce régime moteur passé, catapultant l'engin avec une force et une sonorité qui ne sont pas sans rappeler celles d'une véritable sportive à moteur V-Twin d'un litre, comme la Suzuki SV1000S ou la Honda VTR1000F. Après tout, 120 chevaux c'est 120 chevaux.

Il pourrait être difficile d'imaginer un comportement routier à saveur sportive d'une moto comme la Night Rod, mais c'est pourtant ce dont elle est capable sur une route en lacet. Entendons-nous bien, elle n'humiliera pas les GSX-R et les CBR de ce monde, et dans les virages serrés demandant beaucoup d'angle, les repose-pieds frotteront éventuellement. Mais le genre d'inclinaison dont elle est capable reste tout à fait respectable compte tenu de la race à laquelle elle appartient et le sentiment de solidité et de neutralité que le châssis renvoie en virage, du moins lorsque le revêtement n'est pas détruit, se traduit par un légitime sentiment de plaisir.

Très mince entre les jambes, exceptionnellement basse – vous n'êtes pas assis à plus de deux ou trois pouces du moteur – et étonnamment légère de direction lorsqu'elle est en mouvement, la Night Rod renvoie une impression d'agilité et de précision que sa géométrie de direction conservatrice et sa silhouette de dragster ne laissent pas deviner. Si ces belles qualités dynamiques ne l'empêchent pas d'être légèrement maladroite à très basse vitesse, lorsque la direction semble vouloir tomber vers l'intérieur de la manoeuvre, il reste qu'en fait de comportement, chez une custom, on a décidément vu pire. Tant que le revêtement demeure potable, même les suspensions font preuve d'une honnête souplesse.

30 ans plus tard...

Harley-Davidson n'a jamais fait allusion à un lien entre la nouvelle Night Rod et la XLCR 1200 Sportster Cafe Racer de 1977, mais les deux concepts ont décidément un lien de famille. Trente ans avant l'arrivée de la Night Rod, la XLCR représentait ce que la Motor Company produisait de plus sportif, comme en témoignent les repose-pieds reculés, le petit carénage et la selle solo. Quant à la photo de gauche, elle existe dans cet ouvrage parce que l'auteur a perdu un pari. Explications à la page précédente...

Screamin'Eagle V-Rod Destroyer

Dragster clé en main

Ses repose-pieds sont fixés au beau milieu du bras oscillant. Son bicylindre Revolution ouvert à 60 degrés a été gonflé à bloc : 1300 cc, rapport volumétrique de 14:1, têtes et arbres à cames – entre bien d'autres – de compétition, échappement à vous rendre sourd, le tout bon pour 165 chevaux! Elle est équipée de roues de course montées de pneus lisses, d'un système de passage de vitesses activé par pression d'air et vous est livrée avec une longue « wheelie-bar » de série. Il s'agit de la Sceamin'Eagle Destroyer, la dernière création de la division CVO (Custom Operation Vehicule) de Harley-Davidson. Loin d'être une blague, la Destroyer se veut ni plus ni moins qu'une monture de compétition « clé en main ». Avis aux intéressés : la Destroyer vous coûtera environ 40 000 $ et votre garantie viendra à échéance à la seconde où vous ferez démarrer la bête.

Général

Catégorie	Custom
Prix	19 799 $
Garantie	2 ans/kilométrage illimité
Couleur(s)	noir, noir perlé, violet, bleu clair, bleu foncé, bleu cet bleu, violet et noir, noir et bourgogne
Concurrence	Harley-Davidson V-Rod, Kawasaki Vulcan 1600 Mean Street,Suzuki M109R, Yamaha Road Star Warrior, Victory Hammer

Partie cycle

Type de cadre	périmétrique à double berceau, en acier
Suspension avant	fourche conventionnelle de 49 mm non ajustable
Suspension arrière	2 amortisseurs ajustables en précharge
Freinage avant	2 disques de 300 mm de Ø avec étriers à 4 pistons
Freinage arrière	1 disque de 300 mm de Ø avec étrier à 4 pistons
Pneus avant/arrière	120/70 ZR19 & 180/55 ZR18
Empattement	1 700 mm
Hauteur de selle	668 mm
Poids à vide	276 kg
Réservoir de carburant	14 litres

Moteur

Type	bicylindre 4-temps en V à 60 degrés (Revolution), DACT, 4 soupapes par cylindre, refroidissement par liquide
Alimentation	par injection
Rapport volumétrique	11,3:1
Cylindrée	1 130 cc
Alésage et course	100 mm x 72 mm
Puissance	120 ch @ 8 250 tr/min
Couple	80 lb-pi @ 7 000 tr/min
Boîte de vitesses	5 rapports
Transmission finale	par courroie
Révolution à 100 km/h	environ 4 000 tr/min
Consommation moyenne	5,5 l/100 km
Autonomie moyenne	254 km

Conclusion

Avec un style aussi subtil que celui d'un « douze coupé » et une position de conduite qui tient davantage du dragster cracheur de feu que du traditionnel cruiser décontracté, la nouvelle Night Rod n'est résolument pas une moto pour la masse. Ceux qui oseront s'ouvrir à une expérience quelque peu différente y découvriront néanmoins une monture aussi exigeante à certains égards qu'unique et attachante à d'autres. Il s'agit bel et bien d'une custom, et pourtant, à ses commandes, on peut et on veut aller vite. En la mettant sur le marché, Harley-Davidson ne fait pas qu'élargir, tranquillement mais sûrement, sa famille de modèles refroidis au liquide, il s'aventure aussi en terrain inconnu. Les « fidèles » suivront-ils, ou, pour la énième fois, se mettront-ils à crier au blasphème ?

QUOI DE NEUF EN 2006 ?

- Nouveau modèle élaboré à partir de la plateforme VRSC

PAS MAL

- Un look absolument cool, à la fois chic et rebelle, rendu par la combinaison des belles lignes de la V-Rod et d'un habile jeu de chrome et de composantes noires
- Une mécanique exceptionnelle dont les personnalités multiples ne font que multiplier les circonstances où il s'avère plaisant de la solliciter
- Un comportement qui étonne par ses belles qualités

BOF

- Un moteur dont le caractère n'a rien ou très peu à voir avec le traditionnel rythme lourd et saccadé des plus grosses 1450
- Une position de conduite qui plie les jambes plus sévèrement que la physionomie du Bébé Boomer moyen ne le tolérera
- Une suspension arrière généralement correcte, mais qu'une route abîmée rendra assez facilement sèche

HARLEY-DAVIDSON STREET BOB

NOUVEAUTÉ 2006

Simple ou simpliste ?

Épurez le concept de la Harley-Davidson Dyna jusqu'à l'amener à son état le plus primitif et vous obtenez la Street Bob, un modèle qui fait son entrée au catalogue américain cette année. Un clin d'oeil au style minimaliste en vogue au début des années 70, la Street Bob se veut une Dyna dépourvue de tout artifice. Littéralement d'ailleurs puisqu'elle ne dispose même pas d'une selle de passager ou de repose-pieds arrière. Élaborée autour d'une plateforme Dyna fraîchement révisée pour 2006, elle se distingue des autres modèles de sa famille non seulement par son air dépouillé, mais aussi par la présence d'un rare guidon de style Ape Hanger.

Il y a les Harley qui font l'unanimité, comme les Fat Boy et les Road King, et il y a les Harley qu'on aime ou qu'on n'aime pas, comme la Road Glide et la Sportster. La nouvelle Street Bob fait partie de ces dernières. Même si tous les goûts sont dans la nature, plusieurs seront d'accord – comptez-nous parmi eux – pour se risquer à dire qu'il ne s'agit pas de la plus grande réussite esthétique de l'ami Willie G. D'un autre côté, force est d'admettre que la combinaison de son style minimaliste, de l'Ape Hanger et des roues à rayons laisse émaner une intéressante simplicité. Disons que c'est un à un.

Prenez place sur la selle solo moelleuse, bien formée et ultra basse, et même si les Harley vous sont relativement familières, les probabilités que la Street Bob vous prenne par surprise sont assez bonnes. En ce qui concerne le guidon, la surprise est plutôt agréable puisqu'on s'y fait plus vite et avec moins de tracas qu'on pourrait l'imaginer. Exception faite de l'exposition au vent qui devient vite gênante une fois les 100 km/h passés – d'autant plus que la position de conduite est légèrement basculée vers l'arrière – et d'une certaine difficulté lors des manoeuvres très lentes qui demandent de tourner la direction au maximum, l'Ape Hanger reste tout à fait tolérable. La position intermédiaire des repose-pieds et la hauteur très faible de la selle se combinent néanmoins pour forcer le pilote à prendre une posture qu'il est difficile de décrire autrement que par le terme « examen gynécologique », et qui s'avère finalement peu naturelle.

> **ELLE PLACE LE PILOTE DANS UNE POSTURE QU'IL EST DIFFICILE DE DÉCRIRE AUTREMENT QUE PAR LE TERME « EXAMEN GYNÉCOLOGIQUE ».**

L'une des caractéristiques prédominantes de la plateforme Dyna a toujours été son très particulier système de supports de moteur souples, et la refonte qu'elle subit cette année laisse cet aspect absolument intact. Les fanatiques de mécaniques très douces n'apprécieront probablement pas, mais les amants de moteurs à caractère, eux, se régaleront. Au ralenti, aucune moto en ce bas monde ne génère le genre de secousses sismiques qui s'échappe d'une Dyna. Votre vue se brouille, vos entrailles s'agitent et la moto tout entière s'anime comme si elle allait s'autodétruire. De très basse fréquence et jamais inconfortables, ces pulsations s'amoindrissent à mi-régime pour presque disparaître ensuite.

La Street Bob est la Dyna avec les suspensions les plus molles que nous ayons testée à ce jour. Si cette réalité se traduit par un certain confort de roulement sur un revêtement décent – toutes les petites imperfections sont absorbées de manière transparente – une plus grosse bosse fera en revanche douloureusement talonner les suspensions. La tenue de route est également affectée par cette mollesse puisque la moto semble se mettre à danser dès que le rythme s'accentue, ou lorsqu'une courbe en mauvais état est négociée. Ce genre de calibrage est difficile à comprendre, car même le frein avant à disque simple, pourtant tout sauf puissant, écrase complètement la fourche de façon régulière.

Général

Catégorie	Custom
Prix	17 489 $
Garantie	2 ans/kilométrage illimité
Couleur(s)	noir, noir perlé, bleu, violet
Concurrence	toutes les customs Harley de 1 450 cc, Kawasaki Mean Streak, Vulcan 1500 et 1600 Classic, Suzuki Boulevard C90, toutes les customs Victory, Yamaha Road Star 1700

Partie cycle

Type de cadre	double berceau, en acier
Suspension avant	fourche conventionnelle de 49 mm non ajustable
Suspension arrière	2 amortisseurs ajustables en précharge
Freinage avant	1 disque de 300 mm de Ø avec étrier à 4 pistons
Freinage arrière	1 disque de 292 mm de Ø avec étrier à 4 pistons
Pneus avant/arrière	100/90-19 & 160/70 B17
Empattement	1 630 mm
Hauteur de selle	680 mm
Poids à vide	288 kg
Réservoir de carburant	17,8 litres

Moteur

Type	bicylindre 4-temps en V à 45 degrés (Twin Cam 88), culbuté, 2 soupapes par cylindre, refroidissement par air
Alimentation	injection séquentielle
Rapport volumétrique	8,9:1
Cylindrée	1 450 cc
Alésage et course	95,2 mm x 101,6 mm
Puissance	68 ch @ 5 500 tr/min
Couple	85 lb-pi @ 3 000 tr/min
Boîte de vitesses	5 rapports
Transmission finale	par courroie
Révolution à 100 km/h	environ 2 800 tr/min
Consommation moyenne	5,5 l/100 km
Autonomie moyenne	330 km

Conclusion

La Street Bob ne passera pas à l'histoire comme la Dyna favorite du Guide. À n'en pas douter, certains seront touchés par son style minimaliste qui refait vivre une époque à laquelle rien de superflu ne devait demeurer boulonné à une moto. Et même si le V-Twin de 1 450 cc n'est pas particulièrement performant, nous nous joignons volontiers à ceux qui vénèrent ces mécaniques presque vivantes lorsqu'elles sont installées dans un châssis Dyna. Mais la mollesse extrême des suspensions de notre moto d'essai a affecté tellement de facettes du comportement routier, le frein avant s'est avéré si faible et la position de pilotage a tellement limité le côté pratique de l'équation qu'il est devenu vraiment difficile de s'en emballer. Ça fait combien, là, quatre, cinq à un ?

QUOI DE NEUF EN 2006 ?

- Nouveau modèle de la famille Dyna

PAS MAL

- Une mécanique dont les secousses au ralenti doivent sans aucun doute atteindre un ou deux sur l'échelle de Richter
- Une livrée hâtive du couple qui compense pour les performances relativement faibles
- Une nouvelle transmission à six rapports qui fonctionne parfaitement et un embrayage revu qui réduit vraiment l'effort au levier de façon notable

BOF

- Des suspensions inhabituellement molles qui talonnent régulièrement et douloureusement, en plus de priver la Street Bob d'un aplomb respectable en courbe
- Un frein avant unique faiblot qui n'arrive pas à générer des ralentissements satisfaisants, du moins tant que l'arrière n'est pas utilisé simultanément
- Une position de conduite pas très naturelle, même si on arrive finalement à s'y faire

Super Glide 35e Anniversaire

HARLEY-DAVIDSON **DYNA SUPER GLIDE**

RÉVISION 2006

C'est à ton tour...

L'un des nouveaux modèles introduits en 2006 par le constructeur de Milwaukee est une édition 35e anniversaire de la toute première Super Glide présentée en 1971, la FX 1200. Afin de commémorer l'événement, les stylistes américains se sont inspirés du modèle original pour concocter une réplique moderne qui reprendrait de manière fidèle le thème de la moto de 1971. Dans les faits, l'édition spéciale cache sous ses détails d'époque une Dyna Super Glide de série. Cette dernière, ainsi que sa variante Custom présentée l'an dernier, reviennent pour 2006 avec une foule de changements découlant de la première mise à jour de la plateforme Dyna depuis son inauguration en 1991.

Les Super Glide représentent la façon la plus abordable d'accéder à l'univers des Harley-Davidson « pleine grandeur », celles propulsées par le V-Twin de 1 450 cc de la marque. Il est vrai que l'affirmation voit sa crédibilité quelque peu éprouvée dans le cas de l'édition 35e anniversaire du modèle, qui se joint à la gamme pour 2006. Car s'il est indéniable que la peinture reprend fidèlement le thème de la monture originale, s'il est vrai qu'un certain nombre de pièces sont chromées plutôt que polies et, enfin, si l'on ne peut argumenter le fait qu'une édition à tirage limité a une valeur supérieure, il reste que les quelque 6 500 $ qu'elle coûte de plus qu'une Super Glide de base semblent difficilement justifiables. Au moins, l'acheteur a le choix et peut toujours se rabattre sur la version de base étonnamment accessible, ou encore opter pour un compromis et envisager la Custom. Quoi qu'il en soit, d'un point de vue du pilotage, ce sera du pareil au même.

ÉTABLISSONS CLAIREMENT QUE TOUT MOTOCYCLISTE FANATIQUE DE DOUCEUR MÉCANIQUE ABSOLUE N'EST PAS ICI AU BON ENDROIT.

La caractéristique technique la plus intéressante de la Super Glide est sans aucun doute la combinaison de sa motorisation, le Twin Cam 88 de 1 450 cc, au châssis Dyna et son système unique de supports de moteur souples.

Les accélérations dont est capable cette mécanique rivalisent avec celles d'une custom japonaise de 1 500 cc, ce qui revient à dire qu'elles sont moyennes, sans plus, et qu'elles sont surtout caractérisées par une bonne production de couple à bas et moyen régimes. Rien ne sert de faire tourner le TC88 beaucoup plus haut puisqu'il s'essouffle rapidement ensuite. Si le niveau de performances proposé par une Super Glide n'est donc que satisfaisant, le genre de caractère qui se dégage de la mécanique, lui, est en revanche exceptionnel. Établissons d'abord clairement que tout motocycliste fanatique de douceur mécanique absolue n'est pas ici au bon endroit. Car une Dyna vibre franchement et sans la moindre gêne. Mais pas n'importe comment. Au ralenti, la moto tout entière tremble comme si elle allait se désintégrer, assez même pour faire voir double au pilote qui y prend place. Ce tremblement s'amplifie encore lorsque les régimes commencent à grimper, et la sensation qui en résulte ne peut être vécue ailleurs dans l'univers de la moto. Comme les silencieux de la plupart des Harley-Davidson sont plutôt timides, on sent ce tremblement plus qu'on ne l'entend. Par moments, surtout à la décélération, on jurerait se faire brasser les boyaux par un monstrueux subwoofer. Comme par magie, ce niveau de vibration s'atténue radicalement aux alentours des vitesses d'autoroute. Non seulement il n'atteint ainsi jamais un seuil désagréable, mais les Dyna sont carrément douces à plus ou moins 100 km/h.

Outre une position de conduite à laquelle il faut s'habituer, notamment en raison du positionnement élevé et central des repose-pieds, les Super Glide sont parmi les Harley les plus amicales à piloter. Basses, minces et relativement légères à soulever de leur béquille, elles sont même, paraît-il, assez souvent le choix des femmes.

FX 1200 Super Glide 1971

Plus ça change...

Il est intéressant de constater que la FX 1200 Super Glide de 1971 (haut) – le modèle dont Harley-Davidson célèbre le 35e anniversaire en 2006 avec une édition limitée de la Dyna Super Glide (bas) – fut mise en production pour des raisons qui sont encore tout à fait d'actualité aujourd'hui. En effet, c'est en tentant de répondre à l'engouement du marché pour des motos profondément modifiées que le constructeur créa la Super Glide 1971, ce qu'il fit essentiellement en mariant la suspension avant d'allure sportive (pour l'époque...) d'une XL à l'ensemble châssis-moteur de la série FL. Aujourd'hui, Harley-Davidson continue de répondre à la même demande, celle pour des motos hautement personnalisées, avec des produits comme la Softail Deuce, mais surtout avec des montures apprêtées par sa division des Custom Vehicule Operations.

Super Glide

Plus tu payes, plus t'en as...

À 16 169 $ avec l'injection de carburant, la Super Glide de base tient presque de l'aubaine puisqu'elle est offerte à 1 700 $ de moins que le même modèle en 2005. Ce n'est évidemment pas la plus cossue des Harley, mais compte tenu du prix et du fait qu'elle bénéficie des mêmes améliorations que le reste de la famille Dyna en 2006, l'affaire semble intéressante.

Ajoutez un petit 2 500 $ au prix d'une Super Glide et vous pourrez rouler en Super Glide Custom, un modèle qui se distingue par une dizaine de pièces chromées plutôt que polies, par le remplacement de la selle solo par une selle biplace et des repose-pieds arrière et, enfin, par une console d'instruments agencée à la couleur de la moto.

Super Glide 35e Anniversaire

Si votre portefeuille vous permet d'envisager l'option d'ajouter près de 6 500 $ au prix d'une Super Glide de base, vous pourriez alors prendre la route aux commandes d'une rutilante Super Glide 35e anniversaire, un modèle qui ne sera produit qu'à 3 500 exemplaires. En plus d'acheter la notoriété d'une édition limitée, ce supplément paie pour une finition chromée plutôt que polie sur plusieurs couvercles (moteur, batterie, etc.), pour remplacer la selle solo par une selle biplace, pour ajouter des repose-pieds arrière et, enfin, pour équiper la moto de roues à rayons chromées plutôt qu'en alliage. Notons que le thème de la peinture de la Super Glide 1971 est respecté sur l'édition anniversaire de 2006 et que la nacelle d'instrumentation est déplacée du guidon jusqu'au réservoir.

Super Glide Custom

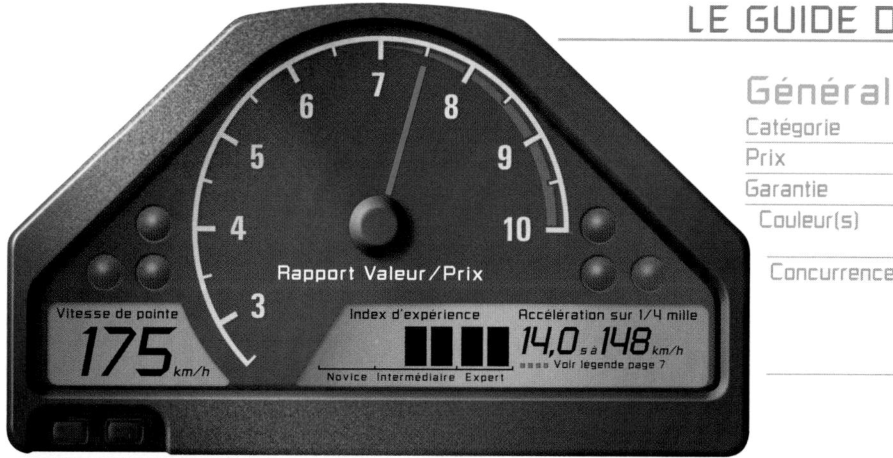

Général

Catégorie	Custom
Prix	16 169 $ - 22 599 $
Garantie	2 ans/kilométrage illimité
Couleur(s)	noir, argent, rouge, bleu, violet, bourgogne, anthracite, jaune
Concurrence	toutes les customs Harley de 1 450 cc, Kawasaki Mean Streak, Vulcan 1500 et 1600 Classic, Suzuki Boulevard C90, Victory Vegas et Kingpin, Yamaha Road Star 1700

Partie cycle

Type de cadre	double berceau, en acier
Suspension avant	fourche conventionnelle de 49 mm non ajustable
Suspension arrière	2 amortisseurs ajustables en précharge
Freinage avant	1 disque de 300 mm de Ø avec étrier à 4 pistons
Freinage arrière	1 disque de 292 mm de Ø avec étrier à 4 pistons
Pneus avant/arrière	100/90-19 & 160/70 B17
Empattement	1 630 mm
Hauteur de selle	700 mm (Super Glide), 705 mm (Custom et 35e)
Poids à vide	287 kg (Super Glide), 291 kg (Custom), 293 kg (35e)
Réservoir de carburant	18,2 litres (Super Glide et Custom), 19,3 (35e)

Moteur

Type	bicylindre 4-temps en V à 45 degrés (Twin Cam 88), culbuté, 2 soupapes par cylindre, refroidissement par air
Alimentation	injection séquentielle
Rapport volumétrique	8,9:1
Cylindrée	1 450 cc
Alésage et course	95,2 mm x 101,6 mm
Puissance	68 ch @ 5 500 tr/min
Couple	85 lb-pi @ 3 000 tr/min
Boîte de vitesses	5 rapports
Transmission finale	par courroie
Révolution à 100 km/h	environ 2 800 tr/min
Consommation moyenne	5,5 l/100 km
Autonomie moyenne	330 km

Conclusion

En proposant sa Super Glide à partir d'un prix aussi intéressant, le constructeur américain ouvre carrément au commun des mortels les portes de l'univers parallèle dans lequel lui et ses fidèles flottent depuis plus d'un centenaire. Car s'il existe toujours une ligne bien distincte, et même un différend entre les propriétaires de Harley et « les autres », il n'est pas rare que certains de ces « autres » caressent discrètement le rêve d'un jour pouvoir enfin, eux aussi, rouler un produit *made in Milwaukee*. Ceux qui décideront d'utiliser cette porte pour passer de l'autre côté ne devraient pas être déçus, surtout s'ils affectionnent les mécaniques caractérielles et s'ils arrivent à se satisfaire des performances seulement honnêtes des américaines.

QUOI DE NEUF EN 2006 ?

- Arrivée d'une édition 35e anniversaire; selle solo sur Super Glide
- Transmission à 6 vitesses; passages d'huile internes; embrayage à effort réduit de 35 %; Twin Cam 88 amélioré avec pompe à huile à débit supérieur de 10 %; poteaux de fourche passent de 39 mm à 49 mm; cadre repensé, axes de roues et bras oscillant rigidifiés; roue arrière de 17 pouces au lieu de 16 et pneu de 160 mm; couvercle de batterie et garde-boue arrière redessinés; roues à 10 branches; disque de frein avant flottant
- Super Glide à injection coûte 1 710 $ et Super Glide Custom à injection coûte 1 500 $ de moins qu'en 2005; modèles à carburateur discontinués

PAS MAL

- Une mécanique au caractère absolument unique, qui tremble d'une façon aussi plaisante que bien contrôlée
- Un prix très intéressant pour la Dyna Super Glide qui est désormais bel et bien à la portée de tout acheteur de grosse custom
- Un gabarit moins imposant et intimidant que celui de la plupart des customs de cette cylindrée

BOF

- Une ligne pas très aguichante, bien qu'il ne faudrait pourtant pas grand-chose pour la rendre plus harmonieuse
- Une position de conduite plutôt étrange en raison de l'emplacement central et relevé des repose-pieds
- Des performances seulement correctes et un freinage seulement honnête

HARLEY-DAVIDSON **DYNA LOW RIDER**

RÉVISION 2006

La Harley à Gahel...

Même si le constructeur de Milwaukee investit énormément d'efforts dans le but de donner aux différents modèles de sa gamme une identité visuelle propre, le fait est qu'il n'est pas rare que plusieurs de ses montures se ressemblent grandement sur le plan technique. La Dyna Low Rider, elle, est unique. Sa suspension arrière à débattement court, sa fourche plus ouverte que sur les Super Glide, mais moins que sur la Wide Glide et sa ligne plus populaire qu'extravagante sont autant de caractéristiques qui en font une proposition unique au sein de la famille Dyna. Pour 2006, même si cette ligne ne change presque pas, de profondes modifications lui sont apportées.

Non, je ne possède pas une Low Rider. Sachez d'ailleurs qu'il y a déjà une bonne dizaine d'années que je ne possède plus une moto personnelle. Oh, ne vous en faites pas pour moi, j'arrive quand même à rouler de temps à autre... Si je ne possède pas une Low Rider, alors pourquoi ce titre ? Simplement parce que je l'aime, cette foutue Low Rider. Je l'aime même plus que toutes les autres montures du catalogue américain. Sans pour autant la trouver parfaite. Sa position de conduite m'agace toujours un peu, surtout au niveau de l'emplacement des pieds et de l'angle des jambes; l'arrière cogne parfois un peu trop dur; son prix, même à la baisse, reste élevé et, enfin, la puissance générée par ses « maigres » 1 450 cc n'est rien de plus que modeste. Bon, elle est finalement loin d'être parfaite, la Low Rider. Mais je lui pardonne. Premièrement, parce que si j'en avais une, je ferais comme à peu près tout le monde et je la trafiquerais un peu, surtout au niveau de la position, et peut-être du guidon. Deuxièmement, et surtout, je lui pardonne parce que je suis absolument gaga du caractère de sa mécanique. Ce n'est pas pour tout le monde, je sais. Certains préféreront le tempérament plus docile d'un V-Twin de Softail ou encore la douceur d'une FLH. C'est peut-être à force de constamment changer de moto, mais j'ai développé un appétit sans fond pour les moteurs à sensations, une définition qui rend à peine justice au genre d'émotions qui s'échappent d'une Dyna. Harley m'a fait plaisir en 2006 en donnant un peu de fierté et de muscle à la fourche et en modernisant la partie cycle sans chambarder le comportement routier, qui reste, à peu de choses près, le même qu'avant, et ce, malgré l'étendue des modifications. Il y a une nouvelle boîte de vitesses qui fonctionne bien, un sixième rapport qui abaisse légèrement les tours sur l'autoroute et un embrayage étonnamment léger. Mais mon coup de coeur est d'abord et avant tout pour ce moteur. Regardez-le secouer la moto entière au ralenti, bougeant dans le cadre comme s'il allait en tomber. Non seulement incroyable, mais aussi totalement unique comme caractéristique. Au ralenti, ces secousses brouillent complètement ma vue et font à mes tripes ce qu'un secoueur à peinture fait à un gallon de latex. Le temps d'un solide et traditionnel « clonk » métallique, et je roule. C'est assez léger à lancer en courbe, c'est correct en angle et ça freine disons adéquatement, mais tout ça n'a rien à voir avec la raison pour laquelle je m'éclate, pour laquelle je savoure l'expérience. Cette raison, elle tremble entre mes pattes comme un ronronnement de chat amplifié des millions de fois. Parfois, surtout en lâchant les gaz, c'est plutôt sur un subwoofer de millions de watts que j'ai l'impression d'être assis. Ce qui est génial, c'est aussi qu'à partir des mi-régimes, toutes ces émotions se rangent et ne deviennent plus, à vitesse d'autoroute, qu'un doux et profond murmure. Bien sûr, rien ne sert d'être pressé puisque ça n'a rien de très impressionnant en ligne droite. En fait, c'est là tout ce qu'il manque à l'expérience : un franc et légitime coup de pied au cul.

REGARDEZ-LE V-TWIN SECOUER LA MOTO ENTIÈRE AU RALENTI, BOUGEANT DANS LE CADRE COMME S'IL ALLAIT EN TOMBER. INCROYABLE, UNIQUE.

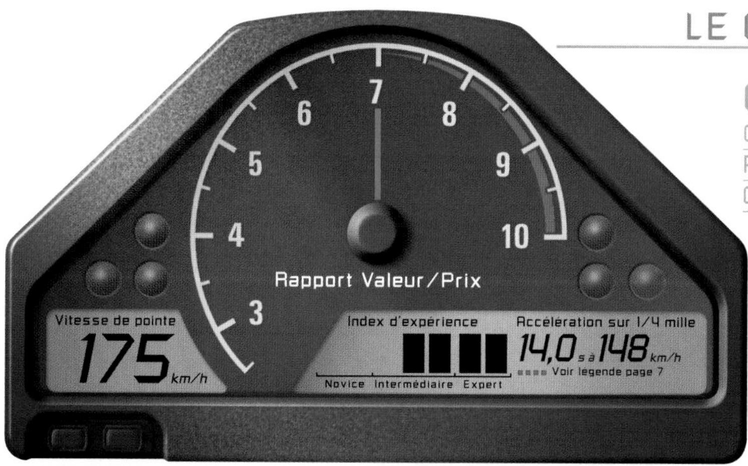

Général

Catégorie	Custom
Prix	20 599 $
Garantie	2 ans/kilométrage illimité
Couleur(s)	noir, noir perlé, argent, bleu clair, bleu foncé, bourgogne, bleu nuit, perle, bleu et bleu, noir et bourgogne, bleu et argent
Concurrence	toutes les customs Harley de 1 450 cc, Kawasaki Mean Streak, Vulcan 1500 et 1600 Classic, Suzuki Boulevard C90, toutes les customs Victory, Yamaha Road Star 1700

Partie cycle

Type de cadre	double berceau, en acier
Suspension avant	fourche conventionnelle de 49 mm non ajustable
Suspension arrière	2 amortisseurs ajustables en précharge
Freinage avant	1 disque de 300 mm de Ø avec étrier à 4 pistons
Freinage arrière	1 disque de 292 mm de Ø avec étrier à 4 pistons
Pneus avant/arrière	100/90-19 & 160/70 B17
Empattement	1 640 mm
Hauteur de selle	680 mm
Poids à vide	291 kg
Réservoir de carburant	17,8 litres

Moteur

Type	bicylindre 4-temps en V à 45 degrés (Twin Cam 88), culbuté, 2 soupapes par cylindre, refroidissement par air
Alimentation	injection séquentielle
Rapport volumétrique	8,9:1
Cylindrée	1 450 cc
Alésage et course	95,2 mm x 101,6 mm
Puissance	68 ch @ 5 500 tr/min
Couple	85 lb-pi @ 3 000 tr/min
Boîte de vitesses	5 rapports
Transmission finale	par courroie
Révolution à 100 km/h	environ 2 800 tr/min
Consommation moyenne	5,5 l/100 km
Autonomie moyenne	323 km

Conclusion

D'un point de vue du comportement routier, la Low Rider n'est qu'une custom décemment maniérée. C'est très stable, le centre de gravité bas aide la moto pourtant lourde à paraître relativement maniable et le comportement en virage n'est finalement pas méchant. La gueule du modèle n'est pas mal non plus, surtout en 2006 grâce aux changements subtils faits au garde-boue arrière et à l'injection de testostérone administrée à la fourche. Mais la vraie force de la Dyna Low Rider est son système de supports de moteur souples qui permet au V-Twin américain de transmettre à son pilote non pas des sensations, mais bien des émotions. J'ose à peine imaginer le genre de secousses sismiques qui s'en échapperaient si Harley pouvait enfin exhausser le vœux de bien des fidèles et augmenter la cylindrée de manière importante. Une Dyna Low Rider avec un Twin Cam 88 gonflé à 2 000 cc ? Faudrait la déconseiller aux estomacs fragiles...

QUOI DE NEUF EN 2006 ?

- Transmission à 6 vitesses, une de plus qu'en 2005; passages d'huile internes; embrayage à effort réduit de 35 %; Twin Cam 88 reçoit plusieurs améliorations dont une pompe à huile à débit supérieur de 10 %; poteaux de fourche passent de 39 mm à 49 mm; cadre repensé, axes de roues et bras oscillant rigidifiés; roue arrière de 17 pouces et pneu de 160 mm remplace la roue de 16 pouces et le pneu de 150 mm; couvercle de batterie et garde-boue arrière redessinés; contact avec barrure; roues à 10 branches
- Modèle à injection coûte 1 820 $ de moins qu'en 2005; modèle à carbutateur discontinué

PAS MAL

- Une mécanique dont les pistons semblent communiquer directement avec les tripes du pilote; on ne retrouve ça ni chez d'autres constructeurs, ni chez les autres familles de Harley-Davidson
- Une ligne qui n'a rien d'extraordinaire, mais qui reste quand même la plus classique de la famille Dyna
- Des proportions qui semblent moins imposantes que la coutume chez les customs poids lourds

BOF

- Un niveau de confort limité par la sécheresse occasionnelle de la suspension arrière dont le débattement est réduit
- Un niveau de performances qui n'est franchement pas épatant; heureusement que le couple est bon
- Une position de conduite qu'on trouve étrange en raison du positionnement central plutôt qu'avancé des repose-pieds

HARLEY-DAVIDSON **DYNA WIDE GLIDE**

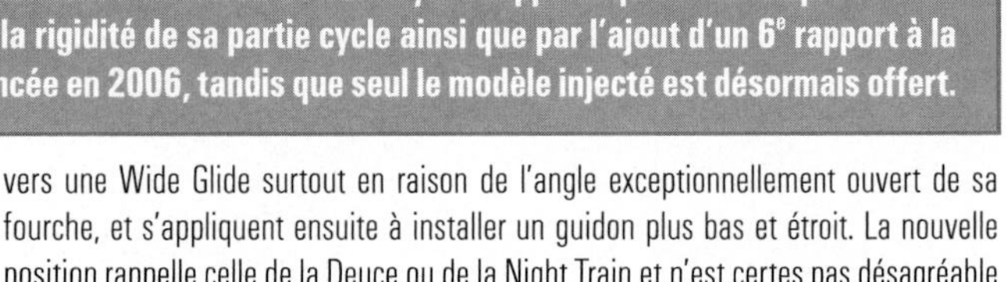

RÉVISION 2006

Rebelle parmi les rebelles...

Construite sur la plateforme Dyna fraîchement revue cette année, la Wide Glide prend son nom du très large espacement des poteaux de sa longue fourche. Cette dernière étreint une roue de 21 pouces qui est d'ailleurs tellement mince qu'elle semble littéralement flotter. Pour 2006, celle qu'on qualifie souvent de la plus rebelle des montures américaines en raison de son style chopperèsque authentique et sans excuse, reçoit une multitude d'améliorations, notamment au niveau de la rigidité de sa partie cycle ainsi que par l'ajout d'un 6e rapport à la boîte de vitesses. Une substantielle baisse de prix est par ailleurs annoncée en 2006, tandis que seul le modèle injecté est désormais offert.

Pour faire de la Dyna Wide Glide l'un de ses modèles phares, les stylistes américains ont dû avoir recours à des mesures extrêmes. La première est cette fourche dont la longueur et l'angle défient presque les limites légales, surtout pour 2006. En effet, en cette année de refonte de la plateforme Dyna, le constructeur n'y est pas allé de main morte en ouvrant encore plus l'angle de la fourche, qui est maintenant de 36 degrés, en remplaçant les maigres poteaux de 39 mm de l'ancienne version par de massifs tubes de 49 mm ainsi qu'en redessinant le couvercle de batterie et le garde-boue arrière afin de donner à la ligne une touche d'élégance. Le résultat est une moto dont l'empattement est le plus long de la gamme de Milwaukee par une bonne marge, dont l'angle inhabituellement ouvert de la fourche est frappant et dont les proportions de la roue avant semblent défier les lois de la physique. Pour couronner le tout, un guidon de type Ape Hanger – l'un des symboles les plus rebelles qui puissent être greffés à une moto de série, et qu'on ne retrouve que chez Harley-Davidson – vient assurer qu'une fois installé, pieds loin devant et mains haut en l'air, le pilote n'aura d'autre choix que d'avoir une posture aussi rebelle que l'est sa monture.

PIEDS LOIN DEVANT ET MAINS HAUT EN L'AIR, LE PILOTE N'AURA D'AUTRE CHOIX QUE D'AVOIR UNE POSTURE AUSSI REBELLE QUE L'EST SA MONTURE.

Si une telle position de pilotage n'est évidemment pas particulièrement favorable à la traversée des continents, étrangement, elle s'avère quand même assez tolérable au jour le jour, du moins pour des balades qui ne s'étirent pas trop. Il faut savoir que plusieurs acheteurs se dirigent vers une Wide Glide surtout en raison de l'angle exceptionnellement ouvert de sa fourche, et s'appliquent ensuite à installer un guidon plus bas et étroit. La nouvelle position rappelle celle de la Deuce ou de la Night Train et n'est certes pas désagréable dans le genre. *Tiens, tiens, Monsieur Gahel aurait-il une nouvelle Dyna favorite ?*

Comme chaque modèle de la famille Dyna, la Wide Glide ne donne pas sa place lorsqu'il s'agit de transmettre à son pilote l'état d'esprit de son V-Twin de 1 450 cc. En fait, la combinaison de ce moteur et de ce châssis produit sans l'ombre d'un doute l'un des caractères-moteur les plus délicieux de l'industrie. Le bicylindre tire agréablement à très bas régime et procure des accélérations satisfaisantes mais sans plus. Beaucoup attendent d'ailleurs avec impatience le jour où Harley-Davidson se décidera à installer la mécanique de 1 690 cc de ses modèles CVO dans le reste de la gamme.

La partie cycle nouvellement rigidifiée de la Wide Glide lui permet désormais de ne plus être stable qu'en ligne droite, mais aussi de s'avérer relativement saine en angle. La hauteur extrême du guidon devient surtout dérangeante à vitesse soutenue sur l'autoroute, ou lors de manoeuvres lentes très serrées qui demandent de le tourner au maximum, une situation dans laquelle les pilotes avec des bras courts seront les plus pénalisés. Les freinages ne sont pas méchants tant qu'on utilise généreusement l'arrière, mais la mince roue avant demande un dosage prudent de la pression au levier, surtout sous la pluie.

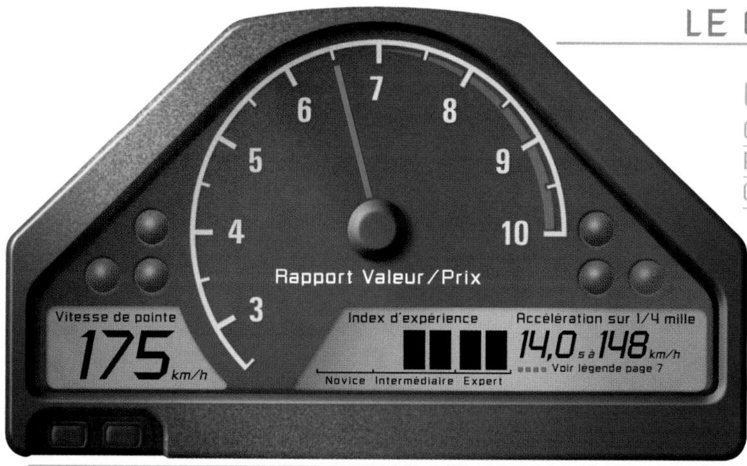

Général

Catégorie	Custom
Prix	21 919 $
Garantie	2 ans/kilométrage illimité
Couleur(s)	noir, noir perlé, argent, cerise, violet, bleu pâle, bleu foncé, perle, jaune, bleu et bleu, noir et bourgogne, noir et violet
Concurrence	toutes les customs Harley de 1 450 cc, Kawasaki Mean Streak, Vulcan 1500 et 1600 Classic, Suzuki Boulevard C90, toutes les customs Victory, Yamaha Road Star 1700

Partie cycle

Type de cadre	double berceau, en acier
Suspension avant	fourche conventionnelle de 49 mm non ajustable
Suspension arrière	2 amortisseurs ajustables en précharge
Freinage avant	1 disque de 300 mm de Ø avec étrier à 4 pistons
Freinage arrière	1 disque de 292 mm de Ø avec étrier à 4 pistons
Pneus avant/arrière	MH90-21 & 160/70 B17
Empattement	1 735 mm
Hauteur de selle	723 mm
Poids à vide	295 kg
Réservoir de carburant	19,3 litres

Moteur

Type	bicylindre 4-temps en V à 45 degrés (Twin Cam 88), culbuté, 2 soupapes par cylindre, refroidissement par air
Alimentation	injection séquentielle
Rapport volumétrique	8,9:1
Cylindrée	1 450 cc
Alésage et course	95,2 mm x 101,6 mm
Puissance	68 ch @ 5 500 tr/min
Couple	85 lb-pi @ 3 000 tr/min
Boîte de vitesses	5 rapports
Transmission finale	par courroie
Révolution à 100 km/h	environ 2 800 tr/min
Consommation moyenne	5,5 l/100 km
Autonomie moyenne	351 km

Conclusion

Contrairement à des modèles comme la Fat Boy ou la Road King qui semblent invariablement paraître sympathiques et attirants pour la masse d'admirateurs des produits de Milwaukee, la Dyna Wide Glide, comme les modèles à fourche Springer, s'adresse plutôt aux marginaux. Ceux-ci ne veulent pas simplement d'une Harley qu'elle soit ronde et jolie, mais plutôt qu'elle reflète leur personnalité rebelle par un style osé et non sympathique. Tout le monde veut avoir une Fat Boy, moins nombreux sont ceux qui osent acheter une Wide Glide. D'un point de vue du comportement, le modèle a l'avantage d'être l'une des quelques Harley disposant de cette combinaison ensorcelante qu'est celle du Twin Cam 88 dans un châssis Dyna. Quant aux modifications apportées au châssis en 2006, sans qu'elles transforment la tenue de route, elles font décidément progresser celle-ci dans la bonne direction. Être rebelle n'aura jamais été si facile.

QUOI DE NEUF EN 2006 ?

- Transmission à 6 vitesses; passages d'huile internes; embrayage à effort réduit de 35 %; Twin Cam 88 amélioré avec pompe à huile à débit supérieur de 10 %; poteaux de fourche de 49 mm; cadre repensé, angle de fourche de 36 degrés; axes de roues et bras oscillant rigidifiés; roue arrière de 17 pouces au lieu de 16 et pneu de 160 mm; couvercle de batterie et garde-boue arrière redessinés; nouveau guidon Ape Hanger de 1,25 pouces avec filage interne « risers » plus bas; nouveau disque avant
- Modèle à injection coûte 1 950 $ de moins qu'en 2005; modèle à carburateur discontinué

PAS MAL

- Une ligne qui respecte étonnamment bien le thème du mythique chopper des belles années
- Une mécanique qui fait preuve d'un caractère inhabituellement fort et qui communique au pilote des sensations uniques et exclusives à la marque
- Des performances qui ne sont pas spectaculaires, mais qui restent tout à fait satisfaisantes

BOF

- Un aspect pratique aussi réduit qu'il l'était durant les belles années pour les mythiques choppers
- Une surface de contact réduite au niveau du mince pneu avant qui demande une attention en freinage intense, surtout sous la pluie
- Un prix élevé, surtout compte tenu de la faiblesse du côté pratique dont fait preuve la Wide Glide

1200 Custom

HARLEY-DAVIDSON SPORTSTER 1200

Maintenant recommandées...

C'est en 2004 que Harley-Davidson se décida enfin à repenser les modèles de sa famille Sportster, des montures dont la technologie était demeurée étonnamment inchangée depuis leur naissance en 1957. Heureusement, les ingénieurs de Milwaukee n'ont pas raté l'occasion. De motos figurant décidément parmi les plus archaïques du marché, les Sportster sont instantanément devenues des customs non seulement classiques et modernes, mais aussi désirables. Pour 2006, Harley-Davidson continue son fignolement en introduisant une transmission améliorée et un embrayage à effort réduit, tandis que la force du dollar canadien continue de faire descendre la facture.

On n'aurait jamais cru, il y a à peine trois ans, pouvoir un jour qualifier en toute conscience une Sportster 1200 de modèle recommandable, et encore moins de moto désirable. Le modèle était à ce point dépassé. Tout le monde savait qu'une refonte était inévitable, mais les années passaient et celle-ci ne se concrétisait tout simplement pas. Puis l'an 2004 arriva et amena avec lui, oh miracle, une nouvelle Sportster. Le mot miracle est d'ailleurs tout à fait de mise puisque les gens de Harley-Davidson se sont surpassés, surtout au chapitre de la mécanique.

PUIS L'AN 2004 ARRIVA ET AMENA AVEC LUI, OH MIRACLE, UNE NOUVELLE SPORTSTER.

Autrefois excessivement vibreux, le V-Twin Evolution de 1 203 cc vrombit maintenant de manière absolument charmante. Faites démarrer, reculez-vous un peu et observez, avec chaque mouvement des pistons, le moteur et le système d'échappement tout entier basculer de l'avant à l'arrière. Toute la moto tremble comme si elle grelottait, au point que la roue avant semble sautiller au ras du sol. Un tel spectacle ne peut être admiré que sur les Harley des familles FLH et Dyna.

Prenez ensuite place sur la selle dure mais basse et moulée, étendez les jambes jusqu'à des repose-pieds naturellement avancés pour le modèle Custom, mais plutôt hauts et reculés pour la Roadster, enclenchez la première dans le « clonk » typique d'un V-Twin américain, relâchez le levier d'embrayage surdimensionné, et la bonne santé de cette mécanique à la fois traditionnelle et moderne devient vite évidente. Malgré un déficit de plusieurs centaines de centimètres cubes, la Sportster 1200 offre des performances qui feraient rougir bien des customs de plus ou moins 1 600 cc. Le plus plaisant n'est toutefois pas la surprenante puissance de ce V-Twin refroidi par air, mais plutôt l'expérience sensorielle qu'il fait vivre. Les lourdes pulsations qu'il transmet au pilote au ralenti se transforment en un grondant et plaisant roulement de tambour à chaque montée de régime, le tout étant accompagné d'une sonorité aussi profonde qu'étonnamment présente pour une mécanique de série. Un délice pour les amateurs du genre et surtout, une expérience qui rappelle beaucoup celle des modèles de la famille Dyna, des montures coûtant presque le double. Le montage souple de la mécanique a nécessité une refonte entière du châssis qui a gagné plusieurs kilos au passage. Dans un univers de véritables mastodontes, le poids à la hausse de la 1200 n'a toutefois qu'un impact relatif puisqu'elle peut toujours être considérée comme une monture mince, légère et plutôt agile dans le genre, un avantage notable pour les motocyclistes de plus faible stature.

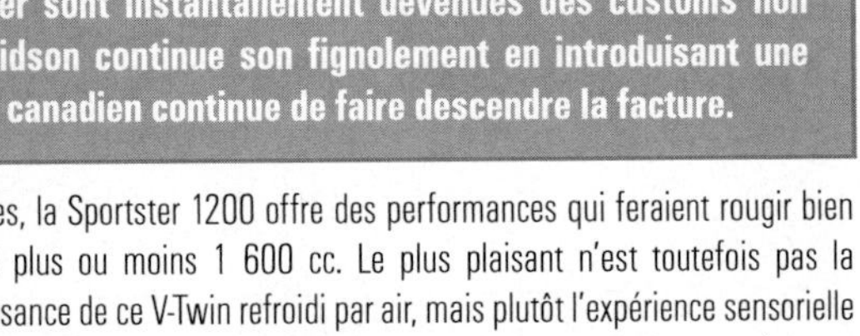

Malgré toutes ces améliorations, le fait que les Sportster soient une famille de montures de bas de gamme peut toujours être ressenti. Par exemple, si les suspensions arrivent à accomplir un travail décent tant qu'elles n'ont à négocier que des irrégularités modérées, votre dos pourrait ne jamais vous pardonner une rencontre avec un nid-de-poule. Par ailleurs, les freins n'ont rien de très impressionnant, tandis que le manque de finition à certains endroits trahit le souci d'économie.

Général

Catégorie	Custom
Prix	11 329 $ - 12 649 $
Garantie	2 ans/kilométrage illimité
Couleur(s)	noir, argent, violet, noir perlé, orange, jaune, bourgogne, bleu clair (1200R) noir, argent, violet, bleu foncé, bleu pâle, bleu nuit, bourgogne, perle, jaune, bleu clair et argent, noir et violet, noir et bourgogne (Custom)
Concurrence	Honda VTX1300, Shadow Spirit et Sabre, Kawasaki Vulcan 1500 Classic, Suzuki Boulevard S83, Yamaha V-Star 1100

Partie cycle

Type de cadre	double berceau, en acier
Suspension avant	fourche conventionnelle de 39 mm non ajustable
Suspension arrière	2 amortisseurs ajustables en précharge
Freinage avant	2 (Custom : 1) disques de 292 mm de Ø avec étriers à 2 pistons
Freinage arrière	1 disque de 292 mm de Ø avec étrier à 1 piston
Pneus avant/arrière	100/90-19 (Custom : MH90-21) / 150/80 B16
Empattement	1 524 mm (Custom : 1534 mm)
Hauteur de selle	745 mm (Custom : 715 mm)
Poids à vide	251 kg (Custom : 255 kg)
Réservoir de carburant	12,5 litres (Custom : 17 litres)

Moteur

Type	bicylindre 4-temps en V à 45 degrés (Evolution), culbuté, 2 soupapes par cylindre, refroidissement par air
Alimentation	par carburateur
Rapport volumétrique	9,7:1
Cylindrée	1 203 cc
Alésage et course	88,8 mm x 96,8 mm
Puissance	60 ch @ 6 000 tr/min
Couple	79 lb-pi @ 3 500 tr/min
Boîte de vitesses	5 rapports
Transmission finale	par courroie
Révolution à 100 km/h	environ 2 800 tr/min
Consommation moyenne	6,1 l/100 km
Autonomie moyenne	205 km (Custom : 278 km)

Conclusion

Le Guide la Moto n'a pas toujours été aimable à l'égard des Sportster, qu'elles aient été en dose de 883 cc ou de 1 200 cc. Honnêtement, elles et leur constructeur méritaient tout ce que nous leur avons lancé. On avait après tout affaire à des montures d'une autre époque qui ne reflétaient tout bonnement pas le niveau minimum de fonctionnalité auquel l'acheteur d'une motocyclette neuve était pleinement en droit de s'attendre. Depuis 2004, toutefois, tout ce que le Guide peut dire à propos des Sportster 1200, c'est que le constructeur américain a effectué un travail de maître à leur sujet. La conservation de la ligne traditionnelle et la mise à jour de tous les aspects techniques ne sont néanmoins qu'une partie de ce travail, puisque l'autre facette de la refonte fut de donner aux Sportster une âme qui serait digne de celle qui anime une FLH ou une Dyna, ce qui a été accompli de brillante façon. Bref, en ce qui concerne Le Guide et ses « méchantes » critiques, les gens de Milwaukee peuvent dormir tranquilles pour l'instant. Mais pas pour 50 ans, hein ?

1200R

QUOI DE NEUF EN 2006 ?

- Transmission plus douce et plus silencieuse; embrayage à effort réduit de 12 %; béquille latérale demandant 40 % moins d'effort pour soulever la moto (Roadster); fini noir texturé appliqué sur le moteur (Roadster)
- Roadster coûte 870 $ et Custom coûte 990 $ de moins qu'en 2005

PAS MAL

- Le V-Twin qui autrefois vibrait trop a évolué dans la bonne direction; il gronde et tremble maintenant juste comme il faut
- Une jolie ligne pour les deux variantes, classique et chromée dans le cas de la Custom, nostalgique et racée dans celui de la Roadster
- Une partie cycle qui fait preuve de belles manières en se montrant stable à haute vitesse et honnête en virage

BOF

- Des suspensions beaucoup moins dures que dans le passé, mais qui continuent de donner l'impression d'être des composantes bon marché et simplistes, surtout à l'arrière
- Une position inhabituelle des repose-pieds pour la Roadster; ce n'est pas tout le monde qui aime
- Une transmission qui s'est améliorée depuis les premiers modèles essayés, mais qui reste crue

883R

HARLEY-DAVIDSON **SPORTSTER 883**

NOUVELLE VARIANTE

Morceau de légende...

La Sportster 883 est la façon la plus amicale et la moins coûteuse d'accéder au catalogue du manufacturier de Milwaukee. Avec la plus abordable des versions, la 883 à selle solo, proposée à 8 669 $ – une baisse de plus de 600 $ par rapport au modèle 2005 – la Sportster petit format se trouve maintenant dans un territoire de prix jusque-là exclusif aux modèles d'entrée japonais que sont les Yamaha V-Star 650 ou Honda Aero 750. Et s'il est vrai qu'on aurait facilement pu discréditer la 883 avant sa refonte de 2004 pour cause d'erreurs de comportement graves, ce n'est depuis lors plus le cas. Qui l'aurait cru : une Harley au prix d'une japonaise, et sans attrape.

Si la 883 était conçue au Japon, elle serait une Vulcan 800, une Aero 750 ou une Volusia 800. S'il avait été futile, durant de nombreuses années, de la comparer à de tels produits japonais en raison de son flagrant retard technologique, depuis la refonte de 2004, la petite 883 supporte la comparaison avec des arguments étonnamment solides. Du mouton noir de la famille qu'elle était avant 2004, la 883 s'est aujourd'hui transformée en un échantillon légitime des grosses américaines à moteur 1450. Évidemment, on n'arrivera pas à le deviner juste en la regardant puisque Harley-Davidson, fidèle à ses habitudes, a tenu mordicus à conserver le style traditionnel du modèle. Mais prenez la route et si vous avez la moindre idée du genre de comportement préhistorique dont faisait preuve l'ancienne génération, vous aurez tôt fait d'apprécier l'arrivée de la 883 à l'ère moderne.

> **SI VOUS CONNAISSEZ LE COMPORTEMENT PRÉHISTORIQUE DE L'ANCIENNE GÉNÉRATION, VOUS AUREZ TÔT FAIT D'APPRÉCIER L'ARRIVÉE DE LA 883 À L'ÈRE MODERNE.**

Quatre variantes de la petite Sportster sont offertes. La 883 est la plus économique et la plus élémentaire, avec sa selle solo et son look dépourvu de tout artifice. La seule mission de la 883 Low est d'offrir une hauteur de selle aussi basse que possible, ce qui se fait en réduisant de manière notable le débattement des suspensions et le rembourrage du siège, qui positionne par ailleurs le pilote légèrement plus à l'avant. Une béquille latérale conçue pour minimiser l'effet requis pour la relever fait également partie d'un ensemble dont le but est de rendre la vie plus facile aux femmes motocyclistes mesurant plus ou moins 5 pieds. La 883 Custom se distingue par sa position de conduite classique avec guidon reculé et contrôles de pieds avancés. Un peu plus cossue dans sa finition, elle dispose d'une selle biplace et ajoute environ 1 500 $ au prix d'une 883 de base. Enfin, la 883R, une nouveauté cette année, arbore un style résolument différent avec son moteur au fini noir et ses airs de XR de course sur terre battue.

Malgré le fait qu'elle dispose de près de 900 cc, la 883 n'est pas vraiment ce qu'on qualifierait de rapide. Elle arrivera, comme ses rivales asiatiques, à satisfaire un pilote relativement peu exigeant au niveau des performances, mais c'est d'abord et avant tout grâce à l'agrément sensoriel procuré par sa mécanique que la petite Sportster se démarque. Contrairement aux modèles concurrents dont les moteurs peinent beaucoup à faire preuve de caractère, le V-Twin Evolution de la 883 en déborde. Au ralenti, tout tremble et tout bouge. Grâce au système de supports souples, l'expérience reste toujours de bon goût. Le tremblement du V-Twin s'estompe peu à peu à mesure que les régimes montent, mais une forte présence mécanique accompagne tout de même chaque instant de conduite.

Pour se permettre de tels prix, Harley a surtout coupé au niveau de la qualité des suspensions, qui sont calibrées pour des femmes légères, c'est-à-dire de façon très molle. L'arrière talonne donc facilement, particulièrement sur la Low et la Custom en raison de leurs suspensions abaissées.

Rapport Valeur/Prix

Vitesse de pointe 166 km/h

Index d'expérience — Novice Intermédiaire Expert

Accélération sur 1/4 mille 14,9 s à 144 km/h

Voir légende page 7

Général

Catégorie	Custom
Prix	8 669 $ - 10 179 $
Garantie	2 ans/kilométrage illimité
Couleur(s)	noir, argent, bourgogne, bleu pâle, bleu foncé violet, noir perlé, orange, perlé, bleu et bleu, bleu et argent, rouge et bourgogne
Concurrence	Honda Shadow Aero et Spirit 750, Hyosung Aquila 650, Kawasaki Vulcan 800 Classic et Vulcan 900 Classic, Suzuki C50, M50 et S50, Triumph America et Speedmaster, Yamaha V-Star 650

Partie cycle

Type de cadre	double berceau, en acier
Suspension avant	fourche conventionnelle de 39 mm non ajustable
Suspension arrière	2 amortisseurs ajustables en précharge
Freinage avant	1 (R : 2) disque de 292 mm de Ø avec étrier à 2 pistons
Freinage arrière	1 disque de 292 mm de Ø avec étrier à 1 piston
Pneus avant/arrière	100/90-19 (Custom : MH90-21) & 150/80 HB16
Empattement	1 524 mm (Custom : 1 534 mm)
Hauteur de selle	744 mm (Custom : 718 mm; Low : 698 mm; R : 759 mm)
Poids à vide	252 kg (Custom : 253 kg; R : 254 kg)
Réservoir de carburant	12,5 litres (Custom : 17 litres)

Moteur

Type	bicylindre 4-temps en V à 45 degrés (Evolution), culbuté, 2 soupapes par cylindre, refroidissement par air
Alimentation	par carburateur
Rapport volumétrique	8,9:1
Cylindrée	883 cc
Alésage et course	76,2 mm x 96,8 mm
Puissance	53 ch @ 6 000 tr/min
Couple	51 lb-pi @ 4 300 tr/min
Boîte de vitesses	5 rapports
Transmission finale	par courroie
Révolution à 100 km/h	environ 3 100 tr/min
Consommation moyenne	5,8 l/100 km
Autonomie moyenne	215 km (Custom : 293 km)

Conclusion

Même s'il est naturellement pas évident de décrire une Sportster 883 de façon excitante – ce ne sont après tout que des motos d'entrée en matière – le modèle reste tout de même plus passionnant, d'un point de vue mécanique, que la moyenne du créneau. C'est que contrairement aux V-Twin concurrents au caractère souvent effacé, celui de la 883, malgré la timidité de ses performances, fait preuve d'une intéressante présence. On a véritablement droit, aux commandes de la petite Sportster, à un fidèle avant-goût de ce qu'est le caractère d'une grosse mécanique de Milwaukee. Ce qui implique que les sons et les sensations qui s'échappent du « petit » moulin sont non seulement tout à fait authentiques, mais aussi qu'ils ne sont accompagnés que d'un niveau de vibrations toujours plaisant et jamais incommodant. Les 883 ne sont pas pour autant exemptes de vices – le plus important étant des suspensions de qualité économique au comportement rudimentaire –, mais le fait est qu'elles sont désormais des choix tout aussi valables que le reste du créneau.

883

QUOI DE NEUF EN 2006 ?

- Arrivée d'une version R inspirée des XR de course sur terre battue avec moteur noir et frein avant à disque double
- Transmission améliorée; embrayage à effort réduit de 17 %; béquille latérale permettant de soulever la moto avec 40 % moins d'effort maintenant sur toutes les versions plutôt que seulement sur la Low
- 883 coûte 630 $, 883 Low 680 $ et 883 Custom 770 $ de moins qu'en 2005

PAS MAL

- Une évolution qui, même si elle a eu lieu en 2004, vaut la peine d'être rappelée : la 883 s'est enfin débarrassée de son problème de vibrations
- Une mécanique qui exhibe une rare force de caractère pour cette catégorie; le rythme des grosses Harley est bien là
- Une des rares motos (883 Low) avec une ergonomie adaptée aux besoins des femmes ou à ceux des pilotes de très petite taille

BOF

- Un niveau de performances qui va de pair avec la vocation de machine d'initiation; sauf pour un novice, les accélérations ne sont pas bien excitantes
- Une suspension arrière simpliste et molle qui talonnera avec un pilote le moindrement lourd en selle ou avec un passager
- Une position de conduite très compacte et une selle qui a perdu son rembourrage (883 Low)

RÉVISION 2006

Coussin d'air...

L'allusion au coussin d'air a, dans le cas de la Gold Wing 2006, une double connotation, puisque si elle fait un clin d'oeil au niveau du confort légendaire de la touriste nippone, elle vise aussi l'arrivée sur le modèle d'un coussin de sécurité gonflable, une première sur une moto de série. Notons que les versions canadiennes n'en seront équipées qu'à la fin de l'année. La contribution de la division automobile de Honda ne se termine pas là puisqu'un système de navigation par GPS basé sur celui de l'Accord fait aussi son apparition en 2006, tout comme des poignées, des selles et un dossier chauffants. Un nouveau système audio et un arrière redessiné font aussi partie des améliorations apportées au modèle 2006.

D'un point de vue mécanique, en excluant l'imaginaire remplacement du 6-cylindres Boxer de la Gold Wing par un 8-cylindres, on conçoit difficilement le moyen de pousser davantage le concept de la luxueuse touriste. Au point de vue du confort et de l'équipement, toutefois, il y a des années que Honda traîne derrière BMW et sa K1200LT à certains égards. Le constructeur compte non seulement se rattraper en 2006, mais aussi établir la Gold Wing comme la reine incontestée de l'équipement et de la sécurité chez ces véritables Winnebago à deux roues.

De toutes les modifications apportées à la Gold Wing en 2006, aucune n'affecte le comportement routier. On continue donc d'avoir affaire à une moto dont la position de conduite est étudiée afin de ne taxer aucune partie de l'anatomie et garder pilote et passager frais et dispos même après une longue journée de route. La selle, qui est certainement l'une des plus confortables de l'industrie, est désormais chauffante, ce que plusieurs propriétaires demandaient depuis longtemps. Notons que des thermostats séparés activent les portions du pilote et du passager, que ce dernier dispose aussi d'un dossier chauffant, que les poignées sont chauffantes et que de nouveaux déflecteurs peuvent diriger l'air chauffé par le moteur sur les pieds du pilote. Bien que la protection soit excellente, on remarque que Honda choisit toujours de ne pas équiper la Gold Wing d'un pare-brise à ajustement électrique. Le sien peut tout de même être haussé ou baissé manuellement. La mécanique est exceptionnellement douce et les suspensions arrivent à tout avaler sur leur passage, en gardant toutefois la fermeté nécessaire à une bonne tenue de route. La Gold Wing peut en effet se montrer étonnamment capable sur une route sinueuse. Même en exagérant franchement, la grosse Honda fait preuve d'une solidité carrément stupéfiante et se pilote avec une facilité qu'on peut difficilement deviner. En virage, elle offre un niveau de précision et d'assurance qui est facilement à la hauteur de ce que propose la BMW K1200LT, c'est-à-dire excellent. Les manœuvres lentes et serrées sont la seule exception puisqu'elles demandent une bonne attention. Le même commentaire est vrai lorsqu'il s'agit de la bouger à l'arrêt, pour la sortir du garage, par exemple. À ce sujet, la marche arrière électrique est réellement appréciée. Un système de freinage combiné finement calibré jumelé à un système ABS aussi efficace que discret assure des ralentissements puissants et réguliers.

LA GOLD WING PEUT SE MONTRER ÉTONNAMMENT CAPABLE SUR UNE ROUTE SINUEUSE.

Le niveau de performances impressionne. Dès le ralenti, le 6-cylindres de 1 800 cc relâche un torrent de puissance assez intense pour faire patiner l'arrière sans provocation si l'adhérence est le moindrement limitée. Cette énorme production de couple à bas régime permet des reprises superbes, sans jamais qu'on ait besoin de rétrograder, ce qui est particulièrement plaisant dans un très grand nombre de situations. Garder les régimes bas serait toutefois se priver du meilleur, puisque la mécanique réserve un sérieux coup de pied au derrière vers 4 000 tr/min, et que le grondement qui accompagne les accélérations pleins gaz est enivrant. D'ailleurs, ceux qui ont déjà eu la chance d'entendre l'ancienne Valkyrie 1500 hurler en pleine accélération ont une excellente idée de la voix de la Gold Wing.

De la voiture à la moto

La présence d'un coussin gonflable sur une moto tenait de la science-fiction jusqu'à ce que Honda annonce que sa Gold Wing en serait équipée. Commun sur les voitures, le dispositif de sécurité passive a demandé pas moins de 15 ans de travail au constructeur, qui affirme qu'une large proportion des accidents fatals à moto sont le résultat d'une collision frontale avec une automobile. Le dispositif prend 15 millièmes de seconde pour détecter une collision et déploie entièrement le coussin en 60 millièmes de seconde. Offerte d'abord aux États-Unis, la Gold Wing avec coussin gonflable ne sera disponible au Canada qu'à la fin de 2006. La technologie automobile de Honda se retrouve sur sa réputée machine de tourisme à plusieurs autres niveaux puisque cette dernière est désormais livrée avec un système de navigation par satellite emprunté à la Accord, avec des poignées, des sièges et un dossier chauffants et, enfin, avec un système audio considérablement amélioré. Ce dernier dispose maintenant de 6 haut-parleurs et d'un amplificateur de 80 watts par canal plutôt que les 30 watts de l'an dernier.

Mieux vaut ne pas avoir la phobie des boutons si l'on compte devenir propriétaire d'une Gold Wing en 2006. Dans le sens des aiguilles d'une montre, les photos montrent les commandes du phare avant et ses mémoires, le système audio, les commandes du système audio sur la poignée gauche, la poignée droite avec les boutons du régulateur de vitesse et de la marche arrière, le panneau de contrôle du système de navigation par satellite avec lequel on ne peut jouer que lorsque la moto ne roule pas, et enfin le thermostat réglant la température du siège et du dossier du passager. Et la télécommande, elle est où ?

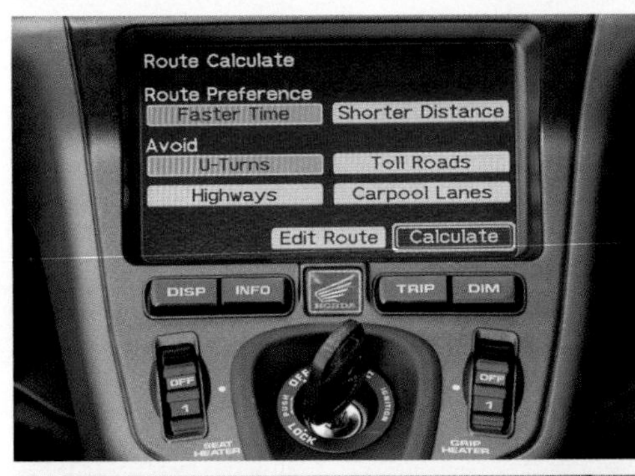

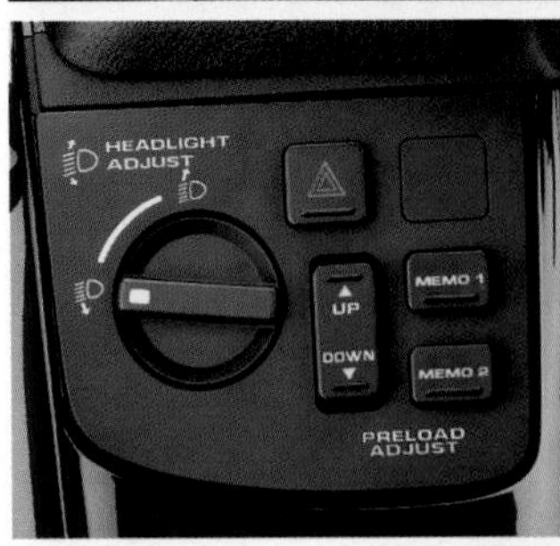

Général

Catégorie	Tourisme de luxe
Prix	28 999 $
Garantie	3 ans/kilométrage illimité
Couleur(s)	doré, blanc, brun, noir, rouge
Concurrence	BMW K1200LT Autre(s) possibilité(s) : Harley-Davidson Electra Glide Ultra Classic; Yamaha Royal Star Venture

Partie cycle

Type de cadre	périmétrique, en aluminium
Suspension avant	fourche conventionnelle de 45 mm non ajustable
Suspension arrière	monoamortisseur ajustable en précharge
Freinage avant	2 disques de 296 mm de Ø avec étriers à 3 pistons et systèmes ABS et LBS
Freinage arrière	1 disque de 316 mm de Ø avec étrier à 3 pistons et systèmes ABS et LBS
Pneus avant/arrière	130/70 R18 & 180/80 R16
Empattement	1 692 mm
Hauteur de selle	739 mm
Poids à vide	360 kg
Réservoir de carburant	25 litres

Moteur

Type	6-cylindres 4-temps boxer, SACT, 2 soupapes par cylindre, refroidissement par liquide
Alimentation	injection à 2 corps de 40 mm
Rapport volumétrique	9,8:1
Cylindrée	1 832 cc
Alésage et course	74 mm x 71 mm
Puissance	118 ch @ 5 500 tr/min
Couple	125 lb-pi @ 4 000 tr/min
Boîte de vitesses	5 rapports avec marche arrière électrique
Transmission finale	par arbre
Révolution à 100 km/h	environ 3 100 tr/min
Consommation moyenne	7,6 l/100 km
Autonomie moyenne	329 km

Conclusion

Sur d'autres marchés, la Gold Wing peut être livrée en choisissant parmi les nouveaux équipements proposés en 2006, mais une seule version est disponible au Canada, et il ne lui manque pas le moindre gadget. En rehaussant de manière aussi considérable le niveau d'équipement de sa célèbre machine de tourisme, Honda en fait désormais une référence en matière de confort, de technologie et de sécurité. Comme toujours, ses proportions éléphantesques en font une moto qui n'est pas pour tout le monde, une réalité qui est d'ailleurs aussi celle de sa principale rivale la BMW K1200LT. Mais pour la catégorie de motocyclistes qui ne jurent que par ces hôtels roulants, il ne fait aucun doute que l'arrivée des éléments chauffants tant attendus, d'un système audio plus performant et bien entendu du système de navigation par GPS constitue un événement majeur dans l'histoire du modèle. Il ne serait d'ailleurs pas du tout étonnant d'en voir plusieurs choisir ce millésime pour renouveler leur adorée machine à enfiler les kilomètres.

QUOI DE NEUF EN 2006 ?

- Poignées, selles et dossier du passager chauffants
- Système audio plus puissant et plus sophistiqué
- Système de navigation par satellite basé sur celui de la Honda Accord
- Coussin gonflable introduit; selon Honda, il ne sera disponible sur les versions canadiennes qu'à la fin de la saison 2006
- Dessin de la partie arrière, de feux arrière translucides
- Coûte 2 000 $ de plus qu'en 2005

PAS MAL

- Des performances qui pourraient en surprendre plusieurs; la quantité de couple produite à bas régime est phénoménale
- Un niveau de confort plus élevé que jamais; il est presque impossible de traverser des distances importantes sur deux roues en étant plus choyé qu'aux commandes d'une Gold Wing
- Une tenue de route d'un calibre franchement étonnant; c'est gros, mais c'est solide et précis, et ça penche

BOF

- Un poids énorme qui demande non seulement une attention particulière, mais aussi de l'expérience à gérer correctement
- Un pare-brise efficace, mais dont l'ajustement limité et manuel pâlit en comparaison avec l'excellent système électrique de la K1200LT
- Un prix qui grimpe subitement en raison de l'arrivée de nouveaux équipements dont aucun n'est optionnel; en revanche, les 2 000 $ supplémentaires semblent pleinement être justifiés compte tenu de ce qu'ils permettent d'acheter

HONDA ST1300

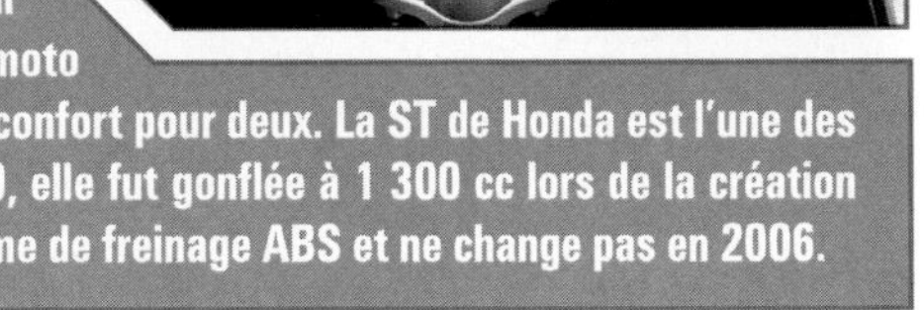

Priorité aux touristes...

Pour le motocycliste ayant dans sa mire la catégorie des véritables montures de sport-tourisme, les choix sont très limités. On est loin de l'univers custom où chaque constructeur propose plusieurs possibilités, puisque dans ce cas, seuls les plus grands du monde de la moto réussissent à produire des modèles arrivant réellement à marier agrément de conduite et confort pour deux. La ST de Honda est l'une des plus illustres motos du genre. Une 1100 lorsqu'elle fut inaugurée au début des années 90, elle fut gonflée à 1 300 cc lors de la création de la nouvelle génération présentée en 2003. Elle est toujours livrable avec ou sans système de freinage ABS et ne change pas en 2006.

À cause du nombre très réduit de touristes sportives réellement dignes de la catégorie, et en raison de la similitude apparente des deux modèles, la Honda ST1300 et la Yamaha FJR1300 se retrouvent souvent nez à nez lors des décisions d'achat. Arriver à choisir la bonne – même si aucune n'est mauvaise – exige surtout de s'attarder à la personnalité de chacune. En oubliant le reste de la classe et en l'isolant, la ST1300 doit être considérée comme une sport-tourisme exceptionnelle. Rappelons qu'en ce qui concerne *Le Guide de la Moto*, n'est pas classifiée sous l'appellation sport-tourisme n'importe laquelle des motos, mais plutôt uniquement celles capables de démontrer une capacité à mélanger de façon aussi transparente et intégrée que possible deux aspects du motocyclisme qui sont pourtant contradictoires : la conduite sportive et le tourisme de luxe. Étonnamment agile et maniable pour une monture de ces proportions, la ST1300 parvient de fort belle façon à mélanger ces deux facettes du pilotage d'une moto. Un effort minimal suffit à l'inscrire en courbe ou à la basculer d'un côté à l'autre, tandis que le châssis renvoie une forte impression de solidité et de précision dans les virages de tous types. Une enfilade de courbes à ses commandes devient un exercice à la fois plaisant et d'une surprenante facilité.

LA ST1300 DOIT ÊTRE CONSIDÉRÉE COMME UNE SPORT-TOURISME EXCEPTIONNELLE.

Si le comportement de la ST1300 est irréprochable jusqu'à plus ou moins 140 km/h, il reste possible de prendre sa stabilité en faute à très haute vitesse. On parle ici de 180 km/h et plus, des vitesses qui semblent ridicules au commun des mortels, mais qui restent relativement communes pour certains amateurs de tourisme sportif. Évidemment, ces derniers ont généralement assez de jugement pour décider avec sagesse où et quand piloter de cette façon.

Le charismatique V4 longitudinal qui propulse la ST1300 joue un important rôle dans l'agrément de conduite du modèle. Murmurant d'une façon aussi unique qu'agréable, il est bourré de couple dans les premiers tours, assez même pour envoyer l'avant en l'air après un départ, si les gaz sont brusquement ouverts. L'accélération est ensuite linéaire jusqu'à la zone rouge, si bien qu'on a toujours la sensation de disposer d'assez de puissance, et qu'on ne pense pratiquement jamais à rétrograder pour rendre les choses plus intéressantes. La ST n'est pas ultra-rapide, mais elle satisfait pleinement.

Évidemment, qui dit tourisme dit aussi confort et à cet égard, la ST continue d'exceller grâce à une position de conduite agréablement équilibrée, à une très bonne selle et à des suspensions à la fois souples et juste assez fermes. L'une des seules critiques au chapitre du confort concerne l'agaçant retour d'air que provoque le pare-brise à ajustement électrique – qui offre autrement une protection assez généreuse – lorsqu'il se trouve en position élevée. L'écoulement de l'air n'est pas totalement exempt de turbulences, mais ça reste acceptable. Par ailleurs, malgré les correctifs apportés par Honda pour rectifier la situation du dégagement excessif de chaleur notée dès l'inauguration de cette génération, la ST1300 continue d'être inconfortable dans certaines circonstances, comme la conduite urbaine congestionnée effectuée par temps chaud.

Rapport Valeur/Prix

Vitesse de pointe 225 km/h

Index d'expérience
Novice Intermédiaire Expert

Accélération sur 1/4 mille 11,6 s à 188 km/h
Voir légende page 7

Général

Catégorie	Sport-Tourisme
Prix	18 599 $; ST1300A : 19 299 $
Garantie	3 ans/kilométrage illimité
Couleur(s)	noir
Concurrence	BMW R1200RT, Yamaha FJR1300, BMW K1200GT

Partie cycle

Type de cadre	périmétrique, en aluminium
Suspension avant	fourche conventionnelle de 45 mm non ajustable
Suspension arrière	monoamortisseur ajustable en précharge et détente
Freinage avant	2 disques de 310 mm de Ø avec étriers à 3 pistons et système LBS (ABS optionnel)
Freinage arrière	1 disque de 316 mm de Ø avec étrier à 3 pistons et système LBS (ABS optionnel)
Pneus avant/arrière	120/70 ZR18 & 170/60 ZR17
Empattement	1 490 mm
Hauteur de selle	775/790/805 mm
Poids à vide	286,2 kg (ST1300A : 289 kg)
Réservoir de carburant	29 litres

Moteur

Type	4-cylindre longitudinal 4-temps en V à 90 degrés, DACT, 4 soupapes par cylindre, refroidissement par liquide
Alimentation	injection à 4 corps de 36 mm
Rapport volumétrique	10,8:1
Cylindrée	1 261 cc
Alésage et course	78 mm x 66 mm
Puissance	125 ch @ 8 000 tr/min
Couple	85 lb-pi @ 6 000 tr/min
Boîte de vitesses	5 rapports
Transmission finale	par arbre
Révolution à 100 km/h	environ 3 400 tr/min
Consommation moyenne	6,5 l/100 km
Autonomie moyenne	446 km

Conclusion

Souvent décrite comme une version allégée de la Gold Wing, la ST1300 mérite réellement d'être comprise de manière moins superficielle. Il existe effectivement un certain lien de famille qui tient presque du lien moral entre ce qu'on ressent aux commandes d'une ST et d'une Gold Wing. Mais la ST1300 est beaucoup plus polyvalente et beaucoup plus facile à vivre sur une base quotidienne, si bien que le seul véritable lien serait décrit par l'atmosphère de sophistication et de douceur qui accompagne chaque moment passé à rouler une ST. Une atmosphère qui contraste d'ailleurs avec la forte présence de l'héritage sportif d'une Yamaha FJR1300, *le* modèle auquel la ST1300 est le plus souvent comparée. Pour le motocycliste n'ayant pas un profond besoin de retrouver un net caractère sportif sur une moto de ce genre, la ST1300 semble représenter la voie à suivre, et vice versa.

QUOI DE NEUF EN 2006 ?

- **Aucun changement**
- **ST1300 coûte 100 $ et ST1300A coûte 300 $ de plus qu'en 2005**

PAS MAL

- **Un excellent niveau de confort : bonne protection au vent, belle position, suspensions bien calibrées, bonne selle, etc.**
- **Une sport-tourisme qui excelle dans son environnement de prédilection, les longues distances et les routes tortueuses, mais qui se montre également facile à vivre au quotidien**
- **Des performances très plaisantes de la part d'une mécanique au caractère bien particulier**

BOF

- **Un pare-brise perfectible puisqu'il crée un peu de turbulences à la hauteur du casque ainsi qu'un retour d'air à haute vitesse, lorsqu'il se trouve en position élevée**
- **Une mécanique qui fait cuire le pilote par temps chaud, surtout dans les situations lentes comme la circulation dense**
- **Une stabilité qui décroît à très haute vitesse, surtout avec le pare-brise en position élevée, mais qui autrement est satisfaisante**

HONDA CBR1000RR

RÉVISION 2006

Prudemment raffinée...

Succédant à la CBR954RR, la CBR1000RR fut introduite en 2004. Pour 2006, Honda suit le rythme que lui et les constructeurs rivaux se sont imposé en faisant déjà subir, à peine 2 ans plus tard, une première évolution au modèle. Comme ce fut le cas l'an dernier pour la CBR600RR, c'est néanmoins de manière très méthodique, presque retenue que cette évolution est menée. Le concept de la CBR-RR d'un litre reste ainsi pratiquement le même, tous les efforts ayant été dirigés vers la réduction du poids et l'amélioration de la vivacité de la direction. Clairement, l'intention n'était pas de réinventer le modèle, mais plutôt de prudemment raffiner son comportement.

TECHNIQUE

Le rythme de renouvellement actuel est de 2 ans pour une sportive, et ce, qu'il s'agisse d'une 600 ou d'une 1000. Cela signifie que les ingénieurs responsables de la conception de ces motos se remettent littéralement à la tâche dès le dévoilement d'un nouveau modèle, sans avoir le moindre moment de répit et sans considération pour le niveau de performances déjà atteint. Mais quoi améliorer et quoi laisser intact ? Les commentaires de la presse et des acheteurs sont un facteur, mais c'est de plus en plus les équipes de course qui dictent la direction que prennent les nouveaux modèles. Car elles doivent gagner pour projeter l'image voulue, image qui, espèrent les constructeurs, se transformera en ventes. Dans sa version routière, la première génération de la CBR1000RR a décidément fait belle figure, surclassant facilement et à tous les chapitres le niveau de performances de la CBR954RR qu'elle remplaçait. Mais dans cet univers souvent froid et ingrat qu'est celui des sportives pures, l'acheteur demande surtout que la supériorité de son choix existe par rapport aux modèles rivaux, et à cet égard, la réponse était moins claire. Au milieu de l'arène des sportives pures d'un litre, la CBR1000RR s'est surtout imposée par son inébranlable stabilité et par une puissance livrée de façon prévisible et parfaitement contrôlée. Mais la CBR1000RR a aussi démontré une certaine lourdeur de maniement et un niveau de performances qui, bien que très élevé, ne pouvait pas être considéré comme dominant par rapport au reste de la catégorie. Ce sont ces deux « lacunes » qui ont nourri, au cours des deux dernières années, les efforts des ingénieurs du géant rouge.

LA CBR1000RR S'EST SURTOUT IMPOSÉE PAR SON INÉBRANLABLE STABILITÉ ET PAR UNE PUISSANCE LIVRÉE DE FAÇON PRÉVISIBLE.

La puissance de la CBR1000RR n'augmente pas en 2006 pour une simple et bonne raison – qui est d'ailleurs identique à celle pour laquelle la puissance de la nouvelle Kawasaki ZX-10R reste aussi stable – : l'entrée en vigueur prochaine des sévères normes Euro 3. En fait, tout comme chez Kawasaki, on a dû se battre pour conserver la puissance du modèle antérieur. Il fut choisi d'attaquer le problème par l'augmentation du rapport puissance/poids en abaissant le poids, ce qui aiderait aussi à améliorer la maniabilité, l'autre but de la révision. Presque 4 kilos ont été soustraits de partout sur la moto, tandis que la mécanique s'est vue fignolée au niveau de l'admission, des arbres à cames et des soupapes, entre autres, des changements qui ont permis d'élever la zone rouge de 11 650 tr/min à 12 200 tr/min. Le rapport volumétrique grimpe légèrement grâce à une modification de la chambre de combustion et l'entrée du système Ram Air est déplacée et optimisée. Une couronne arrière avec 2 dents de plus favorise les accélérations et permet de profiter de la zone rouge relevée. Du côté de la partie cycle, très peu change. L'angle de direction est réduit d'un quart de degrés et le bras oscillant raccourcit de 5 mm, pour une diminution totale de l'empattement de 10 mm. Les suspensions sont laissées intactes, mais les disques de frein avant sont 10 mm plus grands à 320 mm, mais aussi plus légers grâce à une réduction de leur épaisseur.

Modèle européen. Diffère légèrement du modèle canadien illustré en haut de la page de gauche.

Tout au centre

Soulagée de son carénage nouvellement redessiné, la CBR1000RR expose de façon très évidente tous les efforts réalisés par Honda au chapitre de la centralisation de la masse puisque tout est littéralement coincé dans une boule de composantes située au centre et à l'avant de la moto. Parmi les nombreuses modifications apportées à la version 2006 de la CBR1000RR, presque toutes sont invisibles, et ce, qu'elles soient au niveau du moteur ou de la partie cycle. Il faudrait d'ailleurs un oeil averti pour distinguer une 2005 d'une 2006 avec seulement ce genre de photos. Avec son carénage en place et sous d'autres angles, on note l'absence d'entrées apparentes pour le système Ram Air, le nouveau style du silencieux central et les panneaux latéraux qui exposent les couvercles en magnésium.

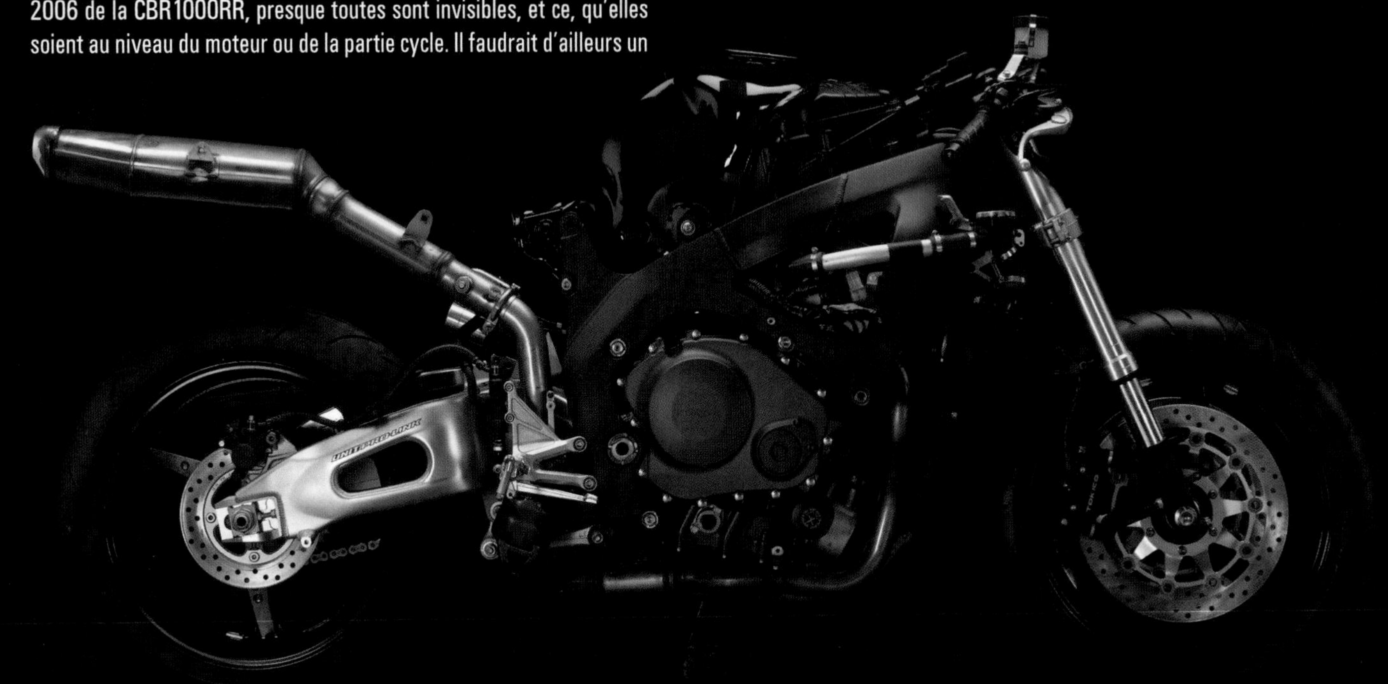

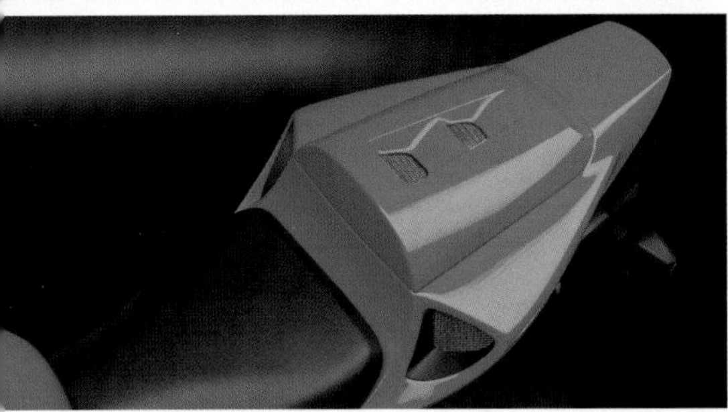

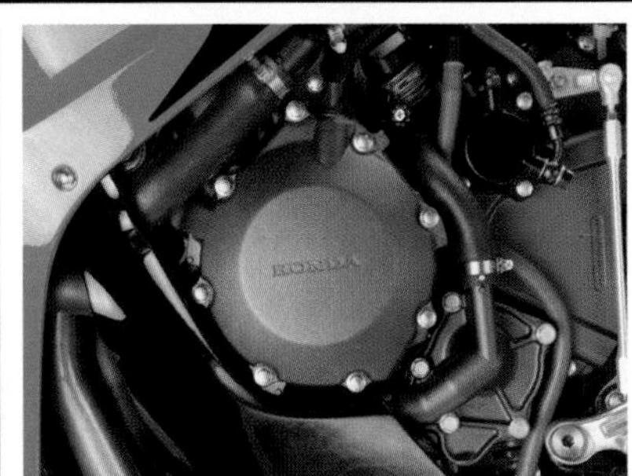

Général

Catégorie	Sportive
Prix	15 249 $
Garantie	1 an/kilométrage illimité
Couleur(s)	rouge et noir, noir, bleu et jaune
Concurrence	Kawasaki Ninja ZX-10R, Suzuki GSX-R1000, Yamaha YZF-R1

Partie cycle

Type de cadre	périmétrique, en aluminium
Suspension avant	fourche inversée de 43 mm ajustable en précharge, compression et détente
Suspension arrière	monoamortisseur ajustable en précharge, compression et détente
Freinage avant	2 disques de 320 mm de Ø avec étriers radiaux à 4 pistons
Freinage arrière	1 disque de 220 mm de Ø avec étrier à 1 piston
Pneus avant/arrière	120/70 ZR17 & 190/50 ZR17
Empattement	1 400 mm
Hauteur de selle	831 mm
Poids à vide	176 kg
Réservoir de carburant	18 litres

Moteur

Type	4-cylindres en ligne 4-temps, DACT, 4 soupapes par cylindre, refroidissement par liquide
Alimentation	injection à 4 corps de 44 mm
Rapport volumétrique	12,2:1
Cylindrée	998 cc
Alésage et course	75 mm x 56,5 mm
Puissance sans Ram Air	172 ch @ 11 250 tr/min
Couple	85 lb-pi @ 8 500 tr/min
Boîte de vitesses	6 rapports
Transmission finale	par chaîne
Révolution à 100 km/h	n/d
Consommation moyenne	n/d
Autonomie moyenne	n/d

Conclusion

Nous sommes devenus tellement gâtés par des constructeurs qui renouvellent leurs modèles presque entièrement chaque deux ans qu'il est difficile de s'exciter d'une mise à niveau comme celle-ci. Mais ce serait une erreur de sous-estimer les résultats amenés par toutes ces petites améliorations. La nouvelle Ninja ZX-10R en est un bel exemple puisqu'elle ne constitue pas réellement un nouveau modèle, mais qu'elle est quand même sérieusement améliorée. Et puis, mine de rien, celle qui avait la réputation d'être la plus lourde des 1000 affiche maintenant un poids presque identique à celui des ZX-10R et YZF-R1. S'il était étonnant, même très improbable, qu'on retrouve en cette CBR1000RR une moto au comportement très différent, il ne serait en revanche pas surprenant du tout qu'on ait affaire à la même moto, « lacunes » en moins. Une proposition qui ne sonne décidément pas faux.

QUOI DE NEUF EN 2006 ?

- **Évolution de la CBR1000RR présentée en 2004 : mécanique retravaillée et allégée, géométrie de direction légèrement modifiée et carénage redessiné**
- **Coûte 250 $ de plus qu'en 2005**

PAS MAL

- **Une étonnante résistance au soulèvement en pleine accélération qui devrait être maintenue, malgré la diminution de l'empattement**
- **Une stabilité extraordinaire qui a fait la réputation de la première génération et que Honda a pris soin de conserver sur celle-ci**
- **Un 4-cylindres qui devrait tirer encore un peu plus fort grâce à la réduction du tirage et à la diminution du poids de l'ensemble**

BOF

- **Une direction qui n'avait décidément pas de liens avec la légèreté de celle d'une 600, sur l'ancien modèle; or, les modifications apportées à celui-ci et qui pourraient améliorer cet aspect sont relativement mineures; on verra**
- **Un niveau de performances qui devrait progresser, mais comme dans le cas de la partie cycle, les changements apportés sont relativement mineurs; là encore, on ne peut que donner le bénéfice du doute et attendre de pouvoir constater sur le modèle de production**
- **Un niveau de confort qui est à peu près normal pour ce genre de sportive, c'est-à-dire assez limité**

HONDA VFR800

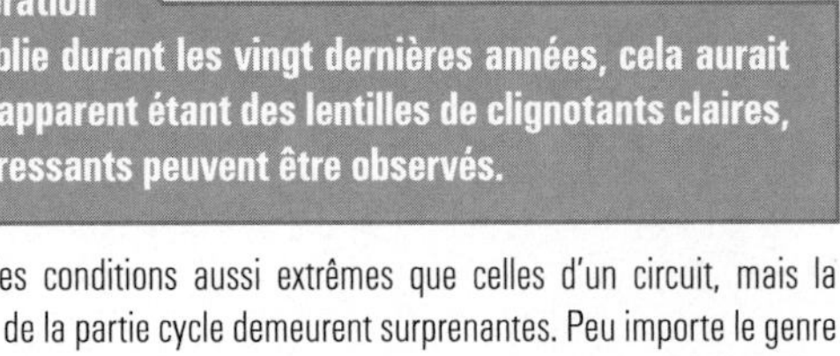

Changement superflu…

Lorsqu'on produit l'une des motos les plus acclamées de l'industrie et que la véritable concurrence n'existe presque pas, changer pour changer n'est pas nécessairement une bonne idée. Tel est le cas de la Honda VFR800 et telle est la raison pour laquelle une nouvelle génération de cette dernière n'est pas présentée en 2006, même si, en se basant sur la routine établie durant les vingt dernières années, cela aurait dû être le cas en 2006. Quelques modifications d'ordre esthétique sont apportées, le plus apparent étant des lentilles de clignotants claires, mais c'est surtout au niveau du système VTEC remanié que les changements les plus intéressants peuvent être observés.

S'il est une moto reconnue mondialement pour sa polyvalence, il s'agit de la VFR800. Non seulement capable de prendre une multitude de rôles pour une multitude de types de pilotes, elle a aussi suffisamment de talent pour exceller dans chacun des cas, ce qui représente une qualité d'une grande rareté. Sans pour autant être parfaite, il est indéniable que la VFR propose un équilibre fort intéressant entre les différentes utilisations habituellement réservées à une moto.

L'une des facettes clés de cet équilibre concerne le juste milieu qu'elle semble avoir atteint entre sport et confort. Malgré le fait qu'il faille vivre avec un tout petit peu plus de poids sur les mains et des suspensions un peu plus fermes que dans le cas de la génération précédente – qui était plus confortable mais moins sportive –, la VFR reste tout à fait capable de parcourir de longues distances en offrant un confort raisonnable. Ni les suspensions et ni la position ne peuvent être honnêtement qualifiés de sévères, mais la VFR gagnerait tout de même à se montrer moins axées sur le sport et un peu plus sur le confort, de manière à ne pas se montrer seulement raisonnable sur long trajet, mais bien excellente. Cela dit, on n'aimerait pas perdre les belles qualités du modèle en pilotage sportif… Car même si la VFR800 n'appartient pas à la même race de motos que sont les CBR-RR et GSX-R, le fait est qu'elle reste parfaitement capable de boucler des tours de piste à un rythme étonnant, ce qui en dit long sur sa tenue de route dans un environnement routier. Son comportement n'est pas celui d'une hypersportive dans des conditions aussi extrêmes que celles d'un circuit, mais la précision et la solidité de la partie cycle demeurent surprenantes. Peu importe le genre d'abus qu'on lui fait subir, la VFR fait preuve d'une imperturbable stabilité, d'un impressionnant aplomb en pleine inclinaison et d'une étonnante légèreté de direction.

PEU IMPORTE LE GENRE D'ABUS QU'ON LUI FAIT SUBIR, LA VFR FAIT PREUVE D'UNE IMPERTURBABLE STABILITÉ.

Le freinage est sans reproches puisque le système LBS qui lie les freins avant et arrière fonctionne sans accrocs et que le système ABS de la VFR800A fait un travail efficace et transparent.

Le V4 qui la propulse est une mécanique particulièrement plaisante. Ses montées en régime sont franches, à défaut d'être fulgurantes, et même si sa sonorité n'est plus aussi exotique que celle de la génération précédente, elle reste fort agréable. Son ensemble transmission/embrayage est impeccable. L'entrée en action abrupte du système VTEC – qui permet au moteur d'utiliser 8 soupapes sous un régime prédéterminé et 16 soupapes en haut de celui-ci – et ses « hésitations » autour du régime de transition constituaient les seuls désagréments de cette motorisation. Bien que Honda n'ait jamais voulu avouer qu'il s'agissait d'un problème, la version 2006 de la VFR800 se voit modifiée à ce chapitre. En effet, des changements apportés au niveau de la gestion du système lui permettraient d'entrer en action de manière fluide plutôt qu'avec le léger coup ressenti sur la version précédente. Le seuil d'entrée en action du VTEC est également abaissé de 7 000 tr/min à 6 400 tr/min, toujours dans le but d'adoucir son fonctionnement.

Général

Catégorie	Routière Sportive
Prix	13 599 $ (VFR800A : 14 399 $)
Garantie	1 an/kilométrage illimité
Couleur(s)	noir (VFR800A : blanc, noir)
Concurrence	BMW R1200ST, Ducati ST3, Triumph Sprint ST autre(s) possibilité(s) : Suzuki Katana 750

Partie cycle

Type de cadre	périmétrique, en aluminium
Suspension avant	fourche conventionnelle de 43 mm ajustable en précharge
Suspension arrière	monoamortisseur ajustable en précharge et détente
Freinage avant	2 disques de 296 mm de Ø avec étriers à 3 pistons et système LBS (VFR800A : avec ABS)
Freinage arrière	1 disque de 256 mm de Ø avec étrier à 3 pistons et système LBS (VFR800A : avec ABS)
Pneus avant/arrière	120/70 ZR17 & 180/55 ZR17
Empattement	1 460 mm
Hauteur de selle	805 mm
Poids à vide	214 kg (VFR800A : 219 kg)
Réservoir de carburant	22 litres

Moteur

Type	4-cylindres 4-temps en V à 90 degrés, DACT, 4 soupapes par cylindre, refroidissement par liquide
Alimentation	injection à 4 corps de 36 mm
Rapport volumétrique	11,6:1
Cylindrée	782 cc
Alésage et course	72 mm x 48 mm
Puissance	109,5 ch @ 10 500 tr/min
Couple	60 lb-pi @ 8 750 tr/min
Boîte de vitesses	6 rapports
Transmission finale	par chaîne
Révolution à 100 km/h	environ 5 500 tr/min
Consommation moyenne	6,0 l/100 km
Autonomie moyenne	366 km

Conclusion

Bien que limités à l'adoucissement du travail du système VTEC, les changements apportés à la VFR800 ne devraient qu'améliorer un ensemble qui était déjà d'un niveau exceptionnel en termes de comportement et d'agrément de conduite. Il reste évidemment à voir comment, cette fois, se comportera ce fameux système – ce qu'il a été impossible de vérifier avant l'impression du Guide –, mais on conçoit difficilement que le désagrément qu'il causait ne soit pas chose du passé.

QUOI DE NEUF EN 2006 ?

- Finition satinée plutôt que chromée sur les couvercles protecteurs du silencieux
- Pare-brise graduellement teinté
- Lentilles des clignotants claires
- VTEC moins abrupt qui entre en action à 6 400 tr/min au lieu de 7 000 tr/min
- Coûte 200 $ de plus qu'en 2005

PAS MAL

- Un ensemble d'une rare polyvalence : il s'agit d'une moto de tous les jours, d'une moto de piste, d'une moto de balade, d'une moto de voyage, bref, de ce que vous voulez
- Un comportement non seulement assez relevé pour permettre une utilisation en piste, mais aussi très facile d'accès
- L'une des rares motos de ce type et de cette cylindrée qui dispose d'un système ABS; son fonctionnement est excellent et son prix, 800 $, est raisonnable

BOF

- Un système VTEC qu'on sentait clairement s'activer puis se désactiver autour du régime qui est désormais abaissé de 7 000 tr/min à 6 400 tr/min; la transition serait moins abrupte en 2006, mais ça reste à voir
- Une position un peu trop basculée vers l'avant et des suspensions calibrées fermement limitent le confort; l'ancienne génération de la VFR800, produite jusqu'en 2001, était plus confortable
- Un niveau de performances tout à fait satisfaisant, mais un couple à bas régime limité qu'une augmentation de la cylindrée rendrait plus plaisant et plus pratique

HONDA

HONDA CBR600RR

La 600 extrême selon Honda...

Honda fut l'un des premiers constructeurs à s'investir sérieusement dans la catégorie des sportives de 600 centimètres cubes. Sa CBR600 se maintient d'ailleurs aujourd'hui depuis presque deux décennies au premier plan de cette classe. Le modèle actuel, la CBR600RR, n'a plus rien du côté polyvalent qui a fait la réputation de la monture durant ses quatre premières générations — celle-ci est la cinquième —, mais se veut plutôt un instrument de piste pur et dur à la façon de toutes les autres 600 actuelles. Un peu lourde lors de son arrivée sur le marché en 2003, la CBR600RR subissait l'an dernier une mise à niveau visant à réduire son poids et améliorer ses performances.

Afin de garder sa CBR600RR à un niveau compétitif, Honda s'est lancé l'an dernier dans une révision relativement profonde qui ne visait pas à repenser le concept du modèle, mais qui avait plutôt pour but de le garder compétitif face à une concurrence qui, elle, ne cesse de progresser. D'ailleurs, même si la CBR600RR s'est avérée à la hauteur durant la saison 2005, les choses commencent déjà à se corser en 2006 puisqu'elle doit cette année croiser le fer avec la Suzuki GSX-R600 et la Yamaha YZF-R6, deux modèles entièrement revus, et une très sérieuse Kawasaki ZX-6R dont la refonte complète remonte à un an.

En utilisation routière, le pilote moyen remarquera une légère augmentation de la puissance à mi-régime – ce qui équivaut à environ 8 000 tr/min sur une 600 – ainsi qu'une selle qui prend quelques minutes de plus avant de devenir inconfortable. Sans nécessairement ressentir les bienfaits de la fourche de type inversée et des étriers à montage radial qui ornent le train avant depuis 2005, le pilote appréciera leur présence, tout comme les légères retouches esthétiques qui ont rehaussé le degré d'agressivité de la ligne. Mais s'il se limite à la route, il serait très étonnant que notre pilote moyen – surtout s'il s'en tient aux vitesses légales – réalise à quel point la liste des améliorations s'étire davantage. Et pourtant, ces améliorations sont nombreuses.

LES 5 KILOS EN MOINS AFFECTENT DE MANIÈRE TRÈS CLAIRE UN ENSEMBLE AUSSI FINEMENT CALIBRÉ QUE CELUI DE LA CBR.

Les quelque 5 kilos soustraits à la CBR600RR l'an dernier sont amplement suffisants pour affecter de manière très claire un ensemble aussi finement calibré que celui d'une sportive pure de cette cylindrée. Le résultat est un allégement considérable du pilotage sur piste puisque l'effort requis pour lancer la CBR600RR en courbe est désormais presque aussi faible que dans le cas des modèles concurrents, ce qui revient à dire qu'il est exceptionnellement léger. Malgré cela, la formidable stabilité pour laquelle la Honda est réputée demeure intacte, ce qui permet d'enfiler une suite de virages à la fois très agressivement, sûrement et précisément. Jamais la petite CBR ne s'est excitée durant son évaluation sur circuit.

De l'aveu même de Honda, l'adoption d'une fourche de type inversé et de freins radiaux est davantage destinée à garder la CBR600RR techniquement à jour aux yeux de l'acheteur moyen qui verra ces mêmes pièces utilisées sur les modèles concurrents. Si la modestie du manufacturier est louable, il reste que cette nouvelle fourche résiste sans broncher aux pires abus et que même des dizaines et des dizaines de kilomètres de pilotage soutenu sur piste ne sont arrivées à affecter l'endurance, la puissance ou la précision des freins.

Les performances livrées par le compact 4-cylindres sont excellentes. La véritable puissance est typiquement disponible très haut, disons entre 9 000 tr/min et 14 000 tr/min, mais on dispose quand même d'une agréable capacité d'accélération dès environ 5 000 tr/min. Aucune 600 ne peut être qualifiée d'exemple de souplesse, mais la CBR600RR se tire plutôt bien d'affaire à ce chapitre. En ce qui concerne l'excellente transmission et l'embrayage, rien ne peut être reproché.

Général

Catégorie	Sportive
Prix	11 999 $
Garantie	1 an/kilométrage illimité
Couleur(s)	rouge et noir, orange avec motifs tribaux
Concurrence	Kawasaki ZX-6R, Suzuki GSX-R600, Yamaha YZF-R6 autre(s) possibilité(s) : Triumph Daytona 675

Partie cycle

Type de cadre	périmétrique, en aluminium
Suspension avant	fourche inversée de 41 mm ajustable en précharge, compression et détente
Suspension arrière	monoamortisseur ajustable en précharge, compression et détente
Freinage avant	2 disques de 310 mm de Ø avec étriers radiaux à 4 pistons
Freinage arrière	1 disque de 220 mm de Ø avec étrier à 1 piston
Pneus avant/arrière	120/70 ZR17 & 180/55 ZR17
Empattement	1 384 mm
Hauteur de selle	820 mm
Poids à vide	163,8 kg
Réservoir de carburant	18,2 litres

Moteur

Type	4-cylindres en ligne 4-temps, DACT, 4 soupapes par cylindre, refroidissement par liquide
Alimentation	injection à 4 corps de 40 mm
Rapport volumétrique	12:1
Cylindrée	599 cc
Alésage et course	67 mm x 42,5 mm
Puissance sans Ram Air	116 ch @ 13 000 tr/min
Couple sans Ram air	49 lb-pi @ 11 000 tr/min
Boîte de vitesses	6 rapports
Transmission finale	par chaîne
Révolution à 100 km/h	5 200 tr/min
Consommation moyenne	6,3 l/100 km
Autonomie moyenne	288 km

Conclusion

Il ne fait aucun doute qu'au sein de l'ultra-compétitive catégorie des sportives pures de 600 centimètres cubes, la plus récente évolution de la CBR600RR fait belle figure. Que ce soit au chapitre des performances ou de la tenue de route, le niveau est clairement très élevé. Les plus difficiles lui reprocheront de ne pas disposer de l'embrayage avec limiteur de contrecouple qu'ont chacune de ses concurrentes, mais pour ceux et celles qui ne visitent pas un circuit de façon régulière, la différence est presque négligeable et ne devrait absolument pas influencer la décision d'achat. D'ailleurs, à en juger par le nombre de CBR600RR vendues chaque année – selon le constructeur, le modèle a une part du marché qui frôlerait les 40 % –, le simple fait qu'il s'agisse à la fois d'une des sportives les plus avancées du marché et d'une Honda semble suffire à convaincre un nombre impressionnant de motocyclistes.

QUOI DE NEUF EN 2006 ?

- Aucun changement
- Aucune augmentation de prix

PAS MAL

- Un comportement caractérisé par une stabilité irréprochable, par une direction d'une extrême précision et, depuis 2005, par une direction agréablement légère
- Un 4-cylindres dont les performances sont considérables et dont la puissance s'étend sur une plage de régimes étonnamment large
- Une ligne pure et racée clairement inspirée de celle des montures de Moto GP du constructeur et qui semble beaucoup plaire

BOF

- Des suspensions clairement calibrées pour exceller en piste, ce qu'elles font, mais qui se montrent régulièrement rudes sur la route
- Une selle dure qui devient inconfortable aussitôt que la sortie s'allonge; la version 2005 a été améliorée à ce sujet, mais seulement maigrement
- Un certain retard technologique qui s'installe déjà et qu'on ne peut que constater lorsqu'on prend en considération les techniques utilisées sur la Yamaha YZF-R6, par exemple, ou encore l'absence d'embrayage avec limiteur de contrecouple qu'ont pourtant toutes ses concurrentes cette année

HONDA CBR600F4i

Rétrospective...

On se retrouve étrangement en 2006 avec une impression de déjà vu puisque la catégorie des sportives de 600 cc comporte maintenant trois de ses quatre modèles principaux de la génération précédente, soit la Yamaha YZF-R6 S, la Kawasaki ZZ-R600 et cette CBR600F4i. Leur rôle est exactement le même, c'est-à-dire présenter une autre manière de rouler en 600 que celle des machines ultra-agressives de génération courante. Car même si ces dernières représentent encore le gros des ventes, il reste une certaine catégorie de motocyclistes intéressés par la cylindrée et l'agilité, mais pas le côté extrême des motos de cette classe.

Lorsqu'on parle d'un groupe de sportives de 600 centimètres cubes dont le comportement est « moins extrême » que celui des modèles actuels, une certaine précision doit être faite. Car voilà à peine quelques années, la CBR600F4i et ses semblables énumérées plus tôt étaient toutes décrites sur ces mêmes pages comme des sportives de calibre très élevé méritant les plus hautes notes en matière de tenue de route. Mais une nouvelle génération de 600 s'est pointée et du jour au lendemain, chacune de ces motos devenait essentiellement désuète.

La version la CBR600F4i actuellement présente au catalogue Honda existe déjà en Europe depuis 2001. Quand l'agressive F4i de l'époque fut introduite cette même année, elle se voulait une remplaçante plus pointue de la CBR600F4 de 1999-2000. Du côté européen, Honda ne voulut pas prendre le risque de présenter uniquement une 600 très agressive et proposa également, en 2001, une version un peu plus confortable appelée CBR600F Sport. Nous ne l'avions jamais vue chez nous jusqu'à ce que l'arrivée de la CBR600RR en 2003 rende inutile la F4i et son inconfort. La CBR600F Sport européenne fut donc importée sur le marché nord-américain et rebaptisée CBR600F4i. La seule différence entre cette dernière et notre F4i de 2001 se trouve au niveau de la selle.

La mécanique injectée de la CBR600F4i offre une souplesse honnête pour la catégorie puisqu'elle produit un bon niveau de puissance dès 6 000 tr/min; la véritable cavalerie arrive toutefois entre 9 000 et 14 000 tr/min. Si les accélérations de la F4i n'ont jamais été les plus puissantes de la catégorie, la marge a toujours été assez faible. Il s'agit quand même d'une 600 produisant quelque 115 chevaux annoncés – environ une centaine à la roue arrière –, ne l'oublions pas. La qualité du travail de l'injection est digne de mention puisqu'elle est sans failles.

IL S'AGIT QUAND MÊME D'UNE 600 PRODUISANT QUELQUE 115 CHEVAUX, DONT UNE BONNE CENTAINE SE RENDENT À LA ROUE ARRIÈRE.

Malgré le fait que la catégorie entière des 600 sportives ait récemment fait un bond en avant considérable en matière de tenue de route, la CBR600F4i continue d'offrir un comportement de très haut niveau. Sur une piste ou un tracé sinueux, elle impressionne beaucoup par la légèreté avec laquelle elle se met en angle, par son aisance à corriger sa ligne en pleine courbe et par son superbe freinage. Mais c'est surtout la facilité avec laquelle elle peut enchaîner toutes ces opérations qui est extraordinaire. S'il est vrai que les fantastiques dernières 600 détiennent un avantage sur la CBR600F4i à ce sujet, c'est à un rythme que la majorité des motocyclistes n'atteindront jamais. Dans les mains du pilote moyen, elle continue donc de représenter un formidable outil de précision. L'avantage de cette nouvelle version à selle biplace est qu'elle combine ce niveau établi de performances à un degré de confort supérieur à ce qu'on s'est habitué à retrouver dans cette classe.

Général

Catégorie	Sportive
Prix	11 549 $
Garantie	1 an/kilométrage illimité
Couleur(s)	argent, bleu et noir, jaune et titane
Concurrence	Kawasaki ZZ-R600, Yamaha YZF-R6 S et YZF600R

Partie cycle

Type de cadre	périmétrique, en aluminium
Suspension avant	fourche conventionnelle de 43 mm ajustable en précharge, compression et détente
Suspension arrière	monoamortisseur ajustable en précharge, compression et détente
Freinage avant	2 disques de 296 mm de Ø avec étriers à 4 pistons
Freinage arrière	1 disque de 220 mm de Ø avec étrier à 1 piston
Pneus avant/arrière	120/70 ZR17 & 180/55 ZR17
Empattement	1 384 mm
Hauteur de selle	805 mm
Poids à vide	168 kg
Réservoir de carburant	18,2 litres

Moteur

Type	4-cylindres en ligne 4-temps, DACT, 4 soupapes par cylindre, refroidissement par liquide
Alimentation	injection à 4 corps de 38 mm
Rapport volumétrique	12:1
Cylindrée	599 cc
Alésage et course	67 mm x 42,5 mm
Puissance	115,5 ch @ 12 500 tr/min
Couple	49 lb-pi @ 10 500 tr/min
Boîte de vitesses	6 rapports
Transmission finale	par chaîne
Révolution à 100 km/h	environ 5 000 tr/min
Consommation moyenne	6,1 l/100 km
Autonomie moyenne	298 km

Conclusion

Pour le motocycliste qui affectionne les cylindrées moyennes et qui n'a pas un besoin profond de se retrouver sur la toute dernière génération de sportives, l'option d'une monture comme la CBR600F4i n'a rien de déplaisant, bien au contraire. La moto offre un degré de confort acceptable, et certainement bien plus intéressant que celui d'une CBR600RR, entre autres. Des poignées plus hautes, une selle plus invitante et des suspensions moins raides sont autant de caractéristiques qui en font un excellent compromis. Car le fait qu'elle n'appartienne plus à la génération courante de 600 n'empêche aucunement la F4i d'afficher une superbe tenue de route et de permettre un amusement certain en pilotage sportif, tout particulièrement en piste où elle est tellement à l'aise.

QUOI DE NEUF EN 2006 ?

- Aucun changement
- Coûte 150 $ de plus qu'en 2005

PAS MAL

- Une tenue de route toujours très impressionnante, mais surtout étonnamment facile à exploiter
- Un niveau de confort intéressant grâce à des poignées plus hautes, à une selle honnête et à des suspensions moins rudes que dans le cas des dernières 600 de pointe
- Une injection sans failles et une mécanique performante dont la souplesse n'est pas mauvaise

BOF

- Un 4-cylindres qui vibre toujours un peu, pas de façon excessive, mais assez pour agacer sur un long trajet
- Des performances très honnêtes, mais qui ne sont plus du niveau de celles des dernières venues
- Un prix qui n'est pas vraiment beaucoup en retrait de celui des dernières 600 qui sont pourtant beaucoup plus sophistiquées; Honda peut faire mieux

HONDA 919

Jeu caché...

Pour ceux qui aiment catégoriser à l'anglaise, la 919 se situe quelque part entre les concepts *naked bike* et *streetfighter*. Du premier, elle adopte l'allure dépouillée qui met bien en vue les différents éléments mécaniques, de même que la simplicité ergonomique qui favorise une réelle polyvalence. Et du second, elle affiche les performances dignes d'une moto sportive et l'attitude quelque peu délinquante d'une machine au caractère irrévérencieux. Sans être aussi extravertie que la Triumph Speed Triple, la bête qui a en quelque sorte défini le genre *streetfighter*, la 919 réserve tout de même un caractère beaucoup plus excité que son tranquille air de standard ne le laisse croire.

Les origines de la 919 sont on ne peut plus sportives puisque le modèle reprend la mécanique de la CBR900RR, une moto qui, il n'y a tout de même pas si longtemps, trônait au haut de la pyramide de la performance chez Honda. En fait, on pourrait logiquement affirmer que le prototype original de la 919 a été créé par le premier proprio de CBR900RR qui détruisit sa moto, puis la remit sur la route sans son carénage, que cela ait été par manque de temps ou de fric. Honda a évidemment poussé la transformation un peu plus loin, question d'offrir une machine nettement plus aboutie qu'une simple sportive déshabillée, mais la nature à la fois autoritaire et nerveuse de la CBR900RR demeure bien présente. Honda a d'abord vu à la qualité esthétique en retravaillant la finition du moteur et en amplifiant la présence mécanique avec des échappements remontant sous la selle et un discret cadre sans berceau. Les concepteurs ont aussi opté pour une position de conduite relevée, que l'on peut qualifier de classique dans le sens, pourquoi pas, de la légendaire CB750. Il en résulte une machine qui affiche une simplicité élégante, se montre extrêmement facile d'accès et s'avère parfaitement à l'aise dans la besogne quotidienne. Sa position de conduite relevée favorise le confort et contribue beaucoup à mettre instantanément le pilote à l'aise, tandis que la hauteur de selle est raisonnable et que le poids est relativement faible. La direction, qui s'avère extrêmement légère et demande une absence d'effort presque bizarre pour amorcer une quelconque manœuvre, contribue aussi à mettre rapidement en confiance. Une mécanique agréablement souple dès les premiers régimes, une alimentation sans failles et un ensemble transmission/embrayage qui fait son travail de façon transparente et sans accrocs facilitent davantage la conduite. Tout ceci rend la 919 plutôt conviviale et en fait une machine très polyvalente, toujours prête à assurer des déplacements, partir en promenade ou même prendre la route des vacances.

LA 919 CACHE DERRIÈRE SON ALLURE CALME ET TRANQUILLE UNE SECONDE NATURE BEAUCOUP MOINS RANGÉE.

L'absence de protection au vent impose évidemment une limite au confort, tout comme ses suspensions plutôt fermes qui rappellent ses origines sportives. Ce qui nous amène à la seconde nature beaucoup moins rangée que la 919 cache derrière son allure calme et tranquille. Même si Honda a réduit la puissance à haut régime du moteur d'origine, la 919 n'a rien perdu au change puisque la transformation a gavé les mi-régimes de couple. Ceci se traduit en outre par une insidieuse invitation à la délinquance puisque l'avant se soulève avec une facilité déconcertante en ouvrant généreusement les gaz sur les deux premiers rapports. Le coffre du moteur, la position relevée, le faible poids, la direction ultra-légère et la surprenante solidité de la partie cycle font de la 919 une arme redoutable sur un tracé sinueux, voire un véritable circuit routier. Le revers de la médaille de cette grande facilité de maniement est un comportement quelque peu hyperactif qui peut affecter négativement la stabilité, en outre en pilotage agressif sur une route abîmée. Ou lorsque la roue avant retouche au sol après un long wheelie...

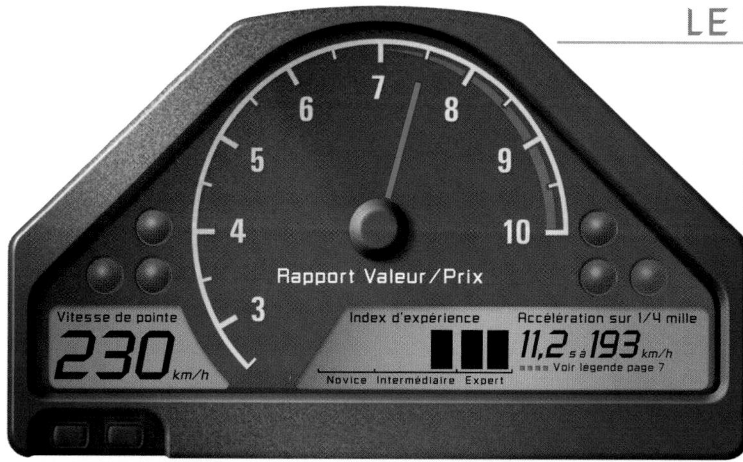

Général

Catégorie	Standard
Prix	11 199 $
Garantie	1 an/kilométrage illimité
Couleur(s)	rouge bourgogne
Concurrence	Kawasaki Z1000

Partie cycle

Type de cadre	épine dorsale rectangulaire, en acier
Suspension avant	fourche conventionnelle de 43 mm ajustable en précharge et compression
Suspension arrière	monoamortisseur ajustable en précharge
Freinage avant	2 disques de 296 mm de Ø avec étriers à 4 pistons
Freinage arrière	1 disque de 240 mm de Ø avec étrier à 1 piston
Pneus avant/arrière	120/70 ZR17 & 180/55 ZR17
Empattement	1 460 mm
Hauteur de selle	795 mm
Poids à vide	194 kg
Réservoir de carburant	19 litres

Moteur

Type	4-cylindres en ligne 4-temps, DACT, 4 soupapes par cylindre, refroidissement par liquide
Alimentation	injection à 4 corps de 36 mm
Rapport volumétrique	10,8:1
Cylindrée	919 cc
Alésage et course	71 mm x 58 mm
Puissance	110 ch @ 9 000 tr/min
Couple	68 lb-pi @ 6 500 tr/min
Boîte de vitesses	6 rapports
Transmission finale	par chaîne
Révolution à 100 km/h	environ 4 500 tr/min
Consommation moyenne	6,5 l/100 km
Autonomie moyenne	292 km

Conclusion

Dans la classe des motos dites standard, la 919 se présente comme une jeune étudiante tranquille et à son affaire qui, lorsque provoquée, peut sans hésiter mettre le feu au gymnase. Il s'agit avant tout d'une monture très polyvalente dont le trait de comportement prédominant est une agilité carrément extraordinaire. Rares en effet sont les motos avec une cylindrée aussi importante – ou même plus faible – qui démontrent une telle facilité de prise en main. Mais derrière ses allures de machine à tout faire, la 919 cache une seconde nature beaucoup plus joueuse qui n'a pas besoin de beaucoup de provocation pour se manifester. Malheureusement, cette exubérance adrénergique se cache derrière une apparence agréable mais rangée, et ne transpire aucunement dans une salle de montre ou un stationnement de Harvey's. Tant qu'elle gardera son air rangé, son relatif anonymat demeure assuré.

QUOI DE NEUF EN 2006 ?

- **Aucun changement**
- **Coûte 200 $ de plus qu'en 2005**

PAS MAL

- **Une agilité hors du commun amenée par une direction ultra-légère et une position relevée**
- **Une mécanique gorgée de couple à mi-régime bien adaptée à la vocation urbaine du modèle**
- **Une tenue de route très surprenante rendue par un châssis solide et précis**

BOF

- **Une direction légère au point de devenir hypersensible, et qui demande donc de l'expérience et un certain respect**
- **Un côté pratique considérablement restreint par l'absence de toute protection au vent**
- **Un niveau de confort correct, mais qui semble insuffisant pour faire du sérieux kilométrage**

HONDA **599**

NOUVEAUTÉ 2006

Beauté simple...

À force de s'être sans arrêt spécialisée au fil des dernières années, la moto a perdu quelque chose que de plus en plus d'adeptes aimeraient bien retrouver. La simplicité. L'utilité. La praticité. Le bon sens. Parfois, juste rouler, ça suffit. C'est la raison derrière la mise en marché, récemment, de plusieurs motos plus polyvalentes et moins pointues. De celles-ci, la nouvelle Honda 599 est l'une des plus fidèles au mythique concept d'origine de l'*Universal Japanese Motorcycle*. Importée au Canada en 2004, elle revient en 2006 après avoir sauté une année pour cause de ventes modestes. Elle a entre-temps gagné une nouvelle instrumentation et une fourche inversée.

Anonymement appelée 599 en Amérique du Nord dans le but d'échapper aux catégorisations ciblées et complètement sans fondements des assureurs, la petite standard de Honda est en fait la plus récente incarnation de la Hornet 600, l'un des modèles les plus vendus de l'immense marché européen. Il s'agit d'une moto avant tout axée sur l'accessibilité à tous les niveaux, tant financière que mécanique.

Techniquement, la 599 est la simplicité même. Le cadre est un genre de gros rectangle d'acier qui lie la colonne de direction au pivot du bras oscillant en passant au-dessus de la mécanique. Cette dernière, un 4-cylindres en ligne de 599 cc – d'où le nom de la moto –, est en fait la motorisation de la sportive CBR600F3 lancée en 1995, elle-même une proche parente de la mécanique de la CBR600F2 produite entre 1991 et 1994. Les roues et les freins sont aussi empruntés à d'anciennes sportives, tandis que les ajustements de suspensions sont limités à l'amortisseur arrière. Bref, tout pour expliquer comment le géant nippon est arrivé à cet intéressant prix, et rien pour mettre l'eau à la bouche d'un amateur de fiches techniques. Cela dit, on n'acquiert pas une 599 pour se vanter, mais plutôt pour se faire plaisir sur deux roues, sans se ruiner. Et à ce chapitre, la sympathique petite Honda excelle.

Sur la route, l'environnement de prédilection de la 599, cette dernière est d'une simplicité et d'une efficacité pour le moins rafraîchissantes. Une position de conduite naturelle et compacte qui ne taxe aucune partie de l'anatomie, un siège assez bas pour permettre même aux pilotes courts sur pattes de poser les deux pieds au sol à l'arrêt, une selle un peu ferme, mais quand même confortable, des suspensions suffisamment souples pour faire face aux réalités de la route et une mécanique dont les vibrations sont bien contrôlées résument les principales caractéristiques qui font de la 599 une deux-roues tout simplement pleine de bon sens. Amusante, aussi, puisqu'il ne s'agit absolument pas ici d'un cas où la raison l'a entièrement emporté sur la passion. Cet aspect de la 599, le fait qu'elle arrive à la fois à être utile et plaisante est même un peu étonnant lorsqu'on s'attarde à son *curriculum vitæ* somme toute ordinaire. Mais il est bel et bien réel.

IL NE S'AGIT ABSOLUMENT PAS ICI D'UN CAS OÙ LA RAISON L'A ENTIÈREMENT EMPORTÉ SUR LA PASSION.

Même si la mécanique n'est pas extraordinairement coupleuse, faible cylindrée oblige, elle l'est assez pour satisfaire. Et puis, il suffit de faire grimper les tours, ce qu'elle ne demande qu'à faire, pour avoir accès à la centaine de chevaux, ou presque, qu'elle a en réserve.

Quant au châssis, là encore, malgré sa simplicité, il s'avère étonnamment capable, comme cela a pu être constaté lors d'une séance passablement animée sur circuit. Sans qu'il s'agisse de son lieu de prédilection, la piste a révélé des capacités insoupçonnées de la 599 puisque celle-ci s'y est montrée passablement plus précise et rapide qu'on l'aurait cru possible, et ce, malgré la mollesse évidente de ses suspensions calibrées de façon réaliste.

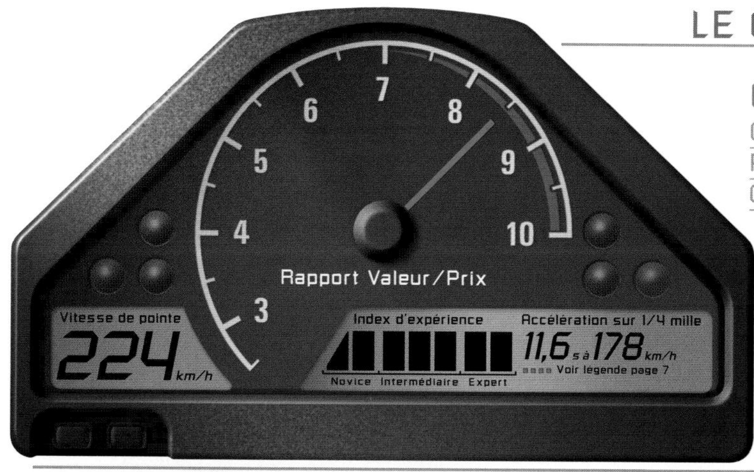

Général

Catégorie	Standard
Prix	9 199 $
Garantie	1 an/kilométrage illimité
Couleur(s)	noir
Concurrence	Hyosung Comet 650, Kawasaki Z750, Suzuki Bandit 650S et SV650, Yamaha FZ6

Partie cycle

Type de cadre	épine dorsale rectangulaire, en acier
Suspension avant	fourche inversée de 41 mm non ajustable
Suspension arrière	monoamortisseur ajustable en précharge
Freinage avant	2 disques de 296 mm de Ø avec étriers à 2 pistons
Freinage arrière	1 disque de 220 mm de Ø avec étrier à 1 piston
Pneus avant/arrière	120/70 ZR17 & 180/55 ZR17
Empattement	1 420 mm
Hauteur de selle	790 mm
Poids à vide	178 kg
Réservoir de carburant	17 litres

Moteur

Type	4-cylindres en ligne 4-temps, DACT, 4 soupapes par cylindre, refroidissement par liquide
Alimentation	4 carburateurs à corps de 36 mm
Rapport volumétrique	12:1
Cylindrée	599 cc
Alésage et course	65 mm x 45,2 mm
Puissance	96 ch @ 12 000 tr/min
Couple	47 lb-pi @ 9 500 tr/min
Boîte de vitesses	6 rapports
Transmission finale	par chaîne
Révolution à 100 km/h	environ 5 100 tr/min
Consommation moyenne	5,9 l/100 km
Autonomie moyenne	288 km

Conclusion

La 599 est un véritable couteau suisse tellement les possibilités qu'elle offre sont larges. Oh, elle n'est pas parfaite. Elle est jolie sans être particulièrement du genre à faire tourner les têtes. L'âge de sa mécanique non injectée fait qu'on se croirait, par moments, aux commandes d'une moto de dix ans. L'absence totale de protection au vent est un handicap sur nos longues routes droites. Mais une fois dessus, tout cela semble simplement faire partie de la vie. Il s'agit d'une monture agréable et pratique au jour le jour, aussi simple de conception que d'utilisation. Il fait bon vous revoir, Mademoiselle UJM.

QUOI DE NEUF EN 2006 ?

- Modèle introduit en 2004, retiré de la gamme en 2005 et ramené au catalogue en 2006

PAS MAL

- Un concept simple et agréable; la 599 est une petite moto à tout faire comme on avait presque oublié qu'il en existait
- Un comportement routier qui pourrait en surprendre plus d'un; non seulement la 599 peut se montrer très rapide sur une route sinueuse, mais elle se débrouille aussi très bien sur un vrai circuit
- Un niveau de confort élevé amené par une position relevée et des suspensions calibrées de manière réaliste

BOF

- Une mécanique à carburateur qui fonctionne parfaitement, mais qui renvoie des sons et des sensations qui ramènent une bonne dizaine d'années en arrière
- Une souplesse plutôt limitée qui force à avoir recours à des régimes assez élevés si l'on entend extirper le meilleur de la centaine de chevaux annoncée
- Une protection au vent inexistante qui ne dérange aucunement les européens qui circulent sur de petites distances à des vitesses relativement basses, mais qui pose un problème sur nos longues autoroutes et leur vitesse plus élevée

Jeune de coeur...

Drôle de phénomène, le scooter. Lui qu'on n'a jamais voulu reconnaître comme véhicule à part entière, lui qu'on traite irrespectueusement de jouet pour adolescents en mal de mobilité, le voilà maintenant qui gagne le cœur d'adultes non seulement matures, mais souvent même grisonnants. C'est que le scooter a beaucoup évolué, ces dernières années. En fait, dans le cas de modèles surdimensionnés comme ce Silver Wing, il est désormais question de véhicules mutants dont la fiche technique ne ferait absolument pas rougir une « vraie » moto. Animé par un bicylindre injecté de 600 cc jumelé à une transmission automatique, le Silver Wing est arrivé chez nous l'an dernier.

Il y a maintenant déjà 5 ans que le géant nippon produit le Silver Wing pour le marché européen, mais seulement un an qu'il est importé chez nous. L'incertitude du marché canadien en ce qui concernait, à l'époque, ce genre de produit, combinée à quelques caprices de Transports Canada sont à l'origine de cette arrivée tardive. Si le Suzuki Burgman 650, le seul scooter de ce gabarit roulant jusqu'à l'an dernier sur nos routes, a joliment su mettre à profit la situation de monopole dont il jouissait, il a également piqué la curiosité d'une clientèle qui n'a aujourd'hui plus besoin qu'on lui vende le concept peu orthodoxe d'un scooter de telles proportions. En fait, cette clientèle semble désormais plutôt attendre impatiemment que d'autres constructeurs emboîtent le pas et diversifient la donne. La proposition de Honda ne surpasse le 650 de Suzuki ni au chapitre de la performance ni au chapitre de la technologie, ce qui s'explique en partie par le fait que le design du Silver Wing 600 est en réalité plus vieux de deux ans que celui du Burgman. Cela dit, la cinquantaine de chevaux générée par le Honda demeure amplement suffisante pour vous faire perdre votre permis puisqu'elle permet de maintenir sans problème – et en tout confort – des vitesses supérieures à 150 km/h. Mais là n'est évidemment pas le but du Silver Wing. Honda présente plutôt son mégascooter comme une petite moto de tourisme, ce que reflète d'ailleurs le lien entre son nom et celui de la célèbre et luxueuse Gold Wing. L'idée de couvrir de longues distances sur un scooter peut a priori paraître étrange, mais le Silver Wing en est parfaitement capable. Doté d'une selle confortable et bien formée qui dispose même d'un petit dossier ajustable, il offre en plus une excellente protection au vent grâce à son grand pare-brise. Caractéristique unique aux scooters, l'espace généreux laissé aux pieds permet une grande latitude d'angles au niveau des jambes, tandis que la position de conduite assise est naturelle et garde le dos droit. Les suspensions ne sont pas des merveilles de sophistication, mais leur travail demeure satisfaisant. Combinez toutes ces qualités à quelque 55 litres de rangement dissimulés sous la selle – sans parler des deux autres petites boîtes à gants incorporées à la partie avant – ainsi qu'à une mécanique aussi douce que coopérative, et la possibilité de voyager devient bel et bien réelle.

LA POSSIBILITÉ DE VOYAGER AVEC UN VÉHICULE COMME LE SILVER WING EST BEL ET BIEN RÉELLE.

Ces capacités en mode tourisme ne changent toutefois rien à l'aspect pratique et facile à vivre du Silver Wing lorsqu'il se retrouve au beau milieu du centre-ville. Dans cet environnement, la volonté du bicylindre de s'élancer franchement à partir d'un arrêt, la grande facilité d'opération de la transmission automatique ainsi que la surprenante maniabilité de l'ensemble en font un mode de locomotion extrêmement efficace. C'est aussi dans cet environnement qu'on découvre rapidement l'utilité du système de freinage combiné avec ABS. Dans un univers où la possibilité est élevée de voir un taxi venu de nulle part s'immobiliser devant soi sans le moindre avertissement, l'ABS est une bénédiction. Tirez simplement sur les deux leviers aussi vite et fort que possible, et croisez les doigts. Quelle que soit votre expérience à moto, dans de telles circonstances, l'ABS augmente considérablement vos chances de vous tirer d'affaire sans un contact potentiellement inconfortable.

Général

Catégorie	Scooter
Prix	10 299 $
Garantie	1 an/kilométrage illimité
Couleur(s)	bleu
Concurrence	Suzuki Burgman 650

Partie cycle

Type de cadre	tubulaire, en acier
Suspension avant	fourche conventionnelle de 41 mm non ajustable
Suspension arrière	2 amortisseurs ajustables en précharge
Freinage avant	1 disque de 256 mm de Ø avec étrier à 3 pistons et système LBS
Freinage arrière	1 disque de 240 mm de Ø avec étrier à 2 pistons et système LBS
Pneus avant/arrière	120/80-14 & 150/70-13
Empattement	1 595 mm
Hauteur de selle	739 mm
Poids à vide	232 kg
Réservoir de carburant	16 litres

Moteur

Type	bicylindre parallèle 4-temps, DACT, 4 soupapes par cylindre, refroidissement par liquide
Alimentation	injection à 2 corps de 32 mm
Rapport volumétrique	10,2:1
Cylindrée	582 cc
Alésage et course	72 mm x 71 mm
Puissance	50 ch @ 7 500 tr/min
Couple	37 lb-pi @ 6 000 tr/min
Boîte de vitesses	automatique
Transmission finale	par courroie
Révolution à 100 km/h	environ 4 700 tr/min
Consommation moyenne	5,6 l/100 km
Autonomie moyenne	285 km

Conclusion

Comme c'est le cas pour la plupart des autres modèles de cet étrange créneau qu'est celui des scooters format géant, on s'attache rapidement au Silver Wing, à sa grande simplicité d'utilisation et à son impressionnant côté pratique. Le prix de 10 299 $ peut paraître élevé pour un scooter, mais les acheteurs – qui sont pratiquement tous et toutes d'un certain âge – semblent jusqu'à maintenant n'éprouver aucun problème à être soulagés de ce genre de montant.

Modèle européen

QUOI DE NEUF EN 2006 ?

- **Aucun changement**
- **Coûte 300 $ de moins qu'en 2005**

PAS MAL

- **Un niveau de confort étonnamment élevé; la position de conduite, la protection au vent, les selles, tout est en place pour permettre de parcourir de nombreux kilomètres avec un minimum de fatigue**
- **Une mécanique vivante qui s'élance avec énergie des arrêts et qui se montre facilement capable de maintenir de hautes vitesses**
- **Un côté pratique omniprésent amené par la présence du coffre situé sous la selle et par la facilité d'utilisation amenée par la transmission automatique**

BOF

- **Un coffre dont le volume en litres est impressionnant, mais dont la disposition en deux parties devient un inconvénient lors du transport de certains objets**
- **Des suspensions plutôt rudimentaires qui font quand même un travail honnête, mais qu'on ne peut qualifier d'impressionnantes**
- **Un écoulement de l'air quelque peu turbulent à la hauteur du casque**

VTX1300T Touring

HONDA

HONDA VTX1300

NOUVELLE VARIANTE

Seule héritière...

Avec la disparition de la Rune et de tout le côté 1800 de la famille VTX en 2006, il revient à la VTX1300 de défendre les couleurs de Honda dans le créneau des customs poids lourd. En fait, la notion de poids lourd doit ici être pondérée puisqu'une 1300 doit plutôt être considérée comme un intermédiaire entre une 1100 et une 1500. Une telle cylindrée demeure d'ailleurs unique à la Honda qui s'en sert pour attirer une catégorie d'acheteurs souvent intimidés par le prix et les proportions des véritables poids lourds, mais peu enclins à se limiter à une 1100. Cette année, une version accessoirisée de la VTX1300R baptisée VTX1300T Touring fait son arrivée au catalogue.

La plus grande particularité des différentes variantes de la VTX1300 est la cylindrée inhabituelle de leur bicylindre en V, que Honda a stratégiquement choisi de situer au beau milieu de deux populaires catégories, celle des 1100 et celle des 1500 et plus. Elles pourraient grossièrement être décrites comme des VTX1800 bon marché en raison du lien de famille évident qu'affichent leurs lignes avec celles des modèles de grosse cylindrée, mais aussi de l'absence de la brutalité mécanique qui a fait la réputation des 1800. La réalité est toutefois qu'il y a beaucoup plus aux VTX1300 qu'un simple air de famille avec les gros modèles de la gamme, qui ont d'ailleurs été retirés du catalogue canadien de Honda par manque de popularité. Notons à ce sujet que les intéressés devraient facilement arriver à trouver des modèles 2005 neufs. Pour ce qui est de la force de la 1300, elle est surtout évidente pour l'amateur de customs pour qui une Honda a toujours l'avantage d'être une Honda. Plus nombreux qu'on pourrait le croire, ces motocyclistes cherchent un modèle pleine grandeur sans pour autant être prêts à encaisser le coût ou à vouloir vivre avec le poids d'une 1800. Notre intéressé a trop de goût pour se retrouver sur une vieille Spirit 1100, peu importe l'économie possible, et trop d'expérience pour envisager une Sabre. L'option d'une VTX1300 prend alors tout son sens puisqu'elle livre presque tout le style d'une 1800, qu'elle est considérablement plus coupleuse qu'une 1100 et que son prix est inférieur à celui de la plupart des 1500 et plus. La VTX1300 est un compromis, mais un compromis intéressant. Sans qu'il soit tout à fait aussi musclé qu'un 1500 à bas régime, le V-Twin de 1 300 cc génère des performances qui restent semblables à celles de montures bénéficiant de quelques centaines de centimètres cubes supplémentaires. La plus grande qualité de cette mécanique n'est toutefois pas le genre d'accélérations qu'elle permet – qui sont, soi dit en passant, tout à fait satisfaisantes –, mais est plutôt liée au vrombissement bien particulier qui s'en échappe. Ce qui n'a rien d'un accident puisque Honda l'a volontairement « débalancée » de manière à ce qu'elle tremble et qu'elle gonde sans la moindre gêne. Sa présence rappelle même beaucoup celle d'une Harley-Davidson à moteur 1340, ce qui n'est pas peu dire lorsqu'il s'agit d'agrément sensoriel.

SANS ÊTRE AUSSI MUSCLÉE QU'UNE 1500 EN BAS, LA VTX1300 GÉNÈRE DES PERFORMANCES QUI RESTENT SEMBLABLES.

Le compromis des VTX1300 se poursuit au niveau du comportement routier puisque ce dernier se situe juste entre celui des massives 1500 et celui des relativement agiles 1100. La direction des modèles S et T, avec leur très large guidon, ne demande qu'un effort minimal pour amorcer un virage, tandis que toutes les variantes se montrent solides et neutres une fois en courbe. Il faut toutefois faire attention à la vitesse en courbe sur les modèles équipés de plateformes (les S et T) puisque ces dernières frottent assez prématurément pour surprendre. Toutes les versions s'équivalent plus ou moins au niveau du confort, avec leurs selles correctes et leurs suspensions arrière occasionnellement rudes. La position de conduite très décontractée des modèles S et T est, quant à elle, particulièrement plaisante.

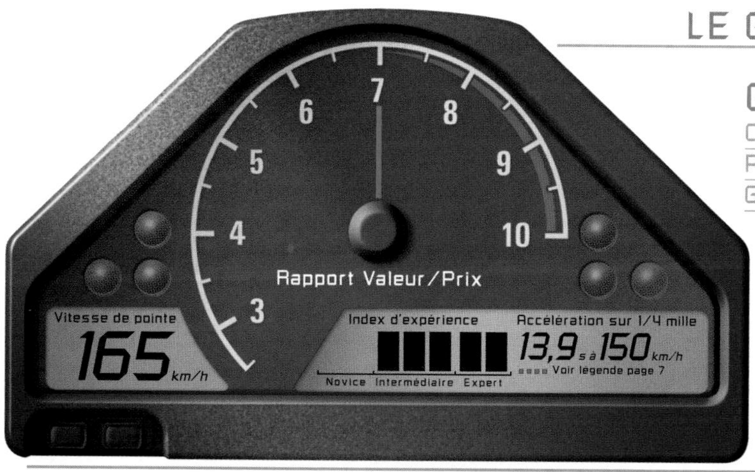

Général

Catégorie	Custom/Tourisme Léger
Prix	C : 13 699 $; S : 13 999 $; T : 14 999 $
Garantie	1 an/kilométrage illimité
Couleur(s)	S : noir, argent; T : noir, argent, bleu C : orange, cerise, gris, noir
Concurrence	Harley-Davidson Sportster 1200, Honda Shadow Spirit et Sabre, Kawasaki Vulcan 1500 Classic, Suzuki Boulevard S83, Yamaha V-Star 1100/Yamaha V-Star 1100 Silverado

Partie cycle

Type de cadre	double berceau, en acier
Suspension avant	fourche conventionnelle de 41 mm non ajustable
Suspension arrière	2 amortisseurs ajustables en précharge
Freinage avant	1 disque de 336 mm de Ø avec étrier à 2 pistons
Freinage arrière	1 disque de 296 mm de Ø avec étrier à 1 piston
Pneus avant/arrière	140/80-17 (C : 110/90-19) & 170/80-15
Empattement	T, S : 1 669 mm; C : 1 662 mm
Hauteur de selle	T,S : 695 mm; C : 686 mm
Poids à vide	S : 300 kg; T : 319 kg; C : 291 kg
Réservoir de carburant	18,2 litres

Moteur

Type	bicylindre 4-temps en V à 52 degrés, SACT, 3 soupapes par cylindre, refroidissement par liquide
Alimentation	1 carburateur à corps de 38 mm
Rapport volumétrique	9,2:1
Cylindrée	1 312 cc
Alésage et course	89,5 mm x 104,3 mm
Puissance	76 ch @ 5 000 tr/min
Couple	78 lb-pi @ 3 000 tr/min
Boîte de vitesses	5 rapports
Transmission finale	par arbre
Révolution à 100 km/h	n/d
Consommation moyenne	6,5 l/100 km
Autonomie moyenne	280 km

Conclusion

Les VTX1300 ne cherchent pas à épater la galerie avec un gros cubage ou à attirer la masse avec une facture très basse. Elles se contentent plutôt de proposer un compromis décidément intéressant entre la masse et le prix substantiel des modèles poids lourds et la limite de couple et de présence mécanique des 1100. La nouvelle venue qu'est la version Touring est intéressante puisque tout son équipement ne fait grimper la facture que d'un millier de dollars par rapport au prix de la VTX1300S, ce qui est fort raisonnable.

VTX1300S

VTX1300C

QUOI DE NEUF EN 2006 ?

- **Introduction d'une version T accessoirisée pour le tourisme léger, qui est en fait la version R à laquelle un pare-brise, une paire de sacoches et un dossier de passager ont été fixés**
- **VTX1300C coûte 200 $ de plus qu'en 2005; aucune augmentation de prix pour la VTX1300S**

PAS MAL

- **Une puissance et un couple semblables à ceux des 1500 avec des sensations et des sons qui rappellent beaucoup une Harley**
- **Un comportement sain, sans vices majeurs, et un équilibre général très plaisant**
- **Une position de conduite (S et T) absolument charmante qui définit la notion de « posture cool »**

BOF

- **Une garde au sol exagérément faible pour la S et la T, qui exigent une attention particulière à la vitesse en virage**
- **Un guidon si large sur la S qui n'a pas de pare-brise, que le confort se dégrade si les vitesses légales sont plus que légèrement dépassées sur l'autoroute**
- **Une suspension arrière ferme, qui se montre fréquemment sèche sur mauvais revêtement, et ce, sur toutes les variantes**

HONDA SHADOW SABRE

Découpée, mais pas musclée...

Sans puiser aussi profondément dans l'histoire de la marque mère que ne le font les customs de la gamme Harley, la Shadow Sabre respecte une tradition puisqu'elle demeure intimement liée à la Shadow 1100, qui s'est élancée sur son premier boulevard il y a plus de 20 ans. À sa sortie en 2000, Honda a présenté la Sabre en tant que custom musclée, son gros V-Twin, ses massives roues coulées et son allure élancée annonçant une nature athlétique. L'arrivée subséquente de customs à moteur nettement plus viril allait vite remettre ces prétentions en perspective, mais la Sabre n'en demeure pas moins une réussite visuelle et une custom agréable à piloter.

Lancée au milieu des années 80, la première Shadow 1100 allait donner naissance à de nombreuses variantes au fil des ans. Exception faite de la Spirit 1100, qui est en quelque sorte la jumelle de la première Shadow 1100, la Sabre est la seule survivante d'une lignée de motos qui a déjà compté dans ses rangs les modèles American Classic Edition, Aero et autres A.C.E. Tourer. Pourquoi la Sabre continue-t-elle sa route alors que les autres variantes sont depuis longtemps passées au musée ? La raison est sans doute intimement liée au petit penchant performance de la Sabre qui se distingue par son allure élancée de machine d'accélération, un look solidement appuyé par un guidon fuyant relativement bas, une selle étagée mais basse et profilée, de roues coulées en alliage à forte présence visuelle et un imposant pneu arrière de 170 mm. La Sabre a vu le jour au moment où le marché des customs de performances prenait son envol, et elle continue de voguer allègrement sur cette vague qui n'a pas fini de déferler. Pourtant, côté puissance, la Sabre demeure passablement plus timide qu'agressive, son V-Twin n'ayant rien de plus à offrir que les 75 chevaux d'une Shadow Spirit. On est loin des 106 chevaux annoncés par la VTX1800, qui passera sans doute à l'histoire comme la première véritable custom de performances de Honda. Mais malgré une puissance plutôt modeste pour une machine aussi bien en chair que la Sabre – elle fait tout de même 260 kilos à sec –, son moteur peut quand même être qualifié de nerveux puisqu'il prend des tours rapidement et continue de tirer franchement jusqu'en haut. Sa souplesse aux régimes inférieurs est honnête et son niveau de vibration ne devient jamais gênant. Son caractère est toutefois très ordinaire puisque son architecture est celle d'un V-Twin du début de l'ère custom japonaise, qui ne livre aucune sensation prédominante de pulsation ou de rythme saccadé et émet une sonorité plus timide qu'autoritaire. La convivialité du moteur et la richesse du milieu de sa bande de puissance font de la Sabre une machine agréable à piloter, mais le résultat lorsqu'on enroule à fond n'est vraiment pas au niveau des promesses faites par son allure de *Hot Rod*, surtout lorsque la peinture à motif de flammes est commandée.

LE VIEUX V-TWIN PREND SES TOURS RAPIDEMENT ET CONTINUE DE TIRER FRANCHEMENT JUSQU'EN HAUT.

Comme pour les accélérations, la tenue de route reste dans la bonne moyenne pour une custom mais sans plus. La Sabre démontre une stabilité presque sans fautes en ligne droite ou dans les grandes courbes prises à un rythme modéré. L'effort à la direction est faible en entrée de courbe grâce au large guidon et la moto conserve sa trajectoire de manière solide et assez précise. Côté freinage, la puissance est adéquate. La position de conduite place les pieds très à l'avant, et les mains larges et basses, ce qui n'est pas déplaisant à court ou moyen terme. La selle est bonne, mais le fait de concentrer tout le poids sur le fessier et le bas du dos devient inconfortable à la longue. Les suspensions travaillent bien en général, mais leur débattement demeure limité; sur une route dégradée, il faut s'attendre à recevoir de bons coups, surtout à l'arrière.

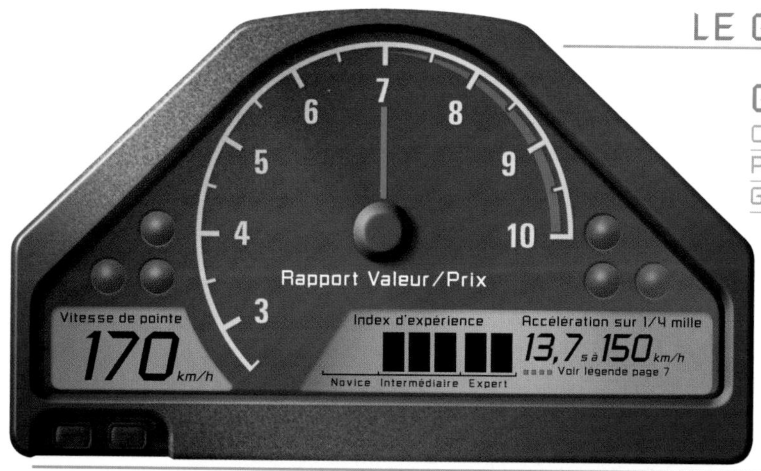

Général

Catégorie	Custom
Prix	12 299 $ (peinture flammes : 12 399 $)
Garantie	1 an/kilométrage illimité
Couleur(s)	noir, titane avec flammes
Concurrence	Harley-Davidson Sportster 1200, Honda VTX1300, Kawasaki Vulcan 1500 Classic, Suzuki Boulevard S83, Yamaha V-Star 1100

Partie cycle

Type de cadre	double berceau, en acier
Suspension avant	fourche conventionnelle de 41 mm non ajustable
Suspension arrière	2 amortisseurs ajustables en précharge
Freinage avant	1 disque de 316 mm de Ø avec étrier à 2 pistons
Freinage arrière	1 disque de 276 mm de Ø avec étrier à 1 piston
Pneus avant/arrière	120/90-18 & 170/80-15
Empattement	1 640 mm
Hauteur de selle	690 mm
Poids à vide	260 kg
Réservoir de carburant	16 litres

Moteur

Type	bicylindre 4-temps en V à 45 degrés, SACT, 3 soupapes par cylindre, refroidissement par liquide
Alimentation	2 carburateurs à corps de 36 mm
Rapport volumétrique	8:1
Cylindrée	1 099 cc
Alésage et course	87,5 mm x 91,4 mm
Puissance	75 ch @ 5 200 tr/min
Couple	65 lb-pi @ 3 000 tr/min
Boîte de vitesses	5 rapports
Transmission finale	par arbre
Révolution à 100 km/h	environ 3 300 tr/min
Consommation moyenne	5,2 l/100 km
Autonomie moyenne	307 km

Conclusion

Lorsque la première Shadow Sabre quitta sa salle de montre pour s'aligner à un feu rouge, la concurrence n'était pas très forte dans la catégorie naissante des customs de performances. Il y a de cela une demi-douzaine d'années et les choses ont passablement évolué depuis avec l'arrivée de machines comme la Harley V-Rod, la Honda VTX1800, la Yamaha Warrior, la Kawasaki Vulcan 2000, etc. Ce qu'il reste à la Sabre sont un look réussi de machine d'accélération et les performances honnêtes mais modestes d'une custom japonaise de grande série du milieu des années 80. Bref, elle n'est pas excitante, mais elle vieillit bien.

QUOI DE NEUF EN 2006 ?

- **Aucun changement**
- **Version noire coûte 200 $ de plus qu'en 2005, aucune augmentation pour la version avec motifs de flammes**

PAS MAL

- **Un niveau de performances qui, sans d'aucune façon être élevé, reste plaisant pour une custom « normale »**
- **Une tenue de route équilibrée, autant dans la stabilité toujours présente que dans l'aplomb en virage**
- **Un thème visuel « performant » bien réussi grâce à l'allure épurée, aux roues massives et à la peinture « flammes »**

BOF

- **Des prestations qui n'ont essentiellement rien à voir avec celles des véritables customs de performances**
- **Un prix qui pourrait être considérablement plus bas compte tenu de l'âge de la mécanique utilisée et de la cylindrée; une Kawasaki Vulcan 1500 Classic est à peine plus chère, après tout**
- **Une suspension arrière dont le travail est rudimentaire et qui se montre rude sur mauvais revêtement**

Shadow Touring

HONDA SHADOW AERO & SPIRIT 750

NOUVELLE VARIANTE

Populaire combinaison...

Prenez l'immense popularité du genre custom – il compte maintenant pour aisément plus de la moitié des ventes de motos –, considérez l'humble état du portefeuille moyen et constatez enfin la réputation encore et toujours forte d'un produit Honda, et vous comprendrez pourquoi la famille d'abordables petites customs du constructeur est si populaire. La Spirit 750 se distingue par une ligne épurée, basse et élancée tandis que l'Aero, qui arbore plutôt un style classique, fait l'impossible pour avoir l'air plus grosse qu'elle ne l'est réellement. Pour 2006, Honda présente en plus une version Touring qui est en fait une Aero équipée d'un pare-brise, de sacoches de cuir et d'un dossier de passager.

Pas besoin d'aller chercher bien loin pour trouver plus viril que les relativement maigres 745 centimètres cubes et les modestes 45 chevaux de ces abordables modèles dans le macho monde des customs. Mais accéder aux montures plus grosses et plus fortes commande aussi une somme beaucoup plus importante. La catégorie des customs de cylindrée moyenne à laquelle appartient ce trio de Shadow a comme spécialité la résolution de ce dilemme, ce qu'elle arrive à faire en alliant caractère mécanique et valeur.

Si, dans le cas de l'Aero, de la Spirit 750 et de la Touring, on ne peut décidément pas parler d'un niveau de performances explosif, le fait est que toutes trois n'en demeurent pas moins des montures fort agréables dans le genre. Tant qu'on n'est pas trop pressé, bien sûr.

HONDA S'EST SÉRIEUSEMENT AFFAIRÉ À TRAVAILLER LA FAÇON AVEC LAQUELLE LE V-TWIN TRANSMET SES VIBRATIONS.

Bien que l'Aero et la Spirit soient techniquement très similaires, certains détails les distinguent, le plus important étant le fait que la première – et sa version de tourisme léger la Touring – utilise un entraînement final par arbre tandis que la seconde dispose d'une chaîne pour entraîner sa roue arrière. La conduite n'est affectée en aucune manière par cette différence, mais la facilité d'entretien, elle, est évidemment de beaucoup supérieure sur l'Aero et la Touring.

Le V-Twin de 745 cc qui les anime a toujours été l'un des moins puissants de la catégorie, mais en revanche, l'un des plus plaisants pour les sens, une caractéristique appréciable quand on sait que les customs de cette cylindrée ne sont généralement pas les plus généreuses au chapitre des sensations moteurs. L'une des facettes de la révision dont a bénéficié l'Aero en 2004 visait d'ailleurs à amplifier davantage cette présence. Honda s'est sérieusement affairé à travailler la façon avec laquelle le petit bicylindre transmet ses vibrations au pilote, ainsi que la sonorité qui s'échappe de son gros silencieux. Par rapport à l'ancienne génération, on remarque d'ailleurs immédiatement un caractère plus marqué grâce à des pulsations de plus forte intensité et à une note plus grave provenant de l'échappement, assez pour laisser croire que la cylindrée de la mécanique a été augmentée, ce qui n'est absolument pas le cas.

Bien que l'Aero, la Touring et la Spirit 750 restent des motos relativement lentes, l'arrivée hâtive de couple combinée à l'agrément tactile et sonore du V-Twin rend la conduite normale non seulement satisfaisante, mais bel et bien plaisante. Il ne faut évidemment pas être trop impatient, et surtout ne pas être habitué à la poussée supérieure d'une grosse cylindrée, mais il reste que les accélérations peuvent tout de même être qualifiées de décentes.

La position de conduite des deux modèles diffère surtout au niveau des guidons – large et reculé sur l'Aero et la Touring, étroit et avancé sur la Spirit –, mais les selles sont basses dans tous les cas. À l'exception d'une direction un peu plus légère sur l'Aero et la Touring en raison de la largeur de leur guidon, un comportement routier amical, stable et très facile définit le genre de conduite que toutes trois proposent.

Rapport Valeur/Prix

Vitesse de pointe 160 km/h

Index d'expérience: Novice Intermédiaire Expert

Accélération sur 1/4 mille 15,4 s à 138 km/h

Voir legende page 7

Général

Catégorie	Custom/Tourisme Léger
Prix	8 649 $ (Shadow Touring : 9 999 $)
Garantie	1 an/kilométrage illimité
Couleur(s)	noir, bourgogne (Aero) noir, orange, titane avec flammes (Spirit 750) argent et blanc, brun et noir, orange et noir (T)
Concurrence	Harley-Davidson Sportster 883, Hyosung Aquila 650, Kawasaki Vulcan 800 Classic et 900 Classic, Suzuki C50, M50 et S50, Triumph America et Speedmaster, Yamaha V-Star 650/Kawasaki Vulcan 900 Classic LT, Suzuki C50T, Yamaha V-Star 650 Silverado

Partie cycle

Type de cadre	double berceau, en acier
Suspension avant	fourche conventionnelle de 41 mm non ajustable
Suspension arrière	2 amortisseurs ajustables en précharge
Freinage avant	1 disque de 296 mm de Ø avec étrier à 2 pistons
Freinage arrière	tambour mécanique de 180 mm de Ø
Pneus avant/arrière	120/90-17 & 160/80-15
Empattement	1 638 mm (Spirit : 1 646 mm)
Hauteur de selle	658 mm (Spirit : 676 mm)
Poids à vide	236 kg (Spirit : 225 kg; Touring : 251kg)
Réservoir de carburant	14 litres (Spirit : 13,6 litres)

Moteur

Type	bicylindre 4-temps en V à 52 degrés, SACT, 3 soupapes par cylindre, refroidissement par liquide
Alimentation	1 (Spirit : 2) carburateur à corps de 34 mm
Rapport volumétrique	9:6
Cylindrée	745 cc
Alésage et course	79 mm x 76 mm
Puissance	45 ch @ 5 000 tr/min
Couple	45 lb-pi @ 3 000 tr/min
Boîte de vitesses	5 rapports
Transmission finale	par arbre
Révolution à 100 km/h	n/d
Consommation moyenne	6,5 l/100 km
Autonomie moyenne	215 km (Spirit : 209 km)

Conclusion

Peu importe la version choisie, les petites Shadow méritent le succès qu'elles obtiennent. Elles s'adressent à une clientèle qui doit être consciente de leurs performances limitées, mais qui peut aussi compter sur un certain agrément de conduite et une facilité de prise en main exceptionnelle. L'arrivée de la version Touring cette année amène une intéressante option puisque les équipements qui la distinguent de l'Aero sont les plus fréquemment installés par les propriétaires après l'achat, et ce, pour un coût souvent supérieur à celui de la différence de prix proposée par Honda.

Shadow Aero

Shadow Spirit 750

QUOI DE NEUF EN 2006 ?

- Introduction de la Shadow Touring
- Aucun changement pour l'Aero et la Spirit 750
- Aero et Spirit coûtent 150 $ de plus qu'en 2005

PAS MAL

- Des styles attrayants; grâce à ses garde-boue très évasés, l'Aero semble avoir les dimensions d'une 1100 tandis que la Spirit 750 a une ligne basse et élancée qui plaît beaucoup
- Un V-Twin qui compense sa puissance limitée par une bonne production de couple à bas régime et, surtout pour l'Aero et la Touring, par une présence mécanique étonnante pour la cylindrée
- Un comportement routier sain et extrêmement facile d'accès qui peut parfaitement les transformer en première moto

BOF

- Un niveau de performances faible dont on peut arriver à se satisfaire, mais seulement si on n'est pas trop gourmand à ce chapitre
- Un entraînement par arbre absent sur la Spirit 750 malgré son arrivée sur l'Aero l'an dernier
- Notre dernière Spirit 750 d'essai avait une suspension arrière douloureusement rude, et rien n'indique qu'une quelconque amélioration n'ait été apportée à ce sujet

Origine de la tradition...

La Shadow 1100 de 1985 est plus qu'à l'origine de cette Shadow Spirit, qui revient inchangée en 2006, c'est elle. Quelques retouches esthétiques ont bien été apportées au modèle 1997, mais à cette exception près, on a affaire à une monture du milieu des années 80. Les Shadow American Classic Edition, A.C.E. Tourer, Aero, et Sabre ont toutes été développées à partir de cette base.

La Spirit personnifie d'un point de vue stylistique le chopper de la gamme Honda avec son guidon en cornes de bouc reculé et ses repose-pieds placés loin devant. La mécanique s'est vu apprêter à plusieurs saveurs au fil des ans, dont l'une émettait même une sonorité étonnamment proche de celle d'une Harley-Davidson – celle de la Shadow 1100 A.C.E. 1995 –, mais depuis peu, toutes les versions de ce V-Twin ont ironiquement disparu sauf l'originale, qui propulse encore cette Spirit et la Sabre. En dépit du déficit de cylindrée qu'elle accuse par rapport aux customs poids lourds de bien plus gros cubage, les accélérations restent vives, alors que les tours grimpent rapidement et autoritairement jusqu'à des régimes relativement hauts.

La qualité de la tenue de route de la Spirit est satisfaisante, mais sa position de conduite à l'ancienne met le pilote moins à l'aise en virage que celles plus décontractées de la plupart des customs courantes. Même si la vitesse est élevée, la stabilité reste toujours bonne en ligne droite ou dans les courbes rapides, alors que le comportement en virage s'avère solide et relativement précis.

Au chapitre du confort, si la position reste acceptable à court ou moyen terme en dépit de sa saveur vieillotte, de longues randonnées taxeront le bas du dos. La selle est en revanche plutôt confortable.

HONDA SHADOW SPIRIT

Général

Catégorie	Custom
Prix	11 599 $
Garantie	1 an/kilométrage illimité
Couleur(s)	bleu, noir
Concurrence	Harley-Davidson Sportster 1200, Honda VTX1300 et Shadow Sabre, Kawasaki Vulcan 1500 Classic, Suzuki Boulevard S83, Yamaha V-Star 1100

Moteur

Type	bicylindre 4-temps en V à 45 degrés, SACT, 3 soupapes par cylindre, refroidissement par liquide
Alimentation	2 carburateurs à corps de 36 mm
Rapport volumétrique	8:1
Cylindrée	1 099 cc
Alésage et course	87,5 mm x 91,4 mm
Puissance	75 ch @ 5 200 tr/min
Couple	65 lb-pi @ 3 000 tr/min
Boîte de vitesses	5 rapports
Transmission finale	par arbre
Révolution à 100 km/h	environ 3 300 tr/min
Consommation moyenne	5,2 l/100 km
Autonomie moyenne	305 km

Partie cycle

Type de cadre	double berceau, en acier
Suspension avant	fourche conventionnelle de 41 mm non ajustable
Suspension arrière	2 amortisseurs ajustables en précharge
Freinage avant	1 disque de 316 mm de Ø avec étrier à 2 pistons
Freinage arrière	tambour mécanique
Pneus avant/arrière	110/90 H19 & 170/80 H15
Empattement	1 651 mm
Hauteur de selle	730 mm
Poids à vide	251 kg
Réservoir de carburant	15,9 litres

HONDA SHADOW VLX

Rapport Valeur/Prix

Vitesse de pointe 149 km/h

Index d'expérience — Novice Intermédiaire Expert

Accélération sur 1/4 mille 14,9 s à 137 km/h

HONDA

Général

Catégorie	Custom
Prix	7 799 $
Garantie	1 an/kilométrage illimité
Couleur(s)	rouge, noir
Concurrence	Kawasaki Vulcan 500 LTD, Suzuki Boulevard S40, Yamaha V-Star 650

Moteur

Type	bicylindre 4-temps en V à 52 degrés, SACT, 3 soupapes par cylindre, refroidissement par liquide
Alimentation	1 carburateur à corps de 34 mm
Rapport volumétrique	9,2:1
Cylindrée	583 cc
Alésage et course	75 mm x 66 mm
Puissance	39 ch @ 6 500 tr/min
Couple	35,5 lb-pi @ 3 500 tr/min
Boîte de vitesses	4 rapports
Transmission finale	par chaîne
Révolution à 100 km/h	environ 4 200 tr/min
Consommation moyenne	4,2 l/100 km
Autonomie moyenne	262 km

Partie cycle

Type de cadre	double berceau, en acier
Suspension avant	fourche conventionnelle de 39 mm non ajustable
Suspension arrière	monoamortisseur ajustable en précharge
Freinage avant	1 disque de 296 mm de Ø avec étrier à 2 pistons
Freinage arrière	tambour mécanique de 160 mm de Ø
Pneus avant/arrière	110/90 H19 & 170/80 H15
Empattement	1 600 mm
Hauteur de selle	650 mm
Poids à vide	208 kg
Réservoir de carburant	11 litres

Poids plume...

Exception faite de légères modifications à sa ligne et à sa carburation en 1999, la petite Shadow VLX 600 est essentiellement une monture identique à celle que Honda présenta en 1988. Il s'agit d'un modèle destiné à une clientèle novice ou craintive pour laquelle des éléments comme une selle très basse, un poids faible et un niveau de puissance modeste sont tout désignés.

Grâce à son faible gabarit, la VLX représente une option intéressante pour les débutants craintifs face à une cylindrée supérieure puisque ses 39 chevaux n'arrivent pas à effrayer qui que ce soit. Par ailleurs, les pilotes de très petite taille l'apprécient pour sa selle exceptionnellement basse.

Même si la puissance de la mécanique n'est pas très élevée, elle permet des accélérations respectables pour autant qu'on soit prêt à la faire tourner. Elle est aussi amplement suffisante pour se déplacer sans difficultés en ville autant que sur l'autoroute. Comme le couple à bas régime est décent et que la transmission ne compte que 4 rapports, les changements de vitesses peuvent être gardés à un minimum. Si tout ça ne semble pas si mal, il faut réaliser qu'il s'agit quand même d'un petit moteur qui renvoie des sensations de petit moteur.

Dès qu'on s'habitue à sa position de conduite de style chopper, la petite VLX se pilote très facilement. Elle s'incline sans effort en entrée de courbe grâce au guidon large, demeure solide et rassurante lorsqu'elle est inclinée et se montre toujours très stable. La garde au sol est relativement généreuse et le freinage est honnête.

Si l'on s'en tient à des sorties de courte ou moyenne durée, la bonne selle et les suspensions correctes conservent un niveau de confort acceptable.

HONDA REBEL

Alphabétisation...

Depuis l'introduction de toute petite moto d'initiation qu'est la Rebel 250, en 1986, le modèle fut à plusieurs reprises retiré de la gamme pour être ensuite réintégré, quand les quantités restantes sur le marché avaient diminué. Le modèle 2006 est en tout point identique à celui de 1986. Typiquement, il s'agit du genre de motos qui intéressent surtout les écoles de conduite.

Les écoles de conduite affectionnent depuis presque toujours la petite Rebel en raison de sa nature extraordinairement basse et légère. Le petit bicylindre de 234 cc refroidi par air ne risque pas d'effrayer qui que soit. Bien que sa puissance annoncée soit de seulement 18 chevaux, la Rebel demeure parfaitement capable de suivre le flot de la circulation urbaine, et même de s'aventurer sur l'autoroute où elle peut maintenir sans trop de problèmes une vitesse légale. Dans presque toutes les situations, il faut néanmoins s'attendre à devoir jouer du sélecteur de vitesses et à faire tourner la mécanique abondamment pour en extraire le meilleur. L'accessibilité est excellente puisque le poids est très faible et qu'il est porté bas sur la moto, si bien que même les plus craintifs prennent rapidement confiance. La très faible hauteur de selle joue aussi un gros rôle à ce sujet. Sur la route, le comportement est caractérisé par une très bonne stabilité en ligne droite, une direction très légère et une solidité tout à fait acceptable en virage. Bien que la position de conduite soit dictée par l'allure custom, elle est plutôt compacte et rien ne semble exagéré. Comme la selle n'est pas mauvaise et que les suspensions sont assez molles, le niveau de confort reste correct.

Général

Catégorie	Custom
Prix	4 899 $
Garantie	1 an/kilométrage illimité
Couleur(s)	noir
Concurrence	Hyosung Aquila 250, Suzuki Marauder 250, Yamaha Virago 250

Moteur

Type	bicylindre parallèle 4-temps, SACT, 2 soupapes par cylindre, refroidissement par air
Alimentation	1 carburateur à corps de 26 mm
Rapport volumétrique	9,2:1
Cylindrée	234 cc
Alésage et course	53 mm x 53 mm
Puissance	18,5 ch @ 8 250 tr/min
Couple	14 lb-pi @ 4 500 tr/min
Boîte de vitesses	5 rapports
Transmission finale	par chaîne

Partie cycle

Type de cadre	berceau semi-double, en acier
Suspension avant	fourche conventionnelle de 33 mm non ajustable
Suspension arrière	2 amortisseurs ajustables en précharge
Freinage avant	1 disque de 240 mm de Ø avec étrier à 2 pistons
Freinage arrière	tambour mécanique
Pneus avant/arrière	3,00-18 & 130/90-15
Empattement	1 450 mm
Hauteur de selle	676 mm
Poids à vide	139 kg
Réservoir de carburant	9,8 litres

HONDA XR650L

Général

Catégorie	Double-Usage
Prix	7 599 $
Garantie	1 an/kilométrage illimité
Couleur(s)	rouge
Concurrence	BMW F650GS, Kawasaki KLR650, KTM 640 Adventure, Suzuki DR650S

Moteur

Type	monocylindre 4-temps, SACT, 4 soupapes, refroidissement par air
Alimentation	1 carburateur à corps de 42,5 mm
Rapport volumétrique	8,3:1
Cylindrée	644 cc
Alésage et course	100 mm x 82 mm
Puissance	43 ch @ 6 000 tr/min
Couple	39 lb-pi @ 5 000 tr/min
Boîte de vitesses	5 rapports
Transmission finale	par chaîne

Partie cycle

Type de cadre	berceau semi-double, en acier
Suspension avant	fourche conventionnelle de 43 mm ajustable en précharge et compression
Suspension arrière	monoamortisseur ajustable en précharge, compression et détente
Freinage avant	1 disque de 256 mm de Ø avec étrier à 2 pistons
Freinage arrière	1 disque de 220 mm de Ø avec étrier à 1 piston
Pneus avant/arrière	3,00-21 & 4,60-18
Empattement	1 455 mm
Hauteur de selle	940 mm
Poids à vide	147 kg
Réservoir de carburant	10,5 litres

Vieille, solide et sérieuse...

Si la XR650L fait penser à la KLR650 en raison de son âge – la Kawasaki date de 1987 et la Honda de 1992 –, le fait est qu'on a affaire à deux genres passablement différents. Alors que la KLR a la réputation d'être une bonne routière, c'est le contraire dans le cas de la XR650L qui est plutôt souvent choisie pour ses capacités à rouler dans à peu près n'importe quelles conditions.

Les 43 chevaux annoncés du gros mono 4-temps de 644 cc refroidi par air de la XR650L suffisent généralement à propulser décemment la double-usage en ville comme sur l'autoroute, où ils permettent même de rouler bien au-dessus des limites. Le prix à payer, outre l'occasionnelle contravention, est un niveau de vibrations assez présent pour vite devenir agaçant, surtout si on s'entête à conserver des vitesses élevées. Par contre, plus les tours sont gardés bas, moins cela devient un problème. Heureusement, le couple à bas régime est bien plus intéressant que la faible dose de puissance supplémentaire amenée par des tours élevés. La XR650L est incontestablement l'une des motos les plus hautes sur le marché, si bien que les moins de six pieds se retrouvent, au mieux, sur le bout des orteils à l'arrêt. La direction est très légère et la tenue de route est surprenante, du moins une fois qu'on s'habitue à la mollesse des suspensions. L'avant est particulièrement mou et plonge beaucoup au freinage. Bien qu'elle ne soit pas assez légère pour une conduite hors-route vraiment agressive, tant qu'on reste près du plancher des vaches, elle passera littéralement partout. Côté confort, la position est dégagée et équilibrée, ce qui est typique pour ce genre de moto, mais la selle étroite et très dure devient vite incommodante.

HONDA

HONDA REFLEX — NOUVEAUTÉ 2006

Semi-mégascooter...

Une nouveauté cette année, le Reflex est un scooter positionné à mi-chemin entre les modèles de 400 cc comme le Suzuki Burgman 400 et le Yamaha Majesty 400, et les traditionnels petits modèles de 150 cc à 200 cc produits par Vespa, par exemple. Il se distingue, entre autres, pas son système de freinage évolué qui est à la fois muni d'un système ABS et LBS.

TECHNIQUE

Compte tenu de la présence sur notre marché des scooters de 400 cc de Suzuki et Yamaha, on aurait pu s'attendre à ce que Honda suive la tendance et importe chez nous son Silver Wing 400, mais le constructeur a plutôt choisi de prendre une direction différente en ajoutant à sa gamme 2006 ce Reflex. Le monocylindre de 249 cc qui propulse la nouveauté est de conception relativement simple puisqu'il est alimenté par un carburateur unique de 30 mm et dispose d'un arbre à cames en tête ouvrant 2 soupapes. Sa transmission automatique V-Matic est plus intéressante puisqu'elle serait capable de s'adapter à trois modes de pilotage : la conduite en ville, les accélérations modérées et, enfin, les pleines accélérations et la haute vitesse. Le Reflex est le seul scooter de cylindrée semblable qui soit muni de dispositifs d'aide au freinage. En effet, en plus d'un système ABS, la nouveauté profite des avantages d'un système LBS qui actionne le frein avant lorsque le frein arrière est sollicité. Le côté pratique qui a fait la réputation de ce genre de véhicules dans de plus gros formats devrait être retrouvé sur le Reflex puisque les dimensions sont similaires à celles d'un 400 et que l'attention portée au confort semble être identique, comme en témoignent les généreuses dimensions du pare-brise et des sièges. Un coffre de 33 litres est dissimulé sous la selle. Aucun prix ne sera avancé par Honda avant le début de la saison 2006, mais il faut compter débourser plus ou moins 7 500 $ pour acquérir les services du Reflex.

Général

Catégorie	Scooter
Prix	n/d
Garantie	1 an/kilométrage illimité
Couleur(s)	bleu
Concurrence	Vespa Granturismo et GTS

Moteur

Type	monocylindre 4-temps, SACT, 2 soupapes refroidissement par liquide
Alimentation	1 carburateur à corps de 30 mm
Rapport volumétrique	10,5:1
Cylindrée	249 cc
Alésage et course	53 mm x 53 mm
Puissance	n/d
Couple	n/d
Boîte de vitesses	automatique
Transmission finale	par courroie

Partie cycle

Type de cadre	en acier
Suspension avant	fourche conventionnelle de 33 mm non ajustable
Suspension arrière	2 amortisseurs ajustables en précharge
Freinage avant	1 disque de 240 mm de Ø avec étrier à 3 pistons et systèmes ABS et CBS
Freinage arrière	1 disque de 220 mm de Ø avec étrier à 1 piston et systèmes ABS et CBS
Pneus avant/arrière	110/90-12 & 130/70-12
Empattement	1 544 mm
Hauteur de selle	721 mm
Poids à vide	172 kg
Réservoir de carburant	12 litres

HONDA BIG RUCKUS

Général

Catégorie	Scooter
Prix	6 999 $
Garantie	1 an/kilométrage illimité
Couleur(s)	argent
Concurrence	aucune

Moteur

Type	monocylindre 4-temps, SACT, 2 soupapes refroidissement par liquide
Alimentation	1 carburateur à corps de 30 mm
Rapport volumétrique	10,5:1
Cylindrée	249 cc
Alésage et course	72,7 mm x 60 mm
Puissance	n/d
Couple	n/d
Boîte de vitesses	automatique
Transmission finale	par courroie

Partie cycle

Type de cadre	en acier
Suspension avant	fourche conventionnelle de 33 mm non ajustable
Suspension arrière	2 amortisseurs ajustables en précharge
Freinage avant	1 disque de 240 mm de Ø avec étrier à 3 pistons et système CBS
Freinage arrière	tambour mécanique de 160 mm avec système CBS
Pneus avant/arrière	110/90-12 & 130/70-12
Empattement	1 448 mm
Hauteur de selle	721 mm
Poids à vide	164,7 kg
Réservoir de carburant	12,1 litres

Curiosité...

Le Big Ruckus est sans l'ombre d'un doute l'un des véhicules à deux roues les plus étranges qui soient. La preuve est qu'il met la classification au défi. Techniquement, il s'agit d'un scooter propulsé par un monocylindre de 250 cc, mais dans la pratique, on y est installé comme sur une custom et on dispose d'un dossier similaire à celui d'une voiture...

Le Big Ruckus pourrait aisément être perçu comme un viol moral du scooter, comme une perversion de goût douteux élaborée sur le thème de ce sympathique petit véhicule à vocation urbaine. Ironiquement, le blindage qui caractérise sa ligne en fait aussi l'un des modes de transport les mieux adaptés pour travailler dans la jungle de la ville. Car de toutes les utilités que nous pouvons imaginer pour lui, la plus logique est celle d'un véhicule de livraison devant consacrer chaque instant de son existence à mener une guerre sans fin avec taxis, vélos et piétons. L'absence de tout carénage le rend presque indestructible tandis que la large surface de transport révélée par le soulèvement de la portion arrière du siège – qui devient alors un dossier pour le pilote – semble conçue sur mesure pour transporter boîtes de pizza, colis urgents ou coffre à outils. Les accélérations sont franches et peuvent même donner du fil à retordre à une Toyota Echo, mais le petit mono se fatigue rapidement une fois la barre des 110 km/h franchie. On peut, avec beaucoup de patience et une torsion impitoyable de la poignée droite, arriver à voir 120 km/h au compteur, mais la moindre bourrasque de vent abaissera vite ce chiffre. Ainsi, si la possibilité de s'aventurer sur l'autoroute est tout à fait réelle, c'est plutôt en ville, encore une fois, que le Big Ruckus se retrouve dans son élément. Bien qu'il soit possible que l'intention originale de Honda ne fût pas celle de créer une deux-roues utilitaire, le Big Ruckus n'a vraiment de sens que si on le considère comme l'équivalent chez les scooters d'une génératrice ou d'une tondeuse.

HONDA JAZZ

Vertueux...

Honda a choisi il y a quelques années d'effectuer un virage vert et de limiter sévèrement sa production de scooters à moteur 2-temps. Le Jazz est l'un des premiers résultats de ce changement de philosophie puisqu'il est propulsé par l'un des rares monocylindres 4-temps de cette cylindrée. Le prix à payer pour cette propreté n'est pas une facture plus élevée, mais plutôt une puissance faible.

Depuis aussi longtemps qu'on se souvienne, et surtout par souci d'économie, les petits scooters ont toujours été propulsés devant par une mécanique 2-temps plus simple et moins coûteuse à produire qu'une 4-temps de cylindrée égale. Bien que le constructeur ne cache pas que le niveau de puissance de son Jazz soit inférieur à celui des cyclomoteurs traditionnels à moteurs 2-temps, il affirme en revanche que la plus grande production de couple typique d'une mécanique 4-temps, et ce, sur une plus grande plage de régimes, réduirait considérablement l'écart de performance. Notre expérience nous a plutôt démontré que si le Jazz est sans doute beaucoup plus propre qu'un 2-temps traditionnel, il est en revanche plus lent. D'un autre côté, Honda annonce également une durée de vie beaucoup plus longue pour la mécanique, ainsi qu'une consommation d'essence et un niveau sonore bien inférieurs à ceux des scooters 2-temps, ce qui est effectivement juste comme information.

Le Jazz innove également à plusieurs autres chapitres. Le freinage, par exemple, fait appel au système CBS (Combined Braking System) généralement retrouvé sur les machines sportives et de tourisme du constructeur. Le levier de frein arrière actionne les tambours des deux roues, alors que le levier avant fonctionne de façon conventionnelle.

Général

Catégorie	Scooter
Prix	2 699 $ (motif : 2 749 $)
Garantie	1 an/kilométrage illimité
Couleur(s)	rouge, bleu, motifs chinoix rouge ou bleu
Concurrence	tous les scooters de 50 cc

Moteur

Type	monocylindre 4-temps, SACT, refroidissement par liquide
Alimentation	1 carburateur à corps de 15 mm
Rapport volumétrique	n/d
Cylindrée	49 cc
Alésage et course	n/d
Puissance	n/d
Couple	n/d
Boîte de vitesses	automatique
Transmission finale	par courroie

Partie cycle

Type de cadre	aluminium
Suspension avant	fourche conventionnelle
Suspension arrière	monoamortisseur
Freinage avant	tambour mécanique
Freinage arrière	tambour mécanique avec CBS
Pneus avant/arrière	90/90-10 & 90/90-10
Empattement	1 191 mm
Hauteur de selle	711 mm
Poids à vide	71 kg
Réservoir de carburant	5 litres

HONDA RUCKUS

Général

Catégorie	Scooter
Prix	2 749 $ (Camouflage : 2 799 $)
Garantie	1 an/kilométrage illimité
Couleur(s)	blanc, camouflage
Concurrence	tous les scooters de 50 cc

Moteur

Type	monocylindre 4-temps, SACT, refroidissement par liquide
Alimentation	1 carburateur à corps de 15 mm
Rapport volumétrique	n/d
Cylindrée	49 cc
Alésage et course	n/d
Puissance	n/d
Couple	n/d
Boîte de vitesses	automatique
Transmission finale	par courroie

Partie cycle

Type de cadre	aluminium et acier
Suspension avant	fourche conventionnelle
Suspension arrière	monoamortisseur
Freinage avant	tambour mécanique
Freinage arrière	tambour mécanique
Pneus avant/arrière	120/90-10 & 130/90-10
Empattement	1 265 mm
Hauteur de selle	739 mm
Poids à vide	82 kg
Réservoir de carburant	5 litres

Bébé Ruckus...

Malgré son air de famille avec le Big Ruckus, le petit Ruckus n'a absolument rien à voir avec le modèle de 250 cc. Considérez-le plutôt comme un Jazz avec pneus ballon et un carénage en moins. En effet, le Jazz et le Ruckus ont tous deux la particularité d'avoir recours à un petit monocylindre 4-temps relativement peu puissant, mais économique en carburant et beaucoup plus propre qu'un 2-temps.

Oubliez que l'engin sur lequel vous êtes assis ressemble à s'y méprendre à un scooter qui aurait été retrouvé après avoir été volé et dépecé, et le Ruckus renvoie une impression très proche de celle qu'offre n'importe quel cyclomoteur de style plus normal. On est ainsi positionné de façon typique, dos droit, pied devant et mains basses, sur une confortable selle large et plate. Tout comme le Jazz, le Ruckus se caractérise par sa mécanique 4-temps refroidie par liquide qui diffère grandement des petits moteurs 2-temps refroidis par air forcé presque toujours retrouvés sur les scooters de cette cylindrée. L'avantage du 4-temps est qu'il ne nécessite pas d'huile à mélange – son huile à moteur doit par contre être changée périodiquement, un entretien inexistant sur les 2-temps – et que sa durée de vie est théoriquement supérieure. Le désavantage de ce type de mécanique est en revanche son faible niveau de puissance. Sur le Ruckus, ou on ouvre les gaz complètement, ou on ne les ouvre pas. L'accélération n'est pas mauvaise, mais certes pas excitante. On se rend sans trop de peine jusqu'aux 50 km/h indiqués, mais ça devient pénible ensuite. Les 60 km/h sont possibles, mais seulement si toutes les conditions sont favorables. Ses gros pneus constituent une assurance de plus contre les dommages facilement causés aux petites roues habituelles, et ses suspensions sont très souples.

GT 650 S/T

HYOSUNG GT 650

SV, ou presque...

Les ressemblances qui existent entre la série des Hyosung GT 650 et les Suzuki SV650 sont évidentes. Selon le constructeur coréen, qui fait en 2006 sa première véritable offensive sur le marché canadien avec des modèles « sérieux », cette similitude viendrait du fait qu'il fut mandaté par Suzuki durant plusieurs années à la construction des petits Twins sportifs. Quoi qu'il en soit, c'est en annonçant son trio de GT 650 comme des équivalents moins coûteux des SV650 que Hyosung tente de vendre sa GT 650 standard, sa GT 650 S semi-carénée et sa GT 650 S/T entièrement carénée. La réalité n'est pas tout à fait fausse, mais elle n'est pas tout à fait vraie non plus.

Comparer n'importe quelle moto à une SV650S est un couteau à double tranchant car s'il s'agit d'un lien certainement intéressant pour l'acheteur, le fait est que la sportive de Suzuki est une excellente petite moto, si bien que quiconque s'y mesure place la barre extrêmement haute pour son propre produit et pour les attentes que le motocycliste a envers ce dernier. Dans le cas des GT 650, les similitudes avec la petite SV sont effectivement nombreuses. Il s'agit d'une moto de dimensions très semblables, donc compacte, légère et positionnant son pilote de manière sportive, mais pas trop agressive. L'impression générale renvoyée par l'ensemble est bel et bien celle d'une moto japonaise et non celle d'un produit de construction douteuse, une façon dont on perçoit souvent les produits asiatiques non japonais. Paradoxalement, une GT 650 est également très différente d'une SV650 en ce sens qu'on ne ressent pas, à ses commandes, la finesse et le degré extrêmement élevé de sophistication de la Suzuki. En fait, la GT 650 semble avoir un retard d'au moins une génération sur la Suzuki. Cette réalité ne fait absolument pas une mauvaise moto de la coréenne, mais elle doit être connue et acceptée du motocycliste qui envisage son achat.

SANS QUE CELA EN FASSE UNE MAUVAISE MOTO, LA GT SEMBLE AVOIR UN RETARD D'AU MOINS UNE GÉNÉRATION SUR LA SV.

Avec son cadre en aluminium, sa fourche inversée et ses roues larges chaussées de pneus sportifs de qualité, la partie cycle de la GT 650 se montre solide et relativement précise. Pilotée très agressivement, comme sur un circuit, la coréenne se débrouille bien sans toutefois afficher la pureté d'une sportive japonaise actuelle. La stabilité dans toutes les circonstances est particulièrement impressionnante, même si elle vient au détriment d'une légèreté de direction qui ne sort pas de l'ordinaire dans les enfilades rapides. Sur la route, l'écart existant en piste par rapport aux prestations d'une SV650 devient négligeable. Dans cet environnement, qui sera en grande majorité celui des propriétaires, on découvre des suspensions qui travaillent correctement, une protection au vent généreuse pour les modèles S et S/T, une selle satisfaisante pour un modèle sportif et une instrumentation qui, malgré sa portion numérique parfois difficile à lire, s'avère complète. L'un des seuls véritables bémols de la GT 650 au chapitre du comportement se trouve au niveau des freins qui, sur les modèles d'essai, n'avaient pas le mordant auquel on s'attend d'un système à disque triple.

Le petit V-Twin de 650 cc est l'un des principaux attraits des GT 650 puisqu'il s'agit d'une très rare proposition dans ce créneau, la seule autre façon de faire l'expérience d'une telle mécanique étant avec une SV650. Le niveau de performances de cette dernière, bien que très légèrement supérieur, est d'ailleurs un bon indicateur de celui de la coréenne. Agréablement coupleuse à bas et moyen régimes et réservant un amusant punch juste avant la zone rouge, la GT 650 fait vivre à son pilote l'expérience du V-Twin sportif au moyen d'une plaisante sonorité et de pulsations clairement ressenties par les guidons. Comme sur la Suzuki, il s'agit de sensations qui compensent amplement pour le niveau de puissance limité.

Trio de Twins

Trois variantes de la GT 650 sont proposées : la S/T, ci-haut, avec son plein carénage, la S, qui est une version semi-carénée de celle-ci (page suivante), et le modèle standard ci-bas, qui se distingue aussi des deux autres par son guidon plus haut qui relève considérablement la position de conduite. Notons que les S et S/T disposent de repose-pieds dont la position est ajustable, ce qui est une caractéristique très rarement retrouvée, peu importe le genre de moto.

Jolie coréenne

L'un des points forts des GT 650 est sans l'ombre d'un doute leur jolie mine qui semble provenir d'un croisement entre une SV650S et une Ducati 749. La finition n'a rien de méchant du tout puisqu'elle est comparable à celle d'un produit japonais, tandis que les composantes utilisées semblent d'une qualité au moins satisfaisante. Compte tenu de leur prix, les GT 650 représentent une bonne valeur, du moins tant qu'on est prêt à accepter un certain recul au chapitre de la tenue de route et de la sophistication mécanique.

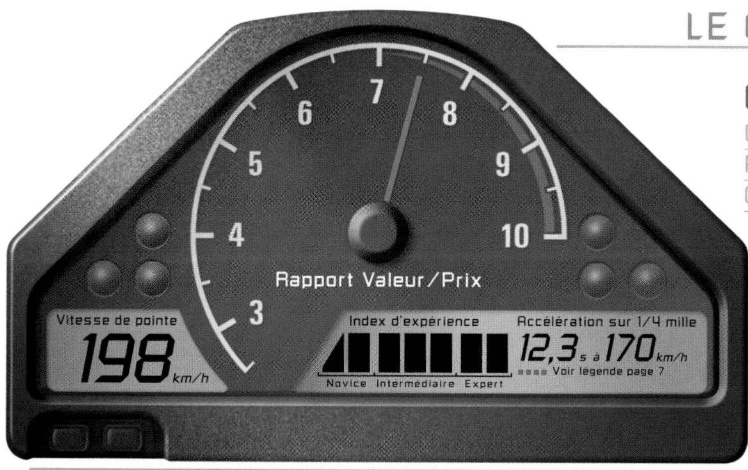

Général

Catégorie	Sportive
Prix	8 295 $ (S : 7 795 $; S/T : 8 295 $)
Garantie	2 ans/kilométrage illimité
Couleur(s)	rouge, jaune, noir
Concurrence	Kawasaki Ninja 650R, Suzuki SV650S et SV650

Partie cycle

Type de cadre	périmétrique, en aluminium tubulaire
Suspension avant	fourche inversée de 41 mm non-ajustable
Suspension arrière	monoamortisseurs ajustable en précharge
Freinage avant	2 disques de 300 mm de Ø avec étriers à 2 pistons
Freinage arrière	1 disque de 230 mm de Ø avec étrier à 2 pistons
Pneus avant/arrière	120/60 ZR17 & 160/60 ZR17
Empattement	1 435 mm
Hauteur de selle	780 mm
Poids à vide	193 kg
Réservoir de carburant	17 litres

Moteur

Type	bicylindre 4-temps en V à 90 degrés, DACT, 4 soupapes par cylindre, refroidissement par liquide
Alimentation	2 carburateurs à corps de 36 mm
Rapport volumétrique	11,4:1
Cylindrée	647 cc
Alésage et course	81,5 mm x 62 mm
Puissance	76 ch @ 9 000 tr/min
Couple	50 lb-pi @ 7 500 tr/min
Boîte de vitesses	6 rapports
Transmission finale	par chaîne
Révolution à 100 km/h	environ 4 200 tr/min
Consommation moyenne	6,9 l/100 km
Autonomie moyenne	246 km

Conclusion

Il ne fait aucun doute que les GT 650 généreront de l'intérêt de la part d'une clientèle avide de valeur, ce que l'une ou l'autre des variantes du modèle coréen livre clairement puisqu'on parle d'environ un millier de dollars en moins qu'un modèle correspondant de SV650. Si le budget le permet, l'excellente japonaise demeure aisément un meilleur choix, mais l'important est de savoir que si les finances de l'acheteur ne permettent pas d'aller plus loin que les montants demandés par Hyosung, alors l'affaire semble honnête, ce qui est quand même pas mal. La GT 650 dispose par ailleurs de certains avantages, comme une ligne que certains trouveront plus intéressante et une fort jolie version entièrement carénée qui n'est pas disponible chez Suzuki. Bref, comme premier essai, face à une moto aussi aboutie et respectée que la Suzuki SV650, la GT 650 aurait pu faire bien pire. Elle n'impressionne pas, mais elle satisfait.

QUOI DE NEUF EN 2006 ?

- **Nouveaux modèles**

PAS MAL

- **Une valeur intéressante puisqu'on parle d'environ un millier de dollars en moins qu'un modèle correspondant de la réputée Suzuki SV650, pour des caractéristiques peut-être pas équivalentes, mais à tout le moins semblables**
- **Un petit V-Twin au caractère plaisant, dont la souplesse à bas et mi-régime est agréable et dont les performances sont fort acceptables**
- **Un comportement qui impressionne par sa stabilité dans toutes les circonstances ainsi que par sa facilité de prise en main**

BOF

- **Une tenue de route qui n'a pas la pureté de celle de la SV650 à laquelle Hyosung compare le modèle, et ce, surtout en pilotage agressif**
- **Une mécanique carburée qui fonctionne correctement, mais qui n'affiche pas le degré de sophistication du V-Twin doux et parfaitement injecté de la SV650**
- **Un système de freinage techniquement à jour sur papier, mais qui déçoit sur le terrain : la sensation au levier avant est spongieuse et la puissance est limitée, tandis que l'arrière « crie » presque toujours**
- **Un niveau de fiabilité qui doit être établi en passant le test du temps avant d'être tenu pour acquis**

HYOSUNG AQUILA 650

Surprise coréenne...

Le fait que des voitures coréennes sillonnent nos routes depuis déjà deux décennies ne semble rien enlever à l'attitude perplexe des motocyclistes face à l'arrivée d'un manufacturier de motos coréen chez nous. Mais attention, comme l'ont fait Hyundai et Kia sur quatre roues, Hyosung pourrait vous surprendre sur deux. L'Aquila 650 en est d'ailleurs un bel exemple puisqu'elle s'amène sur le marché avec passablement plus qu'un prix alléchant comme seul argument de vente. Propulsée par une mécanique qui, techniquement, se veut essentiellement la jumelle de celle des GT 650, elle propose un genre de style et de performances jusque-là inconnu dans cette classe.

Plutôt que se distinguer uniquement par un prix irrésistiblement bas, ce qui est souvent l'avantage principal des manufacturiers coréens, l'inhabituelle custom qu'est l'Aquila 650 surprend en amenant à la catégorie une proposition totalement inédite. Affichant fièrement un massif cadre à double berceau au lieu de désespérément tenter de le cacher, exhibant des lignes aussi excentriques que provocantes plutôt qu'un prévisible et populaire style classique, et utilisant un V-Twin de sportive en lieu et place de la timide mécanique propulsant habituellement les motos de cette classe, l'Aquila 650 semble en effet tout faire pour s'éloigner des normes établies par la classe.

Avant même qu'on s'installe à ses commandes, l'Aquila choque. La combinaison de ses proportions longues et basses et de son style musclé rappelle bien quelques motos, comme la Boulevard M50, mais à plusieurs égards la 650 coréenne fait beaucoup penser à la Harley-Davidson V-Rod. Compte tenu de l'habitude qu'ont les constructeurs de ce pays de s'inspirer allègrement des designs déjà établis, il serait d'ailleurs très peu étonnant que des photos de la célèbre custom américaine aient orné, ça et là, les bureaux de stylisme de Hyosung. Il n'y a toutefois pas qu'au niveau du style que l'Aquila 650 rappelle la V-Rod puisque les deux modèles empruntent également des directions parallèles en matière de conception. En effet, il s'agit actuellement des seules customs du marché qui soient propulsées par des V-Twin sportifs beaucoup plus puissants que les moteurs de customs classiques de cylindrée équivalente.

À PLUSIEURS ÉGARDS, LA 650 CORÉENNE FAIT BEAUCOUP PENSER À LA HARLEY-DAVIDSON V-ROD.

Selon Hyosung, le V-Twin qui anime cette dernière – il vient de la GT 650 – serait un proche parent du moteur de la SV650S, ce qui s'expliquerait par le fait que la compagnie coréenne a durant plusieurs années construit des motos pour le compte de Suzuki.

L'utilisation d'une telle mécanique donne à l'Aquila un caractère double. Car si le petit Twin fait preuve de suffisamment de souplesse pour traîner sans jamais rouspéter sur la première moitié de sa plage de régimes – dont la zone rouge s'élève au-delà des 10 000 tr/min –, on a littéralement qu'à retarder les changements de rapport et laisser le Twin tourner sur la moitié supérieure de cette plage pour avoir droit à des performances qui sont simplement dans une autre ligue pour une monture de cette catégorie. En ligne droite, en pleine accélération, l'Aquila 650 se moquera de customs disposant d'une cylindrée deux fois plus importante, bien qu'elle génère évidemment un couple à bas régime beaucoup plus faible.

L'une des appréhensions les plus communes auxquelles sont confrontés les produits coréens concerne la qualité réelle des véhicules. Bien qu'il soit pour l'instant impossible de se prononcer sur sa fiabilité à long terme, force est d'admettre qu'à aucun niveau l'Aquila 650 ne donne l'impression d'être mal conçue ou mal assemblée. En fait, à l'exception d'une transmission légèrement rugueuse et occasionnellement imprécise, et de l'aspect un peu plastique de certains chromes, on trouve peu à lui reprocher. Surtout que la liste de caractéristiques – freinage par disque triple, entraînement par courroie, fourche inversée, etc. – qu'elle offre d'origine est fort généreuse.

Mini V-Rod

S'il est une moto qui a clairement influencé les designers coréens, c'est bien la V-Rod. Mais l'Aquila 650 a quand même sa propre personnalité visuelle, dont la différence est même carrément rafraîchissante. Comme sur les GT 650 S et S/T, les repose-pieds avant de l'Aquila 650 peuvent être ajustés, dans ce cas en deux positions.

Générosité

Partout où l'on regarde, l'Aquila 650 semble offrir des caractéristiques dont une custom de cette catégorie plus traditionnelle ne dispose pas. Le freinage à disque triple en est un bel exemple, de même que l'utilisation d'une courroie comme type d'entraînement final, et celle d'une fourche de type inversé.

À l'image du reste de la moto, l'instrumentation de la Hyosung Aquila 650 fait fi des tendances et retient plutôt une présentation entièrement numérique. On ne détesterait pas disposer d'un tachymètre vu les hauts régimes dont est capable le moteur, tandis que la lisibilité en plein soleil n'est pas idéale, mais à ces exceptions près, ça reste complet et facile à consulter.

Bien que le chrome abondamment retrouvé sur les diverses composantes de l'Aquila 650 soit loin d'afficher une qualité exceptionnelle, l'effet général est réussi et donne à la moto un air un peu moins bas de gamme qu'un tel prix de détail le suggère habituellement.

Général

Catégorie	Custom
Prix	8 795 $
Garantie	2 ans/kilométrage illimité
Couleur(s)	noir, bleu, argent
Concurrence	Harley-Davidson Sportster 883, Honda Shadow Aero et Spirit 750, Kawasaki Vulcan 800 Classic, Suzuki C50, M50 et S50, Triumph America et Speedmaster, Yamaha V-Star 650

Partie cycle

Type de cadre	double berceau, en acier
Suspension avant	fourche inversée de 41 mm non-ajustable
Suspension arrière	2 amortisseurs ajustable en précharge
Freinage avant	2 disques de 300 mm de Ø avec étriers à 2 pistons
Freinage arrière	1 disque de 230 mm de Ø avec étrier à 2 pistons
Pneus avant/arrière	120/70 ZR18 & 180/55 ZR17
Empattement	1 700 mm
Hauteur de selle	749 mm
Poids à vide	200 kg
Réservoir de carburant	17 litres

Moteur

Type	bicylindre 4-temps en V à 90 degrés, DACT, 4 soupapes par cylindre, refroidissement par liquide
Alimentation	2 carburateurs à corps de 36 mm
Rapport volumétrique	11,4:1
Cylindrée	647 cc
Alésage et course	81,5 mm x 62 mm
Puissance	72,4 ch @ 9 000 tr/min
Couple	55,2 lb-pi @ 7 200 tr/min
Boîte de vitesses	5 rapports
Transmission finale	par courroie
Révolution à 100 km/h	environ 4 200 tr/min
Consommation moyenne	6,8 l/100 km
Autonomie moyenne	250 km

Conclusion

Propulsée par une mécanique dont la nature nerveuse compense amplement pour tout manque de sensations classiques, bâtie autour d'un châssis solide et bien maniéré, présentée de façon étonnamment différente pour un manufacturier dont le pays d'origine rime pourtant avec «imitation» et, bien entendu, proposée pour une somme fort raisonnable, l'Aquila 650 semble être la candidate parfaite pour briser la glace et commencer à convaincre un marché friand de bons prix, mais non moins prudent, le nôtre, que l'option d'une moto coréenne mérite à juste titre d'être considérée. Tout ce qu'il reste maintenant à voir est si la fiabilité sera dès maintenant au rendez-vous, ou s'il elle se fera attendre quelque temps.

QUOI DE NEUF EN 2006 ?

- **Nouveau modèle**

PAS MAL

- **Une mécanique provenant de la sportive GT 650 qui donne à l'Aquila des ailes en ligne droite, pour une custom bien entendu, et pour autant qu'on soit prêt à faire tourner le V-Twin à haut régime**
- **Une tenue de route solide et sans surprises qui se combine à un poids relativement faible pour en faire une monture dont la prise en main est d'une grande facilité**
- **Une ligne qui fait plus qu'essayer de recréer le thème de la custom classique et cherche plutôt à rejoindre celui de la radicale V-Rod**

BOF

- **Une transmission dont les rapports ne se passent pas toujours en douceur et avec laquelle on doit occasionnellement, insister**
- **Un niveau de fiabilité complètement inconnu; la mécanique serait basée sur le V-Twin de la SV650S, mais il ne s'agit tout simplement pas d'un moteur fabriqué par Suzuki et l'Aquila devra passer le test du temps avant qu'on puisse trancher sur cette question; cela dit, la garantie de 2 ans offerte par Hyosung demeure rassurante**
- **Une qualité de finition très correcte compte tenu du prix, mais on ne peut que constater l'aspect plastique et un peu bon marché des pièces chromées qui abondent sur l'Aquila**

Standard miniature...

Avant les modèles de 650 cc récemment introduits et les 1 000 cc qui arriveront dans un avenir rapproché, la spécialité des manufacturiers comme Hyosung demeure la production de petites cylindrées, un fait clairement évident sur la GT 250. Propulsée par un petit V-Twin de 250 cc, elle n'a pas vraiment d'équivalent direct sur notre marché.

Autant il s'avère clair en pilotant les GT 650 que Hyosung a encore un bout de chemin à faire avant de rattraper les produits japonais rivaux, autant il devient clair en prenant les commandes des petites cylindrées du constructeur coréen qu'il n'a de comptes à rendre à personne dans ce créneau. La GT 250 en est un bel exemple puisqu'en considérant son prix, sa cylindrée et sa vocation, on ne peut franchement pas lui reprocher grand-chose. L'une de ses caractéristiques les plus impressionnantes est l'entrain démontré par son minuscule V-Twin. Timide, mais quand même parfaitement utilisable sous les 6 000 ou 7 000 tr/min, il s'éveille ensuite jusqu'à sa zone rouge. Étonnamment doux à tous les régimes, il ne demande qu'à tourner. On arrive à 100 km/h en milieu de troisième et maintenir une telle vitesse sur l'autoroute ne cause pas le moindre problème. Comme la transmission est excellente et que l'embrayage est léger et facile à doser, exploiter tout le potentiel du petit moulin n'a rien d'une corvée. On s'attend à ce qu'une standard de 250 cc soit légère et agile, ce qui est le cas de la GT 250. Mais on ne s'attend pas vraiment à ce qu'une moto de cette cylindrée soit aussi solide et stable. Le fait qu'elle soit construite autour d'un cadre qui semble être une proche copie de celui de la Suzuki GS500 n'est certainement pas étranger à cette qualité, tout comme la présence d'une fourche de type inversée à l'avant. Le niveau de confort est bon puisque la position assise ne taxe aucune partie de l'anatomie et que les suspensions sont plus souples que fermes.

Général

Catégorie	Standard
Prix	4 995 $
Garantie	2 ans/kilométrage illimité
Couleur(s)	rouge, bleu, jaune
Concurrence	aucun autre(s) possibilité(s) : Kawasaki ZZ-R250

Moteur

Type	bicylindre 4-temps en V à 75 degrés, DACT, 4 soupapes par cylindre, refroidissement par air et huile
Alimentation	2 carburateurs
Rapport volumétrique	11,2:1
Cylindrée	249 cc
Alésage et course	57 mm x 48,8 mm
Puissance	27,5 ch @ 10 250 tr/min
Couple	15,5 lb-pi @ 7 500 tr/min
Boîte de vitesses	5 rapports
Transmission finale	par chaîne

Partie cycle

Type de cadre	périmétrique, en acier
Suspension avant	fourche inversée non ajustable
Suspension arrière	monoamortisseur non ajustable
Freinage avant	1 disque de 300 mm de Ø avec étrier à 2 pistons
Freinage arrière	1 disque de 220 mm de Ø avec étrier à 1 piston
Pneus avant/arrière	110/70-17 & 150/70-17
Empattement	1 445 mm
Hauteur de selle	795 mm
Poids à vide	15 kg
Réservoir de carburant	17 litres

HYOSUNG **AQUILA 250**

Général

Catégorie	Custom
Prix	4 895 $
Garantie	2 ans/kilométrage illimité
Couleur(s)	noir et gris
Concurrence	Honda Rebel 250, Yamaha Virago 250

Moteur

Type	bicylindre 4-temps en V à 75 degrés, DACT, 4 soupapes par cylindre, refroidissement par air et huile
Alimentation	2 carburateurs
Rapport volumétrique	11:1
Cylindrée	249 cc
Alésage et course	57 mm x 48,8 mm
Puissance	26,8 ch @ 9 200 tr/min
Couple	15,7 lb-pi @ 7 300 tr/min
Boîte de vitesses	5 rapports
Transmission finale	par chaîne

Partie cycle

Type de cadre	double berceau, en acier
Suspension avant	fourche conventionnelle non ajustable
Suspension arrière	2 amortisseurs non ajustable
Freinage avant	1 disque de 275 mm de Ø avec étrier à 2 pistons
Freinage arrière	tambour mécanique de 130 mm de Ø
Pneus avant/arrière	110/90-16 & 150/80-15
Empattement	1 490 mm
Hauteur de selle	700 mm
Poids à vide	170 kg
Réservoir de carburant	14 litres

Cours de coréen...

Motorisée par un tout petit bicylindre en V de 250 cc, la Hyosung Aquila 250 s'adresse aux motocyclistes novices, à qui elle propose non seulement une grande facilité de maniement, mais aussi des performances d'un niveau respectable, ce qui n'est pas toujours la norme chez ces petites motos. Elle partage la catégorie avec les Honda Rebel 250 et Yamaha Virago 250.

Comme c'est le cas avec la GT, l'autre petite 250 de Hyosung, l'Aquila 250 accomplit sa mission de petite moto d'initiation de belle façon. Très basse, elle est aussi très légère, bien que ce ne soit pas au point de paraître frêle. La selle est un peu étrangement formée, tandis que la position de conduite à saveur custom n'est pas la plus naturelle qui soit et pourrait coincer les pilotes très grands. La maniabilité du modèle est certainement l'une de ses plus grandes qualités puisque les manoeuvres les plus serrées s'accomplissent sans le moindre accroc, une caractéristique qu'on doit en partie au poids faible et à la direction légère, mais aussi à la facilité de modulation de l'embrayage et aux bonnes prestations de la petite mécanique dans les tout premiers tours de sa plage de régimes. S'il est un autre aspect de l'Aquila qui doit être considéré par un éventuel acheteur, il s'agit de celui de la motorisation puisqu'une si petite cylindrée peut parfois s'avérer atrocement léthargique. Ce n'est heureusement pas le cas ici, le petit V-Twin permettant même de circuler en ville sans devoir constamment tourner très haut. Les 100 km/h sont atteints avec aisance sur le troisième rapport et sont maintenus sans problème puisque le moteur ne tourne qu'à 7 000 tr/min à cette vitesse, bien en dessous de sa zone rouge de 12 000 tr/min. La sonorité qui s'échappe du silencieux double est sympathique et les vibrations ne sont jamais un problème, même lorsqu'on fait abondamment monter les régimes. Tant que le but de l'achat reste l'initiation, la petite Aquila tire très bien son épingle du jeu.

Prima Racing

Prima Rally

HYOSUNG PRIMA RALLY ET RACING

Jumeaux...

Le créneau des scooters de 50 cc s'est vu envahi, ces dernières années, par une horde de compagnies taiwanaises ou coréennes. Il semblerait que des quantités assez impressionnantes de nos jeunes – ou leurs parents – achètent ces engins. Les Prima Rally et Prima Racing, qui sont en fait une base identique apprêtée à deux sauces distinctes, entendent réclamer une part de ce marché.

Le Racing et le Rally utilisent le même petit moteur 2-temps de 50 cc, le même châssis et la même carrosserie. Le Rally affiche un style hors-route agressif qui vise clairement le populaire Yamaha BW's. Il se distingue visuellement du Racing par la présence d'un garde-boue avant surélevé, d'un petit saute-vent, d'une instrumentation moins classique et d'un porte-bagage. D'un point de vue technique, la plus grande différence se trouve au niveau de l'utilisation de roues coulées de 10 pouces montées de pneus de bonnes dimensions sur le Rally, une caractéristique qui devrait rendre ces roues plus résistantes aux nombreux cratères qui parsèment nos routes que les frêles roues en acier souvent retrouvées sur ces engins. Le Racing utilise quant à lui aussi des roues coulées, mais dont le diamètre est de 12 pouces, ce qui n'est certainement pas la norme pour un scooter de 50 cc. Notons que malgré l'apparence hors-route du Rally, sa capacité à rouler en sentier n'est ni plus ni moins que celle du Racing. Le niveau de performances livré par le duo de Prima est typique pour des scooters de 50 cc à moteur 2-temps, ce qui signifie qu'ils s'élancent avec volonté à partir d'un arrêt et atteignent assez rapidement les 65 km/h. Des vitesses légèrement plus élevées sont possibles, mais elles arrivent lentement et dépendent de conditions comme le vent ou le poids des passagers. À ce sujet, autant le Racing que le Rally disposent de la capacité d'amener légalement un passager. Tous deux bénéficient d'un espace de rangement situé sous la selle dont le volume est suffisant pour accepter un casque intégral.

Général

Catégorie	Scooter
Prix	Rally : 2 495 $; Racing : 2 549 $
Garantie	1 an/ 10 000 kilomètres
Couleur(s)	rouge, argent
Concurrence	tous les scooters 50 cc

Moteur

Type	monocylindre 2-temps, refroidissement par air forcé
Alimentation	1 carburateur à corps de 14 mm
Rapport volumétrique	n/d
Cylindrée	49 cc
Alésage et course	41 mm x 37,4 mm
Puissance	3,45 ch
Couple	n/d
Boîte de vitesses	automatique
Transmission finale	par courroie

Partie cycle

Type de cadre	en acier
Suspension avant	fourche conventionnelle non ajustable
Suspension arrière	monoamortisseur non ajustable
Freinage avant	1 disque de 162 mm de Ø avec étrier à 1 piston
Freinage arrière	tambour mécanique
Pneus avant/arrière	Rally : 120/90-10 & 130/90-10 Racing : 110/70-12 & 120/70-12
Empattement	1 270 mm
Hauteur de selle	740 mm
Poids à vide	88kg (Rally : 96 kg)
Réservoir de carburant	4,8 litres

HYOSUNG SENSE

Général

Catégorie	Scooter
Prix	2 095 $
Garantie	1 an/ 10 000 kilomètres
Couleur(s)	rouge, jaune, bleu
Concurrence	tous les scooters 50 cc

Moteur

Type	monocylindre 2-temps, refroidissement par air forcé
Alimentation	1 carburateur à corps de 14 mm
Rapport volumétrique	n/d
Cylindrée	49 cc
Alésage et course	41 mm x 37,4 mm
Puissance	n/d
Couple	n/d
Boîte de vitesses	automatique
Transmission finale	par courroie

Partie cycle

Type de cadre	en acier
Suspension avant	fourche conventionnelle non ajustable
Suspension arrière	monoamortisseur non ajustable
Freinage avant	1 disque avec étrier à 1 piston
Freinage arrière	tambour mécanique
Pneus avant/arrière	100/80-10 & 100/80-10
Empattement	1 260 mm
Hauteur de selle	740 mm
Poids à vide	84kg
Réservoir de carburant	5 litres

Pas cher, pas cher...

Selon les dires du constructeur coréen, les liens qui l'unissent avec Suzuki seraient nombreux et serrés. Car en plus de la similitude évidente qui existe entre ses GT 650 et les SV650, Hyosung affirme que son scooter Sense est en fait une ancienne génération du Suzuki AE50, et ce, jusque dans les moindres détails. Possible, mais il va falloir finir par avoir la version de Suzuki à ce sujet.

L'un des principaux arguments de vente du Sense est qu'il s'agit d'un des scooters de 50 cc les moins chers sur le marché. Pour arriver à un tel prix, certains sacrifices ont évidemment dû être faits, mais de manière générale, ils ne semblent pas majeurs. La ligne est, par exemple, relativement ordinaire et n'affiche pas de graphiques très élaborés tandis que les roues en acier de 10 pouces sont tout ce qu'il y a de plus rudimentaire dans le genre. Il est toutefois intéressant de noter qu'on a quand même droit à une selle assez longue et à une seconde paire de repose-pieds – le nécessaire pour accueillir un passager –, et que du côté du freinage, le disque hydraulique avant n'a pas été remplacé par un tambour plus économique et moins performant. Du côté pratique, le Sense n'a rien à envier aux modèles plus chers puisqu'il dispose lui aussi du volumineux et traditionnel «trou à casque» caché sous la selle, en plus d'un petit porte-bagages. L'un des aspects les plus importants sur un véhicule du genre, celui des performances permises par la petite mécanique 2-temps, ne souffre pas non plus du prix faible puisque les accélérations sont à peu près du même ordre que celles des modèles Hyosung Prima, ou de la plupart des autres scooters 2-temps de 50 cc vendus à ces prix. On accélère donc de façon respectable à partir d'un arrêt et on atteint assez facilement les 65 km/h. Toute progression supplémentaire devient toutefois pénible. Comme la plupart des modèles similaires, le Sense offre un freinage décent, une agilité de bicyclette et des suspensions rudimentaires, mais raisonnablement efficaces.

Son tour arrive...

Pour 2006, la bonne vieillarde qu'est la Concours est de retour une fois de plus sans le moindre changement. Mais ses jours de vieillesse pourraient être comptés, du moins si en croit les dires d'un directeur de produits de qui *Le Guide de la Moto* a réussi à arracher quelques renseignements lors d'une visite des installations de Kawasaki à Akashi, au Japon, à la fin de 2005. Pas moyen de savoir si le nom Concours survivra ou quand exactement elle disparaîtra, mais une chose nous a été clairement dite : sa remplaçante, qui serait présentement en développement, sera à l'image de chaque nouveauté Kawasaki, c'est-à-dire imprégnée de la notion de performances.

Le fait que la Concours ait été introduite il y a une vingtaine d'années et n'ait jamais réellement évolué depuis n'a décidément rien d'excitant. Cela dit, il n'empêche pas le vieux modèle de remplir sa mission de tourisme à saveur sportive de manière adéquate. On pourrait dire sans trop se tromper que la Concours est probablement l'un des modèles les plus rentables pour Kawasaki, car en plus de n'avoir rien coûté ou presque au constructeur en termes d'évolution au fil des ans, sa construction n'a pas requis la conception d'un modèle entièrement nouveau. En effet, la Concours est dérivée de la Ninja 1000R 1986. Bien que le moteur ait été recalibré pour offrir des prestations plus routières que sportives, il n'en demeure pas moins que son comportement rappelle grandement celui du 4-cylindres original; un son grave typique des vieilles Ninja et une bonne puissance surtout disponible à haut régime. On ne conduit pas une Concours comme une ST1300 puisque la Kawasaki demande une action plus fréquente du sélecteur de vitesses et des régimes régulièrement plus élevés, mais elle vous récompense en revanche par des performances qui peuvent encore être qualifiées d'actuelles pour la classe. Par contre, ces tours élevés amènent des vibrations constantes de la part de la mécanique, un fait qui enlève un peu d'agrément à l'expérience. Cela dit, compte tenu des nombreux milliers de dollars d'économie que fait réaliser l'achat d'une Concours par rapport à ses équivalents modernes, on s'y fait quand même sans trop de peine.

ON CHERCHERAIT EN VAIN UN AJUSTEMENT ÉLECTRIQUE DU PARE-BRISE, DES ÉLÉMENTS CHAUFFANTS OU UN SYSTÈME ABS.

Pour autant que vous arriviez à oublier ces vibrations, vous pourriez rouler loin et longtemps, en partie grâce au généreux réservoir d'essence, mais surtout grâce à l'honnête niveau de confort. La position à saveur sportive ne meurtrit pas vos articulations, la selle s'avère courtoise envers votre fessier, les suspensions calibrées entre sport et confort ne vous maltraitent pas et la protection décente du carénage vous protège des éléments. Le pare-brise n'est cependant pas idéalement formé et crée une turbulence ennuyante au niveau du casque. De plus, lorsqu'elle est placée dans le flot d'air des autres véhicules, surtout des camions, la Concours voit sa stabilité affectée alors qu'elle se met à louvoyer au gré des mouvements d'air. Mis à part ce défaut, la tenue de route est tout à fait acceptable puisqu'elle est exempte de véritables mauvaises manières et que la direction ne demande qu'un effort minime pour amorcer un virage.

L'un des aspects pour lequel l'âge de la Concours n'entre pas vraiment en ligne de compte est celui de l'équipement. Bien entendu, on chercherait en vain un ajustement électrique du pare-brise, des éléments chauffants, un système de freinage ABS ou une radio, mais tout le reste est là, de la pratique béquille centrale aux valises de bon volume et dont la dépose se fait sans complication, en passant par l'instrumentation complète.

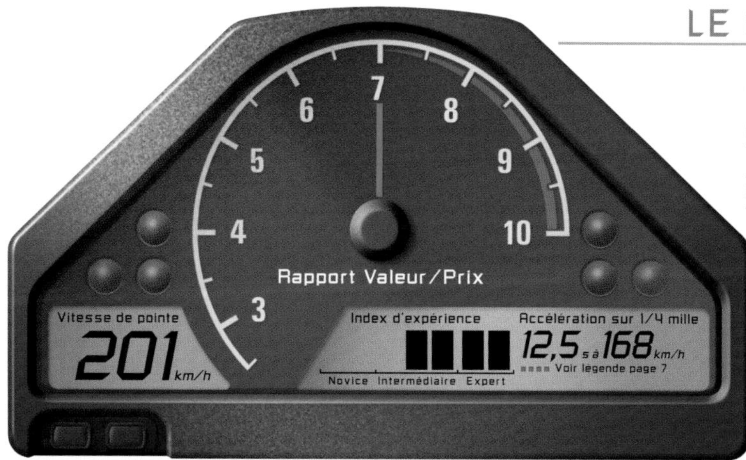

Général

Catégorie	Sport-Tourisme
Prix	12 299 $
Garantie	3 ans/kilométrage illimité
Couleur(s)	bleu
Concurrence	aucune

Partie cycle

Type de cadre	épine dorsale, en acier
Suspension avant	fourche conventionnelle de 41 mm ajustable en précharge
Suspension arrière	monoamortisseur ajustable en détente et en pression d'air
Freinage avant	2 disques de 300 mm de Ø avec étriers à 4 pistons
Freinage arrière	1 disque de 270 mm de Ø avec étrier à 2 pistons
Pneus avant/arrière	120/70 VR18 & 150/80 VR16
Empattement	1 555 mm
Hauteur de selle	815 mm
Poids à vide	265 kg
Réservoir de carburant	28,5 litres

Moteur

Type	4-cylindres en ligne 4-temps, DACT, 4 soupapes par cylindre, refroidissement par liquide
Alimentation	4 carburateurs à corps de 32 mm
Rapport volumétrique	10,2:1
Cylindrée	997 cc
Alésage et course	74 mm x 58 mm
Puissance	91 ch @ 9 700 tr/min
Couple	72,3 lb-pi @ 6 500 tr/min
Boîte de vitesses	6 rapports
Transmission finale	par arbre
Révolution à 100 km/h	environ 3 500 tr/min
Consommation moyenne	5,7 l/100 km
Autonomie moyenne	500 km

Conclusion

Malgré son âge avancé et son flagrant retard technologique, on ne peut qualifier la Concours de modèle à éviter, et ce, simplement parce qu'elle remplit toujours sa mission de manière honorable. Il faut néanmoins être conscient du fait qu'un tel choix ne permettra pas du tout de vivre la fluidité de comportement, de bénéficier de la commodité de l'équipement et de profiter du plaisir de pilotage considérablement plus élevé des équivalents modernes. En fait, pour qu'une Concours soit un choix sensé, un acheteur doit absolument vouloir du neuf – puisqu'une machine plus moderne mais d'occasion peut aisément être obtenue pour le prix d'une Concours neuve – et on doit absolument être limité à ce genre de budget. Certaines rumeurs voudraient que sa remplaçante soit basée sur la nouvelle ZX-14, comme c'est le cas de la BMW K1200GT qui est dérivée de la K1200S. L'idée semble très intéressante, mais il est clair qu'il faudra alors compter sur une facture d'un tout autre niveau.

QUOI DE NEUF EN 2006 ?

- **Aucun changement**
- **Aucune augmentation de prix**

PAS MAL

- **Un prix toujours assez bas et distant de celui des rivales modernes pour justifier sa présence sur le marché actuel**
- **Une mécanique aux origines sportives qui permet des performances intéressantes, tant qu'on y met les régimes**
- **Un niveau de confort correct amené par une position équilibrée, une bonne selle et des suspensions bien calibrées**

BOF

- **Du vieux qui marche bien pour pas trop cher, c'est bien, mais du nouveau qui marche mieux, même pour un peu plus cher, c'est mieux; beaucoup attendent la remplaçante de la Concours avec impatience, et l'idée de baser cette dernière sur la nouvelle ZX-14 semble brillante**
- **Une mécanique aux origines lointaines qui ne brille ni par sa souplesse ni par sa douceur de fonctionnement**
- **Un pare-brise qui crée de la turbulence au niveau du casque et une sensibilité élevée aux mouvements d'air créés par les gros véhicules comme les camions**

KAWASAKI **NINJA ZX-14**

NOUVEAUTÉ 2006

Puissance 14...

Kawasaki avoue s'être un peu perdu, ces dernières années. La compagnie, dont le nom a longtemps été synonyme des meilleures performances de l'industrie, n'a plus cette réputation. Cette image, le constructeur d'Akashi dit non seulement vouloir la regagner, mais bien *devoir* la faire renaître. Cette motivation a d'ailleurs été l'une des idées directrices derrière des modèles comme la ZX-6R et ses 636 cc, la puissante Vulcan 2000 Classic et la spectaculaire ZX-10R. Avec la nouvelle ZX-14, qui remplace à la fois la ZX-12R et la ZZR1200, Kawasaki compte non seulement relancer la guerre des sportives ultimes, mais aussi la dominer comme il l'a fait si longtemps avec sa ZX-11.

TECHNIQUE

Qui ne se souvient pas de la réputation de Kawasaki durant la longue période où modèle après modèle sortant des usines du manufacturier semblait n'avoir comme but que la vitesse pure et qui ne se rappelle pas des nombreuses années où le seul défi du constructeur semblait être celui de surpasser les performances de ses propres modèles ? Depuis le début des années 70, des motos comme la Z1 de 1972 avec son 4-cylindres de 900 cc, sa version de 1 000 cc lancée en 1977, la Z1-R, et la monstrueuse Z1300 à 6 cylindres de 1977 ont contribué à forger un solide lien entre le nom Kawasaki et l'idée de la performance sur deux roues. Et cela ne faisait que commencer puisqu'une série de Ninja devait marquer davantage cette image au cours des années 80. Les Ninja 900R de 1984, Ninja 1000R de 1986, Ninja ZX-10R de 1988 ont en effet toutes été les reines incontestées de la vitesse et de la performance durant leur époque. Les années 90 commencèrent de la même manière avec l'introduction d'une Ninja encore plus rapide, la ZX-11. Il a fallu attendre 7 ans avant que le modèle soit sérieusement menacé, par la Honda CBR1100XX de 1997, et presque une dizaine d'années avant qu'il soit détrôné par la Suzuki GSX1300R Hayabusa de 1999. N'eut été d'un commun accord entre les manufacturiers nippons de ne plus chercher à augmenter la vitesse de pointe au-delà des 300 km/h, Kawasaki jure que sa ZX-12R de 2000 aurait surpassé la Suzuki.

LA ZX-14 ENTEND S'IMPOSER COMME LA REINE INCONTESTÉE DU 0-300 KM/H...

Peut-être plus que tout autre modèle de son histoire, deux Ninja, les ZX-7 et ZX-9R, contribuèrent à l'effritement de la réputation du constructeur, puisque toutes deux furent laissées inchangées et non compétitives durant une période où les autres constructeurs, au contraire, amenaient la notion de performance sur deux roues à un niveau complètement nouveau.

La mission de la nouvelle ZX-14 est de contribuer à rétablir la crédibilité et la notoriété de Kawasaki en matière de performance pure. On ne peut parler de vitesse pure puisque le constructeur n'entend pas briser la limite de 299 km/h que lui et ses pairs se sont imposée. Personne n'a toutefois dit qu'il fallait limiter le temps nécessaire à atteindre cette vitesse... La plupart des voitures sont mesurées en 0-100 km/h et certains bolides exotiques le sont même en 0-200 km/h. La ZX-14 entend s'imposer comme la reine incontestée du 0-300 km/h...

Techniquement, la ZX-14 peut-être vue comme une nouvelle génération de ZX-12R à laquelle un certain aspect pratique a été ajouté. Construite autour d'un châssis monocoque en aluminium inspiré de celui de la ZX-12R, la ZX-14 utilise un titanesque 4-cylindres de 1 352 cc, lui aussi basé sur celui de la ZX-12R. Les suspensions sont typiques pour une sportive tandis que des disques « à pétales » similaires à ceux des ZX-10R et ZX-6R, ainsi que des étriers avant à montage radial se chargent du freinage. Comme ce fut le cas pour la ZX-12R, l'aérodynamisme de la ZX-14 a nécessité l'aide du département de l'aéronautique du constructeur, qui produit également des avions à réaction.

La nouvelle ZX-14 reprend là où les ZX-12R et ZZR1200 ont laissé. Sa conception se rapproche beaucoup plus de celle d'une ZX-12R, mais le niveau de praticité de la ZZR1200 l'aurait aussi influencée. Sur les marchés étrangers, elle est d'ailleurs connue sous le nom de ZZR1400.

200 chevaux, quelqu'un ?

Produire une puissance avoisinant les 200 chevaux n'a pas été une affaire particulièrement complexe pour Kawasaki puisque la mécanique de la ZX-12R n'en était pas loin déjà. Allongez la course des pistons de 1 mm et leur alésage de 5,6 mm pour un gain de 153 cc, et voilà ! Le cadre en aluminium de type monocoque contient la boîte à air et la batterie, tandis que l'essence est contenue dans un réservoir qui s'étend sous le siège, là où logerait normalement la batterie. Le choix d'un système d'échappement à silencieux double s'explique par le besoin vital en volume d'échappement qu'a une mécanique de grosse cylindrée. Notons que cette dernière produisant facilement assez de puissance aux régimes bas et moyen, aucune soupape de contrôle n'est installée dans le système d'échappement. Quant à ces globuleux et nombreux phares avant, ils s'illuminent tous en position haute, tandis que seuls ceux du centre restent allumés en position basse.

Général

Catégorie	Sportive
Prix	15 699 $
Garantie	1 an/kilométrage illimité
Couleur(s)	noir, bleu, rouge
Concurrence	BMW K1200S, Suzuki GSX1300R Hayabusa

Partie cycle

Type de cadre	monocoque, en aluminium
Suspension avant	fourche inversée de 43 mm ajustable en précharge, compression et détente
Suspension arrière	monoamortisseur ajustable en précharge, compression et détente
Freinage avant	2 disques de 310 mm de Ø avec étriers radiaux à 4 pistons
Freinage arrière	1 disque de 250 mm de Ø avec étrier à 2 pistons
Pneus avant/arrière	120/70 ZR17 & 190/50 ZR17
Empattement	n/d (environ 1 480 mm)
Hauteur de selle	n/d (environ 810 mm)
Poids à vide	n/d (environ 220 kg)
Réservoir de carburant	n/d (environ 20 litres)

Moteur

Type	4-cylindres en ligne 4-temps, DACT, 4 soupapes par cylindre, refroidissement par liquide
Alimentation	injection à 4 corps de 43 mm
Rapport volumétrique	12,7:1
Cylindrée	1 352 cc
Alésage et course	84 mm x 61 mm
Puissance sans Ram Air	190 ch @ 10 000 tr/min
Puissance avec Ram Air	200 ch @ 10 000 tr/min
Couple	n/d
Boîte de vitesses	6 rapports
Transmission finale	par chaîne
Révolution à 100 km/h	n/d
Consommation moyenne	n/d
Autonomie moyenne	n/d

Conclusion

Il y a maintenant des années que nous reprochons à la ZX-12R d'aborder son thème sportif de manière trop radicale et sans raison valable, et à la ZZR1200 de ne pas être assez confortable pour la routière qu'elle est censée être. Avec environ 200 chevaux sous le capot et une cylindrée si colossale, nous n'avons aucun doute quant au potentiel dément de performances annoncé par Kawasaki – qui parle d'accélérations rappelant celles d'un avion de chasse qui enclenche les *afterburners,* une image qui paraît presque possible –, mais tout ce que nous espérons est qu'une dose raisonnable de confort a réellement fait partie des buts à réaliser lors de la conception du modèle. Parce que les motocyclistes attirés par ce genre d'engin n'ont rien à faire d'une position agressive ou d'une suspension rude. Heureusement, l'existence de cet aspect confort semble être de la partie. On verra, entre deux tickets...

QUOI DE NEUF EN 2006 ?

- Nouveau modèle basé sur la mécanique et la partie cycle de la ZX-12R

PAS MAL

- Un moteur qui devrait amener une nouvelle signification au geste de la rotation d'une poignée droite; avec 1 400 cc, l'annonce de quelques 200 chevaux et la réputation de Kawasaki sur la ligne, quoi que ce soit de moins serait décevant
- Une partie cycle de toute évidence conçue pour la stabilité à haute vitesse et la facilité d'accélération
- Un aspect confort qui ne semble pas avoir été oublié, du moins espérons-le

BOF

- Une conception que ne semble pas avoir tenu compte de l'allégement de la moto de manière particulière, ce qui porte à croire que la ZX-14 ne sera pas particulièrement agile; au fond, c'est peut-être une bonne chose puisqu'en n'ayant pas d'intentions trop sportives, il n'y a pas de raison pour exagérer la position ou durcir les suspensions
- Pauvre permis de conduire et pauvre portefeuille; au moins, ce sera bon durant le court temps où ils survivront...

KAWASAKI NINJA ZX-10R

NOUVEAUTÉ 2006

Gracieuse rage...

La première génération de la Ninja ZX-10R présentée en 2004 avait les défauts de ses qualités. Puissante au point de presque en être violente, agile au point de presque en être nerveuse, elle demandait un solide bagage d'expérience du pilote caressant l'idée de la pousser à ses limites. Grâce à une révision qui a pratiquement touché chacune des pièces qui la composent, la première évolution du modèle lancée cette année est non seulement plus rapide, mais aussi étonnamment plus facile à exploiter. À peine une vingtaine de publications dans le monde, dont *Le Guide de la Moto*, furent invitées au Japon afin de découvrir la bête sur le circuit qui a servi à la faire naître.

Propriété de Kawasaki Heavy Industries depuis le printemps 2005, le circuit d'Autopolis siège majestueusement au sommet d'une chaîne de montagnes au nord de la région de Kyushu, au Japon. Malgré ses impressionnantes proportions – il fait presque 5 kilomètres de long, comporte 20 virages et une ligne droite de presque un kilomètre –, aux commandes de la dernière évolution de la ZX-10R, ce circuit me semble avoir les dimensions d'une piste de go-kart. La sportive reine du constructeur d'Akashi était déjà un monstre dans sa première incarnation, mais les accélérations et les vitesses que je vis sur celle-là sont d'une autre nature. Pourtant, la nouvelle ZX-10R n'affiche ni une puissance supérieure à l'ancien modèle – elle est identique – ni un poids inférieur. Elle a même pris 5 kilos, conséquence d'un système d'échappement double, mais surtout d'un lourd catalyseur. L'explication de cet accroissement notable des performances demande absolument une piste pour être comprise, puisque c'est uniquement dans cet environnement que la ZX-10R peut démontrer à quel point elle permet d'ouvrir les gaz *plus tôt* et *plus grand* en sortant d'un virage. Cette qualité, qui est aujourd'hui l'une des plus difficiles à obtenir d'une sportive très puissante, génère un calibre de vélocité qui m'a franchement demandé une période d'acclimatation. Avec l'exception possible de la dernière Suzuki GSX-R1000, rien que j'aie piloté à ce jour n'arrive à faire disparaître la distance entre deux virages avec une telle combinaison de rage et de grâce.

DE 7 000 TR/MIN À SA ZONE ROUGE DE 13 000 TR/MIN, LA ZX-10R EST UN MONSTRE QUI SE DÉCHAÎNE AVEC UNE ENSORCELANTE FURIE, EN LÂCHANT AU PASSAGE UN HALLUCINANT HURLEMENT.

L'une des plus grandes améliorations de la livrée de puissance de la nouveauté est l'accroissement de son couple à bas régime. Kawasaki tenait fortement à la réalisation de ce but, qui est d'ailleurs en grande partie responsable de la présence de silencieux double puisque seul ce dernier donnait aux ingénieurs le volume d'échappement recherché. Si le 4-cylindres de 998 cc se révèle très bien rempli sous les 5 000 tr/min, entre ce régime et 7 000 tr/min, un monstre s'éveille. Puis, de là jusqu'à la zone rouge de 13 000 tr/min, ce monstre se déchaîne avec une ensorcelante furie, lâchant au passage un hallucinant hurlement provenant de l'admission.

La combinaison de ce grandiose niveau de puissance à une injection absolument sans failles permet à la ZX-10R de littéralement se catapulter dès l'instant où un virage commence à s'ouvrir. Arriver à marier de telles performances à un tel contrôle relève de l'exploit. Parlant de contrôle, notons que plusieurs intéressants dérapages et même quelques chutes ont poussé nos hôtes à rapidement remplacer les pneus de série – des Dunlop Qualifier développés en collaboration avec Kawasaki pour la ZX-10R – par leur version hautes performances. Ce n'est qu'à partir de ce moment qu'il fut possible de réellement exploiter toute la puissance de la Ninja.

On commence à comprendre, maintenant que la plupart des grosses 1000 japonaises produisent des niveaux très élevés de puissance, toute la difficulté des équipes de courses à mettre ces chevaux au sol de manière aussi civilisée que possible.

Si la façon dont cette puissance arrive est critique, la qualité des réactions du châssis l'est tout autant. Alors que l'ancienne ZX-10R pouvait s'agiter en pleine accélération si la chaussée n'était pas parfaite, l'évolution du modèle s'est révélée être un exemple de stabilité sur le circuit d'Autopolis. Bien que le remaniement de la géométrie de la partie cycle soit le grand responsable de cette amélioration de stabilité, la présence en équipement de série d'un amortisseur de direction Öhlins de haute qualité y est aussi pour quelque chose. S'il y a un envers de médaille à cette nouvelle stabilité, c'est que la direction de la nouvelle ZX-10R est un tout petit peu moins immédiate lors de l'initiation d'un virage ou de la négociation d'un gauche-droite rapide. Compte tenu de la violence dont serait capable la moto sans ces améliorations, il s'agit d'un compromis parfaitement acceptable. Surtout qu'en bout de ligne, on arrive à boucler un tour de piste à la fois plus rapidement et plus facilement, ce qui est exactement le but de l'exercice.

On s'attend d'une monture du calibre de la ZX-10R qu'elle soit rien de moins qu'ultra précise en courbe, et elle l'est. Pensez à la ligne désirée, visez là, poussez sur les guidons et vous y êtes au pouce près, tour après tour. En pleine inclinaison, la ZX-10R est parfaitement sereine. Le système de freinage est exceptionnellement puissant, mais il demande une certaine pression au levier et ne provoque pas de ralentissement brutal dès que ce dernier est touché, une combinaison de facteurs qui permet de freiner fort, mais de facilement moduler l'intensité du ralentissement.

Plusieurs améliorations importantes ont été faites au niveau de la mécanique, améliorations qui font bénéficier la tenue de route de manière directe. La transmission rugueuse de la première génération est remplacée sur la nouvelle ZX-10R par une boîte de vitesses absolument exquise dont les rapports se passent sans effort et sans faille. Puis, il y a la présence de l'embrayage à limiteur de contrecouple. Il faut avoir vécu les bienfaits d'un tel système à l'approche d'une courbe suivant un freinage intense, comme l'une des deux épingles d'Autopolis, pour comprendre à quel point il est précieux.

Au chapitre des détails quotidiens, on perçoit relativement peu de changements par rapport à l'ancienne version de la ZX-10R. La position est toujours assez radicale, les suspensions sont toujours plutôt fermes et la selle est toujours décente. On remarque que la mécanique n'est pas un exemple de douceur puisqu'elle génère une vibration à haute fréquence qu'on ressent surtout au niveau des poignées. D'un autre côté, Kawasaki s'est enfin débarrassé de l'ancienne instrumentation dont le tachymètre était pratiquement impossible à lire à la volée, en pleine accélération, pour le remplacer par un design innovateur à mi-chemin entre une instrumentation analogue et numérique.

Revue et corrigée

Même si l'architecture générale de la nouvelle ZX-10R a très peu changé, tout, ou presque, est revu. Les modifications les plus importantes sont retrouvées au niveau de la ligne plus aérodynamique, du moteur profondément retravaillé afin de produire plus de puissance de façon plus contrôlée – d'où le double silencieux à grand volume – et du châssis qui est entièrement remanié. Ce dernier, qui utilise maintenant un amortisseur de direction Öhlins, dispose d'un bras oscillant plus long dont le pivot est plus bas, tandis que la rigidité du cadre a été complètement modifiée afin de laisser le pilote ouvrir les gaz plus tôt et plus grand en sortant de courbe. Et ça marche.

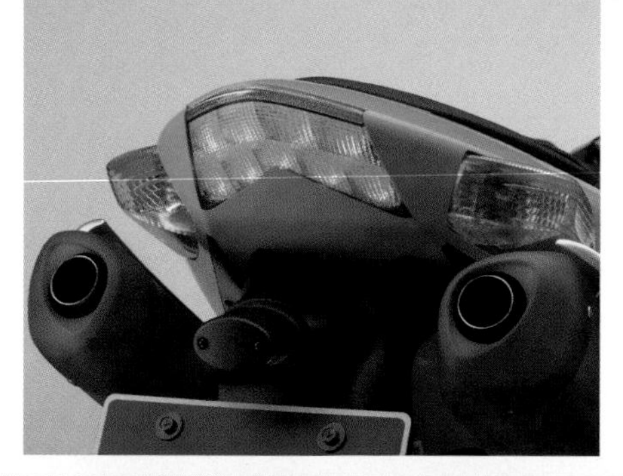

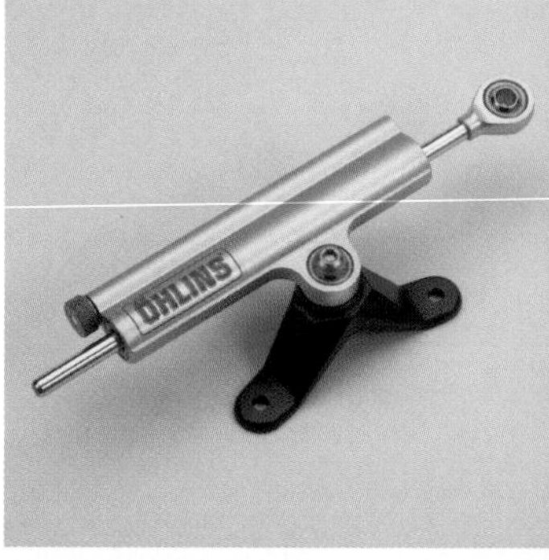

Rapport Valeur/Prix

Vitesse de pointe: 295 km/h

Index d'expérience: Novice Intermédiaire Expert

Accélération sur 1/4 mille: 10,1 s à 231 km/h

Voir légende page 7

Performances estimées

Général

Catégorie	Sportive
Prix	15 199 $
Garantie	1 an/kilométrage illimité
Couleur(s)	vert, noir, jaune
Concurrence	Honda CBR1000RR, Suzuki GSX-R1000, Yamaha YZF-R1

Partie cycle

Type de cadre	périmétrique, en aluminium
Suspension avant	fourche inversée de 43 mm ajustable en précharge, compression et détente
Suspension arrière	monoamortisseur ajustable en précharge, compression, détente et pour l'assiette
Freinage avant	2 disques « à pétales » de 300 mm de Ø avec étriers radiaux à 4 pistons
Freinage arrière	1 disque à « pétales » de 220 mm de Ø avec étrier à 1 piston
Pneus avant/arrière	120/70 ZR17 & 190/55 ZR17
Empattement	1 390 mm
Hauteur de selle	825 mm
Poids à vide	175 kg
Réservoir de carburant	17 litres

Moteur

Type	4-cylindres en ligne 4-temps, DACT, 4 soupapes par cylindre, refroidissement par liquide
Alimentation	injection à 4 corps de 43 mm
Rapport volumétrique	12,7:1
Cylindrée	998 cc
Alésage et course	76 mm x 55 mm
Puissance sans Ram Air	174 ch @ 11 500 tr/min
Puissance avec Ram Air	184 ch @ 11 500 tr/min
Couple	85 lb-pi @ 9 500 tr/min
Boîte de vitesses	6 rapports
Transmission finale	par chaîne
Révolution à 100 km/h	environ 4 000 tr/min
Consommation moyenne	6,9 l/100 km
Autonomie moyenne	246 km

Conclusion

Aux commandes d'une sportive pure d'un litre, peu importe laquelle, les moments passés avec la poignée droite complètement ouverte sont rares, courts et extrêmement intenses. Sur le circuit d'Autopolis, malgré son niveau de puissance fabuleux, la ZX-10R s'est montrée assez docile pour me permettre de vivre ce genre d'instants d'extase en dose inhabituellement généreuse. Il s'agit d'une version revue et corrigée de la première génération, ce qui signifie qu'elle reprend toutes les qualités de celle-ci en s'attaquant de manière très sérieuse à ses lacunes. La transformation est considérable puisque la ZX-10R est passée d'une bête puissante, mais aussi violente et occasionnellement nerveuse, à un instrument de vitesse finement calibré. J'en suis descendu en me secouant la tête, complètement ébahi devant ses capacités, incapable d'imaginer comment un tel niveau de performances peut être surpassé.

QUOI DE NEUF EN 2006 ?

- Seconde génération de la Ninja ZX-10R lancée en 2004
- Coûte 200 $ de plus qu'en 2005

PAS MAL

- Une livrée de puissance majestueuse qui se montre à la fois plus substantielle que sur l'ancien modèle, particulièrement à bas et moyen régimes, et plus accessible que sur la première génération
- Un châssis merveilleusement bien maniéré compte tenu du genre de puissance qu'il doit passer au sol; pour un pilote d'expérience, la nouvelle ZX-10R est maintenant l'une des grosses 1000 les plus faciles et les plus gratifiantes à exploiter en piste
- Un amortisseur de direction est enfin installé, et un bon

BOF

- Un poids à la hausse puisque la nouvelle ZX-10R prend 5 kg; sans que cela n'affecte vraiment les performances en piste – et absolument pas sur la route –, il reste qu'on s'éloigne du concept de la 1000 dont le comportement sur circuit est celui d'une 600, surtout que ces dernières, elles, s'allègent continuellement
- Un système d'échappement à silencieux double et haut qui est, à n'en pas douter, bénéfique aux mi-régimes de la ZX-10R, mais dont l'allure ne fait pas l'unanimité et dont le poids est situé loin du centre de masse, ce qui va à l'encontre du reste de la conception
- Une mécanique qui vibre toujours un peu au niveau des poignées

Kawasaki

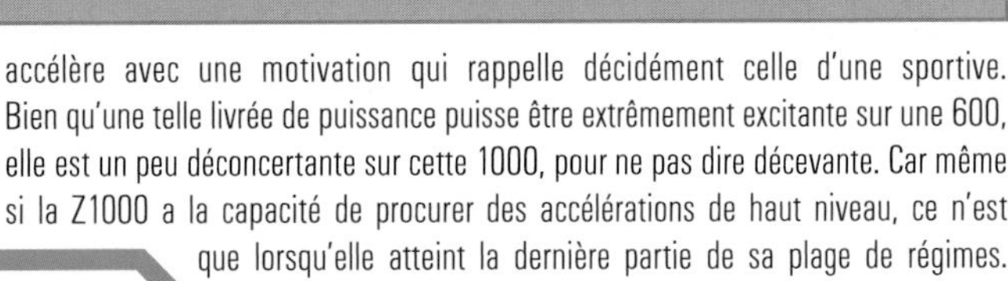

Standard énervée...

La spécialisation des modèles de motos au cours des dernières décennies a engendré la création d'une multitude de classes et de sous-catégories, à un tel point qu'il est parfois difficile de s'y retrouver. Par exemple, alors que l'apparence dénudée de la Z1000 devrait faire d'elle une standard, dans les faits, elle appartient à une classe plus sportive et plus pointue que la bonne vieille machine à tout faire qu'est une véritable standard. Les Européens parlent de roadsters, un terme dont la connotation agressive illustre particulièrement bien le genre de nuance qui distingue le comportement et l'attitude de ce type de moto par rapport à celui d'une standard habituelle.

Distinguer une véritable standard d'une moto qu'on devrait plutôt qualifier de roadster demande plus qu'une simple analyse de style. La vérité est que pour l'expliquer correctement, on ne peut considérer uniquement la moto, et on doit porter intérêt à l'état d'âme du pilote lorsqu'il se trouve en selle. La Z1000 n'est ainsi pas une simple moto de promenade dépourvue d'un carénage, comme une ZRX1200R ou une BMW R1150R. Elle peut l'être si le pilote en fait le choix, évidemment, mais si ce dernier a le sang le moindrement chaud, le risque qu'il se retrouve à faire des bêtises avant longtemps est élevé. Roue avant en l'air à l'accélération, roue arrière en l'air au freinage, attaque sérieuse en courbe, roue avant de nouveau en l'air à l'accélération... L'une des raisons pour lesquelles la Z1000 exerce ce genre de mauvaise influence sur son pilote est sa position de conduite qui rappelle à la fois une sportive et une standard. Le dos droit, sans poids sur les mains, le corps avancé, vous ne voyez presque rien de la moto tellement le cockpit et le tête de fourche sont minimalistes. Quelques tours de roues à peine et vous vous croyez tout permis, capable de n'importe quoi. Mais attention, si la Z1000 encourage le vice, elle demande une certaine habileté de pilotage. Car si tout va bien des bas aux mi-régimes – où la puissance est ordinaire compte tenu de la cylindrée – lorsqu'on ouvre grand la poignée droite, une fois la barre des 8 000 tr/min franchie, vous vous surprenez tout d'un coup à fixer le ciel. De là jusqu'à la zone rouge de 11 000 tr/min, la Z1000 accélère avec une motivation qui rappelle décidément celle d'une sportive. Bien qu'une telle livrée de puissance puisse être extrêmement excitante sur une 600, elle est un peu déconcertante sur cette 1000, pour ne pas dire décevante. Car même si la Z1000 a la capacité de procurer des accélérations de haut niveau, ce n'est que lorsqu'elle atteint la dernière partie de sa plage de régimes. Elle n'a rien de lent en dessous, mais il y a quelque chose de frustrant à ne pas arriver à en extraire le plein potentiel de manière régulière, à chaque feu vert et à chaque dépassement. Une autre caractéristique un peu déroutante de cette mécanique est la quantité de vibrations qu'elle renvoie jusqu'au pilote. Sans que ce soit invivable, ça devient agaçant à la longue, en plus de donner l'impression d'avoir affaire à un moteur vieillot. Le confort est également affecté par l'efficacité très limitée du petit déflecteur, tandis que la selle s'avère correcte pour tout sauf de longues distances. En revanche, les suspensions sont calibrées plutôt fermement, ce qui reflète le penchant sportif de la partie cycle. Si cette dernière est solide et précise, dans la pratique, elle n'est pas de tout repos à exploiter. À un rythme de conduite agressif, tout va bien tant que les conditions sont idéales, mais la direction est très sensible et s'excite dès que le pilote bouge un peu. Au point que les propriétaires qui envisagent de régulièrement pousser leur Z1000 ne devraient pas voir l'installation d'un amortisseur de direction comme un luxe, mais plutôt comme une police d'assurance qui leur évitera tôt ou tard de se retrouver dans une situation potentiellement fâcheuse.

SI LA Z1000 ENCOURAGE LE VICE, ELLE DEMANDE AUSSI UNE CERTAINE HABILETÉ DE PILOTAGE.

Rapport Valeur/Prix

Vitesse de pointe: 244 km/h

Index d'expérience: Novice Intermédiaire Expert

Accélération sur 1/4 mille: 11,1 s à 198 km/h

Voir légende page 7

Général

Catégorie	Standard
Prix	11 299 $
Garantie	1 an/kilométrage illimité
Couleur(s)	bleu, titane
Concurrence	aucune autre(s) possibilité(s) : Suzuki Bandit 1200S, Yamaha FZ-1

Partie cycle

Type de cadre	épine dorsale, en acier
Suspension avant	fourche inversée de 41 mm ajustable en précharge et détente
Suspension arrière	monoamortisseur ajustable en précharge et détente
Freinage avant	2 disques de 300 mm de Ø avec étriers à 4 pistons
Freinage arrière	1 disque de 220 mm de Ø avec étrier à 1 piston
Pneus avant/arrière	120/70 ZR17 & 190/50 ZR17
Empattement	1 420 mm
Hauteur de selle	820 mm
Poids à vide	198 kg
Réservoir de carburant	18 litres

Moteur

Type	4-cylindres en ligne 4-temps, DACT, 4 soupapes par cylindre, refroidissement par liquide
Alimentation	injection à 4 corps de 38 mm
Rapport volumétrique	11,2:1
Cylindrée	953 cc
Alésage et course	77,2 mm x 50,9 mm
Puissance	144 ch @ 11 000 tr/min
Couple	75 lb-pi @ 9 200 tr/min
Boîte de vitesses	6 rapports
Transmission finale	par chaîne
Révolution à 100 km/h	environ 4 300 tr/min
Consommation moyenne	7,4 l/100 km
Autonomie moyenne	244 km

Conclusion

Même si la ZRX1200R, qui est retirée de notre marché en 2006, est la seule monture que nous trouvions à comparer directement à la Z1000, les deux sont en réalité des propositions presque contradictoires. On peut considérer la Z1000 comme la mauvaise conscience de la ZRX1200R. La ligne arrogante remplace le style sympathique, la position est un peu plus agressive que modérée, la puissante mécanique a un tempérament pointu plutôt qu'amical et coupleux et le comportement peut devenir nerveux au lieu d'être toujours un exemple de docilité. En fin de compte, la Z1000 s'adresse au motocycliste dont l'état d'esprit penche le plus souvent du mauvais côté de la conscience que du bon. Ceux à qui cela ressemble et qui considéreraient l'acquisition d'une Z1000 n'ont qu'à être certains d'arriver à accepter la livrée de puissance pointue et le niveau de vibrations toujours présent qui caractérisent sa mécanique.

QUOI DE NEUF EN 2006 ?

- Aucun changement
- Aucune augmentation de prix

PAS MAL

- Un style non seulement unique, mais qui a aussi de l'attitude et de l'arrogance; on aime ou on n'aime pas, mais on n'est jamais indifférent
- Un comportement général à la fois amical et agressif qui pousse à ne pas toujours être tranquille sur la route
- Une partie cycle de haute qualité dont la précision et la solidité sont dignes de celles d'une sportive

BOF

- Une direction légère au point de devenir nerveuse puisqu'elle se montre très sensible aux mouvements du pilote lorsqu'il s'agrippe en accélération ou lorsque le vent le bouscule
- Une mécanique puissante, mais qui livre ses chevaux en haut et qui s'avère plutôt ordinaire dans la partie inférieure de sa plage de régimes
- Un niveau de vibrations agaçant qui accompagne chaque instant de pilotage et qui parvient jusqu'au pilote par chacun des points de contacts avec la moto : les poignées, la selle et les repose-pieds

KAWASAKI Z750S

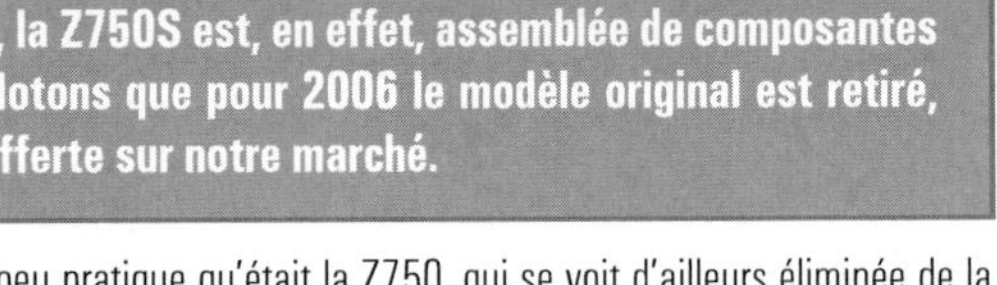

Révolution routière...

Actuellement en pleine période de mutation, la moto à tout faire ne sera plus jamais la même. Soudain, son niveau technologique, qui hier à peine était archaïque, se voit décuplé. La routière réduite à son état le plus simple d'aujourd'hui, une race dont fait partie la nouvelle Z750S, n'aura plus jamais l'air d'un fossile roulant. Dérivée de la Z750 lancée en 2004, la Z750S est, en effet, assemblée de composantes tout ce qu'il a de moderne, du moteur à la partie cycle en passant par le carénage. Notons que pour 2006 le modèle original est retiré, du moins chez nous. La Z750S introduite l'an dernier sera désormais la seule version offerte sur notre marché.

Incarnée durant des années par des assemblages de pièces désuètes, la moto élémentaire semble depuis toujours avoir été définie par des modèles offerts à prix modique mais pas exceptionnel, et avoir tout aussi souvent compté, pour se vendre, sur une clientèle aussi modeste dans ses attentes que limitée dans son budget. Bref, les bouches fines étaient mal servies. Ce fut du moins le cas jusqu'à l'arrivée, récemment, de modèles comme la Yamaha FZ6, la Honda 599, la Suzuki V-Strom 650 et la Kawasaki Z750. Toutes modernes et fraîchement développées, chacune est proposée pour plus ou moins 9 000 $, une somme similaire à celle exigée jusque-là pour les préhistoriques montures qui occupaient le créneau.

La possibilité de combler l'une des lacunes principales de la Z750 originale – son absence de protection au vent – est la raison d'être de la version S munie d'un carénage de tête. Le style de celui-ci ne fait toujours pas l'unanimité, mais son utilité est indiscutable.

Propulsée par le plus gros et le plus puissant moteur de ce groupe de motos à bas prix, la Z750S atteint plus facilement et plus fréquemment que les 600 rivales des vitesses élevées et bénéficie donc grandement de cet équipement. Non seulement la protection que génèrent le carénage et son pare-brise au niveau du torse est excellente, mais le calme avec lequel l'air s'écoule autour de la tête du pilote est également digne de mention. La réalité est qu'à lui seul cet ajout arrive à transformer en véritable routière la standard sympathique, mais relativement peu pratique qu'était la Z750, qui se voit d'ailleurs éliminée de la gamme canadienne en 2006.

METTEZ CES INCONVÉNIENTS DE CÔTÉ ET VOUS VOUS RETROUVEZ AVEC UNE ROUTIÈRE BRILLANTE.

La greffe d'un carénage de tête ne constitue pas la seule distinction entre la Z750 et sa version S puisque la portion arrière de celle-ci a également été redessinée afin d'accepter une selle monopièce dont le rôle est d'améliorer le niveau de confort plutôt faible de la selle bipièce du modèle original. L'intention était bonne, mais dans les faits, la selle de la nouvelle Z750S constitue toujours l'un de ses points faibles en raison de sa tendance à faire glisser le pilote vers l'avant, sur sa partie dure et mince. Quant au problème de vibrations excessives provenant de la mécanique de la Z750 originale – dès qu'elle tourne à mi-régime ou plus –, il demeure lui aussi toujours présent. Malgré ces défauts, la Z750S demeure une routière brillante, surtout compte tenu du prix qu'on en demande. Mettez ces inconvénients de côté et vous vous retrouvez avec une 750 presque vendue au prix d'une 600, ce qui constitue un immense avantage en conduite quotidienne en raison des gains substantiels en couple à bas et moyen régimes qu'apporte la cylindrée supplémentaire. Vous vous retrouvez également avec une routière dotée d'un excellent ensemble embrayage-transmission, de freins aussi puissants que faciles à doser et d'une partie cycle à la fois légère et solide qui est la raison derrière l'excellente tenue de route du modèle. D'autres détails comme le système d'injection, l'instrumentation complète et le bon niveau de finition sont également dignes de mention puisqu'ils ajoutent encore à la valeur de la moto.

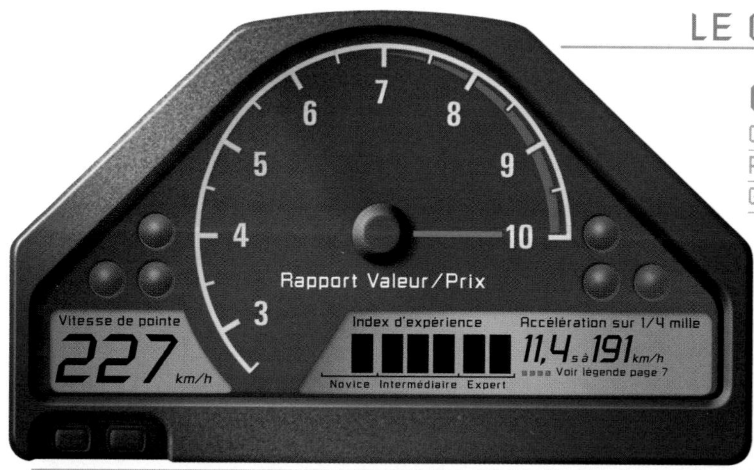

Général

Catégorie	Routière sportive
Prix	9 499 $
Garantie	1 an/kilométrage illimité
Couleur(s)	noir, argent, bleu
Concurrence	Honda 599, Kawasaki Ninja 650R, Suzuki Bandit 650S, SV650S et V-Strom 650, Yamaha FZ6

Partie cycle

Type de cadre	épine dorsale, en acier
Suspension avant	fourche conventionnelle de 41 mm non ajustable
Suspension arrière	monoamortisseur ajustable en précharge et détente
Freinage avant	2 disques de 300 mm de Ø avec étriers à 2 pistons
Freinage arrière	1 disque de 220 mm de Ø avec étrier à 1 piston
Pneus avant/arrière	120/70 ZR17 & 180/55 ZR17
Empattement	1 425 mm
Hauteur de selle	805 mm
Poids à vide	199 kg
Réservoir de carburant	18 litres

Moteur

Type	4-cylindres en ligne 4-temps, DACT, 4 soupapes par cylindre, refroidissement par liquide
Alimentation	injection à 4 corps de 34 mm
Rapport volumétrique	11,3:1
Cylindrée	748 cc
Alésage et course	68,4 mm x 50,9 mm
Puissance	109 ch @ 11 000 tr/min
Couple	55,4 lb-pi @ 8 200 tr/min
Boîte de vitesses	6 rapports
Transmission finale	par chaîne
Révolution à 100 km/h	environ 4 800 tr/min
Consommation moyenne	6,9 l/100 km
Autonomie moyenne	261 km

Conclusion

Si la nouvelle Z750S est l'un des plus beaux exemples de la formidable valeur que propose la dernière génération de routières élémentaires, elle illustre aussi à quel point la réussite d'un ensemble est dépendante d'une réussite à tous les niveaux. Le fait qu'elle ne soit pas équipée d'une selle exceptionnelle et que sa mécanique vibre un peu trop ne suffit pas à gâcher le tout qui, encore une fois, est brillant, mais il arrive néanmoins à le ternir. On n'a qu'à imaginer une Z750S qui serait soulagée de ces défauts pour comprendre à quel point leur existence est regrettable.

QUOI DE NEUF EN 2006 ?

- Élimination de la Z750 de la gamme
- Aucun changement pour la Z750S
- Aucune augmentation de prix pour la Z750S

PAS MAL

- Une excellente valeur; la Z750S est aussi moderne et plus puissante que ses rivales et affiche un prix similaire
- Un moteur bien plus coupleux que ceux de la concurrence, ce qui se traduit directement en un plaisir de conduite supérieur
- Un châssis très bien manièré dont la stabilité, la précision et l'agilité rappellent celles d'une sportive

BOF

- Un 4-cylindres qu'on sent constamment bourdonner au niveau des poignées et des repose-pieds; c'est tolérable, mais quand même agaçant
- Une selle qui fait constamment glisser le pilote vers l'avant, juste sur la partie où elle est étroite et inconfortable
- Une ligne qui fait peut-être trop européen au goût de notre marché; comme dans le cas de la V-Strom 1000, dont on disait la même chose, cela ne semble toutefois pas ralentir les ventes du modèle

KAWASAKI NINJA ZX-6R

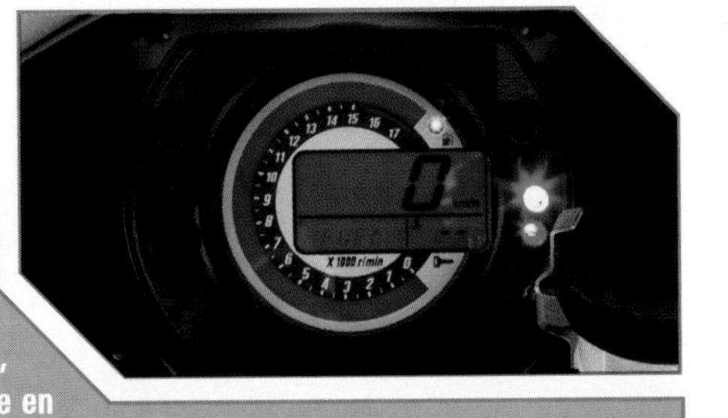

Instrument de piste...

Lorsqu'un quatuor hautement compétitif de constructeurs japonais contemple les honneurs d'une classe aussi farouchement disputée que celle des sportives de 600 cc, tout est permis, même la triche. Une situation que Kawasaki et sa ZX-6R exploitent sans la moindre retenue en ayant recours une cylindrée de 636 cc là où tous les manufacturiers rivaux s'imposent une limite de 599 cc. Entièrement revu l'an dernier, le modèle revient sans changement en 2006. Sa version de course de 599 cc, la ZX-6RR, ne sera pas importée cette année. Avant de la rouler sur nos belles routes québécoises, nous l'avons d'abord découverte en Espagne, sur la piste d'Almeria et ses environs.

Dans une catégorie où des temps d'accélérations retranchés d'une vulgaire fraction de seconde suffisent souvent à convaincre les acheteurs, l'avantage de puissance amené par les 36 cc supplémentaires de la ZX-6R a décidément été payant pour Kawasaki. Cela dit, tout alléchante qu'elle soit, cette portion supplémentaire de centimètres cubes n'arrive plus, à elle seule, à influencer la prise de décision des acheteurs qui n'exigent désormais rien de moins que le nec plus ultra à tous les niveaux. Fourche inversée entièrement réglable, étriers de freins avant à montage radial et maître-cylindre radial, disques à pétales, bras oscillant asymétrique, ligne ultra-agressive avec optique double effilé, échappement sous la selle, etc. Non seulement Kawasaki semble s'être donné la mission d'équiper sa 6R de chacune des pièces « in » du moment, le constructeur a même renchéri la mise en ajoutant un embrayage avec limiteur de contrecouple, une composante dont les nouvelles Suzuki GSX-R600 et Yamaha YZF-R6 sont d'ailleurs aussi munies en 2006.

IL S'AGIT D'UNE BÊTE DE PISTE DE LA PLUS PURE ESPÈCE QUI SE PILOTE PRESQUE INSTINCTIVEMENT.

Sur le très exigeant circuit espagnol d'Almeria, où Kawasaki a tenu le lancement mondial de sa nouveauté, la ZX-6R a brillé. Si bien que malgré le niveau de difficulté très élevé de certaines portions du circuit et malgré mes efforts les plus sincères, je dois tout simplement avouer ne pas avoir été capable de noter le moindre reproche à l'égard de la 6R, dans ces conditions. Il s'agit d'une bête de piste de la plus pure espèce qui se pilote presque instinctivement tellement le niveau de précision et de stabilité dont fait preuve sa partie cycle est élevé, et ce, même à un rythme qui avoisine celui d'une véritable compétition. On pourra, bien entendu, en critiquer le confort routier en raison de la fermeté des suspensions et de la sévérité de la position de conduite. Certains aspects pratiques seraient aussi à revoir puisqu'il faut regarder à travers le haut du pare-brise pour voir des instruments qui ne sont pas toujours faciles à lire. Mais ce genre de plaintes, plus ou moins valables compte tenu de la mission de la moto, est le seul que j'arrive à formuler à son égard. Les freins sont aussi puissants et faciles à doser qu'infatigables, tandis que la transmission est certainement l'une des plus fluides qui soient chez les sportives. Si la direction est au moins aussi légère que celle de n'importe quelle autre 600, ce qui m'a particulièrement épaté a été le bénéfice amené par l'embrayage avec limiteur de contre-couple, un dispositif mécanique qui empêche le blocage de la roue arrière en freinage intensif, blocage provenant de la combinaison d'une quasi absence de contact du pneu arrière avec le sol et de l'intense frein moteur amené par les hauts régimes. Flirtant avec les 250 km/h au bout de la ligne droite du circuit d'Almeria, le limiteur me permettait de freiner incroyablement tard et fort et de rétrograder en même temps sans la moindre crainte de blocage de l'arrière, tout juste avant d'enfiler le dernier virage négocié après avoir ralenti de quelque 180 km/h. Il ne s'agit là que d'un maigre exemple des prouesses dont la nouvelle ZX-6R est capable, mais aussi d'une image qui résume de façon très juste le calibre extraordinairement élevé de ce véritable instrument de piste.

L'Espagne sur 2 roues...

À moto, l'Espagne est particulièrement invitante, surtout au beau milieu de l'hiver, loin de la saison touristique. Les routes sont alors complètement désertes, tout comme les petits villages qu'elles traversent, laissant, disons, plus de latitude à la poignée droite. Les paysages arides, presque désertiques, comme celui-ci, sont la norme lorsqu'on s'éloigne des centres urbains. La photo a été prise par Bill Petro, perché tout en haut d'une colline alors que l'auteur roulait dans sa direction.

L'auteur au bureau...

La présentation officielle de la ZX-6R eut lieu en Espagne, sur le circuit d'Almeria. Le tracé extrêmement technique fut choisi par le manufacturier afin de mettre en évidence les qualités de sa dernière Ninja poids moyen. Tout s'est passé sans accroc, même les petites cascades de l'auteur, qui sont tolérées – à défaut d'être encouragées – par les constructeurs dans la mesure où le pilote semble en contrôle. Pour une question d'assurance, il est rare que ces événements comportent une portion de pilotage sur route, mais dans ce cas, Kawasaki avait prévu une bonne demi-journée pour explorer les environs, une occasion que l'auteur s'empressa de mettre à profit. La production d'un ouvrage comme *Le Guide de la Moto* a ses périodes décidément pénibles, mais elle comporte aussi des moments extraordinairement privilégiés, comme ceux-là. Toutes les photos sont l'oeuvre de l'excellent photographe torontois Bill Petro, mis à notre disposition par Kawasaki Canada pour l'événement.

Général

Catégorie	Sportive
Prix	11 899 $ (peinture flammes : 12 099 $)
Garantie	1 an/kilométrage illimité
Couleur(s)	vert, bleu, noir, argent avec flammes
Concurrence	Honda CBR600RR, Suzuki GSX-R600, Yamaha YZF-R6 autre(s) possibilité(s) : Triumph Daytona 675

Partie cycle

Type de cadre	périmétrique, en aluminium
Suspension avant	fourche inversée de 41 mm ajustable en précharge, compression et détente
Suspension arrière	monoamortisseur ajustable en précharge, compression et détente
Freinage avant	2 disques « à pétales » de 300 mm de Ø avec étriers radiaux à 4 pistons
Freinage arrière	1 disque « à pétales » de 220 mm de Ø avec étrier à 1 piston
Pneus avant/arrière	120/65 ZR17 & 180/55 ZR17
Empattement	1 390 mm
Hauteur de selle	820 mm
Poids à vide	164 kg
Réservoir de carburant	17 litres

Moteur

Type	4-cylindres en ligne 4-temps, DACT, 4 soupapes par cylindre, refroidissement par liquide
Alimentation	injection à 4 corps de 38 mm
Rapport volumétrique	12,9:1
Cylindrée	636 cc
Alésage et course	68 mm x 43,8 mm
Puissance sans Ram Air	124 ch @ 12 500 tr/min
Puissance avec Ram Air	131 ch @ 12 500 tr/min
Couple	52 lb-pi @ 11 500 tr/min
Boîte de vitesses	6 rapports
Transmission finale	par chaîne
Révolution à 100 km/h	environ 5 500 tr/min
Consommation moyenne	6,4 l/100 km
Autonomie moyenne	265 km

Conclusion

À la suite à sa refonte complète de l'an dernier, la ZX-6R est devenue la première des 600 à atteindre un niveau de comportement et de construction réellement incroyable. Chacune des 600 nippones était déjà d'un calibre très élevé, d'où l'exploit qu'a été de surpasser ce calibre de façon nette, ce que la 6R a accompli. L'avance a été de courte durée puisque les nouvelles Suzuki GSX-R600 et Yamaha YZF-R6 présentées cette année devraient se montrer à la hauteur en tête à tête. L'avantage de cylindrée, lui, reste toutefois exclusif à la ZX-6R. Et comme en témoigne sa mécanique inhabituellement remplie pour une 600 – bien entendu puisque c'est une 636 –, elle en prend pleinement avantage et le fait sans la moindre gêne.

QUOI DE NEUF EN 2006 ?

- **Disparition de la ZX-6RR de 599 cc**
- **Disponibilité d'une peinture argentée avec flammes rouges moyennant un supplément de 200 $**
- **Aucun changement**
- **Aucune augmentation de prix**

PAS MAL

- **Une mécanique disposant d'un avantage de cylindrée dont les bénéfices sont tout à fait réels; pour une 600, la ZX-6R est exceptionnellement rapide et agréablement coupleuse**
- **Une partie cycle aussi aboutie qu'il est possible de le souhaiter; tout se fait de manière presque instinctive et avec une précision absolue**
- **Un niveau de technologie extraordinairement poussé et efficace, dont l'embrayage avec limiteur de contrecouple est un très bon exemple**

BOF

- **Une instrumentation difficile à lire en pleine action, surtout dans le cas du tachymètre, et qu'il faut par-dessus le marché regarder à travers le pare-brise si on est le moindrement grand**
- **Un niveau de confort précaire amené par des suspensions fermes et une position radicale, même si les habitués de ce genre de motos trouvront l'ensemble tolérable**
- **Une direction qui peut s'agiter dans certaines circonstances, comme lors d'accélérations agressives en sortie de courbe, sur une surface bosselée**

KAWASAKI ZZ-R600

NOUVEAUTÉ 2006

Retour au bon sens...

On ne la verra faire aucune couverture. Kawasaki ne choisira probablement même pas d'en faire la publicité. Et pourtant, l'arrivée de cette nouvelle ZZ-R600 est une importante nouveauté de 2006. Non pas en raison d'un quelconque temps record, mais plutôt parce que sa présence sur le marché amène un choix particulièrement intéressant pour l'amateur de sportives qui n'a ni l'intention de gagner des courses ni d'intérêt pour le comportement extrême des 600 qui pourraient lui permettre de le faire. La nouvelle ZZ-R600, pour ceux qui ne l'auraient pas reconnue, n'est nulle autre que la dernière des ZX-6R « polyvalente », celle qui fut vendue de 2000 à 2002.

Le retour sur le marché de la ZX-6R 2000-2002 est aussi un étrange retour dans le temps. Étrange parce qu'il ne s'agit que d'un voyage d'à peine 4 ans en arrière, et pourtant, on jurerait que le modèle date de 15 ans tellement les progrès ont été fulgurants dans cette classe depuis 2002. Durant ces quelques courtes années, les 600 ont gagné près d'une vingtaine de chevaux, ont perdu environ une dizaine de kilos et se sont littéralement transformées en pures et dures bêtes de circuit. Si cette réalité est assurément impressionnante, elle ne tient pas nécessairement de la nouvelle positive pour le motocycliste tout simplement intéressé d'utiliser une 600 de façon variée, modérée et quotidienne. Le remplacement de l'ancienne ZZ-R600 – qui était en réalité la Ninja ZX-6 de 1993 – par cette génération particulière du modèle, lui, est par contre une excellente nouvelle pour ce motocycliste. En effet, la ZZ-R600 actuelle n'est ni la génération de 1995 ni celle de 1998, mais plutôt celle de 2000, la dernière qui évolua de manière à conserver un certain niveau de polyvalence dans l'utilisation. Celle-ci fut remplacée en 2003 par un tout nouveau genre de ZX-6R, un genre dont la raison d'être se résumait à effectuer des tours de piste aussi rapides que possible, et ce, sans aucune concession en ce qui concerne les autres aspects de la conduite. Notons d'abord qu'il y a déjà un an que la ZX-6R 2000-2002 est devenue la ZZ-R600 aux États-Unis, et ensuite que la raison de l'utilisation du nom ZZ-R plutôt que ZX-R a pour but de réduire les primes d'assurances.

DEPUIS À PEINE 4 ANS, LES 600 ONT PERDU UNE DIZAINE DE KILOS ET GAGNÉ UNE VINGTAINE DE CHEVAUX.

Même si la tendance qui a poussé les 600 à devenir les armes de circuit qu'elles sont aujourd'hui était déjà entamée en 2000, la ZX-6R de l'époque – que nous appellerons dorénavant ZZ-R600 – résistait au changement. Plus large que les Honda et les Yamaha concurrentes de l'époque, elle est clairement plus corpulente que les 600 actuelles. Vos bras doivent faire le tour du large réservoir, qui écarte d'ailleurs aussi vos jambes. La position est sportive, mais reste quand même dégagée, tandis que la protection au vent s'avère agréablement généreuse. La selle n'a toutefois jamais été un exemple de confort, surtout en raison des arêtes qui définissent sa forme. Malgré son thème moins extrême, la ZZ-R n'est donc pas pour autant une authentique routière.

Son niveau de performances est clairement inférieur à celui des 600 courantes, mais il est tout aussi clairement supérieur à celui de la ZZ-R600 2005. Très franchement, même pour un pilote d'expérience, il y a amplement de puissance pour se satisfaire et s'amuser. Si les tours grimpent avec acharnement jusqu'à la zone rouge de 14 500 tr/min et surtout à partir d'environ 10 000 tr/min, le genre de mi-régimes disponible n'est pas méchant du tout, même par rapport aux normes actuelles. Par ailleurs, en pleine accélération, le rugissement strident du 4-cylindres demeure toujours extrêmement agréable pour l'oreille.

En dépit du retard technologique, la ZZ-R600 demeure parfaitement capable de boucler des tours de piste à un rythme relativement élevé, un fait qui illustre bien la qualité de sa tenue de route qui demeure d'un calibre impressionnant.

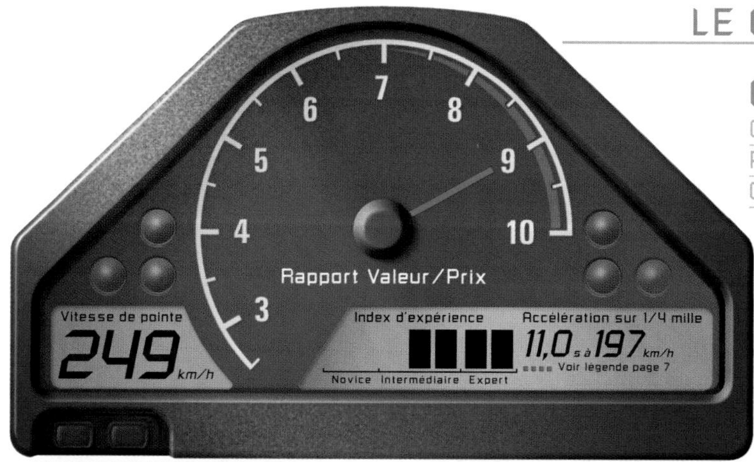

Général

Catégorie	Sportive
Prix	9 999 $
Garantie	1 an/kilométrage illimité
Couleur(s)	argent
Concurrence	Honda CBR600F4i, Yamaha YZF-R6 S et YZF600R

Partie cycle

Type de cadre	périmétrique, en aluminium
Suspension avant	fourche conventionnelle de 46 mm ajustable en précharge, compression et détente
Suspension arrière	monoamortisseur ajustable en précharge, compression et détente
Freinage avant	2 disques de 300 mm de Ø avec étriers à 6 pistons
Freinage arrière	1 disque de 220 mm de Ø avec étrier à 1 piston
Pneus avant/arrière	120/65 ZR17 & 180/55 ZR17
Empattement	1 400 mm
Hauteur de selle	820 mm
Poids à vide	171 kg
Réservoir de carburant	18 litres

Moteur

Type	4-cylindres en ligne 4-temps, DACT, 4 soupapes par cylindre, refroidissement par liquide
Alimentation	4 carburateurs à corps de 36 mm
Rapport volumétrique	12:8
Cylindrée	599 cc
Alésage et course	66 mm x 43,8 mm
Puissance	110 ch @ 12 500 tr/min
Couple	48,5 lb-pi @ 10 000 tr/min
Boîte de vitesses	6 rapports
Transmission finale	par chaîne
Révolution à 100 km/h	environ 4 800 tr/min
Consommation moyenne	5,9 l/100 km
Autonomie moyenne	305 km

Conclusion

Dire que la ZZ-R600 est l'image de ce qu'était une 600 à une autre époque se veut une étrange vérité puisqu'elle ne pourrait être plus juste, mais qu'elle ne nous ramène en même temps que quatre maigres années en arrière. Ce qu'amène cette réalité pour le motocycliste que le modèle attirerait est un compromis fort intéressant puisqu'il implique un niveau de performances et une qualité de tenue de route qui restent élevés dans les deux cas, et les combine à un aspect pratique qui ne fait aujourd'hui tout simplement plus partie des priorités d'une 600. Le fait que Kawasaki soit capable d'offrir le modèle pour la somme fort raisonnable de 10 000 $ – ce qui est 1 100 $ de moins qu'en 2002 – fait en plus de ce dernier une très bonne valeur.

QUOI DE NEUF EN 2006 ?

- La Ninja ZX-6R 2000-2002 devient la ZZ-R600 en 2006
- Coûte 300 $ de plus que la ZZ-R600 2005

PAS MAL

- Une mécanique dont les performances restent intéressantes et dont le rugissement en pleine accélération est toujours aussi agréable
- Une tenue de route qui demeure facilement d'assez bonne qualité pour boucler des tours de piste à un rythme passablement élevé
- Un aspect pratique oublié sur les 600 actuelles; la position de conduite est dégagée – bien que quand même sportive – et la protection au vent est généreuse

BOF

- Un selle dont la forme comporte des arêtes qui causent de l'inconfort lors de longues sorties
- Des suspensions ajustées de manière plutôt ferme et qui peuvent se montrer rudes sur une route en mauvais état
- Le niveau de confort élevé et la faible hauteur de selle de l'ancienne ZZ-R600 sont maintenant choses du passé

KAWASAKI NINJA 650R

NOUVEAUTÉ 2006

Ninja junior...

C'est bien les ZX-10R et les Vulcan 2000 Classic, mais pour le néophyte ou pour le motocycliste qui dans son jeune temps « a roulé une 175, puis une 250 et enfin une 350 », de tels engins sont complètement inappropriés. Quelle serait donc la moto idéale pour ces derniers ? Si, chez Suzuki on répond fort bien à cette question depuis quelques années avec la SV650S, chez Kawasaki, voilà maintenant presque 20 ans qu'on n'offre que la petite Ninja 500R alias EX500. Il y a du neuf pour 2006, cependant, puisque le rôle de la nouvelle Ninja 650R est précisément celui de satisfaire une clientèle débutante ou de retour au sport.

TECHNIQUE

L'un des créneaux ayant aujourd'hui le besoin le plus criant d'attention est celui des petites motos simples, économiques et amicales. Car s'il est assurément palpitant de pousser une puissante sportive en piste ou d'enfumer le gros pneu arrière d'une méga custom, il reste que ce n'est ni le genre de moto ni le genre comportement que recherche un certain type de motocyclistes. Les néophytes, les pilotes peu expérimentés, craintifs ou désirant revenir au sport après une longue absence, et même souvent les femmes forment un groupe de motocyclistes n'ayant que faire de cylindrées géantes et de puissances illimitées. Si les Yamaha FZ6, Honda 599, Kawasaki Z750S et Suzuki V-Strom 650 sont toutes d'intéressantes propositions ayant récemment été faites à ces motocyclistes plus humbles dans leurs besoins, il en reste pour souhaiter quelque chose d'encore plus amical. La nouvelle Ninja 650R leur est destinée. Il serait facile, en raison de sa cylindrée et de son bicylindre – et même de son prix – de la positionner directement en face de la SV650S de Suzuki. Ce ne serait pas faux, mais ce ne serait pas réellement juste non plus. Car contrairement à la nature sportive bien connue de la Suzuki, celle de la Kawasaki s'annonce plus conviviale, avec une position de conduite beaucoup plus Katana ou Bandit que SV ou GSX-R. En fait, la plus grande différence entre la conception de la Suzuki et de la Kawasaki semble être le fait que la seconde a été à la base élaborée pour une clientèle débutante. Un bon exemple est l'effort déployé par Kawasaki pour permettre une hauteur de selle aussi faible que possible. En effet, la Ninja 650R utilise un monoamortisseur en position décalée. Installé à côté de la batterie plutôt qu'en dessous, il permet à la selle d'être plus basse. Ce genre d'attention peut être retrouvé à tous les niveaux sur la nouveauté, de l'extrême minceur de la moto jusqu'à la position relevée et naturelle en passant par la mécanique conçue pour bien pousser en bas et au milieu.

L'UTILISATION D'UN MONOAMORTISSEUR EN POSITION DÉCALÉE PERMET À LA NINJA 650R D'OFFRIR UNE SELLE PARTICULIÈREMENT BASSE.

S'il est possible d'affirmer que la Ninja 650R fait moto bon marché en citant les possibilités d'ajustements très limitées des suspensions et l'absence de tringlerie progressive à l'arrière, ce serait oublier tous les aspects où elle se montre fort généreuse. Le bicylindre de 649 cc, par exemple, est essentiellement la moitié d'un moteur de grosse Ninja, ce qu'on constate par son architecture, ses dimensions extrêmement compactes et son alimentation par injection. Sont tout aussi intéressants le freinage à trois disques « à pétales », la protection amenée par le carénage intégral et la technologie utilisée pour créer un châssis léger et solide. La Ninja 650R a également la particularité d'utiliser un échappement central pratiquement calqué sur ceux des Buell, un choix dicté par la volonté du manufacturier de centraliser la masse et d'abaisser le centre de gravité autant que possible, deux facteurs clés dans l'agilité qu'affiche une moto sur la route. Notons qu'une version disposant d'un système de freinage ABS de la Ninja 650R est disponible sur d'autres marchés, mais pas en Amérique du Nord, malheureusement.

Sur le marché européen, notre Ninja 650R se nomme plutôt ER-6f, et elle est également disponible en version standard appelée ER-6n. Il s'agit d'une des très rares montures modernes conçues à la base pour une clientèle peu expérimentée.

Léger, solide...

Selon Kawasaki, le choix d'un châssis en treillis tubulaire utilisant le moteur comme membre structural a permis de concevoir un cadre en acier dont le poids serait similaire à celui d'un cadre en aluminium. Les poteaux de fourche de 41 mm, le bras oscillant long et renforcé, la centralisation des masses, l'abaissement du centre de gravité et l'utilisation de roues de 17 pouces assez larges devraient garantir à la Ninja 650R un comportement plutôt intéressant sur un tracé sinueux. La croire équivalente à l'excellente Suzuki SV650S dans de telles conditions ne serait pas exagéré.

...simple, efficace

À force de mettre sur le marché des sportives plus puissantes et sophistiquées les unes que les autres, des pièces et des technologies deviennent disponibles pour construire autre chose, comme une moto destinée à une clientèle peu expérimentée, ce qu'est la Ninja 650R. Le très compact bicylindre parallèle de 649 cc qui l'anime permet une largeur minimale de la moto entre les cuisses et les pieds, tandis que l'emplacement décalé de l'amortisseur arrière permet une faible hauteur de selle. Les disques « à pétales » imitent ceux des puissantes Ninja ZX-6R, 10R et 14.

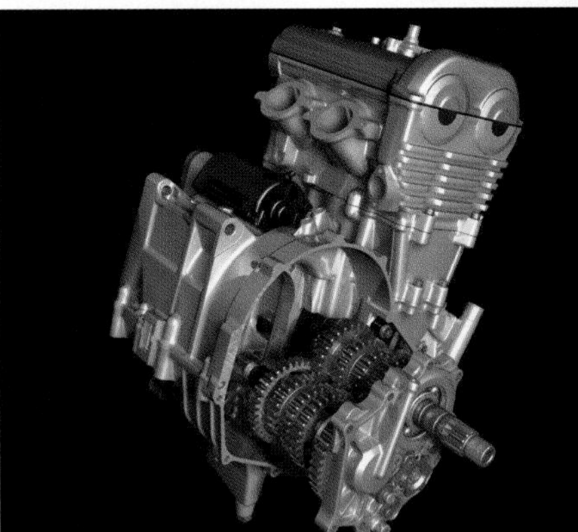

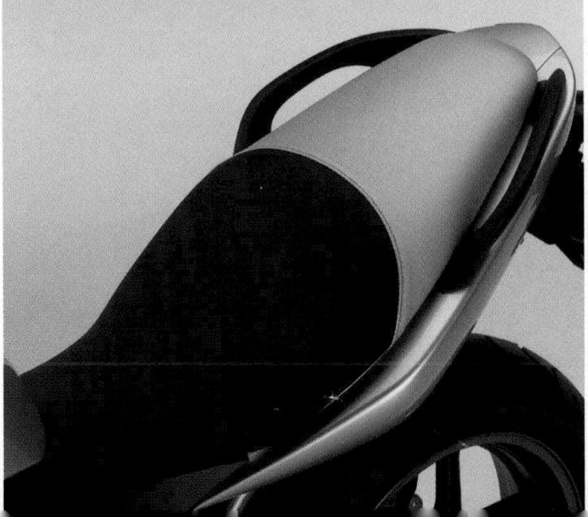

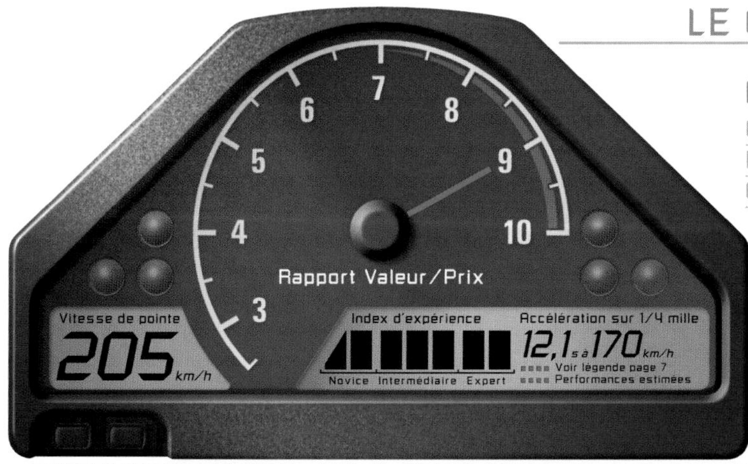

Général

Catégorie	Routière Sportive
Prix	8 599 $
Garantie	1 an/kilométrage illimité
Couleur(s)	argent, noir
Concurrence	Hyosung Comet 650, Suzuki SV650S

Partie cycle

Type de cadre	treillis tubulaire, en acier
Suspension avant	fourche conventionnelle de 41 mm non ajustable
Suspension arrière	monoamortisseur ajustable en précharge
Freinage avant	2 disques de 300 mm de Ø avec étriers à 2 pistons
Freinage arrière	1 disque de 220 mm de Ø avec étrier à 1 piston
Pneus avant/arrière	120/70 ZR17 & 160/60 ZR17
Empattement	1 405 mm
Hauteur de selle	785 mm
Poids à vide	174 kg
Réservoir de carburant	15,5 litres

Moteur

Type	bicylindre parallèle 4-temps, DACT, 4 soupapes par cylindre, refroidissement par liquide
Alimentation	injection à 2 corps de 38 mm
Rapport volumétrique	11,3:1
Cylindrée	649 cc
Alésage et course	83 mm x 60 mm
Puissance	71,1 ch @ 8 500 tr/min
Couple	48,7 lb-pi @ 7 000 tr/min
Boîte de vitesses	6 rapports
Transmission finale	par chaîne
Révolution à 100 km/h	n/d
Consommation moyenne	n/d
Autonomie moyenne	n/d

Conclusion

Au milieu de l'arrivée de nouveautés 2006 plus fascinantes les unes que les autres, la petite Ninja 650R se perd un peu. Mais le fait est qu'elle représente l'une des plus importantes annonces de cette nouvelle année puisque l'introduction de montures construites de manière aussi fidèle aux besoins d'une clientèle peu expérimentée ne se produit certainement pas tous les ans. Chez Kawasaki, il y a même près de 20 ans que rien de semblable n'a été présenté, du moins sur notre marché. Beaucoup plus qu'un amalgame de pièces désuètes qui traînent à droite et à gauche, la 650R est plutôt un concept attentionné et réalisé avec une technologie contemporaine. Finalement, la SV650S n'est plus seule.

QUOI DE NEUF EN 2006 ?

- Nouveau modèle

PAS MAL

- Un concept destiné à une clientèle peu expérimentée réalisé avec une technologie moderne; voilà qui ne court pas les rues
- Un niveau de performances qui devrait s'avérer très similaire à celui d'une Suzuki SV650S, et ce, autant du point de vue des prestations du moteur que de celles de la partie cycle
- Une attention spéciale portée aux besoins d'un type particulier de motocyclistes qui se traduit par une selle basse, un poids faible et une minceur exceptionnelle de la moto

BOF

- Une présentation du modèle par le constructeur qui est tellement axée sur les besoins d'une clientèle débutante que les pilotes un peu plus expérimentés pourraient ne pas la considérer, ce qui serait possiblement une erreur, surtout si on se fie à la SV650S
- Une comparaison avec la Suzuki SV650S qui est un couteau à double tranchant; une telle comparaison peut s'avérer bénéfique si le nouveau modèle est réellement à la hauteur, mais dommageable s'il ne l'est pas
- Des suspensions dont les possibilités d'ajustements sont réellement limitées; il reste à espérer que les réglages d'origines soient les bons

Kawasaki

KAWASAKI NINJA 500R

Enseignement primaire...

Il est difficile de trancher de façon catégorique la question de l'initiation à la moto. Certaines études arrivent à la conclusion qu'il n'y a aucune corrélation entre les accidents et la cylindrée, mais elles ne sont pas utiles au débutant ne désirant qu'effectuer un choix éclairé. La réalité est qu'il n'existe pas de solution universelle à ce problème, et qu'il doit plutôt être abordé sur une base individuelle tant pour les modèles que pour les débutants. S'il est impossible d'évaluer les individus, le Guide peut en revanche le faire pour chaque moto, et dans le cas de la Ninja 500R, la seule conclusion possible est qu'il s'agit d'une des meilleures candidates pour tenir le rôle d'initiatrice.

Quel genre et quel modèle de moto conviennent le mieux au novice désirant réduire les risques liés au manque d'expérience et rendre son apprentissage le plus sécuritaire, mais aussi le plus amusant possible ? Bien qu'elle ne soit pas nouvelle, cette préoccupation demeure encore et toujours d'actualité puisque chaque année apporte son lot de motos toujours plus grosses et toujours plus performantes. La réalité, toutefois, est que même si une réponse catégorique à cette question était trouvée, il est loin d'être certain que les débutants adopteraient les directives élaborées sans qu'on les y contraigne. Beaucoup de novices intéressés par les sportives préfèrent assumer le risque potentiellement plus élevé qu'amène une agressive 600 de pointe que d'être vus sur une moto de débutants. On veut d'abord projeter une certaine image et le reste est secondaire. Accuser les débutants d'être téméraires serait facile, mais il faut admettre que la majorité des modèles qu'on aimerait leur imposer n'ont rien de flatteur pour l'ego. Le marché devrait offrir la solution en présentant des motos se démarquant par une image excitante, mais dont le comportement reste prévisible. Si la nouvelle Kawasaki Ninja 650R est un excellent exemple de ce genre de motos, la bonne vieille Ninja 500R, malgré son âge, demeure une excellente manière de s'initier de façon amusante et consciencieuse au pilotage d'une sportive.

> **MALGRÉ SON ÂGE, ELLE DEMEURE UNE EXCELLENTE MANIÈRE DE S'INITIER DE FAÇON AMUSANTE ET CONSCIENCIEUSE.**

Le moteur de 60 chevaux assure des accélérations qui satisferont un pilote débutant, voire intermédiaire, sans jamais risquer de le surprendre. Une puissance utilisable arrive étonnamment tôt sur la plage de régimes et grimpe ensuite de façon constante jusqu'à un amusant punch à l'approche de la zone rouge. Les vibrations sont toujours présentes, mais leur nature n'affecte pas le confort.

La Ninja 500R dispose d'une hauteur de selle très faible et son poids est peu élevé. Ces caractéristiques contribuent énormément au fait qu'elle arrive immédiatement à mettre en confiance le pilote qui se trouve à ses commandes, peu importe son niveau d'expérience, et peu importe qu'il se trouve au milieu de la jungle urbaine, sur l'autoroute ou sur une route sinueuse. La petite Ninja demeure toujours stable et se montre extrêmement facile à inscrire en virage, où elle manifeste un comportement neutre, bien planté et précis, et ce, même en forte inclinaison. Les freinages s'effectuent de manière nette et précise.

Même sur les longs trajets, le confort demeure à un niveau élevé. La selle est excellente, le pilote est adéquatement protégé contre le vent, le calibrage réaliste des suspensions fait qu'elles se tirent bien d'affaire sur toutes les surfaces et la position de conduite relevée ne met aucun poids superflu sur les mains. Le seul bémol au niveau du confort est la faible distance entre la selle et les repose-pieds qui coince un peu les jambes des pilotes de grande taille. En revanche, la selle basse responsable de cette courte distance permet de facilement poser les pieds au sol à l'arrêt.

Général

Catégorie	Routière Sportive
Prix	6 899 $
Garantie	1 an/kilométrage illimité
Couleur(s)	vert, rouge
Concurrence	Suzuki GS500F autre(s) possibilité(s) : Buell Blast,

Partie cycle

Type de cadre	périmétrique, en acier
Suspension avant	fourche conventionnelle de 37 mm non ajustable
Suspension arrière	monoamortisseur ajustable en précharge
Freinage avant	1 disque de 280 mm de Ø avec étrier à 2 pistons
Freinage arrière	1 disque de 230 mm de Ø avec étrier à 1 piston
Pneus avant/arrière	110/70-17 & 130/70-17
Empattement	1 435 mm
Hauteur de selle	775 mm
Poids à vide	176 kg
Réservoir de carburant	18 litres

Moteur

Type	bicylindre parallèle 4-temps, DACT, 4 soupapes par cylindre, refroidissement par liquide
Alimentation	2 carburateurs à corps de 34 mm
Rapport volumétrique	10,8:1
Cylindrée	498 cc
Alésage et course	74 mm x 58 mm
Puissance	60 ch @ 10 000 tr/min
Couple	34 lb-pi @ 8 500 tr/min
Boîte de vitesses	6 rapports
Transmission finale	par chaîne
Révolution à 100 km/h	environ 6 500 tr/min
Consommation moyenne	5,0 l/100 km
Autonomie moyenne	360 km

Conclusion

Peu de motos sur le marché se montrent aussi favorables à l'apprentissage que la Ninja 500R. Son choix ne constitue bien évidemment pas une garantie contre les incidents puisque c'est d'abord et avant tout sur les épaules du pilote que repose cette responsabilité, peu importe le genre de moto ou la cylindrée. Cela dit, le fait est que son comportement demeure exempt des réactions nerveuses ou même violentes exhibées par certains modèles ayant souvent la faveur des novices, comme les 600 de pointe. Il faut réaliser que sauf exception, la Ninja 500R ne pourra donner satisfaction à son acquéreur que pour une période limitée, et que ce dernier devra éventuellement graduer à une cylindrée plus grande. Si tel est l'inconvénient d'une progression consciencieuse en matière de conduite à moto, il s'agit aussi d'un bien faible prix à payer pour réduire les risques d'incidents et mettre les chances de son côté.

QUOI DE NEUF EN 2006 ?

- Aucun changement
- Aucune augmentation de prix

PAS MAL

- Un poids faible, une selle basse et un châssis solide; difficile de trouver une monture moins intimidante, même pour les motocyclistes en tout début de carrière
- Un petit moteur étonnamment vivant qui permet de s'amuser malgré sa puissance limitée
- Un excellent niveau de confort rendu par une position droite, des suspensions souples et une bonne selle

BOF

- Des performances limitées qui risquent de laisser les motocyclistes moyennement expérimentés sur leur faim
- Une ligne sympathique, mais un peu vieillotte et trop douce qui n'a rien pour plaire aux novices qui semblent souvent rechercher une image beaucoup plus forte
- Une hauteur de selle faible qui réduit la distance entre la selle et les repose-pieds; les grandes jambes se retrouvent un peu coincées

KAWASAKI ZZ-R250

Kawasaki

Maternelle...

Dans certains pays de l'Europe et au Japon, entre autres, la législation oblige les manufacturiers à produire une panoplie de motos de petite cylindrée, dont certaines sont même extrêmement poussées d'un point de vue technologique. Le seul de ces modèles qui soit commercialisé chez nous est la ZZ-R250. Connue sous le nom de Ninja 250 lorsqu'elle fut lancée en 1988, la moto fut rebaptisée en 2003 pour éviter que nos connaisseurs d'assureurs ne la catégorisent comme une hypersportive. Après tout, si c'est une Ninja, ça doit être dangereux, non ? Motorisée par un petit bicylindre parallèle de 248 cc, la petite ZZ-R250 revient sans aucun changement en 2006.

Contrairement au cas de la grande majorité des motos destinées à une clientèle débutante, la petite ZZ-R250 a le mérite d'afficher une ligne sportive excitante et soignée. Bien qu'on constate facilement, de près, qu'il s'agit d'une moto de petite cylindrée dont les dimensions sont plus faibles que celles d'une sportive « normale », en reculant de quelques mètres, c'est plutôt la réussite de l'illusion créée qu'on doit constater, puisqu'on a carrément l'impression de regarder une ancienne ZZ-R600. Le carénage intégral qui laisse voir un sérieux cadre en aluminium, les roues à trois branches, le détail de la finition; tout semble vraiment en place pour maximiser l'effet. Cela dit, on ne met qu'une nanoseconde pour réaliser qu'il ne s'agit effectivement que d'une illusion lorsqu'on enfourche enfin la petite Kawasaki. Sa selle est si basse et sa masse tellement faible qu'elle arrive à faire paraître obèse les sportives de 600 cc qui sont pourtant des machines extrêmement compactes. Au risque d'insulter les propriétaires, on pourrait presque la décrire comme un scooter sportif... Bien que son gabarit réduit puisse sembler exagérément faible pour une certaine catégorie de motocyclistes débutants, il en existe une autre, beaucoup plus craintive, pour qui des caractéristiques comme un poids plume et une selle basse sont la clé de la prise de confiance. Pour cette seconde catégorie d'apprentis, la ZZ-R250 est une proposition unique puisque rien dans le genre n'existe sur notre marché.

LA ZZ-R250 EST UNE PROPOSITION UNIQUE PUISQUE RIEN DANS LE GENRE N'EXISTE SUR NOTRE MARCHÉ.

Au démarrage, la petite Kawasaki continue de donner l'impression d'être une véritable sportive à plus petite échelle en raison de la sonorité timide de sa minuscule mécanique. Avec un régime maximal fixé à 14 000 tr/min et une production de près de 40 chevaux, on est toutefois loin d'avoir affaire à une 250 ordinaire. Bien que l'obtention des meilleures performances implique l'utilisation de tous les régimes disponibles, on peut arriver à circuler normalement en ville et même sur l'autoroute sans avoir recours à des tours trop élevés. Si l'on ne peut décidément pas parler de souplesse, on se retrouve quand même loin devant les prestations anémiques des modèles de cylindrée identique et à vocation semblable comme les Suzuki Marauder 250 et Honda Rebel 250.

Grâce à une bonne selle, à une position de conduite relevée, à une protection au vent correcte, à une mécanique dont les vibrations sont bien contrôlées et à des suspensions très souples – pour ne pas dire molles – la ZZ-R250 arrive à offrir un niveau de confort appréciable. Si la mollesse des suspensions limite le degré d'agressivité possible en conduite sportive, la ZZ-R250 est quand même capable de se livrer à un tel pilotage durant lequel on lui découvre une extraordinaire maniabilité et une grande légèreté de direction. Elle affiche un comportement sûr, solide et précis en courbe comme en ligne droite et offre un freinage tout à fait à la hauteur du niveau de performances.

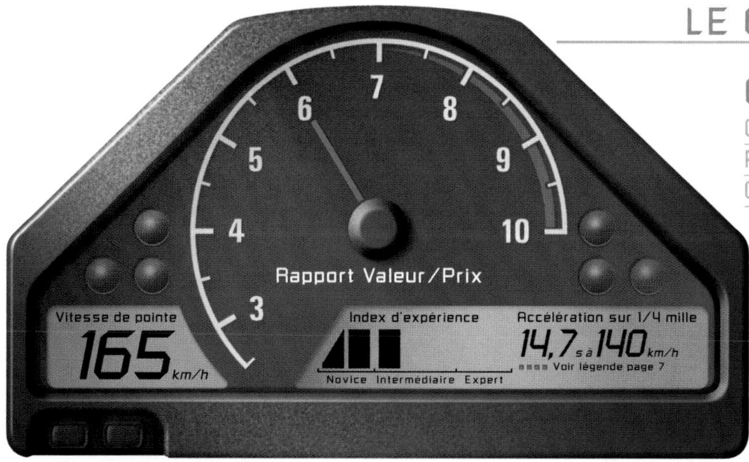

Général

Catégorie	Routière Sportive
Prix	6 299 $
Garantie	1 an/kilométrage illimité
Couleur(s)	bleu, noir
Concurrence	aucune autre(s) possibilité(s) : Hyosung GT250

Partie cycle

Type de cadre	périmétrique, en aluminium
Suspension avant	fourche conventionnelle de 37 mm non ajustable
Suspension arrière	monoamortisseur ajustable en précharge
Freinage avant	1 disque de 300 mm de Ø avec étrier à 2 pistons
Freinage arrière	1 disque de 220 mm de Ø avec étrier à 2 pistons
Pneus avant/arrière	100/80-17 & 140/70-17
Empattement	1 405 mm
Hauteur de selle	760 mm
Poids à vide	148 kg
Réservoir de carburant	18 litres

Moteur

Type	bicylindre parallèle 4-temps, DACT, 4 soupapes par cylindre, refroidissement par liquide
Alimentation	2 carburateurs à corps de 30 mm
Rapport volumétrique	12,4:1
Cylindrée	248 cc
Alésage et course	62 mm x 41,2 mm
Puissance	38 ch
Couple	18 lb-pi
Boîte de vitesses	6 rapports
Transmission finale	par chaîne
Révolution à 100 km/h	environ 7 500 tr/min
Consommation moyenne	4,5 l/100 km
Autonomie moyenne	400 km

Conclusion

Comme outil d'initiation à saveur sportive, il est presque impossible de trouver plus amical et inoffensif que la ZZ-R250. Il s'agit d'une toute petite moto, aussi basse que mince et légère dont la maniabilité, en exagérant à peine, s'apparente à celle d'une bicyclette. Le problème de la ZZ-R250 est qu'à de très rares exceptions, sa très petite cylindrée fait qu'on s'en lasse relativement vite. Tant qu'on l'envisage pour se donner l'occasion de faire ses premiers tours de roue dans un environnement aussi peu intimidant que possible et qu'on reste conscient que le temps viendra quand même assez rapidement de passer à autre chose, elle est un excellent choix. Si on compte toutefois conserver cette première moto un peu plus longtemps, des motos comme la Ninja 500R la Suzuki GS500F ou même la nouvelle Ninja 650R sont des choix presque aussi faciles d'accès, mais beaucoup plus intéressants à long terme.

QUOI DE NEUF EN 2006 ?

- Aucun changement
- Aucune augmentation de prix

PAS MAL

- Une extraordinaire facilité de prise en main; il s'agit tout simplement de la sportive la moins intimidante sur le marché
- Un comportement sans la moindre surprise, caractérisé par une stabilité inconditionnelle et une agilité phénoménale
- Un excellent niveau de confort amené par une selle moelleuse et des suspensions inhabituellement souples

BOF

- Un niveau de performances faible qui excitera difficilement, même le novice, et qui exige en plus, des tours très élevés pour être atteint
- Des suspensions dont la mollesse se traduit par une perte de précision en pilotage sportif
- Un intérêt limité du modèle en raison de son prix; ce n'est pas vraiment une aubaine et on désire vite passer à autre chose

Vulcan 2000 Classic Ltd

Kawasaki

KAWASAKI **VULCAN 2000 CLASSIC**

NOUVELLE VARIANTE

Complexe de supériorité...

À l'homme qui doit posséder le plus gros char et la plus grosse souffleuse, Kawasaki propose la plus grosse custom qui soit, la Vulcan 2000 Classic. Nous parlons d'homme parce que nous doutons que beaucoup de femmes soient propriétaires d'une 2000... Le modèle, dont la marque de commerce est un V-Twin colossal de plus de 2 litres, se voit en 2006 rejoint par une variante de tourisme léger surnommée LT – pour Light Touring – et équipée des traditionnels accessoires que sont un dossier de passager, des sacoches de cuir et un gros pare-brise. Une version Ltd de la Classic est également proposée cette année, version se distinguant par son niveau de finition beaucoup plus élaboré.

Tout discours traitant de la Vulcan 2000 Classic doit obligatoirement commencer par le sujet de cet immense V-Twin qui le propulse. Un calcul assez simple fait réaliser qu'on a affaire à une mécanique animée par des cylindres de plus de 1 000 cc *chacun*. Allez-y, courez à vos gros camions, à vos Corvette et à vos bateaux, et vérifiez. Mais vous ne ferez pas le poids puisque rien, sur la route, ne dispose d'une mécanique aux proportions aussi caverneuses. La moto qu'est la Vulcan 2000 Classic est d'ailleurs imprégnée des conséquences de l'utilisation d'un tel moteur, pour le meilleur et pour le pire. Allez, les bonnes nouvelles d'abord.

La seule manière d'avoir la moindre idée du genre de coup de pied au cul qu'une 2000 a la capacité de distribuer à chaque ouverture des gaz est d'en rouler une. La Honda VTX1800 et surtout la nouvelle Yamaha Roadliner et son V-Twin de 1 900 cc donnent une excellente idée du calibre de la brutalité générée par la torsion de la poignée droite d'une 2000 à partir d'un arrêt. Mais le cubage est irremplaçable dans ce genre bombage de torse et tant qu'il est question de puissance brute, crue et immédiate, la grosse Kawasaki est dure à battre. Qu'amène donc une telle puissance à la conduite quotidienne, demandent certains ? Comme il serait tentant de rétorquer que quiconque pose telle question ne pourrait pas comprendre. La réalité est toutefois qu'avoir une telle livrée de couple à la disposition de sa main droite transforme complètement l'expérience de pilotage. Soudainement, chaque feu de circulation devient une piste d'accélération, chaque dépassement une expérience. Par ailleurs, cette immense cylindrée amène aussi avec elle des sensations décidément hors-normes. La Vulcan 2000 Classic produit sans le moindre doute l'une des plus envoûtantes musiques de l'univers custom. On parle d'un rythme creux, lourd et dense qu'on entend, mais qu'on sent aussi profondément résonner jusque dans ses entrailles. S'il est une custom qui n'a vraiment, mais vraiment pas besoin d'un système d'échappement plus bruyant pour laisser son pilote vivre pleinement toutes les émotions générées par son V-Twin, c'est celle-là.

LA 2000 EST IMPRÉGNÉE DES CONSÉQUENCES DE L'UTILISATION D'UN TEL MOTEUR, POUR LE MEILLEUR ET POUR LE PIRE.

Quant aux mauvaises nouvelles, leur gravité dépend de votre corpulence. En raison de son poids immense et de son centre de gravité haut, la Vulcan 2000 Classic demande un effort considérable pour la lever de sa béquille à la bouger à l'arrêt. Malheur à celui qui devra la reculer après s'être stationné le nez vers le bas. La rumeur voudrait d'ailleurs que l'ajout d'une marche arrière électrique soit sérieusement considéré par Kawasaki. Plus le pilote est faible physiquement et plus le gabarit de la 2000 devient un problème, et vice versa. La bonne nouvelle concernant les mauvaises nouvelles, c'est que celles-ci se limitent essentiellement au sujet de l'embonpoint.

Une fois en mouvement, la Vulcan 2000 Classic semble perdre la moitié de son poids. Sa direction est agréablement légère, sa stabilité imperturbable. Mais l'une de ses plus belles qualités est assurément le travail « à l'américaine » de ses suspensions, qui arrivent à ne pratiquement jamais maltraiter le pilote, ce qui est loin d'être la norme chez ce genre de motos.

Général

Catégorie	Custom
Prix	18 999 $ (LT : 19 999 $; Ltd : 20 999 $)
Garantie	1 an (LT : 2 ans)/kilométrage illimité
Couleur(s)	noir et argent, bleu et argent (LT : noir et rouge; Ltd : argent et bleu)
Concurrence	Suzuki Boulevard M109R, Yamaha Roadliner et Stratoliner

Partie cycle

Type de cadre	double berceau, en acier
Suspension avant	fourche conventionnelle de 49 mm non ajustable
Suspension arrière	monamortisseur ajustable en précharge et détente
Freinage avant	2 disques de 300 mm de Ø avec étriers à 4 pistons
Freinage arrière	1 disque de 320 mm de Ø avec étrier à 2 piston
Pneus avant/arrière	150/80 R16 & 200/60 R16
Empattement	1 735 mm
Hauteur de selle	680 mm
Poids à vide	340 kg
Réservoir de carburant	21 litres

Moteur

Type	bicylindre 4-temps en V à 52 degrés, culbuté, 4 soupapes par cylindre, refroidissement par liquide
Alimentation	injection à 2 corps de 46 mm
Rapport volumétrique	9,5:1
Cylindrée	2 053 cc
Alésage et course	103 mm x 123,2 mm
Puissance	116 ch @ 5 000 tr/min
Couple	141,3 lb-pi @ 3 000 tr/min
Boîte de vitesses	5 rapports
Transmission finale	par courroie
Révolution à 100 km/h	n/d
Consommation moyenne	6,5 l/100 km
Autonomie moyenne	323 km

Conclusion

Si une liste des motos les plus marquantes des dernières années devait être dressée, il faudrait absolument que la Vulcan 2000 Classic y soit inscrite, bien que ce ne soit pas que pour de bonnes raisons. Du bon côté, il y a cette mécanique fabuleuse, sans le moindre doute l'un des moteurs les plus réussis et les plus communicatifs des temps modernes, tandis que du moins bon côté, on retrouve évidemment la colossale masse qu'un tel choix de mécanique – et peu ou pas d'efforts réalisés pour contrôler ce poids – engendre. La question n'est donc pas de savoir s'il s'agit d'une machine agréable à piloter, puisqu'elle l'est, et même hautement, mais plutôt de savoir si, personnellement, vivre au jour le jour avec un engin de telles proportions est une proposition envisageable.

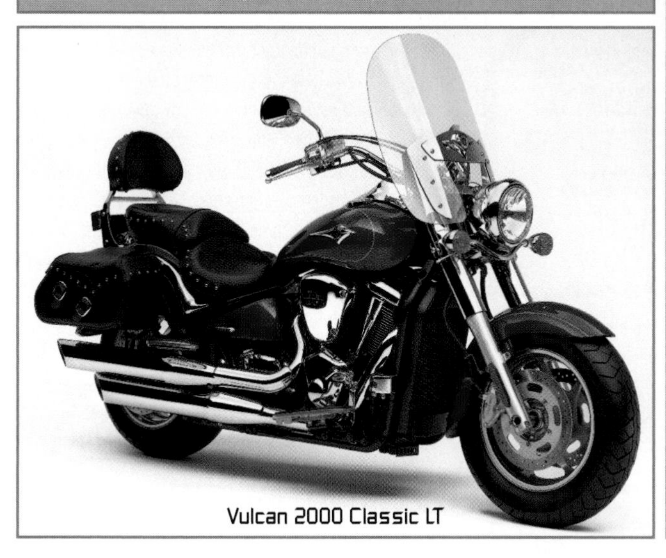

Vulcan 2000 Classic LT

QUOI DE NEUF EN 2006 ?

- Introduction d'une version Ltd proposant beaucoup plus de pièces chromées sur le moteur, une poulie arrière et des roues chromées, un châssis peint et des détails appliqués à la main par « air brush » sur le réservoir et les ailes; coûte 2 000 $ de plus que la version Classic
- Introduction d'une variante LT équipée d'un phare rond plus traditionnel, de selles cloutées avec dossier de passager, d'un pare-brise et de sacoches de cuir
- Aucun changement et aucune augmentation pour le modèle original

PAS MAL

- Un joyau de moteur; le V-Twin de 2 litres gronde et tremble comme un moteur de transatlantique en plus de tirer comme une locomotive; il vaut à lui seul le prix d'admission
- Une position de conduite relaxe et dégagée typique d'une custom classique et particulièrement réussie dans ce cas
- Des suspensions d'une rare qualité chez les customs car elles ne meurtrissent jamais le dos et sont même souples

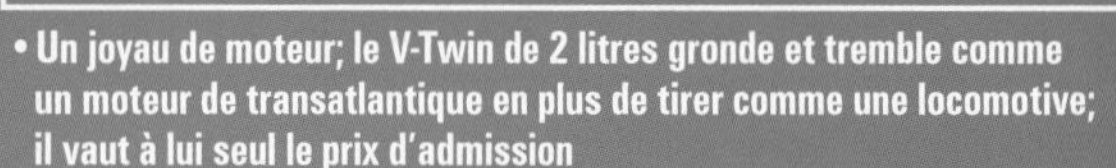

BOF

- Une masse énorme qui complique considérablement les manoeuvres à l'arrêt et demande des propriétaires qu'ils soient physiquement capables de manier une moto de ce gabarit
- Des selles qui ne sont pas les meilleures qui soient; la partie du pilote est satisfaisante, mais la portion du passager est décidément peu invitante; notons qu'une selle arrière plus accueillante existe, et qu'elle est d'ailleurs utilisée sur la version LT de la Classic
- Un prix qui commence à devenir costaud dans le cas de la version Ltd, même s'il est fort probable qu'effectuer un travail semblable sur une Classic coûterait beaucoup plus cher

Vulcan 1600 Nomad

Kawasaki

KAWASAKI VULCAN 1600 NOMAD ET CLASSIC

Formule à succès...

Se balader sans autre direction que celle du vent, rouler sans autre limite que le retour aux obligations du lundi matin. Voilà autant de privilèges qu'une moto appelée Nomad – le mot décrit un individu vagabondant sans domicile fixe – semble vouloir promettre. Basée depuis l'an dernier sur la Vulcan 1600 Classic lancée en 2003, la Nomad est l'une des customs de tourisme léger les plus populaires du marché et l'un des bons vendeurs de la gamme Kawasaki. Les deux modèles sont propulsés par un V-Twin de 1 600 cc dérivé de la mécanique qui anime depuis toujours la Vulcan 1500 Classic. Ni l'un ni l'autre n'est changé en 2006.

Si, sur papier, l'ajout d'un gros pare-brise, d'une paire de valises et d'un dossier suffit à transformer une custom traditionnelle en monture de tourisme léger, ces additions ne sont pas pour autant gages d'un bon comportement routier pour le résultat final. La Vulcan 1600 Nomad accomplit la transition mieux que jamais grâce, entre autres, à un environnement exceptionnellement généreux pour le passager. Le fait qu'elle soit maintenant basée sur une moto aussi aboutie que la Vulcan 1600 Classic n'est, par ailleurs, certainement pas étranger à la qualité du résultat.

L'attention particulière portée à l'accueil du passager de la Nomad depuis l'an dernier s'avère incompréhensiblement rare chez ces motos dont le but est pourtant de parcourir de bonnes distances dans un niveau de confort raisonnable. Comme le tourisme à moto est plus que jamais une activité de couple, il semble futile de la part d'un manufacturier de ne réserver ce fameux niveau de confort qu'au pilote, sans s'attarder à celui du passager, qui demeure la plupart du temps une passagère. Car sans entrer dans les détails qu'amènent à la dynamique de couple une passagère inconfortablement installée, disons simplement que quand la Madame elle est contente, le Monsieur il est aussi content.

LA NOMAD PROPOSE UN ENVIRONNEMENT EXCEPTIONNELLEMENT GÉNÉREUX POUR LE PASSAGER.

Grâce à une selle de bonnes dimensions, à des plateformes bien positionnées ainsi qu'à un généreux dossier et à des poignées de maintien, la Nomad ne tarde pas à ravir quiconque prend place derrière le pilote. Sans être inconfortable, loin de là, la Classic est plus traditionnelle et ne peut donc pas choyer autant son passager. Mais son pilote bénéficie du même environnement équilibré que la Nomad. Bien qu'elle ne soit pas totalement inexistante, la sécheresse de la suspension arrière commune à tant de customs, est dans le cas de la Nomad et de la Classic réduite à un niveau tolérable et occasionnel.

Les anciennes générations des modèles et leurs 1 500 centimètres cubes n'ont jamais été reconnues pour leurs performances élevées et ce ne sont pas les quelques 100 cc additionnels des nouvelles versions qui y changent quelque chose, un fait que la masse imposante des deux modèles n'aide d'ailleurs en rien. Le couple généré à bas régime est néanmoins nettement supérieur à celui du moteur de 1 500 cc, ce qui permet des accélérations franches à partir d'un arrêt et des dépassements honnêtes. L'agrément de pilotage bénéficie lui aussi de l'adoption de la plus grosse cylindrée puisque le V-Twin de 1 600 cc s'avère particulièrement plaisant pour les sens grâce à sa façon franche et sans gêne de trembler et de gronder.

Le poids considérable des Vulcan 1600 Classic et Nomad n'est réellement gênant qu'à l'arrêt et à très basse vitesse, des situations lors desquelles toute l'attention du pilote est requise. Mais sitôt les roues en mouvement, les grosses customs semblent s'alléger de moitié et se montrent somme toute agréablement maniables. Leur stabilité est imperturbable autour des limites légales.

Général

Catégorie	Custom (Nomad : Tourisme Léger)
Prix	15 299 $ (Nomad : 17 299 $)
Garantie	1 an (Nomad : 2 ans)/kilométrage illimité
Couleur(s)	noir, bleu et argent (Nomad : noir, vert et argent)
Concurrence	toutes les customs Harley de 1 450 cc, Kawasaki Mean Streak, Vulcan 1500 Classic, Suzuki C90, Yamaha Road Star, toutes les customs Victory/Harley-Davidson Road King, Suzuki C90T, Victory Touring Cruiser, Yamaha Road Star Silverado

Partie cycle

Type de cadre	double berceau, en acier
Suspension avant	fourche conventionnelle de 43 mm non ajustable
Suspension arrière	2 amortisseurs ajustables en précharge et détente
Freinage avant	2 disques de 300 mm de Ø avec étriers à 2 pistons
Freinage arrière	1 disque de 300 mm de Ø avec étrier à 2 pistons
Pneus avant/arrière	130/90-16 (Nomad : 150/80-16) & 170/70-16
Empattement	1 680 mm (Nomad : 1 685 mm)
Hauteur de selle	680 mm (Nomad : 705 mm)
Poids à vide	315 kg (Nomad : 350 kg)
Réservoir de carburant	20 litres

Moteur

Type	bicylindre 4-temps en V à 50 degrés, SACT, 4 soupapes par cylindre, refroidissement par liquide
Alimentation	injection à 2 corps de 36 mm
Rapport volumétrique	9:1
Cylindrée	1 552 cc
Alésage et course	102 mm x 95 mm
Puissance	67 ch @ 4 700 tr/min
Couple	94 lb-pi @ 2 700 tr/min
Boîte de vitesses	5 rapports
Transmission finale	par arbre
Révolution à 100 km/h	2 700 tr/min
Consommation moyenne	7,2 l/100 km
Autonomie moyenne	277 km

Conclusion

Le marché offre peu de customs dont les modifications s'intègrent à la monture de base — dans ce cas la Vulcan 1600 Classic — de manière aussi fonctionnelle et transparente que dans le cas de la Nomad. Il s'agit même carrément d'un des modèles du genre les plus agréables pour la personne qui prend place sur le siège arrière, ce qui n'a certainement rien de banal. Car s'il est vrai que ces qualités se reflètent dans le prix d'achat, qui est tout de même substantiel compte tenu du fait que les modèles « ne sont que des 1600 », il aussi vrai que certaines choses n'ont pas de prix, comme rouler et rouler sans la moindre plainte de sa passagère.

QUOI DE NEUF EN 2006 ?

- Version noire de la Nomad coûte 200 $ de moins que la 2-tons
- Version noire de la Classic coûte 200 $ de moins que la 2-tons
- Aucun changement

PAS MAL

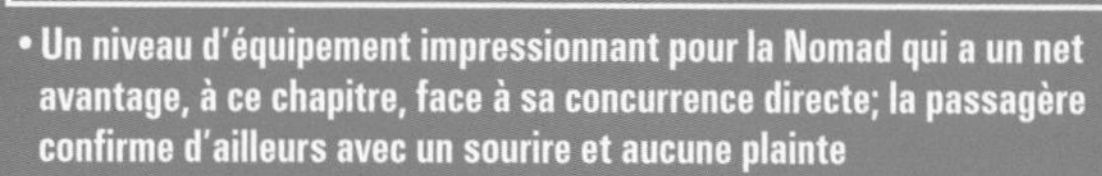

- Un niveau d'équipement impressionnant pour la Nomad qui a un net avantage, à ce chapitre, face à sa concurrence directe; la passagère confirme d'ailleurs avec un sourire et aucune plainte
- Une mécanique qui n'est pas une force de la nature, mais qui vrombit de manière agréable et qui produit une quantité de couple appréciable à très bas régime
- Un comportement sain et sans surprises une fois en route

BOF

- La 1600 Classic ne fait rien de mal, mais elle ne fait rien de très bien non plus, ce qui rend ses points d'intérêts difficiles à cerner pour l'acheteur moyen
- Un caractère moteur plaisant, mais pas aussi envoûtant que celui de certaines rivales, particulièrement les Yamaha Road Star
- Un poids considérable qui demande de l'attention à l'arrêt et lors de manoeuvres lentes et serrées, particulièrement sur la Nomad et ses 350 kg

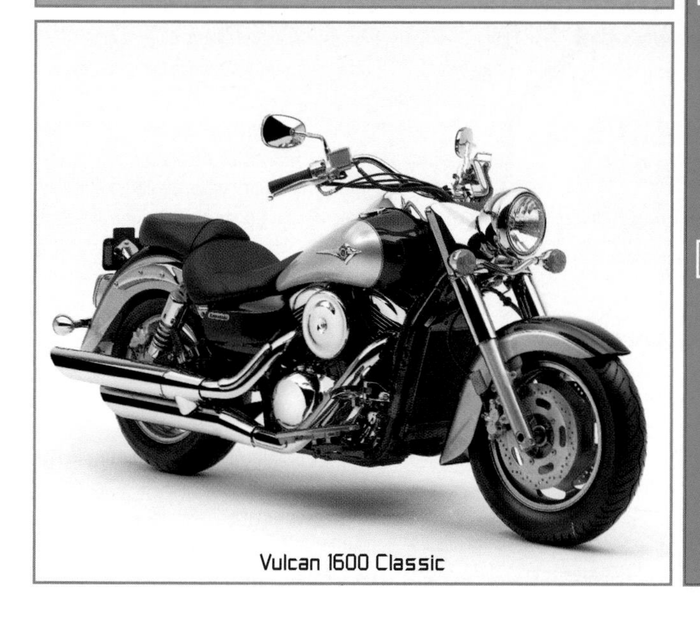

Vulcan 1600 Classic

KAWASAKI VULCAN 1600 MEAN STREAK

Surtout jolie...

La Mean Streak est l'un des plus beaux exemples de l'importance du style chez les customs puisqu'elle doit beaucoup plus l'intérêt qu'on lui porte à ses lignes joliment équilibrées qu'à une quelconque prouesse en ligne droite ou en courbe. Car si on la classifiait, lorsqu'elle fut introduite en 2002, comme une custom de performances au même titre que les Yamaha Warrior et les Honda VTX1800, ses prestations, elles, sont essentiellement celles d'une Vulcan 1600 Classic. Notons que l'alliance entre Kawasaki et Suzuki qui permettait à ce dernier de vendre la Mean Streak sous le nom de M95 est désormais dissoute. Pour le reste, rien ne change en 2006.

La Mean Streak a toujours eu comme force son style épuré, long et bas, un avantage qu'elle utilise pleinement depuis sa mise en marché en 2002. Contrairement à une concurrence, chez les customs de performances, qui semble par moments avoir essayé d'en faire trop, Kawasaki a intelligemment choisi de conserver une attitude réservée et de se limiter à donner à son modèle une ligne de bon goût qui ne choquerait personne, sans toutefois s'investir outre mesure dans la création d'un véritable nouveau modèle. Au-delà de son agréable silhouette, la Mean Streak possède malgré cela de nombreuses qualités, à commencer par sa mécanique caractérielle. Si le passage de 1 500 cc à 1 600 cc en 2004 n'a apporté que peu en termes de performances pures, il a en revanche considérablement fait gagner le V-Twin en agrément d'utilisation. La caractéristique prédominante de ce dernier est son aisance à très bas régime et sa forte présence dans ces tout premiers tours. Entre le ralenti et 2 500 tr/min, chaque allées et venues des pistons est clairement ressentie par le pilote. À ces régimes, chaque accélération est accompagnée d'un tremblement profond et de forte amplitude qui ne dérange jamais, mais qui, au contraire, rend l'expérience encore plus viscérale. Plutôt que de s'intensifier à mesure que les tours montent, ce tremblement s'adoucit considérablement à l'approche des 3 000 tr/min pour finalement ne devenir qu'un doux murmure à vitesse d'autoroute. Il ne sert absolument à rien d'étirer les régimes jusqu'à la zone rouge de 6 000 tr/min puisque l'intensité des accélérations diminue nettement une fois le cap des 4 000 tr/min franchi. En fait, sur la Mean Streak, tout ce qui est intéressant se passe à bas régime. La puissance du moteur n'est pas exceptionnelle et ne se traduit donc pas par des performances spectaculaires, mais le couple toujours présent en grande dose permet de garder les tours très bas – on accélère sans problème en cinquième dès 1 500 tr/min – et les changements de rapports au minimum.

SUR LA MEAN STREAK, TOUT CE QUI EST INTÉRESSANT SE PASSE À BAS RÉGIME.

L'excellente tenue de route de la Mean Streak fait également la réputation du modèle depuis son introduction. Le fait que la partie cycle soit parsemée de composantes sportives est sûrement au moins partiellement responsable de cette qualité. En gros, on a droit à une stabilité imperturbable, à une solidité et une précision étonnantes en courbe et à des freins superbes, qui ont d'ailleurs encore été améliorés l'an dernier. Elle est l'une des rares customs qui permettent réellement de tirer plaisir d'une route sinueuse. Les suspensions n'ont pourtant rien de trop rigide et réussissent toujours à garder un degré de confort au moins acceptable, sauf sur les pires routes où l'arrière finit par devenir sec.

La position de conduite de la Mean Streak a la particularité de beaucoup rappeler celle de certaines Harley-Davidson. La relation entre la position de la selle, qui est plutôt confortable, celle des repose-pieds avancés et celle du guidon étroit de style drag n'est en effet pas du tout commune chez les customs japonaises. Elle reste toutefois parfaitement équilibrée et somme toute agréable.

Général

Catégorie	Custom
Prix	16 299 $
Garantie	3 ans/kilométrage illimité
Couleur(s)	noir
Concurrence	Harley-Davidson V-Rod, Suzuki Boulevard M109R, Victory Hammer, Yamaha Road Star Warrior

Partie cycle

Type de cadre	double berceau, en acier
Suspension avant	fourche inversée de 43 mm non ajustable
Suspension arrière	2 amortisseurs ajustables en précharge et détente
Freinage avant	2 disques de 320 mm de Ø avec étriers radiaux à 4 pistons
Freinage arrière	1 disque de 300 mm de Ø avec étrier à 2 pistons
Pneus avant/arrière	130/70-17 & 170/60-17
Empattement	1 705 mm
Hauteur de selle	700 mm
Poids à vide	290 kg
Réservoir de carburant	17 litres

Moteur

Type	bicylindre 4-temps en V à 50 degrés, SACT, 4 soupapes par cylindre, refroidissement par liquide
Alimentation	injection à 2 corps de 40 mm
Rapport volumétrique	9:1
Cylindrée	1 552 cc
Alésage et course	102 mm x 95 mm
Puissance	72 ch @ 5 300 tr/min
Couple	94 lb-pi @ 2 500 tr/min
Boîte de vitesses	5 rapports
Transmission finale	par arbre
Révolution à 100 km/h	environ 2 900 tr/min
Consommation moyenne	7,5 l/100 km
Autonomie moyenne	226 km

Conclusion

Le comportement routier sain et plaisant de la Mean Streak constitue l'un des atouts principaux du modèle depuis son arrivée sur le marché. S'il est vrai qu'on lui fait souvent porter le titre de custom de performances en raison des quelques composantes sportives dont elle est équipée, il ne faudrait pas pour autant la confondre avec un modèle au comportement réellement sportif comme la Yamaha Road Star Warrior puisqu'on n'a tout simplement pas affaire au même genre de moto. Il s'agit essentiellement d'une custom classique, motorisée par une mécanique étonnamment caractérielle dont le comportement a été amélioré par la greffe de pièces empruntées à diverses sportives de la marque. Cette approche simple est d'ailleurs l'une des raisons pour lesquelles Kawasaki réussit à garder son prix à l'intérieur de la zone de confort de la plupart des acheteurs de grosses customs.

QUOI DE NEUF EN 2006 ?

- Aucun changement
- Aucune augmentation de prix

PAS MAL

- Un V-Twin particulièrement généreux en couple et en sensations fortes à bas régime, et qui s'adoucit ensuite
- Un châssis étonnamment solide et précis qui permet même de tirer plaisir d'une enfilade de virages
- Une ligne qui continue de plaire beaucoup; la Mean Streak a l'air d'une custom qui aurait été apprêtée avec bon goût par un propriétaire connaisseur

BOF

- Une ligne qui incite à croire que les performances sont élevées, mais ces dernières demeurent en réalité relativement ordinaires
- Des suspensions qui se débrouillent très bien la majeure partie du temps, mais l'arrière peut devenir rude sur une route très abîmée ou sur certaines bosses « sèches »
- Une selle diminutive pour le passager; Kawasaki offre d'ailleurs une selle plus épaisse en option

Kawasaki

KAWASAKI VULCAN 1500 CLASSIC

Belle, bonne, pas chère...

L'expression qui qualifie un produit de beau, bon et pas cher est un cliché qui colle particulièrement bien à la Vulcan 1500 Classic. Visuellement, sans qu'il s'agisse d'une oeuvre d'art, le modèle reste encore agréable à regarder, tandis que techniquement, il fait tout ce qu'il a à faire sans jamais rouspéter, surtout depuis l'arrivée de l'injection l'an dernier. Mais c'est surtout au niveau du prix que la proposition devient intéressante puisqu'en termes de dollars par centimètres cubes, elle est tout bonnement imbattable. Il s'agit du cas classique d'un produit périmé, mais encore parfaitement fonctionnel et qui demeure valable comme achat en raison d'un prix faible.

Beaucoup de motocyclistes ont répondu à l'offre de la bonne vieille Vulcan 1500 Classic à bas prix faite par Kawasaki, et s'en sont déclarés entièrement satisfaits. Quant à ceux qui ont déboursé plusieurs milliers de dollars de plus pour le même modèle juste avant que le constructeur décide de tronçonner son prix, ils aiment tout autant leur moto, mais...

Plusieurs acheteurs potentiels mais prudents pourraient se montrer sceptiques face à une affaire qui semble trop belle pour être vraie, mais la réalité est qu'il s'agit d'une des rares occasions où il n'y a pas d'attrape et seulement un bon achat à faire. Kawasaki a tout simplement réduit de façon assez radicale le prix d'une moto qu'il produisait depuis longtemps, de manière à aider le modèle à conserver un certain intérêt dans un marché rempli de rivales plus jolies et plus modernes. En théorie, tous les autres constructeurs pourraient en faire autant, mais la réalité est que la Vulcan 1500 Classic est une proposition unique et hautement inhabituelle. Il s'agit d'une moto lancée il y une dizaine d'années environ, mais qui représente toujours un achat valable aujourd'hui. C'est que chez les customs, les choses n'évoluent pas très rapidement. En 2006, une Vulcan 1500 Classic proposée à rabais n'accuse ainsi qu'une génération de retard sur sa remplaçante actuelle dans la gamme de Kawasaki, la Vulcan 1600 Classic qui se vend presque 3 000 $ de plus.

LES SEULES OPTIONS À CE PRIX SONT DES 1100 QUI NE TREMBLENT DÉCIDÉMENT PAS COMME UNE 1500.

Malgré son âge et sa cylindrée légèrement inférieure à celle de certains des modèles directement concurrents, la Vulcan 1500 Classic n'accuse pas vraiment de déficit en performance pure face à ces dernières. Le V-Twin qui l'anime n'est pas pour autant un monstre de puissance ou de couple, mais il tire son épingle du jeu de façon très satisfaisante en grondant et en tremblant comme il se doit pour un moteur de cette configuration. Si les connaisseurs restent un peu sur leur faim lorsqu'ils s'attendent à retrouver un caractère très particulier, les autres n'y verront que du feu. D'un autre côté, les seules options à ce prix sont des 1100 qui, elles, ne tremblent décidément pas comme une 1500. Les gros V-Twin de Kawasaki ont toujours été bien remplis dans la partie inférieure de leur plage de régimes et ont toujours fait preuve d'un excellent contrôle de leur niveau de vibrations. La Vulcan 1500 Classic suit cette règle.

La position de conduite de la 1500 Classic ne diffère que légèrement de celle d'une custom récente comme la 1600 Classic. Elle est typiquement dégagée et relaxe, et ne peut être critiquée qu'au sujet du guidon qui se trouve un peu plus haut que ne le veut la tendance actuelle de guidons très larges et très bas. Quant au comportement routier, là encore, si la 1500 Classic est en recul par rapport aux belles manières des dernières customs, ce n'est que très légèrement. D'une façon générale, la tenue de route est saine, tandis que le poids considérable à l'arrêt semble disparaître dès qu'on se met en mouvement.

Général

Catégorie	Custom
Prix	12 699 $ (noir : 12 499 $)
Garantie	1 an/kilométrage illimité
Couleur(s)	noir et argent, noir
Concurrence	Harley-Davidson Sportster 1200, Honda VTX1300, Shadow Spirit et Sabre, Suzuki Boulevard S83, Yamaha V-Star 1100

Partie cycle

Type de cadre	double berceau, en acier
Suspension avant	fourche conventionnelle de 41 mm non ajustable
Suspension arrière	2 amortisseurs ajustables en détente
Freinage avant	1 disque de 300 mm de Ø avec étrier à 2 pistons
Freinage arrière	1 disque de 270 mm de Ø avec étrier à 2 pistons
Pneus avant/arrière	130/90-16 & 150/80-16
Empattement	1 665 mm
Hauteur de selle	700 mm
Poids à vide	299 kg
Réservoir de carburant	19 litres

Moteur

Type	bicylindre 4-temps en V à 50 degrés, SACT, 4 soupapes par cylindre, refroidissement par liquide
Alimentation	injection à 2 corps de 36 mm
Rapport volumétrique	9:1
Cylindrée	1 470 cc
Alésage et course	102 mm x 90 mm
Puissance	64 ch @ 4 500 tr/min
Couple	83,9 lb-pi @ 2 800 tr/min
Boîte de vitesses	5 rapports
Transmission finale	par arbre
Révolution à 100 km/h	environ 2 700 tr/min
Consommation moyenne	7,2 l/100 km
Autonomie moyenne	263 km

Conclusion

Une Vulcan 1500 Classic injectée à 12 500 $ est une offre pleine de bon sens pour le motocycliste dont les moyens ne permettraient pas d'envisager l'un des modèles poids lourds plus récemment présentés et les milliers de dollars supplémentaires qu'implique son achat. Le modèle ne constitue d'aucune manière une attrape, mais représente seulement une stratégie intelligente et agressive de la part de Kawasaki pour continuer d'écouler une moto ayant un retard d'une génération. Comme le comportement et les performances restent tout à fait satisfaisants, et ce, même lorsqu'ils sont comparés aux normes actuelles, l'achat semble, lui aussi, intelligent.

QUOI DE NEUF EN 2006 ?

- **Aucun changement**
- **Coûte 200 $ de plus qu'en 2005**

PAS MAL

- **Une proposition intéressante puisque la Vulcan 1500 Classic peut toujours très bien satisfaire l'acheteur dont le budget est limité**
- **Une mécanique éprouvée qui joue bien son rôle; le V-Twin est coupleux en bas et vrombit profondément**
- **Un niveau de confort très acceptable grâce surtout à la bonne selle et à la position classique et dégagée**

BOF

- **Une ligne qui n'a pas le panache de celle des dernières customs, mais compte tenu des économies réalisées, ça reste très acceptable**
- **Un freinage peu impressionnant en raison de la puissance limitée du disque simple à l'avant**
- **Un poids plutôt élevé qui complique les manoeuvres à l'arrêt et dans les situations lentes et serrées**

KAWASAKI **VULCAN 900 CLASSIC**

NOUVEAUTÉ 2006

Jeu de chiffres...

Se pointer dans une catégorie aussi compétitive que celle des customs de cylindrée moyenne avec un modèle plus cher que celui des manufacturiers concurrents est une situation qui peut facilement mal tourner. Pourtant, Kawasaki prend en 2006 le pari d'introduire dans cette classe une nouveauté dont le prix est supérieur à la moyenne. Du suicide ? Non. Au contraire, en fait. Car le prix de la nouvelle Vulcan 900 Classic amène avec lui un avantage non seulement parfaitement clair, mais aussi avec lequel les produits concurrents ne peuvent tout simplement pas rivaliser : un rare et précieux surplus de centimètres cubes.

TECHNIQUE

Dans une catégorie où les modèles déplacent traditionnellement de 650 à 800 cc, débarquer avec une 900 semble décidément une bonne manière d'attirer l'attention. Construite autour d'un bicylindre en V de 903 cc qui reprend l'architecture du moteur de la Vulcan 800 Classic et certains éléments de design du V-Twin géant de la Vulcan 2000 Classic, la nouvelle Vulcan 900 Classic vient considérablement brouiller les cartes dans la classe des custom de cylindrée moyenne. Car s'il est une denrée rare commune à chacun des modèles de cette catégorie, il s'agit des centimètres cubes, et bien entendu des précieux chevaux qu'ils amènent. Les motos de cette catégorie ne sont en effet réputées ni pour leurs performances étincelantes ni pour le charisme particulier de leur mécanique, dont le pire handicap est encore et toujours une cylindrée relativement faible.

La proposition de la Vulcan 900 Classic semble être pleine de bon sens pour la simple et bonne raison que le supplément monétaire qu'elle commande par rapport à des modèles de 650, 750 ou 800 cc reste très raisonnable. On parle de plus ou moins 900 $ dépendamment des modèles, ce qui semble un surplus fort acceptable compte tenu des nets bénéfices amenés par un avantage de 100 à 250 cc. On comprend toutefois la véritable valeur de la nouvelle Vulcan 900 Classic lorsqu'on réalise que sa cylindrée supérieure n'est qu'une partie de ce qu'on achète avec le supplément demandé.

LA CYLINDRÉE SUPÉRIEURE N'EST QU'UNE PARTIE DE CE QUE LA 900 CLASSIC PROPOSE POUR LE SUPPLÉMENT DEMANDÉ.

En excluant la défunte Drifter 800 qui était basée sur la Vulcan 800 Classic introduite en 1995, il y a maintenant plus de 10 ans que Kawasaki n'avait rien présenté de nouveau dans cette classe. La nouvelle Vulcan 900 Classic est propulsée par un V-Twin dont l'architecture générale ressemble à celle du moteur de la 800 Classic, mais il s'agit d'une nouvelle mécanique. Une course augmentée de 8 mm fait passer la cylindrée de 805 à 903 cc. Les culasses sont inspirées de celles de la Vulcan 2000 tandis qu'un système d'injection à double papillon alimente le V-Twin dont l'aspect externe est particulièrement soigné. La ligne générale de la moto est clairement inspirée de celle de la 2000, tout comme le cadre et le bras oscillant, d'ailleurs. L'une des caractéristiques intéressantes de la nouveauté est son entraînement final par courroie, une rareté – la Hyosung Aquila 650 et la Harley-Davidson Sportster 883 en ont aussi un – dans cette classe. Alors que la majorité des customs de cylindrée moyenne utilisent encore un frein arrière à tambour, la 900 bénéficie d'un disque, tandis que son massif pneu arrière de 180 mm est le plus large de la classe. Ce qui pourrait sembler n'être qu'un détail, soit la présence d'une instrumentation incluant un rare indicateur de niveau d'essence, demeure tout de même fort appréciée dans le cadre d'une utilisation quotidienne.

Quant à la version de tourisme léger du modèle, la Vulcan 900 Classic LT, qui est conçue pour traîner passager et bagages de manière plus régulière, elle bénéficie encore plus de l'avantage de cylindrée et de puissance du moteur de 900 cc.

Bien peu de constructeurs sont arrivés à convaincre les acheteurs de customs de cylindrée moyenne de débourser plus qu'environ 8 500 $ pour leur modèle. Kawasaki parie que les caractéristiques additionnelles – une ligne soignée, un frein arrière à disque, un entraînement final par courroie et bien entendu quelque 100 à 250 cc de plus – offertes par la Vulcan 900 Classic justifieront, aux yeux des acheteurs, le supplément de plus ou moins 900 $ qu'elle commande.

Arguments de vente

Pour avoir tenté – avec peu de succès – durant des années de vendre sa Vulcan 800 Classic plus cher que la concurrence sous prétexte qu'elle produisait une puissance supérieure, Kawasaki sait fort bien qu'un prix plus élevé, dans cette classe, doit absolument amener des avantages clairs et tangibles. Parmi ceux-ci, on note une attention portée à chaque détail visuel – forme des silencieux, du réservoir, des ailes, finition du moteur, etc. – qui rivalise avec ce qu'on trouverait sur une custom de catégorie supérieure. Le plus grand intérêt du modèle devrait toutefois se retrouver au niveau de l'agrément de pilotage amené par une mécanique injectée de plus grosse cylindrée.

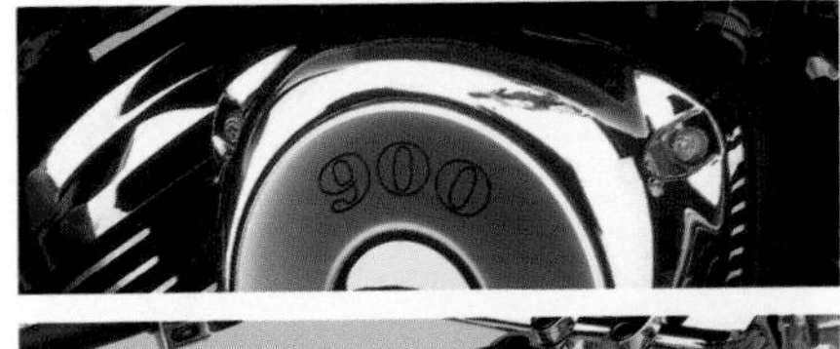

Général

Catégorie	Custom/Tourisme léger
Prix	9 449 $ (LT : 10 899 $)
Garantie	1 an (LT : 2 ans)/kilométrage illimité
Couleur(s)	rouge, noir, argent, bleu (LT : rouge et noir, bleu et argent)
Concurrence	Harley-Davidson Sportster 883, Honda Shadow Aero et Spirit 750, Hyosung Aquila 650, Kawasaki Vulcan 800 Classic, Suzuki C50, Triumph America et Speedmaster, Yamaha V-Star 1100/Honda Shadow Touring, Suzuki C50T et C50SE

Partie cycle

Type de cadre	double berceau, en acier
Suspension avant	fourche conventionnelle de 41 mm non ajustable
Suspension arrière	monoamortisseur ajustable en précharge
Freinage avant	1 disque de 300 mm de Ø avec étrier à 2 pistons
Freinage arrière	1 disque de 270 mm de Ø avec étrier à 2 pistons
Pneus avant/arrière	130/90-16 & 180/70-15
Empattement	1 650 mm
Hauteur de selle	n/d
Poids à vide	n/d
Réservoir de carburant	18 litres

Moteur

Type	bicylindre 4-temps en V à 55 degrés, SACT, 4 soupapes par cylindre, refroidissement par liquide
Alimentation	injection à 2 corps de 34 mm
Rapport volumétrique	n/d
Cylindrée	903 cc
Alésage et course	88 mm x 74,2 mm
Puissance	n/d
Couple	n/d
Boîte de vitesses	5 rapports
Transmission finale	par courroie
Révolution à 100 km/h	n/d
Consommation moyenne	n/d
Autonomie moyenne	n/d

Conclusion

S'il est une règle qu'on ne peut presque jamais prendre en défaut chez les customs, c'est celle qui dit que « plus c'est gros, plus c'est mieux ». Et s'il est une catégorie de customs où la cylindrée est d'une importance capitale, c'est celle des poids moyens de 650, 750 et 800 cc. Très simplement, l'agrément de conduite croît avec le cubage. Bien que la ligne soignée de la nouvelle Vulcan 900 Classic, ainsi que plusieurs détails techniques soient dignes de mention, nous croyons que la raison majeure pour laquelle la première nouveauté de Kawasaki dans ce créneau en plus d'une décennie représente une excellente valeur est sa nette supériorité au niveau des centimètres cubes. Seul un essai confirmera évidemment ces affirmations, mais compte tenu des règles énumérées plus tôt, nous demeurons confiants.

Vulcan 900 Classic LT

QUOI DE NEUF EN 2006 ?

- Nouveau modèle

PAS MAL

- Un avantage de cylindrée qui va de 100 à 250 cc selon le modèle, ce qui représente une différence considérable dans une classe de motos où l'agrément de conduite est souvent proportionnel au cubage
- Une ligne soignée et des proportions proches de celles de modèles dont les mécaniques ont deux fois la cylindrée de la nouvelle Vulcan
- Une série de caractéristiques techniques comme un frein arrière à disque, un entraînement par courroie classique et une alimentation par injection dont la présence n'est pas banale sur une moto de ce prix

BOF

- Un prix considérablement plus élevé que celui de la moyenne de la classe; il s'agit d'un pari que fait Kawasaki et qui, si le passé peut servir d'indication, n'est certainement pas gagné d'avance
- Une cylindrée nettement supérieure à celle de la concurrence et de laquelle on s'attend à un avantage aussi net au niveau de l'agrément de conduite; quoi que ce soit de moins serait décevant
- Il s'agit d'un des modèles que nous regrettons beaucoup de n'avoir pu tester avant d'aller sous presse — il n'était pas encore disponible — compte tenu de la grande popularité des motos de cette classe

KAWASAKI VULCAN 800 CLASSIC

Juste au cas...

Même si Kawasaki présente en 2006 la toute nouvelle custom de cylindrée moyenne qu'est la Vulcan 900 Classic, la Vulcan 800 Classic demeure présente au catalogue. Si l'on prend en considération l'affection que semble avoir le constructeur pour les vieilleries – l'évocation de noms comme Concours et KLR650 devrait suffire à appuyer ce point –, personne ne devrait s'en étonner. Et pourquoi pas ? Le modèle, qui fut introduit en 1995 et qui n'a pas évolué depuis, reste un choix décent dans la classe et coûte quand même tout près de 1 000 $ de moins que la nouvelle 900 Classic. D'ailleurs, au cas où cette dernière n'aurait pas le succès escompté, la 800 limiterait les dégâts...

Lancée en plein milieu des années 90, la Vulcan 800 Classic fut l'une des toutes premières customs à arborer un style beaucoup plus près de celui d'une Harley que cela n'était le cas pour la ligne de la majorité des customs de l'époque. En effet, lorsque Kawasaki présenta le modèle en remplacement de la vieille Vulcan 750 – qui, soit dit en passant, est toujours en vente aux États-Unis comme modèle économique – il y a déjà plus d'une décennie, la custom japonaise moyenne n'était pas la plus belle création qui fut. C'était d'ailleurs autour de cette période que tous les constructeurs nippons ont commencé à comprendre la signification du bon goût en matière de ligne custom, et qu'ils se sont mis à mettre sur le marché des modèles de plus en plus plaisants à l'oeil et aux sens. Quelque 10 ans plus tard, les progrès accomplis sont d'ailleurs tout à fait évidents.

Vendue plus cher que les modèles directement concurrents durant des années, la Vulcan 800 Classic vit finalement son prix suggéré être réduit à un niveau compétitif, ce qui fit bondir ses ventes. À l'origine, la raison pour laquelle le constructeur avait établi son prix de la sorte était surtout liée à la technologie présente dans la mécanique. Le refroidissement par liquide et les culasses à 4 soupapes de la 800 sont effectivement des caractéristiques coûteuses à produire et elles génèrent aussi une puissance supérieure. Ainsi, par rapport à des rivales directes qui produisent en moyenne une cinquantaine de chevaux, la 800 Classic frôle la soixantaine.

PAR RAPPORT À SA CONCURRENCE DIRECTE, LA VULCAN 800 CLASSIC PRODUIT UN NIVEAU DE PUISSANCE SUPÉRIEUR.

Le résultat est une différence appréciable au niveau des accélérations. En ligne droite, la Vulcan 800 laisse derrière non seulement la plupart de ses concurrentes, mais elle accélère aussi plus vite que plusieurs modèles poids lourds. La souplesse à bas régime est à peu près la même que pour le reste de la classe, c'est-à-dire satisfaisante, alors que les tours élevés amènent une constante augmentation de puissance, mais sans vibrations dérangeantes. Le reste de l'aspect confort est honnête. La position de conduite relaxe et dégagée plie les jambes à environ 90 degrés, laisse le dos presque droit et place les mains basses sur un guidon large. La selle est quant à elle bien formée et bien rembourrée, et à l'exception d'une occasionnelle rudesse de l'arrière, les suspensions sont généralement souples.

C'est toujours de façon saine et amicale que la Vulcan 800 Classic se comporte sur la route. La stabilité n'attire pas de reproche dans les conditions normales d'utilisation, l'effort nécessaire à l'inscrire en courbe est très faible et le comportement en plein virage est solide et rassurant, même sur chaussée abîmée. La Vulcan 800 Classic s'acquitte aussi bien du travail urbain. Grâce à la faible hauteur de selle, à la légèreté de la direction et au poids raisonnable, la maniabilité dans les situations serrées de la ville s'avère excellente, même pour des pilotes de faible gabarit comme les femmes. Les freins font leur travail correctement, sans plus.

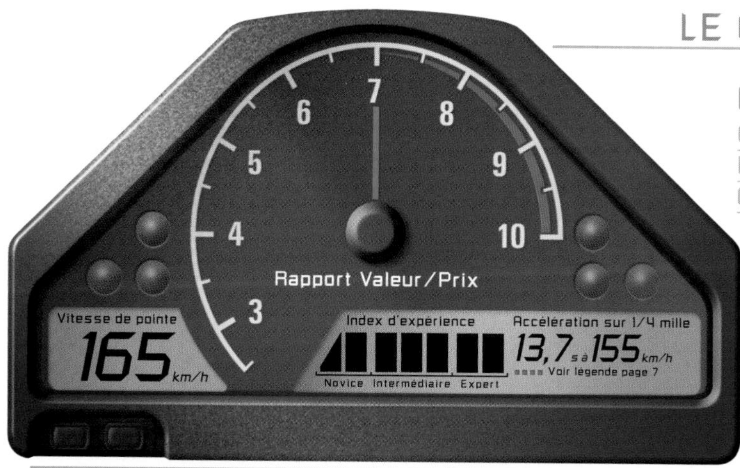

Général

Catégorie	Custom
Prix	8 499 $
Garantie	1 an/kilométrage illimité
Couleur(s)	rouge, noir
Concurrence	Harley-Davidson Sportster 883, Honda Shadow Aero et Spirit 750, Hyosung Aquila 650, Kawasaki Vulcan 900 Classic, Suzuki C50, M50 et S50, Triumph America et Speedmaster, Yamaha V-Star 650

Partie cycle

Type de cadre	double berceau, en acier
Suspension avant	fourche conventionnelle de 41 mm non ajustable
Suspension arrière	monoamortisseur ajustable en précharge
Freinage avant	1 disque de 300 mm de Ø avec étrier à 2 pistons
Freinage arrière	tambour mécanique
Pneus avant/arrière	130/90-16 & 140/90-16
Empattement	1 600 mm
Hauteur de selle	705 mm
Poids à vide	234 kg
Réservoir de carburant	15 litres

Moteur

Type	bicylindre 4-temps en V à 55 degrés, SACT, 4 soupapes par cylindre, refroidissement par liquide
Alimentation	1 carburateur à corps de 36 mm
Rapport volumétrique	9,5:1
Cylindrée	805 cc
Alésage et course	88 mm x 66,2 mm
Puissance	56 ch @ 7 000 tr/min
Couple	47,7 lb-pi @ 3 500 tr/min
Boîte de vitesses	5 rapports
Transmission finale	par chaîne
Révolution à 100 km/h	environ 4 400 tr/min
Consommation moyenne	5,7 l/100 km
Autonomie moyenne	263 km

Conclusion

La nouvelle Vulcan 900 Classic arrive à point puisque la 800, malgré le fait qu'elle fonctionne sans accroc et qu'elle affiche encore une gueule assez crédible, commence à prendre du vieux. Il est facile de comprendre la décision de Kawasaki de la conserver dans son catalogue puisque la différence de prix qui la sépare du nouveau modèle est substantielle. Le problème, c'est que des rivales considérablement plus modernes que la Vulcan 800 Classic sont proposées pour environ le même prix. Ne serait-il pas logique, dans ce cas, que Kawasaki abaisse le prix de sa 800 à un niveau qui aiderait à faire oublier son âge, disons sous les 8 000 $?

QUOI DE NEUF EN 2006 ?

- Aucun changement
- Aucune augmentation de prix

PAS MAL

- Un style qui continue de plaire et d'être d'actualité malgré l'âge avancé du modèle
- Une mécanique qui a toujours été et qui continue d'être plus puissante que celles de la concurrence
- Un poids modéré et une selle basse qui font que la Vulcan 800 Classic peut parfaitement être envisageable pour un pilote court ou peu expérimenté

BOF

- Un prix qui ne reflète plus la valeur du modèle maintenant que la nouvelle 900 Classic est arrivée; en raison de son âge, la 800 Classic ne devrait pas être vendue à un prix similaire à celui de rivales plus modernes
- Un entraînement par chaîne qui est l'un des rares du genre dans la catégorie, et que cette dernière a presque complètement abandonné en raison de sa nature salissante
- Une suspension arrière qui se débrouille généralement bien, mais qui peut quand même se montrer rude sur une mauvaise route

KAWASAKI VULCAN 500 LTD

Faute de frappe...

Alors que la tradition insiste pour que la configuration d'une mécanique de custom soit définie par la lettre V, c'est plutôt par un P – pour parallèle – que l'est le petit moulin de la Vulcan 500 LTD. Le modèle qui traîne depuis une dizaine d'années tout en bas de la gamme de customs de Kawasaki, revient une année de plus sans le moindre changement.

La Vulcan 500 LTD est ce qu'on appelle une entrée de gamme. Une moto pas franchement excellente, pas franchement mauvaise, conçue pour attirer le motocycliste vers une marque ou un concept. Pour cela, les arguments sont simples et bien choisis : une puissance pas trop importante, mais assez pour se sentir sur une moto, un prix raisonnable, une esthétique légèrement aguichante mais pas aguicheuse, une facilité de prise en main, etc. Elle existe pour donner le goût... d'aller voir plus loin. Honda fait de même avec sa Shadow VLX600, et Yamaha avec sa plus petite V-Star. Contrairement à ces dernières, la Kawasaki commet toutefois une faute de style. C'est qu'une custom, idéalement, c'est un V-Twin, pas un Twin parallèle comme celui de la 500 LTD. Non pas que ce soit un mauvais moteur, au contraire. Ses origines sportives – il a littéralement été emprunté à la Ninja 500R, alias EX500 – lui valent une puissance et des performances plus qu'honnêtes pour une 500. Mais ces performances sont atteintes avec des tours relativement élevés, ce qui va à l'encontre de la philosophie custom de généreux couple à bas régime. Pour le reste, les qualités sont nombreuses : un poids faible et une selle basse qui permettent une excellente agilité et une grande facilité de prise en main, une bonne stabilité et un comportement sain en virage, une position relaxe sans tomber dans l'excès et un freinage décent.

Général

Catégorie	Custom
Prix	6 799 $
Garantie	1 an/kilométrage illimité
Couleur(s)	rouge
Concurrence	Honda Shadow VLX, Suzuki Boulevard S40, Yamaha V-Star 650

Moteur

Type	bicylindre parallèle 4-temps, DACT, 4 soupapes par cylindre, refroidissement par liquide
Alimentation	2 carburateurs à corps de 32 mm
Rapport volumétrique	10,2:1
Cylindrée	498 cc
Alésage et course	74 mm x 58 mm
Puissance	46 ch @ 7 000 tr/min
Couple	33 lb-pi @ 6 000 tr/min
Boîte de vitesses	6 rapports
Transmission finale	par chaîne
Révolution à 100 km/h	environ 5 000 tr/min
Consommation moyenne	5,0 l/100 km
Autonomie moyenne	300 km

Partie cycle

Type de cadre	double berceau, en acier
Suspension avant	fourche conventionnelle de 41 mm non ajustable
Suspension arrière	2 amortisseurs ajustables en précharge
Freinage avant	1 disque de 300 mm de Ø avec étrier à 1 piston
Freinage arrière	tambour mécanique
Pneus avant/arrière	100/90-19 & 140/90-15
Empattement	1 595 mm
Hauteur du siège	715 mm
Poids à vide	199 kg
Réservoir de carburant	15 litres

Général

Catégorie	Double-Usage
Prix	6 499 $
Garantie	1 an/kilométrage illimité
Couleur(s)	rouge
Concurrence	BMW F650GS, Honda XR650L, KTM 640 Adventure, Suzuki DR650S

Moteur

Type	monocylindre 4-temps, DACT, 4 soupapes, refroidissement par liquide
Alimentation	1 carburateur à corps de 40 mm
Rapport volumétrique	9,5:1
Cylindrée	651 cc
Alésage et course	100 mm x 83 mm
Puissance	45 ch @ 6 500 tr/min
Couple	40,5 lb-pi @ 5 500 tr/min
Boîte de vitesses	5 rapports
Transmission finale	par chaîne
Révolution à 100 km/h	environ 4 200 tr/min
Consommation moyenne	5,0 l/100 km
Autonomie moyenne	460 km

Partie cycle

Type de cadre	berceau semi-double, en acier
Suspension avant	fourche conventionnelle de 38 mm ajustable en pression d'air
Suspension arrière	monoamortisseur ajustable en précharge et détente
Freinage avant	1 disque de 230 mm de Ø avec étrier à 1 piston
Freinage arrière	1 disque de 230 mm de Ø avec étrier à 1 piston
Pneus avant/arrière	90/90-21 & 130/80-17
Empattement	1 495 mm
Hauteur du siège	890 mm
Poids à vide	153 kg
Réservoir de carburant	23 litres

Rapport Valeur/Prix

Vitesse de pointe 156 km/h

Index d'expérience: Novice, Intermédiaire, Expert

Accélération sur 1/4 mille 14,3 s à 145 km/h

Kawasaki

Proposition équitable...

Kawasaki vend chaque année un tas de KLR650 à des acheteurs qui savent parfaitement qu'ils acquièrent une moto produite depuis presque 20 ans sans changements, et tout le monde est content. Le constructeur vend une moto qui ne lui coûte pratiquement rien à construire et le motocycliste achète une monture éprouvée et fonctionnelle pour pas cher.

À la base de cette bonne entente entre le constructeur et l'acheteur se trouve le fait que la KLR650 est depuis son introduction en 1987 une moto dont le comportement est décent, ce qui reste vrai aujourd'hui, et que son prix est demeuré stable malgré le passage du temps. En effet, en raison de l'âge de la KLR, on peut en acquérir un exemplaire neuf pour une bouchée de pain, ou presque. Ce facteur seul ne suffit évidemment pas à rendre un achat intéressant, mais le fait est que la KLR a beaucoup à offrir pour ce genre de prix. Propulsée par un monocylindre solide et étonnamment avancé sur le plan technique, elle offre des performances surtout caractérisées par une livrée aussi plaisante qu'utilisable de couple à bas et moyen régimes, donc là où ça compte. Avec les années, le mono – dont les vibrations sont très bien contrôlées – a acquis une réputation de moteur increvable. Les récits d'ambitieuses expéditions entreprises sur une KLR ne sont d'ailleurs pas rares. Le terme double-usage est dans ce cas véridique puisqu'il s'agit bel et bien d'une moto capable de passer partout et d'affronter n'importe quel type de route. L'énorme réservoir dont elle dispose va de pair avec le thème aventurier puisqu'il permet l'une des plus importantes autonomies du marché. La KLR650 arriverait à parcourir de longues distances en offrant un bon niveau de confort si ce n'était de l'étroitesse de la selle qui finit par la rendre douloureuse. Tout le reste, de la position aux suspensions, est excellent.

Petite mais sérieuse...

La petite KLX250 est l'une des rares nouveautés présentées au cours des dernières années chez les double-usage de faible cylindrée. Construite en suivant l'architecture des véritables motos hors-route du constructeur, la KLX250 est propulsée par un compact monocylindre 4-temps de 249 cc. Tous les équipements requis pour la conduite sur route sont présents.

TECHNIQUE

En présentant cette année la KLX250, Kawasaki amène non seulement à la classe une rare nouveauté, mais il introduit aussi sur le marché la plus sérieuse moto du genre lorsqu'il s'agit de pilotage hors-route. En effet, alors que la plupart des autres produits de cette catégorie – une courte liste qui se résume essentiellement à la Suzuki DR200S et à la Yamaha XT225 – se veulent avant tout des montures d'apprentissage capables de besogne légère en sentier, la nouvelle KLX250, elle, s'amène avec une fiche technique plutôt sérieuse. Le solide cadre en acier ressemble à ceux des machines de compétition du constructeur, les suspensions ont des débattements considérables, la fourche de type inversée dispose de poteaux de 43 mm et d'un réglage de la compression, des disques se chargent du freinage aux deux roues, le monoamortisseur est ajustable en précharge, en compression et en détente, et la liste continue. L'un des points les plus intéressants de la nouveauté est son monocylindre dont la conception moderne et compacte contribue grandement au poids faible de l'ensemble. Il se démarque avantageusement de la concurrence au chapitre de la technologie, puisqu'il est refroidi par liquide et qu'il dispose d'une culasse à 4 soupapes et double arbre à cames, mais aussi en ce qui concerne la cylindrée, ce qui ne peut qu'amener une nette amélioration de la conduite dans toutes les circonstances. Malgré son côté sérieux et toute sa technologie, la KLX250 est proposée à un prix compétitif.

Général

Catégorie	Double-Usage
Prix	5 999 $
Garantie	1 an/kilométrage illimité
Couleur(s)	vert
Concurrence	Kawasaki Super Sherpa, Suzuki DR200S, Yamaha XT225

Moteur

Type	monocylindre 4-temps, DACT, 4 soupapes, refroidissement par liquide
Alimentation	1 carburateur à corps de 34 mm
Rapport volumétrique	11:1
Cylindrée	249 cc
Alésage et course	72 mm x 61,2 mm
Puissance estimée	25 ch
Couple estimé	18 lb-pi
Boîte de vitesses	6 rapports
Transmission finale	par chaîne

Partie cycle

Type de cadre	berceau semi-double, en acier
Suspension avant	fourche inversée de 43 mm ajustable en compression
Suspension arrière	monoamortisseur ajustable en précharge, compression et détente
Freinage avant	1 disque de 250 mm de Ø avec étrier à 2 pistons
Freinage arrière	1 disque de 220 mm de Ø avec étrier à 1 piston
Pneus avant/arrière	80/100-21 & 100/100-18
Empattement	1 435 mm
Hauteur de selle	884 mm
Poids à vide	119 kg
Réservoir de carburant	7,2 litres

KAWASAKI SUPER SHERPA

Kawasaki

Général

Catégorie	Double-Usage
Prix	5 599 $
Garantie	1 an/kilométrage illimité
Couleur(s)	argent
Concurrence	Kawasaki KLX250, Suzuki DR200S, Yamaha XT225

Moteur

Type	monocylindre 4-temps, DACT, 4 soupapes, refroidissement par air
Alimentation	1 carburateur à corps de 34 mm
Rapport volumétrique	9,3:1
Cylindrée	249 cc
Alésage et course	72 mm x 61,2 mm
Puissance estimée	25 ch
Couple	15,9 lb-pi @ 6 000 tr/min
Boîte de vitesses	6 rapports
Transmission finale	par chaîne

Partie cycle

Type de cadre	berceau semi-double, en acier
Suspension avant	fourche conventionnelle de 36 mm non ajustable
Suspension arrière	monoamortisseur ajustable en précharge et détente
Freinage avant	1 disque de 240 mm de Ø avec étrier à 2 pistons
Freinage arrière	1 disque de 210 mm de Ø avec étrier à 1 piston
Pneus avant/arrière	2.75-21 & 4.10-18
Empattement	1 375 mm
Hauteur de selle	830 mm
Poids à vide	113 kg
Réservoir de carburant	9 litres

Aventurière de poche...

La Super Sherpa est une toute petite double-usage dont le but principal est d'offrir une grande facilité de pilotage à des motocyclistes de tous degrés d'expérience, et ce, tant sur la route que dans les sentiers. Elle joue en ce sens un rôle identique à celui des Suzuki DR200S et Yamaha XT225.

Idéalement, un trio de caractéristiques doit transparaître d'une bonne moto d'apprentissage : un niveau de puissance accessible qui n'intimidera jamais, un poids aussi minime que physiquement possible et une hauteur de selle faible afin de permettre au nouveau pilote de bien toucher le sol. Seule la dernière n'est pas respectée par la Super Sherpa puisqu'elle possède une selle relativement haute, bien que celle-ci s'abaisse une fois le pilote en place et les suspensions compressées. Le moteur de 249 cc refroidi par air est à peu près aussi simple à entretenir et à utiliser que celui d'une tondeuse à gazon. Sa puissance est faible, mais reste quand même suffisante pour risquer occasionnellement la voie de droite sur autoroute; la besogne urbaine est par ailleurs correctement accomplie. Avec ses 113 kg, la Super Sherpa semble à peine plus lourde qu'une bicyclette, ce qui lui octroie une excellente maniabilité et qui réduit à néant l'effort requis pour amorcer une courbe. Il faut par contre s'attendre à une sensibilité prononcée au vent, qui augmente avec la vitesse. S'il est exagéré d'envisager de l'utiliser pour traverser le Québec en diagonale, la Super Sherpa permet toutefois un réel amusement en sentier, en plus de s'avérer un outil d'exploration étonnamment capable. Une position de conduite relevée et des suspensions suffisamment souples pour affronter les routes québécoises permettraient un niveau de confort très honnête si ce n'était, comme c'est le cas sur plusieurs double-usage, de la selle étroite qui devient rapidement douloureuse.

KTM 990 ADVENTURE — RÉVISION 2006

Croissance rapide...

À peine deux ans après avoir mis sur le marché le premier d'une série de modèles devant être propulsés par le V-Twin d'un litre alors nouvellement élaboré, la 950 Adventure, voilà que KTM fait déjà évoluer cette mécanique de façon assez marquée en 2006. Il faudrait dorénavant non plus parler d'une 950, mais plutôt d'une 990 Adventure.

TECHNIQUE

Très peu de motos dégageaient un caractère aussi particulier et rageur que celui de la première version de la 950 Adventure, commercialisée chez nous en 2004 et 2005. S'il est un peu surprenant de déjà voir le modèle évoluer en 2006 au niveau de la mécanique, le fait est que la version initiale de ce V-Twin, malgré son caractère accrocheur, demeurait une première expérience du genre pour le constructeur autrichien. De plus, avec l'entrée en vigueur imminente des strictes normes Euro 3, son alimentation par carburateur aurait potentiellement pu devenir problématique. À l'exception de l'arrivée d'un système de freinage ABS – non disponible sur notre marché pour l'instant –, l'essentiel de la partie cycle et du carénage de la grosse Adventure sont laissés intacts cette année. La mécanique, toutefois, est passablement remaniée. La différence la plus importante concerne un augmentation de 1 mm de l'alésage et de 2,4 mm de la course des pistons qui font passer la cylindrée de 942 cc à 999 cc. L'architecture générale du moteur ne change pas, mais les carburateurs de 43 mm de l'ancien V-Twin font place à un système d'injection à corps de 48 mm qui, de concert avec une batterie d'équipement, arrive à répondre à la norme Euro 3. L'architecture générale du V-Twin reste la même, mais de nouvelles têtes utilisant des arbres repensés ainsi que des pistons allégés font leur apparition. Les données de puissance et de couple annoncées par KTM, elles, ne changent pas.

Général

Catégorie	Routière Aventurière
Prix	17 998 $ (S : 18 098 $)
Garantie	1 an/kilométrage illimité
Couleur(s)	orange, noir (S : bleu)
Concurrence	BMW HP2 et R1200GS Adventure

Moteur

Type	bicylindre 4-temps en V à 75 degrés, DACT, 4 soupapes par cylindre, refroidissement par liquide
Alimentation	injection à 2 corps de 48 mm
Rapport volumétrique	11,5:1
Cylindrée	999 c
Alésage et course	101 mm x 62,4 mm
Puissance	98 ch @ 8 500 tr/min
Couple	70 lb-pi @ 6 500 tr/min
Boîte de vitesses	6 rapports
Transmission finale	par chaîne

Partie cycle

Type de cadre	treillis, en acier
Suspension avant	fourche inversée de 48 mm ajustable en précharge, compression et détente
Suspension arrière	monoamortisseur ajustable en précharge, compression et détente
Freinage avant	2 disques de 300 mm de Ø avec étriers à 2 pistons
Freinage arrière	1 disque de 240 mm de Ø avec étrier à 2 pistons
Pneus avant/arrière	90/90-21 & 150/70-18
Empattement	1 570 mm
Hauteur de selle	860 mm (S : 895 mm)
Poids à vide	199 kg
Réservoir de carburant	22 litres

NOUVEAUTÉ 2006 — KTM 950 SUPERMOTO

KTM

Général

Catégorie	Supermoto
Prix	17 498 $
Garantie	1 an/kilométrage illimité
Couleur(s)	orange, noir
Concurrence	aucune

Moteur

Type	bicylindre 4-temps en V à 75 degrés, DACT, 4 soupapes par cylindre, refroidissement par liquide
Alimentation	2 carburateurs à corps de 43 mm
Rapport volumétrique	11,5:1
Cylindrée	942 c
Alésage et course	100 mm x 60 mm
Puissance	98 ch @ 8 000 tr/min
Couple	66 lb-pi @ 7 000 tr/min
Boîte de vitesses	6 rapports
Transmission finale	par chaîne

Partie cycle

Type de cadre	treillis, en acier
Suspension avant	fourche inversée de 48 mm ajustable en précharge, compression et détente
Suspension arrière	monoamortisseur ajustable en précharge, compression et détente
Freinage avant	2 disques de 305 mm de Ø avec étriers radiaux à 4 pistons
Freinage arrière	1 disque de 240 mm de Ø avec étrier à 2 pistons
Pneus avant/arrière	120/70-17 & 180/55-17
Empattement	1 510 mm
Hauteur de selle	885 mm
Poids à vide	189 kg
Réservoir de carburant	16 litres

Rapport Valeur/Prix
Vitesse de pointe
Index d'expérience
Novice Intermédiaire Expert
Accélération sur 1/4 mille

Délinquance requise...

Avec sa nouvelle 950 Supermoto, KTM plonge non seulement tête première dans le créneau des incorrigibles délinquantes que sont les Triumph Speed Triple et Buell XB12S, mais il renchérit aussi la donne en le faisant avec une machine de type Supermotard. Propulsée par la mécanique de la 950 Adventure, la 950 Supermoto sera mise en marché au printemps 2006.

TECHNIQUE

Quiconque doute des intentions peu recommandables de la nouvelle 950 Supermoto et de son constructeur n'a qu'à se rendre sur le site du modèle (www.950supermoto.com) et visionner le vidéo promotionnel qui lui est consacré. Excès de vitesse flagrants, zigzags urbains, wheelies, stoppies et glissades se succèdent à qui mieux mieux, exécutés par un pilote ensorcelé. Très honnêtement, après être tombés profondément amoureux du caractère joueur de la version aventurière de cette moto, la 950 Adventure, nous n'avons pas la moindre difficulté à imaginer le genre de débauche routière à laquelle pourrait inciter une incarnation à la sauce supermoto du modèle. En mettant la 950 Supermoto en marché au printemps 2006, KTM se dotera aussi de la seule moto du genre de l'industrie, un fait qui contribuera à consolider son image de constructeur de machines hors-normes. La 950 Supermoto est basée sur la 950 Adventure de laquelle elle reprend presque intégralement le châssis et le moteur. Afin de donner à la partie cycle la vivacité dont elle aura besoin, l'empattement est considérablement réduit grâce à l'adoption d'un bras oscillant plus court, tandis que les grandes roues à rayons de l'aventurière font place à des roues coulées de 17 pouces de diamètre chaussées de gommes sportives. Le freinage est quant à lui amélioré grâce à l'utilisation de disques avant légèrement plus gros pincés par des étriers à 4 pistons montés de façon radiale.

Comme en rallye...

Avant l'arrivée de la 950 Adventure, devenue 990 en 2006, la 640 Adventure était ce que KTM faisait de plus sérieux en matière de double-usage. Arborant une ligne qui rappelle instantanément celle des très compétitives machines de rallye du constructeur autrichien, la 640 Adventure revient inchangée en 2006, mais la rumeur veut qu'une révision majeure soit imminente.

TECHNIQUE

Lorsqu'elle fut introduite, la 950 Adventure vola d'une certaine manière la vedette à cette 640 Adventure puisque cette dernière représentait jusque-là ce que KTM vendait de plus semblable de ses célèbres et maintes fois victorieuses motos de rallye. Propulsée par un compact et puissant monocylindre 4-temps de 625 cc, la 640 Adventure a reçu plusieurs modifications il y a 2 ans, notamment au niveau de ses suspensions qui ont été recalibrées, de quelques retouches qui ont été apportées à la mécanique et du frein avant qui a gagné un second disque. Il s'agit d'une moto spécialisée qui s'adresse à une clientèle non seulement suffisamment connaisseuse pour accepter de payer les quelque 12 000 $ que le constructeur autrichien en demande, mais aussi pour arriver à la piloter. Car avec sa hauteur de selle de 945 mm, la 640 Adventure est carrément l'une des, sinon la plus haute routière de l'industrie. Cette hauteur de selle provient évidemment de suspensions aux débattements presque infinis et qui permettent la garde au sol immense nécessaire à un usage hors-route sérieux. À ce chapitre, le carénage pratiquement calqué sur celui de modèles de course et le gigantesque réservoir de 25 litres ne font qu'ajouter à liste de caractéristiques qui font de la 640 Adventure l'une des motos de ce genre les plus aptes à sortir des sentiers battus.

KTM 640 ADVENTURE

Général

Catégorie	Double-Usage
Prix	11 998 $
Garantie	1 an/kilométrage illimité
Couleur(s)	orange
Concurrence	BMW F650GS, Honda XR650L, Kawasaki KLR650, Suzuki DR650S

Moteur

Type	monocylindre 4-temps, SACT, 4 soupapes, refroidissement par liquide
Alimentation	1 carburateur à corps de 40 mm
Rapport volumétrique	11,7:1
Cylindrée	625 cc
Alésage et course	101 mm x 78 mm
Puissance	54 ch @ 7 000 tr/min
Couple	40,6 lb-pi @ 5 500 tr/min
Boîte de vitesses	5 rapports
Transmission finale	par chaîne

Partie cycle

Type de cadre	berceau semi-double, en acier
Suspension avant	fourche inversée de 48 mm ajustable en précharge, compression et détente
Suspension arrière	monoamortisseur ajustable en précharge, compression et détente
Freinage avant	2 disques de 300 mm de Ø avec étriers à 2 pistons
Freinage arrière	1 disque de 220 mm de Ø avec étrier à 1 piston
Pneus avant/arrière	90/90-21 & 140/80-18
Empattement	1 510 mm
Hauteur de selle	945 mm
Poids à vide	158 kg
Réservoir de carburant	25,5 litres

KTM 625 SMC

Général

Catégorie	Supermoto
Prix	10 998 $
Garantie	1 an/kilométrage illimité
Couleur(s)	orange, noir
Concurrence	Suzuki DR-Z400SM

Moteur

Type	monocylindre 4-temps, SACT, 4 soupapes, refroidissement par liquide
Alimentation	1 carburateur à corps de 41 mm
Rapport volumétrique	11,7:1
Cylindrée	625 cc
Alésage et course	101 mm x 78 mm
Puissance	54 ch @ 6 750 tr/min
Couple	44,3 lb-pi @ 5 750 tr/min
Boîte de vitesses	5 rapports
Transmission finale	par chaîne

Partie cycle

Type de cadre	berceau semi-double, en acier
Suspension avant	fourche inversée de 48 mm ajustable en compression et détente
Suspension arrière	monoamortisseur ajustable en compression et détente
Freinage avant	1 disque de 320 mm de Ø avec étrier à 4 pistons
Freinage arrière	1 disque de 220 mm de Ø avec étrier à 1 piston
Pneus avant/arrière	120/70-17 & 160/60-17
Empattement	1 510 mm
Hauteur de selle	910 mm
Poids à vide	149 kg
Réservoir de carburant	11,2 litres

Rapport Valeur/Prix

Vitesse de pointe	Index d'expérience	Accélération sur 1/4 mille
- - -	Novice / Intermédiaire / Expert	- - - - - - - - -

KTM

Glisse Inc.

La popularité grandissante de la discipline que sont les courses de type supermotard pousse de plus en plus de constructeurs à présenter des équivalents routiers des modèles de compétition. Pionnier dans ce domaine, KTM propse en la 625 SMC l'une des machines les plus sérieusement apprêtée de la sorte. Passablement améliorée l'an dernier, elle ne change pas en 2006.

TECHNIQUE

Voilà seulement quelques années, KTM et ses Duke, Duke II et autres Supermoto faisait figure d'hurluberlu, de constructeur aux tendances décidément excentriques. Que pouvait-on bien faire, en effet, avec une double-usage à gros mono 4-temps chaussée de gommes de route ? On peut glisser, voilà ce qu'on peut faire. Du moins tant qu'on a le talent pour le faire... Qu'est-ce que la glisse ? Assister à une seule compétition de Supermotard suffit pour clairement saisir la réponse. Si KTM propose ainsi depuis des années un ou plusieurs modèles simulant le style des motos apprêtées pour participer à de telles conditions, jamais une moto de série n'a été aussi sérieusement apprêtée à ce chapitre que la 625 SMC renouvelée l'an dernier. Elle utilise depuis un système d'échappement allégé à silencieux double en aluminium, une section arrière entièrement redessinée et une nouvelle selle. Afin de profiter au maximum du plus grand volume de gaz pouvant être évacué, une plus grande boîte à air a été installée et une plus grande tubulure d'admission est utilisée. Les modifications se sont étendues à la partie cycle puisque la fourche a désormais de massifs poteaux de 48 mm de diamètre. À quelque 11 000 $, la 625 SMC n'est certainement pas bon marché, mais le constructeur insiste sur le fait que de série, son modèle de type Supermotard est carrément prêt à participer à une course.

GSX1300R Hayabusa Limited Edition

SUZUKI GSX1300R HAYABUSA

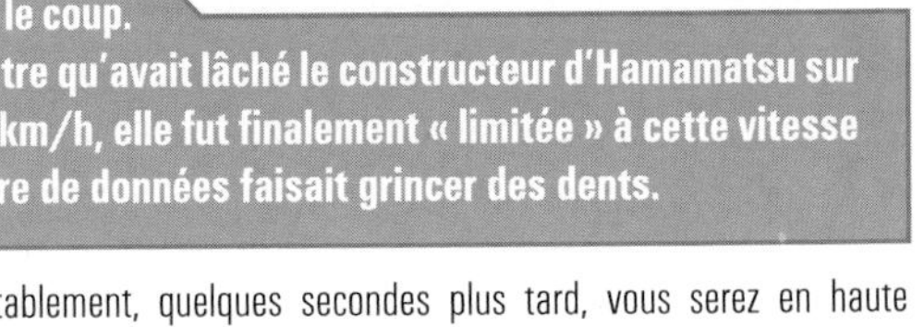

Grisonnante, mais...

Même si 2006 coïncide avec la huitième année de production de ce missile sur roues qu'est la Hayabusa, et même si une refonte totale de la moto est imminente, surtout compte tenu de l'arrivée de la Ninja ZX-14 cette année, la grosse Suzuki tient étonnamment bien le coup. D'ailleurs, le fait qu'elle demeure impressionnante en 2006 illustre bien le genre de monstre qu'avait lâché le constructeur d'Hamamatsu sur les routes dans le contexte de 1999. Capable à l'origine d'un tout petit peu plus de 300 km/h, elle fut finalement « limitée » à cette vitesse – tout comme la ZX-12R – dans le but de calmer les législateurs européens que ce genre de données faisait grincer des dents.

Les apôtres de la droiture et du nivelage par le bas vous diront que rouler à 300 km/h n'a ni d'application pratique ni d'intérêt pour le commun des mortels. Ce n'est pas qu'ils aient tort, mais qui a dit qu'on choisissait une moto en réfléchissant uniquement à son côté pratique ? Et qui a dit qu'un motocycliste faisait partie du commun des mortels ? Ce que ces propriétaires d'Echo et mangeurs de tofu ne peuvent et ne pourront jamais comprendre, c'est que beaucoup d'acheteurs de Hayabusa font ce choix en raison de l'aura qu'amène un tel potentiel de vitesse au modèle, potentiel d'ailleurs admirablement bien illustré par les lignes fuyantes de la GSX1300R. Et puis, n'oublions pas qu'on fait aussi bien d'autres choses avec 175 chevaux, comme passer en un clin d'oeil un camion remorque qui louvoie douteusement, transformer un feu vert en tombée de drapeau, ou encore profiter d'une portion de route déserte pour disparaître. La Hayabusa a beau en être à sa huitième année de production en 2006 – une éternité pour une sportive, de nos jours – le genre d'accélération qu'elle arrive à générer reste encore exceptionnel. Il est vrai que les formidables 1000 des dernières années poussent de manière semblable une fois en mouvement, mais la longueur et le poids de l'Hayabusa lui permettent de se catapulter violemment à partir d'un arrêt complet, et ce, sans d'autres réactions que le soulèvement prévisible et progressif de la roue avant. Essayez un peu ça avec une 1000... Passez les rapports, gaz grands ouverts, et l'intensité de l'accélération ne fléchira pas. Inévitablement, quelques secondes plus tard, vous serez en haute illégalité, ce qui implique de la part des propriétaires l'obligation d'une certaine discipline s'ils entendent conserver leur droit de circuler librement sur les routes.

LE CHOIX D'UNE HAYABUSA EST SOUVENT FAIT EN RAISON DE L'AURA QU'AMÈNE UN TEL POTENTIEL DE VITESSE.

Lors de l'arrivée de l'Hayabusa sur le marché, sa tenue de route avait été jugée impressionnante. Une machine d'un tel gabarit disposant d'une telle cylindrée n'avait, en effet, pas l'habitude d'offrir le genre d'agilité et de précision nécessaire à effectuer des tours de piste sans demander du pilote une lutte de tous les instants. Le contexte actuel, avec ses sportives d'un litre extraordinairement agiles, est largement différent, si bien qu'il serait plus juste, aujourd'hui, de décrire la GSX1300R comme une sportive plutôt lourde, mais tout de même précise et capable d'être une compagne agréable sur une route sinueuse, moyennant, à tous le moins, une certaine implication du pilote. La stabilité reste impériale dans toutes les circonstances et à toutes les vitesses, tandis que les freins, sans qu'on puisse les qualifier d'exceptionnels, se montrent quand même toujours constants et puissants.

Les récentes sportives de 1 000 cc sont devenues tellement radicales et agressives que la Busa est souvent perçue comme une machine de haute vitesse relativement confortable, ce qui n'est que partiellement vrai. Car si la selle n'est pas mauvaise du tout et que la protection au vent est bonne, il reste que les suspensions sont plutôt fermes, que la position de conduite place quand même un certain poids sur les mains et que les poignées vibrent constamment un peu.

Rapport Valeur/Prix

Vitesse de pointe 299 km/h

Index d'expérience — Novice Intermédiaire Expert

Accélération sur 1/4 mille 10,0 s à 229 km/h

Voir légende page 7

Général

Catégorie	Sportive
Prix	15 099 $ (Limited Edition : 15 299 $)
Garantie	1 an/kilométrage illimité
Couleur(s)	rouge et noir, bleu et argent Limited Edition : blanc et argent
Concurrence	BMW K1200S, Kawasaki ZX-14

Partie cycle

Type de cadre	périmétrique, en aluminium
Suspension avant	fourche inversée de 43 mm ajustable en précharge, compression et détente
Suspension arrière	monoamortisseur ajustable en précharge, compression et détente
Freinage avant	2 disques de 320 mm de Ø avec étriers à 6 pistons
Freinage arrière	1 disque de 240 mm de Ø avec étrier à 2 pistons
Pneus avant/arrière	120/70 ZR17 & 190/50 ZR17
Empattement	1 485 mm
Hauteur de selle	805 mm
Poids à vide	217 kg
Réservoir de carburant	21 litres

Moteur

Type	4-cylindres en ligne 4-temps, DACT, 4 soupapes par cylindre, refroidissement par liquide
Alimentation	injection à 4 corps de 46 mm
Rapport volumétrique	11:1
Cylindrée	1 298 cc
Alésage et course	81 mm x 63 mm
Puissance	175 ch @ 9 800 tr/min
Couple	103 lb-pi @ 7 000 tr/min
Boîte de vitesses	6 rapports
Transmission finale	par chaîne
Révolution à 100 km/h	environ 3 800 tr/min
Consommation moyenne	7,5 l/100 km
Autonomie moyenne	280 km

Conclusion

En termes de longévité, la GSX1300R Hayabusa est absolument exceptionnelle, ce qui en dit long sur la force du design initial. Comptez d'ailleurs le nombre de sportives qui sont demeurées hautement désirables et dont les lignes ont continué d'émouvoir après avoir été si longtemps en production, et non seulement la liste sera courte, mais à l'exception de la regrettée Ducati 916, nous, nous n'en voyons pas. En fait, la présence visuelle de la Hayabusa actuelle est tellement forte que Suzuki aura fort à faire pour la surpasser. Ducati pourrait vous en dire long à ce sujet. Il sera par contre relativement facile pour un constructeur de la trempe de Suzuki de créer une Hayabusa de nouvelle génération qui éclipsera celle-ci en termes d'agilité et de puissance. Après tout, si les 1000 actuelles font plus ou moins 175 chevaux, une technologie similaire appliquée à 1 300 cc donnerait plus de 225 chevaux....

QUOI DE NEUF EN 2006 ?

- Disponibilité d'une version Limited Edition blanche
- Cadre et bras oscillant peints en noir
- Aucune augmentation de prix

PAS MAL

- Un style qui continue d'être percutant et innovateur même en 2006 alors que le modèle entame sa huitième année de production
- Des performances extrêmement élevées, mais aussi étonnamment exploitables en raison de la résistance au soulèvement de la longue et lourde moto à l'accélération
- Un châssis imperturbable qui démontre une stabilité de tous les instants, sans égard à la vitesse ou à l'état de la route

BOF

- Une possibilité d'atteindre des vitesses faramineuses qui ne sert strictement à rien dans la besogne quotidienne
- Un niveau de confort qui n'est pas mauvais, mais qui est quand même diminué par un certain poids sur les mains, par de légères vibrations dans les poignées et par des suspensions plutôt fermes
- Une agilité honnête, mais que le poids élevé et les dimensions considérables limitent

SUZUKI BANDIT 1200S

NOUVEAUTÉ 2006

Sage évolution...

Impossible de parler de gros cubage et de grosse valeur sans rapidement tomber sur la Bandit 1200S qui, est-ce possible, fête déjà ses 10 ans en 2006. Pour l'occasion, Suzuki a choisi de lui offrir une cure de jeunesse qui n'est pas sans rappeler l'évolution de la Bandit 600S en 650S l'an dernier, tout particulièrement au niveau du style. Toutefois, contrairement à la petite version dont la cylindrée s'est vue gonflée, cette évolution de la grosse Bandit utilise exactement le même 4-cylindres de 1 157 cc que la précédente. Comme c'est le cas pour la 650S cette année, une version ABS de la nouvelle Bandit 1200S est disponible moyennant un supplément fort raisonnable de 500 $.

TECHNIQUE

Avec le temps, la Bandit 1200S en est arrivé à carrément incarner la notion de valeur chez les motos « pour adultes ». Des dimensions pleines, une position dictée par le bon sens, une partie cycle compétente et une mécanique aussi coupleuse qu'indestructible sont autant d'éléments qui, lorsqu'associés à un prix raisonnable, ont valu cette réputation au modèle. Lancée en 1996 puis revue de manière relativement mineure en 2001, la Bandit 1200S vit en 2006 la seconde évolution de sa carrière. On aurait pu s'attendre à la voir revenir de ce remaniement avec une cylindrée gonflée comme ce fut le cas pour le petit modèle l'an dernier. Suzuki aurait facilement pu réquisitionner la version de 1 400 cc du légendaire moteur refroidi par air et huile qui propulse la GSX1400, une standard vendue ailleurs dans le monde, mais pas en Amérique du Nord. L'option de coincer dans la grosse Bandit le 4-cylindres d'une GSX-R1000, même d'ancienne génération, aurait également pu faire partie des voies empruntées. Mais toutes ces possibilités auraient demandé une refonte beaucoup plus sérieuse du modèle, ce qui aurait fait grimper la facture. Or, la marque de commerce de la Bandit 1200S a toujours été son prix plancher et le fait que cette caractéristique devait être conservée a dicté le choix de la mécanique. N'oublions pas non plus que la 1200S n'a vraiment aucune compétition directe, contrairement à la 650S qui, elle, doit faire face à plusieurs rivales modernes et de grande valeur, d'où une nécessité beaucoup plus claire de revoir sa cylindrée à la hausse.

SI LE MOTEUR RESTE INTACT PAR SOUCI D'ÉCONOMIE, L'ÉQUATION ERGONOMIQUE, ELLE, EST MODIFIÉE.

S'il fut donc décidé de laisser le gros moteur intact, ce qui n'a rien d'une mauvaise nouvelle lorsqu'on connaît ses bonnes performances et son excellente livrée de couple à tous les régimes, l'équation ergonomique de la Bandit 1200S a néanmoins fait l'objet de plusieurs modifications. Toutes ont pour but d'augmenter le confort, mais aussi de rendre le modèle accessible à une plus grande variété d'humains, surtout les moins grands. Sans que le cadre ait été modifié, la nouvelle selle a pu être rapprochée des guidons de 30 mm en réduisant d'autant la longueur du réservoir, qui conserve sa contenance de 20 litres. La selle est également plus étroite de 25 mm sur sa partie avant afin de faciliter la pose des pieds au sol à l'arrêt. Comme sur la 650S, un ajustement en hauteur de 20 mm du siège du pilote est désormais possible, tandis que la portion arrière de la selle a été rapprochée de la portion avant.

Afin de laisser le cadre intact, les modifications apportées à la partie cycle se limitent aux suspensions. Le bras oscillant subit le plus important changement puisque sa longueur est augmentée de 45 mm, ce qui est énorme, tandis qu'il est maintenant conçu pour accepter un axe de 28 mm de diamètre plutôt que 20 mm. La partie inférieure de la fourche a été modifiée afin de pouvoir, là aussi, accepter un axe de plus grand diamètre (25 mm au lieu de 20 mm), mais son degré d'ajustabilité ne change pas, comme c'est d'ailleurs le cas pour le monoamortisseur. Enfin, une instrumentation et un carénage inspirés des composantes de la Bandit 650S sont retenus.

MALGRÉ PLUSIEURS CHANGEMENTS AU NIVEAU DE LA PARTIE CYCLE, DE LA POSITION DE CONDUITE ET DU DEMI-CARÉNAGE, LA NOUVELLE BANDIT 1200S DEMEURE UNE BANDIT 1200S. CE QUI IMPLIQUE QUE LA BONNE VIEILLE MÉCANIQUE REFROIDIE PAR AIR ET HUILE RESTE INTACTE ET QUE LE PRIX, LUI AUSSI, NE BOUGE PAS.
Arai
SUZUKI

Gros bons sens

Faire évoluer la Bandit 1200S a surtout été une affaire de gros bon sens pour Suzuki. Le constructeur de Hamamatsu ne s'est donc pas lancé dans un ambitieux projet de modernisation, mais a plutôt opté pour une simple et efficace mise à niveau. Le nouveau carénage est pratiquement identique à celui de la Bandit 650S introduite en 2005, tandis que les aspects pratique et sécuritaire du modèle ont progressé, une réalité bien illustrée par le fait que la grosse Bandit demeure toujours l'une des rares routières équipée d'une béquille centrale et qu'un système ABS peu coûteux soit désormais offert. Les efforts réalisés pour permettre à des pilotes de différentes tailles de prendre place confortablement aux commandes de la nouvelle Bandit 1200S sont également dignes de mention.

Général

Catégorie	Routière Sportive
Prix	10 699 $ (Bandit 1200S ABS : 11 199 $)
Garantie	1 an/kilométrage illimité
Couleur(s)	bleu, rouge (Bandit 1200S ABS : bleu)
Concurrence	Yamaha FZ-1 autre(s) possibilité(s) : Kawasaki ZRX1200R et Z1000

Partie cycle

Type de cadre	double berceau, en acier
Suspension avant	fourche conventionnelle de 43 mm ajustable en précharge
Suspension arrière	monoamortisseur ajustable en précharge et détente
Freinage avant	2 disques de 310 mm de Ø avec étriers à 4 pistons
Freinage arrière	1 disque de 240 mm de Ø avec étrier à 1 piston
Pneus avant/arrière	120/70 ZR17 & 180/55 ZR17
Empattement	1 480 mm
Hauteur de selle	785/805 mm
Poids à vide	215 kg
Réservoir de carburant	20 litres

Moteur

Type	4-cylindres en ligne 4-temps, DACT, 4 soupapes par cylindre, refroidissement par air et huile
Alimentation	4 carburateurs à corps de 36 mm
Rapport volumétrique	9,5:1
Cylindrée	1 157 cc
Alésage et course	79 mm x 59 mm
Puissance	98 ch @ 8 500 tr/min
Couple estimé	68 lb-pi @ 6 500 tr/min
Boîte de vitesses	5 rapports
Transmission finale	par chaîne
Révolution à 100 km/h	environ 3 700 tr/min
Consommation moyenne	7,0 l/100 km
Autonomie moyenne	285 km

Conclusion

La Bandit 1200S incarne depuis maintenant une décennie le rôle de la routière polyvalente et compétente que le motocycliste moyen peut se payer. L'évolution qu'elle subit pour son dixième anniversaire ne change absolument rien à sa mission. Suzuki aurait facilement pu en faire une FZ-1 s'il l'avait voulu, mais il a préféré ne pas risquer de chambarder l'équilibre d'une équation qui est déjà acceptée et appréciée, celle qui définit depuis toujours le compromis économie/technologie de la grosse Bandit. Le fait que la Yamaha, qui est actuellement le modèle dont le rôle est le plus proche de celui de la Suzuki sur notre marché, subisse en 2006 une refonte résultant en une facture à la hausse ne fait qu'accroître l'écart de prix entre les deux modèles et préciser davantage la mission de chacun. La Bandit 1200S demeure donc ce qu'elle a toujours été, la reine du rapport valeur/performance/prix. Ou comme on dit parfois, du beau, bon et pas cher.

QUOI DE NEUF EN 2006 ?

- Carénage redessiné, instrumentation revue, ergonomie modifiée, bras oscillant allongé et axes de roues de plus grand diamètre, étriers avant passent de 6 à 4 pistons, étrier arrière passe de 2 à 1 piston, roues à trois branches « en spirale »
- Disponibilité d'une version ABS proposée pour 500 $ de plus
- Aucune augmentation de prix pour la Bandit 1200S

PAS MAL

- Une évolution menée par le gros bon sens qui vise surtout à améliorer le côté pratique et sécuritaire de la moto sans chambarder le compromis économique de l'ancienne version
- Un niveau de confort qui était déjà bon et qui devrait se trouver amélioré par le nouveau carénage et par la position de conduite modifiée
- Un comportement qu'on attend légèrement plus stable et solide que celui de la version précédente, et qui devrait être sans reproches

BOF

- Une mécanique qui revient sans le moindre changement technique; une augmentation de la cylindrée aurait été facile et relativement peu coûteuse à réaliser, comme cela fut le cas pour la 650S
- Une quantité de vibrations qui n'a aucune raison d'être inférieure puisque le moteur est intact; seul l'essai le confirmera, mais il s'agit d'un des défauts de l'ancienne version qu'on aurait bien aimé voir régler
- Une moto dont les composantes sont toutes fonctionnelles, mais dont la conception est soit simpliste, soit vieillotte

SUZUKI V-STROM 1000

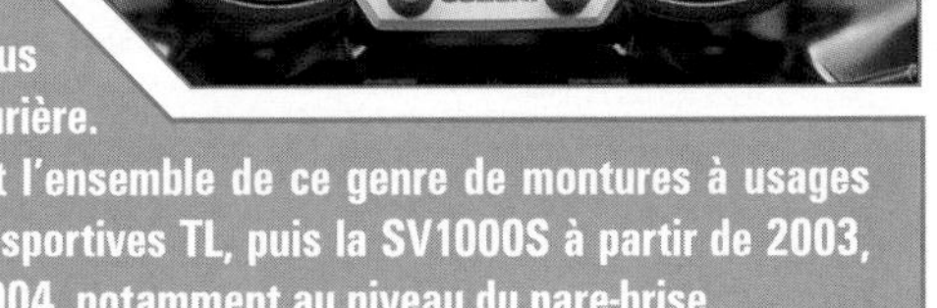

Aventures en tous genres...

Mélangez une routière comme la Bandit 1200S avec une sportive à moteur V-Twin comme la SV1000S puis donnez au tout une mission inspirée de celle de la BMW R1200GS et vous obtenez la V-Strom 1000, une moto que nous avons décidé de qualifier de routière aventurière. *Le Guide de la Moto* a d'ailleurs décidé de faire de ce terme une catégorie qui décrirait l'ensemble de ce genre de montures à usages multiples. Construite autour de l'excellent V-Twin d'un litre qui a propulsé dès 1997 les sportives TL, puis la SV1000S à partir de 2003, la V-Strom 1000 fut lancée en 2002 et n'a depuis reçu que de légères améliorations en 2004, notamment au niveau du pare-brise.

La V-Strom 1000 est l'une de ces montures dont l'agrément de conduite ne peut tout bonnement pas être deviné. D'un simple coup d'oeil, on se doute, par exemple, qu'une sportive pointue sera rapide et précise et qu'une Gold Wing sera confortable. Mais la grosse V-Strom et ses proportions qui ne font toujours pas l'unanimité ne laisse transparaître que peu d'indices quant à ses aptitudes et ses capacités. Du moins jusqu'à ce qu'on l'enfourche et que le plaisir de pilotage largement supérieur à la moyenne de la Suzuki se manifeste.

La DL1000, de son nom de code, a cette rare capacité d'immanquablement arriver à mettre un sourire au visage de son pilote, qu'il soit en route pour une courte course ou pour une longue balade. Malgré le fait que la selle soit un peu haute, tout semble être en place pour mettre immédiatement le pilote à l'aise, une caractéristique dont est grandement responsable l'agréable équilibre de la position de conduite. Le guidon large rend la direction très légère alors que la partie cycle de haute qualité donne une impression de solidité et de précision décidément surprenante pour une moto de ce genre. La grosse V-Strom se laisse facilement convaincre de jouer les sportives, même de façon intense, sur une route sinueuse. L'impressionnante capacité d'absorption des suspensions à long débattement permet d'accéder à un pilotage où on peut se concentrer sur la route plutôt que sur l'état dans lequel se trouve son revêtement. Un avantage que tous ceux qui ont déjà tenté d'exploiter une sportive sur une route en mauvais état apprécieront grandement. En somme, la V-Strom donne l'impression d'être une monture très compétente qui laisse tout faire de manière précise, simple et amusante.

> **SES SUSPENSIONS À LONG DÉBATTEMENT PERMETTENT DE SE CONCENTRER SUR LA ROUTE PLUTÔT QUE SUR SON ÉTAT.**

Le plaisir de pilotage éprouvé aux commandes de la V-Strom vient également de son adorable V-Twin. Pourvu d'une injection parfaitement calibrée, annoncé à près de 100 chevaux et accouplé à une excellente boîte à six rapports, il distille un charme incontestable par le genre de grondement et de vibrations que seule une mécanique de ce type peut produire. Le niveau de performances généré n'est pas outrancier, mais il reste suffisant pour distraire un motocycliste d'expérience. Le V-Twin charme beaucoup plus par l'abondance de couple qu'il génère à tous les régimes que par la force de ses accélérations. Ces dernières sont assez intenses pour envoyer l'avant en l'air en première, ce qui n'a rien de méchant comme niveau de performances. Le seul petit défaut de ce moteur est un certain jeu dans le rouage d'entraînement qui, combiné avec le couple élevé et le frein moteur important du V-Twin d'un litre, provoque occasionnellement une conduite saccadée, à basse vitesse sur les rapports inférieurs, par exemple.

Tout de même très à l'aise sur de longues distances, la V-Strom n'est handicapée dans ces circonstances que par une selle correcte, mais qui mériterait d'être plus confortable. Le pare-brise ajustable en deux positions permet une impressionnante protection du torse, mais il crée une turbulence constante au niveau du casque, et ce, sans égard à la hauteur à laquelle on le règle.

Général

Catégorie	Routière Aventurière
Prix	11 999 $
Garantie	1 an/kilométrage illimité
Couleur(s)	argent, rouge
Concurrence	BMW R1200GS, Buell Ulysses XB12X, Ducati Multistrada 1000, KTM 950 Adventure, Triumph Tiger

Partie cycle

Type de cadre	périmétrique, en aluminium
Suspension avant	fourche conventionnelle de 43 mm ajustable en détente
Suspension arrière	monoamortisseur ajustable en précharge et détente
Freinage avant	2 disques de 310 mm de Ø avec étriers à 2 pistons
Freinage arrière	1 disque de 260 mm de Ø avec étrier à 1 piston
Pneus avant/arrière	110/80 R19 & 150/70 R17
Empattement	1 535 mm
Hauteur de selle	840 mm
Poids à vide	208 kg
Réservoir de carburant	22 litres

Moteur

Type	bicylindre 4-temps en V à 90 degrés, DACT, 4 soupapes par cylindre, refroidissement par liquide
Alimentation	injection à 2 corps de 45 mm
Rapport volumétrique	11,3:1
Cylindrée	996 cc
Alésage et course	98 mm x 66 mm
Puissance	98 ch @ 8 200 tr/min
Couple	65 lb-pi @ 7 000 tr/min
Boîte de vitesses	6 rapports
Transmission finale	par chaîne
Révolution à 100 km/h	environ 3 700 tr/min
Consommation moyenne	7,0 l/100 km
Autonomie moyenne	314 km

Conclusion

On n'a qu'à reculer quelques années pour se retrouver dans un contexte où la V-Strom 1000 n'aurait été qu'une autre des ces étranges « double-usage » de grosse cylindrée dont raffolent les Européens, mais dont nous ne comprenons pas l'intérêt. Le succès de la V-Strom chez nous laisse croire, sans l'ombre d'un doute, que nous avons enfin compris qu'il y a beaucoup plus à ces motos que leur ligne et leurs proportions inhabituelles. Elles représentent plutôt – et mieux que n'importe quel autre créneau de l'industrie – la mythique moto à tout faire. Pour moi, la V-Strom 1000 est l'incarnation même de la monture de toutes les occasions. Assez de confort pour de longues distances, totalement amicale à utiliser dans la besogne quotidienne, capable de jouer les sportives sur demande, suspendue de manière réaliste compte tenu de l'état de nos routes, voilà autant de qualités qui en font clairement l'une des favorites du Guide. Quant au fait que toute cette polyvalence soit accompagnée des prestations d'un V-Twin aussi coupleux que caractériel, considérez qu'il s'agit de la cerise sur le sundae.

QUOI DE NEUF EN 2006 ?

- **Aucun changement**
- **Aucune augmentation de prix**

PAS MAL

- **Un V-Twin d'un litre dont le caractère est charmant et dont le niveau de performances est très plaisant**
- **Une tenue de route non seulement étonnamment solide et précise, mais aussi très facilement exploitable**
- **Un niveau de confort très élevé amené par une position de conduite parfaitement équilibrée et des suspensions dont la souplesse arrive à aplanir les pires routes**

BOF

- **Une selle haute dont la nécessité n'est pas claire puisqu'il ne s'agit pas d'une moto destinée à rouler en sentier**
- **Un pare-brise dont l'ajustement est appréciable, mais qui, peu importe sa position, crée une légère mais agaçante turbulence autour du casque**
- **Une selle qu'on peut qualifier de bonne, mais qu'on aimerait encore meilleure compte tenu de l'aisance de la V-Strom sur de longues distances**

Positionnement douteux...

Également proposée en version non carénée sur d'autres marchés que le nôtre, la SV1000S est l'une des rares sportives mues par un moteur V-Twin qui proviennent du Japon. Cette remplaçante de la TL1000S produite entre 1997 et 2001 fut baptisée SV pour deux raisons, l'une visant à reprendre les premières lettres des termes sport et V-Twin et l'autre étant plutôt but de scier les liens avec la TL1000S originale et sa réputation controversée. Même si son demi-carénage laisse instinctivement deviner une moto dont la mission est similaire à celle d'une Yamaha FZ-1 ou d'une Bandit 1200S, la SV1000S est dans les faits une sportive considérablement plus agressive.

Il est toujours intéressant de constater quelle impression laisse l'aspect visuel d'une moto chez le motocycliste moyen. Généralement, cette identité visuelle est suffisamment forte pour permettre d'identifier le type des modèles d'un simple regard. Du chrome et des garde-boue enveloppants équivalent à une custom, des valises et beaucoup d'équipements équivalent à une moto de tourisme, et ainsi de suite. En regardant la SV1000S, on voit davantage une Bandit qu'une GSX-R, une FZ-1 qu'une R1. C'est le message qu'envoient le demi-carénage, le V-Twin exposé, la fourche conventionnelle, le S au lieu d'un R qui termine son nom, entre autres. Pourtant, lorsqu'on en prend les commandes, l'impression qu'on a immédiatement est celle d'une sportive pointue comme une GSX-R. Les repose-pieds sont hauts, les poignées sont basses et la position est généralement compacte. Ce n'est pas intolérable, mais ce n'est certes pas une position de Bandit ou de FZ-1. Ce commentaire est revenu tellement souvent que Suzuki a légèrement abaissé la selle afin de mettre moins de poids sur les mains, mais la SV1000S conserve quand même une position de conduite qui est très proche de celle d'une GSX-R, et peut-être même pire maintenant que les modèles hypersportifs de Hamamatsu se sont améliorés à ce sujet. Pour autant qu'on soit prêt à accepter cette caractéristique, on peut tirer un immense plaisir de la conduite de la SV1000S. D'abord, à l'exception du poids superflu qu'ont à supporter les mains, le niveau de confort n'est pas mauvais du tout. La selle est très correcte et la protection au vent est honnête, mais c'est la souplesse des suspensions qui étonne le plus. Correctement ajustées, elles font preuve d'un comportement à la fois souple sur route abîmée et ferme en conduite sportive. D'un rare équilibre, le compromis entre sport et confort qu'elles proposent fait beaucoup penser au genre de réglage qu'offre une Honda VFR800. Comme cette dernière, la SV1000S est d'ailleurs parfaitement capable de boucler des tours de piste, même à un rythme assez élevé, ce qui en dit long sur la qualité du comportement qu'elle affiche sur une route sinueuse. Il ne s'agit toutefois pas du genre de sportive hyperactive qui ne semble qu'avoir besoin d'une pensée pour se mettre en angle. Les poignées rapprochées offrent un faible effet de levier qui se traduit par un effort notable si la SV1000S doit être lancée rapidement dans une courbe. Mais une fois penchée, la solidité du châssis et la précision de la direction rappellent nettement le comportement d'une sportive pure, tandis que la stabilité est difficile à prendre en faute.

LE FAIBLE EFFET DE LEVIER DES POIGNÉES RAPPROCHÉES DONNE À LA SV1000S UNE DIRECTION LOURDE.

La caractéristique la plus intéressante de la SV1000S est sans aucun doute ce caractériel V-Twin qui l'anime qui semble encore plus charismatique chaque fois qu'il est utilisé sur un nouveau modèle. Parfaitement injecté, pulsant et grondant de façon bien évidente, on ne peut le qualifier d'extraordinairement puissant, mais ses performances restent quand même agréablement élevées. Faisant preuve d'une belle souplesse sur toute sa plage de régimes, ce V-Twin compte indéniablement pour une partie importante de l'agrément de conduite du modèle.

Général

Catégorie	Sportive
Prix	11 899 $
Garantie	1 an/kilométrage illimité
Couleur(s)	argent, bleu
Concurrence	Buell XB12R, Honda VTR1000F, Ducati Supersport 1000

Partie cycle

Type de cadre	treillis périmétrique, en aluminium
Suspension avant	fourche conventionnelle de 46 mm ajustable en précharge, compression et détente
Suspension arrière	monoamortisseur ajustable en précharge, compression et détente
Freinage avant	2 disques de 310 mm de Ø avec étriers à 4 pistons
Freinage arrière	1 disque de 220 mm de Ø avec étrier à 2 pistons
Pneus avant/arrière	120/70 ZR17 & 180/55 ZR17
Empattement	1 430 mm
Hauteur de selle	800 mm
Poids à vide	187 kg
Réservoir de carburant	17 litres

Moteur

Type	bicylindre 4-temps en V à 90 degrés, DACT, 4 soupapes par cylindre, refroidissement par liquide
Alimentation	injection à 2 corps de 54 mm
Rapport volumétrique	11,6:1
Cylindrée	996 cc
Alésage et course	98 mm x 66 mm
Puissance	119 ch @ 9 000 tr/min
Couple	75,4 lb-pi @ 7 200 tr/min
Boîte de vitesses	6 rapports
Transmission finale	par chaîne
Révolution à 100 km/h	environ 3 900 tr/min
Consommation moyenne	6,0 l/100 km
Autonomie moyenne	283 km

Conclusion

La réalité de la conclusion d'un essai est parfois cruelle, particulièrement lorsque la liste des qualités d'un modèle est aussi longue qu'étoffée, mais qu'un défaut arrive malgré tout à assombrir le tableau. C'est le cas de la SV1000S puisqu'il s'agit, sans le moindre doute, d'une excellente sportive dotée d'une partie cycle précise et propulsée par ce qui doit être considéré comme l'un des grands moteurs du motocyclisme. Pas banal comme résumé, certes. Alors, qu'est donc ce problème ? Dur à croire, mais il se limite à des poignées trop basses ayant comme conséquence une position de conduite très sévère et un certain inconfort au niveau du dos, mais surtout des poignets qui doivent supporter un poids qui n'est ni plus ni moins qu'injustifié sur une monture de ce genre. On arriverait probablement, avec quelques modifications, à les relever, mais de série, telle est la situation. À vous de savoir s'il s'agit d'une dose d'inconfort acceptable ou non, mais en ce qui concerne le Guide, la réponse est négative. Il s'agit d'une amélioration toute simple pour le manufacturier, qui suffirait à redonner à la SV1000S le rôle d'une routière sportive confortable et brillamment motorisée qu'elle aurait dû avoir depuis le début.

QUOI DE NEUF EN 2006 ?

- **Aucun changement**
- **Aucune augmentation de prix**

PAS MAL

- **Un V-Twin performant et parfaitement injecté qui s'exprime sans gêne par les pulsations et la sonorité profonde qui accompagnent chaque instant de pilotage**
- **Une tenue de route de haute qualité due à un châssis solide; la SV1000S n'est pas du tout hors de son élément en piste**
- **Une des rares façons de faire l'expérience d'une sportive performante à moteur V-Twin pour un prix raisonnable**

BOF

- **Une position rendue légèrement moins sévère par des modifications faites en 2004, mais qui reste extrême pour une moto qui n'est pas une réplique de course; les jambes sont très pliées, mais c'est surtout le poids sur les mains qui gêne**
- **Un moteur dont le couple à bas et moyen régimes n'est pas extraordinaire, contrairement aux croyances sur les V-Twin**
- **Des suspensions qui demandent d'être bien réglées avant d'offrir un bon niveau de confort**

SUZUKI GSX-R1000

F1 de route...

Dès l'instant où elle fut introduite en 2001, la GSX-R1000 s'est bâti une réputation de monstre intouchable au sein de la classe des sportives pures. Trois longues années de règne plus tard, en 2004, la concurrence arriva enfin à rattraper, voire surpasser l'extraordinaire niveau de performances établi par la Suzuki. La riposte, qui était facilement prévisible de la part du constructeur d'Hamamatsu, arriva en 2005 sous la forme d'une monture non seulement plus compacte et plus légère, mais aussi considérablement plus puissante. Si la GSX-R1000 revient intacte pour 2006, la lutte pour la suprématie de la classe, elle, continue de plus belle. Accrochons-nous.

En route vers les quelque 230 km/h atteints au bout de la ligne droite du circuit de l'Autodrôme Saint-Eustache, l'accélération générée par la toute dernière incarnation de la Suzuki GSX-R1000 est absolument effarante. On a beau dire qu'à peu près rien n'accélère comme une voiture de Formule 1, en ce moment, je n'arrive simplement pas à concevoir qu'on puisse compresser temps et distance de façon plus violente que le fait, tour après tour, ce véritable animal de puissance. Et dire que je ne suis même pas à bout du troisième des six rapports de la boîte de vitesses...

L'an dernier, Suzuki s'est affairé à littéralement ciseler sa grosse GSX-R dans tous les sens. Une diminution de 40 mm de la longueur de la moto, par exemple, est clairement visible dans le profil écourté de la portion arrière du carénage. L'abaissement de 20 mm de la selle se perçoit quant à lui dès qu'on prend place à bord de la nouvelle GSX-R1000 puisque le sol est beaucoup plus aisément atteint que ne le veut la coutume chez les sportives semblables.

LE PREMIER RAPPORT DEMANDE PLUS DE DOIGTÉ ET DE RETENUE QUE JAMAIS. IL PERMET D'ATTEINDRE 170 KM/H.

L'effet de toutes ces réductions paraît toutefois mineur par rapport aux 40 mm soustraits à la distance qui sépare la selle des guidons, ces derniers faisant désormais paraître la GSX-R1000 extrêmement compacte, plus même, que la GSX-R600. Bien que la position de pilotage demeure sportive et donc radicale, le fait d'être placé plus bas et plus près des guidons se traduit par une réduction du poids qu'ont à supporter les poignets. Comme la selle est loin d'être mauvaise pour une sportive aussi pointue et que les suspensions sont fermes sans être rudes, on se surprend à rouler sur de bonnes distances sans pour autant trop souffrir, ce qui n'est décidément pas la norme avec ce genre de motos.

Étonnamment, s'il est intéressant de découvrir que la nouvelle GSX-R1000 s'avère plus vivable au jour le jour que l'ancienne version, il reste que c'est par son comportement en piste et ses performances maximales qu'une sportive d'un tel calibre doit être jugée. À ce niveau, la dernière génération de la GSX-R d'un litre est totalement époustouflante.

Il fut un temps, pas si lointain, où des montures comme les Suzuki GSX1300R Hayabusa et Kawasaki Ninja ZX-12R régnaient en maîtres absolus au chapitre des performances brutes. Mais le fait est que la GSX-R1000 offre des accélérations qui sont carrément du même ordre, voire supérieures... Le premier rapport demande plus que jamais du doigté et de la retenue en pleine accélération, tandis que la vitesse qu'il permet d'atteindre – 170 km/h – est simplement ahurissante. Une fois la seconde enclenchée et le nez plus près sol, la poussée n'est rien de moins que phénoménale. La direction s'agite occasionnellement dans un environnement aussi abîmé que celui du circuit de l'Autodrôme. Mais à cette exception près, toutes les facettes de la tenue de route, du freinage en entrée de courbe à l'aplomb en virage en passant par le travail des suspensions, sont irréprochables.

Général

Catégorie	Sportive
Prix	14 999 $
Garantie	1 an/kilométrage illimité
Couleur(s)	bleu et blanc, noir et rouge, noir et gris
Concurrence	Honda CBR1000RR, Kawasaki ZX-10R, Yamaha YZF-R1

Partie cycle

Type de cadre	périmétrique, en aluminium
Suspension avant	fourche inversée de 43 mm ajustable en précharge, compression et détente
Suspension arrière	monoamortisseur ajustable en précharge, compression et détente
Freinage avant	2 disques de 310 mm de Ø avec étriers radiaux à 4 pistons
Freinage arrière	1 disque de 220 mm de Ø avec étrier à 2 pistons
Pneus avant/arrière	120/70 ZR17 & 190/50 ZR17
Empattement	1 405 mm
Hauteur de selle	810 mm
Poids à vide	166 kg
Réservoir de carburant	18 litres

Moteur

Type	4-cylindres en ligne 4-temps, DACT, 4 soupapes par cylindre, refroidissement par liquide
Alimentation	injection à 4 corps de 44 mm
Rapport volumétrique	12,5:1
Cylindrée	999 cc
Alésage et course	73,4 mm x 59 mm
Puissance	178 ch @ 11 000 tr/min
Couple	87 lb-pi @ 9 000 tr/min
Boîte de vitesses	6 rapports
Transmission finale	par chaîne
Révolution à 100 km/h	environ 4 000 tr/min
Consommation moyenne	6,5 l/100 km
Autonomie moyenne	277 km

Conclusion

La dernière génération de la GSX-R1000 s'attire autant d'éloges et aussi peu de remarques péjoratives tout bonnement parce qu'il s'agit d'une sportive d'un calibre absolument exceptionnel. On se demande régulièrement jusqu'où se rendra l'escalade de puissance et de performance qui anime actuellement la catégorie des sportives d'un litre. En ce qui concerne la concurrence, ce ne sera pas avec cette GSX-R1000. En effet, Yamaha, mais surtout Honda et Kawasaki, récidivent tous en 2006 avec des 1000 allégées et plus puissantes, dans le seul et unique but de régner sur cette classe. Et ne comptez pas sur Suzuki pour rester derrière longtemps. À un tel rythme, l'analogie avec les performances des voitures de Formule 1 pourrait rapidement passer de caricaturale à factuelle.

QUOI DE NEUF EN 2006 ?

- **Aucun changement**
- **Aucune augmentation de prix**

PAS MAL

- **Un niveau de performances totalement dément; en ligne droite, la GSX-R1000 annihile les distances et force votre cerveau à repenser sa manière de gérer l'équation espace-temps**
- **Un comportement tellement solide qu'il permet, incroyablement, d'exploiter toute cette puissance avec une facilité relative**
- **Une position de conduite qui s'avère étonnamment améliorée et une selle qu'on est surpris de trouver aussi basse**

BOF

- **Une stabilité qui est très légèrement en recul puisque les poignées s'agitent occasionnellement, ce que l'ancienne génération de la GSX-R1000 ne faisait presque jamais; l'accroissement massif de la puissance semble avoir poussé le châssis plus près de ses limites**
- **Un aspect pratique de moins en moins évident; c'est bien toute cette puissance, mais que fait-on quand trouver une piste de course assez vaste pour en profiter devient difficile ? Quant à la route...**
- **Une identité qui se perd avec une 600 et une 750 presque identiques, et un silencieux qui ne fait décidément pas l'unanimité**

SUZUKI GSX-R750

NOUVEAUTÉ 2006

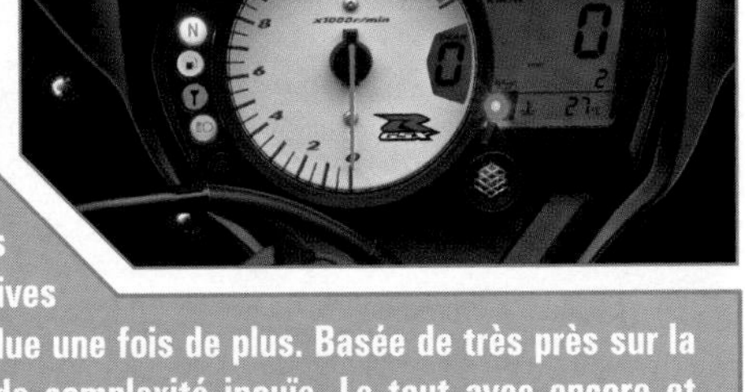

Exculsive 600 dopée...

Plus que tout autre modèle du constructeur, toutes catégories et toutes époques confondues, la GSX-R750 évoque l'essence de ce qu'est la marque Suzuki. Depuis l'introduction du légendaire modèle de 1985, ni le manufacturier ni l'univers des sportives pures n'ont été les mêmes. En 2006, plus de deux décennies plus tard, la GSX-R750 évolue une fois de plus. Basée de très près sur la GSX-R600 depuis 2004, la 750 entre cette année dans une ère de sophistication et de complexité inouïe. Le tout avec encore et toujours le seul et unique but de permettre le mythique tour de piste parfait.

TECHNIQUE

La GSX-R750, c'est un peu l'âme de Suzuki. La franchise de ses aspirations, qui n'ont jamais été autres que celles d'être la meilleure sportive possible sur un tour de piste, est la base même de son succès. Mais avoir du succès a parfois un prix, et ce prix fut dans le cas de la GSX-R750 de se retrouver seule dans sa catégorie, en partie parce la concurrencer était devenu trop difficile et trop coûteux, et en partie parce que l'intérêt des acheteurs s'axait de plus en plus sur les 600 et les 1000. N'importe quel manufacturier aurait simplement résolu le problème en abandonnant le modèle, mais compte tenu de l'importance de la GSX-R750 pour Suzuki, il ne s'agissait pas là d'une option valable. La solution du constructeur de Hamamatsu arriva en 2004 avec la présentation de versions « jumelles » des GSX-R600 et 750. L'idée fut brillante puisqu'elle permit de continuer la commercialisation de la 750 à relativement peu de frais, en bénéficiant des progrès continuels de la 600. Du point de vue du consommateur, la conséquence est tout aussi bénéfique puisque le cycle d'évolution de la 750, qui a toujours été de quatre ans, se trouve maintenant coupé de moitié puisqu'il doit désormais suivre le cycle de deux ans aujourd'hui commun chez les 600. Quiconque connaît le genre de rythme auquel progressent les 600 comprendra vite que la GSX-R750 est vouée à évoluer de façon aussi rapide que drastique. C'est ainsi que pour 2006, deux ans à peine après avoir été profondément remaniée, la GSX-R750 est de nouveau repensée.

MAINTENANT JUMELÉE À LA 600, LA 750 DEVRA ÊTRE REPENSÉE TOUS LES DEUX ANS. ÇA COMMENCE EN 2006.

La plus récente évolution de la GSX-R750 est le fruit d'un travail acharné à tous les niveaux de conception. Le moteur, par exemple, profite de l'alésage réduit des cylindres et d'un repositionnement des axes de la transmission pour retrancher 16 mm à sa largeur, 32 mm à sa hauteur et pas moins de 60 mm à sa longueur. Suzuki a d'ailleurs profité de cette dernière réduction pour allonger le bras oscillant sans augmenter l'empattement. La zone rouge passe à un incroyable 15 000 tr/min et la puissance grimpe de 2 chevaux. L'embrayage dispose désormais d'un limiteur de contrecouple et les rapports de la transmission sont maintenant plus rapprochés.

Le cadre et le bras oscillant de la nouvelle GSX-R750 suivent la dernière tendance et n'utilisent plus aucun élément extrudé, mais sont plutôt entièrement fabriqués à partir de pièces coulées. Le procédé permet non seulement de diminuer le poids, mais aussi et surtout de finement *calibrer* la rigidité de l'ensemble. Car il ne suffit plus désormais de « bêtement » rigidifier un châssis, mais bien d'équilibrer ses zones et ses degrés de rigidité. Le procédé de coulage a aussi l'avantage de considérablement réduire le nombre de pièces et de soudures, ce qui permet un assemblage plus précis et constant.

Le côté visuel est d'une importance extrême en ces temps où il est difficile de se tromper en choisissant une sportive. Évidemment, la GSX-R750 a l'avantage d'être seule dans sa classe, mais comme elle doit suivre l'évolution de la 600, elle bénéficie en 2006 d'une ligne encore plus agressive et voit ses clignotants maintenant montés directement dans les rétroviseurs.

Suzuki garantit presque une refonte du modèle tous les deux ans puisque c'est le genre de rythme qu'une 600 doit aujourd'hui maintenir si elle espère rester compétitive. Le principe est très intelligent puisqu'il permet essentiellement de développer une moto et d'en vendre deux, l'une d'elles, la GSX-R750, n'étant rien de moins que l'une des, sinon la meilleure sportive pure au monde.

Le Guide de la Moto donne d'ailleurs de grandes chances à cette tendance de se généraliser d'ici quelques années, ce qui impliquerait un retour des 750. Avec des 1000 qui deviennent indécemment puissantes et des 600 qui deviennent de plus en plus pointues, combien de temps avant que le public ne redécouvre l'équilibre magique d'une 750 ? Selon nous, quelques années tout au plus.

Domicile : la piste

On n'a pas fini d'entendre parler du silencieux en position central des GSX-R600/750, mais les motos sont bourrées d'autres caractéristiques aussi poussées que surprenantes. La GSX-R750 2006 dispose, par exemple, de repose-pieds ajustables, d'un embrayage avec limiteur de contrecouple, de soupapes en titane et utilise même un balancier entraîné par le vilebrequin pour réduire les vibrations. Les pilotes courts sur pattes se réjouiront d'apprendre que, comme cela a été fait sur la 1000 l'an dernier, la selle est désormais plus basse également sur la 750, ce qui a pu être réalisé en réduisant la longueur du monoamortisseur de la suspension arrière.

Général

Catégorie	Sportive
Prix	12 999 $
Garantie	1 an/kilométrage illimité
Couleur(s)	bleu et blanc, noir et jaune, rouge et noir
Concurrence	aucune

Partie cycle

Type de cadre	périmétrique, en aluminium
Suspension avant	fourche inversée de 41 mm ajustable en précharge, compression et détente
Suspension arrière	monoamortisseur ajustable en précharge, compression et détente
Freinage avant	2 disques de 310 mm de Ø avec étriers radiaux à 4 pistons
Freinage arrière	1 disque de 220 mm de Ø avec étrier à 1 piston
Pneus avant/arrière	120/70 ZR17 & 180/55 ZR17
Empattement	1 400 mm
Hauteur de selle	810 mm
Poids à vide	163 kg
Réservoir de carburant	16,5 litres

Moteur

Type	4-cylindres en ligne 4-temps, DACT, 4 soupapes par cylindre, refroidissement par liquide
Alimentation	injection à 4 corps de 42 mm
Rapport volumétrique	12,5:1
Cylindrée	750 cc
Alésage et course	70 mm x 48.7 mm
Puissance	150 ch @ 12 800 tr/min
Couple	65,4 lb-pi @ 10 800 tr/min
Boîte de vitesses	6 rapports
Transmission finale	par chaîne
Révolution à 100 km/h	n/d
Consommation moyenne	n/d
Autonomie moyenne	n/d

Conclusion

Alors que l'absence de toute concurrence et la disparition de la catégorie 750 en compétition aurait pu signifier la fin de la GSX-R750, ce qui fut d'ailleurs le cas pour la RC45 de Honda, la Ninja ZX-7R de Kawasaki et la Yamaha YZF750R il y a déjà plusieurs années, la Suzuki survit. En fait, la vérité est qu'elle fait bien plus que survivre puisqu'en profitant du rythme effréné de développement des 600 pour continuer d'évoluer, elle est en train de devenir une sorte de mutante exclusive à la marque de Hamamatsu. La version précédente était clairement l'une des sportives pures favorites du Guide, et nous n'avons pas le moindre doute que cette manière de combiner le corps d'une 600 avec le coeur d'une 750 ne fera que renchérir ce sentiment.

QUOI DE NEUF EN 2006 ?

- Modèle entièrement repensé
- Coûte 200 $ de plus qu'en 2005

PAS MAL

- Une philosophie de développement basée sur l'évolution de la 600 qui garantit non seulement une progression phénoménale du modèle, mais aussi une équation presque obligatoirement gagnante; ajoutez 150 cc à n'importe laquelle des 600 actuelles et le cas serait le même
- Un équilibre entre la puissance et l'agilité qui a toujours été à la base du comportement magique du modèle
- Un niveau de performances agréablement supérieur à celui d'une 600, mais pas aussi intimidant que celui d'une 1000

BOF

- Une tendance à vibrer au niveau les poignées que nous avions notée sur l'ancienne version, et qui est à la base de l'utilisation d'un balancier sur celle-ci; est-ce réglé ?
- Une image qui souffre d'un manque d'identité propre; en raison de ce fameux jumelage, la GSX-R750 est visuellement identique à la 600, ce qui reflète plus la réalité économique du modèle que son riche héritage
- Une position de conduite qu'il faut s'attendre à retrouver plutôt extrême, comme toujours; la 1000 nous a toutefois étonnés à ce sujet et la 750 pourrait en faire autant

L'ancêtre des VFR et Sprint ST...

On ne le devinerait certainement pas aujourd'hui, mais c'est à certaines des motos les plus puissantes et les plus inusitées visuellement des années 80 que le nom Katana fut d'abord associé. Ce fut ensuite au tour d'une toute nouvelle génération de montures polyvalentes et caractérisées par un carénage enveloppant d'utiliser ce nom. Lancée en 1989, la Katana 750 succédait à la 600 présentée un an plus tôt. Le modèle est demeuré intact durant une dizaine d'années, jusqu'à ce que Suzuki se décide enfin à s'en occuper en 1998. À l'exception d'une partie arrière redessinée en 2003, la version 2006 est identique à celle de 1998.

Bien qu'on fasse souvent référence aux Katana en les décrivant comme des Bandit carénées – et vice-versa – en raison de leur mission très similaire, pour ne pas dire identique, il existe quelques différences entre les deux familles qui ne sont tout de même pas banales. La plus importante a trait aux cylindrées puisqu'il n'existe regrettablement ni de Katana 1200 ni de Bandit 750, deux modèles qui seraient pourtant aussi intéressants à piloter que faciles et économiques à concevoir. Il reste que les modèles de ces deux familles jouent essentiellement le même rôle, celui de routières sportives compétentes qu'il est possible d'acquérir pour une somme raisonnable. À l'instar des Bandit, les Katana sont assemblées à partir des composantes dont le design est clairement vieux, mais dont le niveau fonctionnel est encore honnête. C'est d'ailleurs grâce à cette recette, qui consiste à utiliser des ingrédients provenant tous d'une époque lointaine, que Suzuki arrive à garder son prix relativement bas. Le moteur propulsant la Katana 750, par exemple, est celui de la GSX-R750 90-91 calibré de manière à être moins pointu. De conception simple et produit depuis toujours, il n'a pas été choisi pour sa sonorité sophistiquée – elle ne l'est pas – ou sa douceur de fonctionnement – elle pourrait être meilleure –, mais plutôt pour son rendement satisfaisant. Sans qu'elles soient impressionnantes, les accélérations demeurent quand même assez énergiques pour divertir un pilote expérimenté. Le couple est relativement généreux aux régimes bas, ce qui permet des reprises et des dépassements honnêtes sans trop avoir à jouer de la cheville gauche. Ce caractère considérablement plus coupleux que celui d'une 600 lui permet de conserver des régimes inférieurs et de limiter les passages de rapport, ce qui se traduit en agrément de conduite qu'on roule en ville ou qu'on négocie une route en lacet.

LE MOTEUR PROPULSANT LA KATANA 750 EST CELUI DE LA GSX-R750 90-91 CALIBRÉ DE MANIÈRE MOINS POINTUE.

Les lignes timides de la Katana 750 ne laissent pas imaginer le niveau surprenant de sa tenue de route. L'agilité et le potentiel maximal ne sont pas les mêmes que pour une sportive spécialisée, bien entendu, mais la Katana a la capacité d'atteindre une cadence étonnante sur un tracé sinueux. Nous en avons d'ailleurs obtenu une preuve en amenant la Katana sur le circuit de l'Autodrôme Saint-Eustache, où elle s'est bien mieux débrouillée que plusieurs observateurs sceptiques ne l'auraient cru. Sa direction demande un certain effort dans ce genre de situation, mais pour le reste, son comportement une fois en angle demeure neutre et solide. Dans l'environnement plus normal qu'est celui de l'usage urbain, son poids modéré et son bel équilibre général se traduisent par une bonne maniabilité. Notons que la selle n'est toutefois pas particulièrement basse.

La Katana 750 offre un niveau de confort très appréciable. La position de conduite, qui garde une saveur sportive sans être extrême, est dégagée et ne taxe aucune partie de l'anatomie, tandis que les suspensions présentent un compromis fort intéressant entre sport et confort. Enfin, la plus grosse des Katana propose une protection au vent fort honnête et une selle aussi accueillante pour le pilote que pour son passager.

Général

Catégorie	Routière Sportive
Prix	9 699 $
Garantie	1 an/kilométrage illimité
Couleur(s)	noir et argent, rouge et argent
Concurrence	Ducati ST3, Honda VFR800, Triumph Sprint ST autre(s) possibilité(s) : Kawasaki Z750S

Partie cycle

Type de cadre	périmétrique, en acier
Suspension avant	fourche conventionnelle de 41 mm ajustable en détente
Suspension arrière	monoamortisseur ajustable en précharge, compression et détente
Freinage avant	2 disques de 290 mm de Ø avec étriers à 2 pistons
Freinage arrière	1 disque de 240 mm de Ø avec étrier à 2 pistons
Pneus avant/arrière	120/70 ZR17 & 150/70 ZR17
Empattement	1 465 mm
Hauteur de selle	790 mm
Poids à vide	211 kg
Réservoir de carburant	20 litres

Moteur

Type	4-cylindres en ligne 4-temps, DACT, 4 soupapes par cylindre, refroidissement par air et huile
Alimentation	4 carburateurs à corps de 36 mm
Rapport volumétrique	10,7:1
Cylindrée	749 cc
Alésage et course	70 mm x 48.7 mm
Puissance	92 ch @ 10 500 tr/min
Couple	52 lb-pi @ 9 500 tr/min
Boîte de vitesses	6 rapports
Transmission finale	par chaîne
Révolution à 100 km/h	environ 4 800 tr/min
Consommation moyenne	6,2 l/100 km
Autonomie moyenne	322 km

Conclusion

Même si elles sont pleines de bon sens, les montures semblables à la Katana 750 ne pullulent pas et ne sont certainement pas les plus abordables du marché. Car s'il faut combiner un bon niveau de confort à une tenue de route de bonne qualité dans un ensemble de proportions moyennes, les choix se limitent à des modèles comme la Honda VFR800, la Triumph Sprint ST et la Ducati ST3. La Kawasaki Z750S est comparable, mais elle est un peu moins sérieuse lorsqu'il s'agit de rouler longtemps et confortablement, une caractéristique essentielle à ce groupe. Malgré le fait que la Katana 750 fasse figure de dinosaure en telle compagnie, la réalité est que tout le monde n'a pas les moyens de se payer une VFR ou une Sprint ST. Dans ce contexte, malgré les quelques défauts inhérents à l'âge de ses composantes, la Suzuki reste imbattable.

QUOI DE NEUF EN 2006 ?

- Lentilles de clignotants claires
- Aucune augmentation de prix

PAS MAL

- Une bonne valeur même si le marché offre désormais des choix potentiellement plus intéressants
- Un comportement routier suffisamment solide et précis pour permettre une bonne cadence en pilotage sportif
- Un très bon niveau de confort rendu par un ajustement judicieux des suspensions, par une position de conduite relevée et par une excellente selle

BOF

- L'affaire exceptionnelle que la Katana 750 était jadis ne l'est plus aussi clairement; à ce prix, on a aujourd'hui quelques options assez intéressantes
- Une mécanique âgée qu'on entend toujours travailler et qui transmet une certaine quantité de vibrations au pilote par les poignées
- Une hauteur de selle que plusieurs propriétaires souhaiteraient un peu plus faible

SUZUKI V-STROM 650

Valeur plus que sûre...

C'est en se basant sur son excellente V-Strom 1000 que Suzuki a créé la 650. Similairement dessinée, mais plus basse, plus légère et permettant une économie de 3 000 $ par rapport à la 1000, la V-Strom 650 est actuellement une proposition unique. Car si le créneau des routières aventurières de grosse cylindrée croît tranquillement mais sûrement en termes de modèles, il n'existe à peu près rien qu'on puisse directement comparer avec la plus petite des V-Strom, du moins pas sur notre marché. En fait, on hésite plus souvent qu'autrement entre une 650 et une 1000 qu'on n'hésite entre une V-Strom 650 et autre chose.

La moto étant pour la plupart des motocyclistes un luxe, rares sont ceux qui arrivent à se payer plus d'un modèle à la fois. Pourtant, c'est ce que tous souhaiteraient. La plus grande force de la V-Strom 650 est parfaitement démontrée par cette réalité puisque le modèle est à la base conçu pour prendre une multitude de rôles, et le faire pour pas cher. Pour la concevoir, Suzuki a fait appel à deux des modèles les plus réussis de son catalogue : la sportive SV650S, d'où provient le réputé V-Twin injecté de 645 cc, et la polyvalente V-Strom 1000, de laquelle la partie cycle et la ligne de la petite version sont intimement inspirées. L'enviable fiche technique que confèrent ces montures donneuses à la V-Strom 650 se traduit, sur la route, en un comportement absolument charmant. La V-Strom 1000 était déjà parmi les montures les plus faciles d'accès et les plus coopérantes du marché. Grâce à son poids plus faible et au caractère plus docile de sa mécanique moins puissante, la 650 va même jusqu'à surpasser la fameuse 1000 à cet égard, ce qui n'est pas peu dire.

SUR UNE ROUTE SINUEUSE ET ABÎMÉE, LA PETITE V-STROM A LE POTENTIEL D'HUMILIER UNE PUISSANTE SPORTIVE.

Malgré sa puissance relativement peu élevée et sa cylindrée moyenne, le petit V-Twin se montre étonnamment généreux en couple dans les tours inférieurs, ce qui rend son utilisation considérablement plus aisée que dans le cas des 4-cylindres en ligne de cylindrée semblable. À l'exception d'un léger à-coup à la remise des gaz, l'injection fonctionne parfaitement, tout comme la transmission et l'embrayage. Il s'agit d'une mécanique dont le côté le plus impressionnant est sa capacité à satisfaire autant les exigeants pilotes de longue date que les motocyclistes peu expérimentés. Ses vibrations sont très bien contrôlées, ce qui rend possible l'utilisation fréquente des hauts régimes sans le moindre inconfort.

Avec sa position de conduite relevée, une bonne selle autant pour le pilote que pour le passager, une très honnête protection au vent et des suspensions qui semblent embellir comme par magie les lamentables routes de notre belle province, la V-Strom se prête sans le moindre problème au jeu des longues distances en duo, et ce, malgré le fait que le pare-brise crée une constante et agaçante turbulence au niveau du casque à haute vitesse. L'ajustement en hauteur dont il dispose augmente la protection, mais ne change rien à la problématique de l'écoulement turbulent du vent.

Un aspect de la conduite de la V-Strom 650 qui surprend presque autant que son rapport qualité-prix est sa tenue de route. L'appétit avec lequel elle dévore une route tortueuse est simplement insoupçonnable tant qu'on ne l'a pas soi-même expérimenté. La combinaison de suspensions judicieusement calibrées pour faire face à la réalité des routes imparfaites, d'une direction aussi légère que neutre et précise, et d'un châssis solide et toujours stable en fait une monture sur laquelle un rythme carrément sportif peut très facilement être maintenu sur un tracé sinueux. Installez d'ailleurs un bon pilote aux commandes de la petite V-Strom et, sur une route sinueuse, du moins, vous obtenez un ensemble facilement capable de donner du fil à retordre aux propriétaires de puissantes sportives. Dans le cas où cette route serait abîmée, la V-Strom pourrait même les humilier...

Général

Catégorie	Routière Aventurière
Prix	8 999 $
Garantie	1 an/kilométrage illimité
Couleur(s)	bleu, rouge, argent
Concurrence	BMW F650GS, Ducati Multistrada 620 autre(s) possibilité(s) : Kawasaki Z750S et ZR-7S, Suzuki Bandit 650S, Yamaha FZ6

Partie cycle

Type de cadre	treillis périmétrique, en aluminium
Suspension avant	fourche conventionnelle de 43 mm ajustable en précharge
Suspension arrière	monoamortisseur ajustable en précharge et détente
Freinage avant	2 disques de 310 mm de Ø avec étriers à 2 pistons
Freinage arrière	1 disque de 260 mm de Ø avec étrier à 1 piston
Pneus avant/arrière	110/80 R19 & 150/70 R17
Empattement	1 540 mm
Hauteur de selle	820 mm
Poids à vide	189 kg
Réservoir de carburant	22 litres

Moteur

Type	bicylindre 4-temps en V à 90 degrés, DACT, 4 soupapes par cylindre, refroidissement par liquide
Alimentation	injection à 2 corps de 39 mm
Rapport volumétrique	11,5:1
Cylindrée	645 cc
Alésage et course	81 mm x 62,6 mm
Puissance (SV650S)	67 ch @ 8 800 tr/min
Couple (SV650S)	44,3 lb-pi @ 6 400 tr/min
Boîte de vitesses	6 rapports
Transmission finale	par chaîne
Révolution à 100 km/h	environ 4 600 tr/min
Consommation moyenne	5,8 l/100 km
Autonomie moyenne	380 km

Conclusion

Si l'on dressait une liste des motos qui en donnent le plus pour la somme qu'un manufacturier en demande, la V-Strom 650 y feraient non seulement belle figure, elle ne serait décidément pas loin du sommet. Pour 9 000 $, il n'existe tout simplement aucune moto sur le marché qui soit aussi polyvalente, aussi plaisante et aussi facile à vivre. Il faut avoir piloté toutes sortes de deux-roues pour se rendre compte de la valeur de la simplicité de pilotage de la petite Suzuki. Si les 3 000 $ qui la séparent de la version de 1 000 cc ne représentent pas un obstacle infranchissable, alors le choix de la grosse cylindrée va de soi, du moins pour le pilote avec un minimum d'expérience. Mais si le budget ne permet pas d'envisager l'option plus coûteuse, alors la V-Strom 650 peut être acquise les yeux fermés.

QUOI DE NEUF EN 2006 ?

- Aucun changement
- Aucune augmentation de prix

PAS MAL

- Une véritable petite merveille de mécanique; le V-Twin injecté qui anime la petite V-Strom compense amplement en caractère ce qu'il n'a pas en chevaux
- Une tenue de route impressionnante, surtout sur pavé imparfait où les suspensions magiques semblent tout effacer
- Un niveau de confort appréciable amené par une position relevée très agréable et par d'excellentes suspensions

BOF

- Une selle qui n'est pas mauvaise du tout, mais qui n'est pas du genre sur laquelle on peut passer plusieurs centaines de kilomètres sans inconfort
- Une hauteur de selle légèrement réduite par rapport à celle de la 1000, mais qui reste considérable
- Un pare-brise qui, malgré ses deux réglages possibles en hauteur, génère toujours de la turbulence au niveau du casque

SUZUKI SV650S

Entrée générale...

Personne ne savait trop quoi penser de la petite SV650S lorsqu'elle fut lancée en 1999. À l'époque, on commençait à peine à se familiariser avec les sportives à moteur V-Twin d'un litre et la raison d'être d'une 650 était difficile à saisir. Depuis, non seulement a-t-on vite saisi, mais la SV650S s'est aussi élevée au statut de franc succès, pour ne pas dire qu'elle est carrément devenue une moto-culte. Remaniée en 2003 alors qu'elle recevait l'injection, un nouveau carénage et une partie cycle revue, la petite SV est toujours proposée en version non carénée. Pour la première fois en 2006, une concurrente se montre le bout du nez : la Kawasaki Ninja 650R.

Bien peu de motos arrivent à faire autant de choses, à les faire auprès d'une clientèle aussi variée et à les faire aussi bien que la SV650S. La nouvelle Kawasaki Ninja 650R est en fait le premier modèle qui ait le potentiel de réellement concurrencer la petite Suzuki à ce chapitre depuis que celle-ci est apparue en 1999, ce qui illustre bien à quel point la SV s'est montrée exceptionnelle depuis. En raison de sa puissance modeste et du fait qu'il ne s'agit que d'une 650, la petite SV est souvent strictement perçue comme une monture de débutant, mais la réalité est qu'elle a véritablement la capacité de séduire des pilotes de plusieurs niveaux d'expérience. Malgré des performances qui s'avèrent modestes sur papier, faible cylindrée oblige, le petit V-Twin reste absolument délicieux à solliciter, surtout depuis la légère amélioration de puissance et de couple qu'a engendré l'adoption de l'injection en 2003. Compte tenu de sa limite de cylindrée, on s'étonne toujours de la bonne volonté du petit moteur lorsqu'il tourne à bas régime. Il arrive à faire sourire à chaque montée en régime par sa façon déterminée et infatigable de grimper jusqu'à la zone rouge. L'agréable présence sonore du bicylindre en V encourage d'ailleurs à répéter cet exercice aussi régulièrement que possible. Cette particularité qu'a la SV de permettre à son pilote un certain degré d'amusement sans obligatoirement le compromettre de manière fâcheuse face à la loi est l'une des facettes les plus plaisantes de sa conduite. La SV650S arrive également à procurer une dose aussi forte de plaisir lorsque la route n'est plus droite, une qualité qu'on doit à l'excellent châssis autour duquel elle est construite. Ultralégère à inscrire en courbe, la SV est un délice absolu sur un tracé sinueux où elle se montre presque aussi précise, solide et imperturbable qu'une sportive spécialisée. Contrairement à ces dernières qui sont parfois intimidantes à pousser, la SV650S est extraordinairement facile à exploiter en pilotage sportif et possède une tenue de route assez relevée pour arriver à boucler des tours de pistes à un rythme qui pourrait en surprendre plus d'un. Le freinage est tout à fait satisfaisant et les suspensions s'acquittent très honnêtement de leur travail.

LA PETITE SV PERMET UN CERTAIN DEGRÉ D'AMUSEMENT SANS OBLIGATOIREMENT SE COMPROMETTRE DE MANIÈRE FÂCHEUSE FACE À LA LOI.

Le niveau de confort de la SV650S est l'un des rares aspects du modèle qui pourraient être améliorés, même si ni la selle, ni les suspensions, ni les vibrations de la mécanique n'attirent de critiques. Sa seule véritable lacune à ce chapitre concerne sa position de conduite à saveur sportive qui pourrait mettre un peu moins de poids sur les mains, ce que des poignées à peine plus relevées arriveraient à accomplir. La version SV650 sans carénage possède justement un guidon tubulaire plus haut qui rend la position de pilotage non seulement moins exigeante, mais aussi exceptionnellement compacte, si bien que les pilotes de grande taille s'y sentent coincés. Basse, légère et compacte, cette version est l'une des motos qui donnent l'impression d'être dessinées pour une clientèle féminine. Les intéressées devront toutefois devoir vivre avec l'absence de toute protection au vent sur l'autoroute.

Général

Catégorie	Sportive (SV650 : Standard)
Prix	8 799 $ (SV650 : 8 499 $)
Garantie	1 an/kilométrage illimité
Couleur(s)	gris, rouge
Concurrence	Kawasaki Ninja 650R autre(s) possibilité(s) : Honda 599, Suzuki Bandit 650S, Yamaha FZ6

Partie cycle

Type de cadre	treillis périmétrique, en aluminium
Suspension avant	fourche conventionnelle de 41 mm ajustable en précharge
Suspension arrière	monoamortisseur ajustable en précharge
Freinage avant	2 disques de 290 mm de Ø avec étriers à 2 pistons
Freinage arrière	1 disque de 220 mm de Ø avec étrier à 1 piston
Pneus avant/arrière	120/60 ZR17 & 160/60 ZR17
Empattement	1 430 mm
Hauteur de selle	800 mm
Poids à vide	169 kg (SV650 : 165 kg)
Réservoir de carburant	17 litres

Moteur

Type	bicylindre 4-temps en V à 90 degrés, DACT, 4 soupapes par cylindre, refroidissement par liquide
Alimentation	injection à 2 corps de 39 mm
Rapport volumétrique	11,5:1
Cylindrée	645 cc
Alésage et course	81 mm x 62,6 mm
Puissance	74 ch @ 9 000 tr/min
Couple	45 lb-pi @ 7 400 tr/min
Boîte de vitesses	6 rapports
Transmission finale	par chaîne
Révolution à 100 km/h	environ 4 700 tr/min
Consommation moyenne	6,0 l /100 km
Autonomie moyenne	283 km

Conclusion

Pour un pilote d'expérience, la SV650S représente une rare façon de succomber régulièrement à la tentation de la vitesse et de l'accélération sans pour autant risquer la prison à vie s'il est pris en flagrant délit. Pour le motocycliste avec peu ou pas d'expérience, elle représente en revanche une manière tout aussi rare de faire l'expérience d'une véritable sportive et d'en expérimenter les capacités sans pour autant s'exposer à un comportement violent ou imprévisible, ce qui serait le cas avec la plupart des 600 de pointe actuelles. La SV650S est à la fois la monture d'initiation parfaite et un excellent souffre-douleur pour le pilote un peu plus chevronné. Jusqu'à ce que la concurrence prouve le contraire, nous considérerons que cette capacité de jouer de façon transparente ce double rôle reste exclusive à la petite Suzuki.

QUOI DE NEUF EN 2006 ?

- **Aucun changement**
- **Aucune augmentation de prix**

PAS MAL

- **Un petit V-Twin qui ne peut que séduire grâce à son caractère débordant et à sa puissance juste assez élevée pour laisser une grande variété de pilotes s'amuser**
- **Une tenue de route presque digne de celle d'une sportive spécialisée, et très facile à exploiter en plus**
- **Une excellente valeur puisque la somme demandée est raisonnable et que le produit est exceptionnel**

BOF

- **Un niveau de performances qui n'est quand même pas très excitant; à quand une SV750 ou 800 ?**
- **Une position de conduite qui met un certain poids sur les poignets sans que cela soit nécessaire (650S)**
- **Une version non carénée dont le guidon plus haut et plus reculé rend la position considérablement plus compacte, ce qu'un grand pilote pourrait trouver inconfortable ou étroit**

SUZUKI BANDIT 650S

Sans prétention aucune...

L'un des rôles des courbes si aguichantes et du chrome tellement scintillant qu'arborent les customs – ou des lignes si agressives et du niveau de performances tellement élevé des sportives – est de faire craquer les acheteurs en flattant leur ego. À l'opposé presque direct de cette école de pensée se trouve la Suzuki Bandit 650S, lancée en 2005 en remplacement de la Bandit 600S. Modeste autant par son apparence que par ses prestations, et ce, malgré la sérieuse révision de l'an dernier, la 650S pourrait en fait n'avoir comme seule prétention que celle de n'avoir aucune prétention. Pour 2006, une version équipée d'un système ABS est proposée moyennant un supplément de 500 $.

Ne devrait être intéressé par une Bandit 650S que le motocycliste à la recherche de la simplicité et de l'accessibilité à bon prix. Car même si elle a joui d'une bonne quantité d'améliorations pour 2005, il reste que la dernière évolution de la petite Bandit joue exactement le même rôle que la toute première version au sein de la gamme Suzuki, celui de la monture économique pleine grandeur et construite à partir de composantes efficaces, mais simples et rudimentaires.

Si le passage de 599 à 656 cc effectué en 2005 ne se traduit pas par un gain en puissance maximale, il est en revanche responsable de l'agréable livrée de couple à mi-régime. Enroulez l'accélérateur à plus ou moins 5 000 tr/min, même sur l'autoroute, et la dernière évolution de la Bandit effectue un bond en avant certes pas spectaculaire, mais tout de même franc et satisfaisant.

LA SUZUKI PROPOSE LE SEUL SYSTÈME DE FREINAGE ABS DE LA CATÉGORIE.

Les performances relativement modestes de la 650S ont l'avantage d'en faire un modèle tout indiqué pour une clientèle peu expérimentée intéressée par cette cylindrée, mais qui préfère rester loin du comportement pointu et de l'inconfort des modèles hypersportifs de 600 cc. Un motocycliste d'expérience pourrait très bien se satisfaire des prestations de la petite Bandit, mais seulement si le rythme de pilotage qu'il adopte la plupart du temps tient surtout de la balade. Cette façon qu'a la Bandit 650S de s'avérer franche et d'arriver à satisfaire sans toutefois jamais vraiment impressionner est non seulement retrouvée au chapitre de la mécanique, mais aussi à tous les niveaux du pilotage.

Relativement légère, la 650S peut littéralement être maniée par des motocyclistes au physique de tout genre grâce à des manières toutes simples, mais non moins pratiques de varier la hauteur du guidon et de la selle, ce qui est plus qu'on ne peut en dire pour la vaste majorité des motos du marché.

Positionné de façon sportive mais absolument pas extrême, le pilote profite d'une bonne légèreté de direction et d'un châssis techniquement rudimentaire, mais non moins stable à haute vitesse et bien maniéré en courbe, si bien qu'il est tout à fait possible de s'amuser sur une route tortueuse.

Le design rustique des composantes de freins se reflète dans l'effort plus élevé que la normale requis pour effectuer un arrêt franc, mais à sa défense, Suzuki propose le seul système de freinage ABS de la catégorie, une option raisonnablement facturée à 500 $ que les pilotes plus ou moins expérimentés ne devraient d'ailleurs pas manquer.

Le fait qu'on n'a heureusement pas besoin d'une infinité de chevaux ou d'une technologie de pointe pour produire une moto confortable est bien démontré par la Bandit 650S puisqu'en dépit de sa construction simpliste et de ses modestes capacités en ligne droite, il s'agit d'une monture sur laquelle il est parfaitement possible de parcourir de grandes distances. On ne parle pas de l'équivalent d'une véritable machine de sport-tourisme puisque le confort offert par la selle n'est pas sans limites et que la simplicité des suspensions les rend parfois rudes, mais une très bonne protection au vent et une position naturelle et dégagée aident à agrémenter le passage des kilomètres.

Général

Catégorie	Routière Sportive
Prix	8 799 $ (Bandit 650S ABS : 9 299 $)
Garantie	1 an/kilométrage illimité
Couleur(s)	rouge, noir (Bandit 650S ABS : rouge)
Concurrence	Kawasaki ZR-7S, Yamaha FZ6 autre(s) possibilité(s) : Kawasaki Ninja 650R et Z750S, Suzuki SV650S

Partie cycle

Type de cadre	double berceau, en acier
Suspension avant	fourche conventionnelle de 41 mm ajustable en précharge
Suspension arrière	monoamortisseur ajustable en précharge et détente
Freinage avant	2 disques de 290 mm de Ø avec étriers à 2 pistons
Freinage arrière	1 disque de 240 mm de Ø avec étrier à 2 pistons
Pneus avant/arrière	120/70 ZR17 & 160/60 ZR17
Empattement	1 440 mm
Hauteur de selle	770/790 mm
Poids à vide	204 kg
Réservoir de carburant	20 litres

Moteur

Type	4-cylindres en ligne 4-temps, DACT, 4 soupapes par cylindre, refroidissement par air et huile
Alimentation	4 carburateurs à corps de 32 mm
Rapport volumétrique	10,5:1
Cylindrée	656 cc
Alésage et course	65,5 mm x 48,7 mm
Puissance	78 ch @ 10 500 tr/min
Couple	49 lb-pi @ 7 500 tr/min
Boîte de vitesses	6 rapports
Transmission finale	par chaîne
Révolution à 100 km/h	environ 5 100 tr/min
Consommation moyenne	5,4 l/100 km
Autonomie moyenne	370 km

Conclusion

Accessible à souhait, confortable et économique, la Bandit 650S possède de nombreuses qualités. À moins d'être absolument néophyte dans l'univers des deux-roues routières, on ne la qualifiera toutefois jamais d'excitante. Ce qui n'est pas un défaut en soi, mais qui représente plutôt la réalité du modèle et du type d'acheteur auquel il s'adresse. Tant qu'on ne demande qu'à s'amuser et à se balader sans tracas et sans se ruiner, on y trouvera son compte. Si par contre le but de l'exercice est d'épater la galerie ou de se faire peur, il est clair qu'un autre choix s'impose.

QUOI DE NEUF EN 2006 ?

- Version avec système de freinage ABS proposée pour 500 $ de plus
- Aucun changement
- Aucune augmentation de prix

PAS MAL

- Un niveau de confort honnête amené par une position de conduite droite et dégagée, par une selle correcte et par une bonne protection au vent
- Un petit moteur rudimentaire, mais qui s'est adouci et dont l'honnête livrée de couple à bas et moyen régimes agrémente la conduite
- Une tenue de route solide et saine ainsi qu'une facilité de prise en main exceptionnelle; l'option d'un système ABS relativement efficace est également digne de mention

BOF

- Un manque flagrant de quoi que ce soit d'excitant; la Bandit 650S n'est pas pour autant ennuyante à piloter, mais on ne doit pas s'attendre à être impressionné
- Une livrée de puissance qui a beau être sympathique à moyen régime, elle reste très modeste face au genre de puissance qu'une mécanique plus moderne aurait généré
- Des freins décents, mais dont l'âge des composantes est trahi par un effort au levier supérieur à la moyenne

SUZUKI GSX-R600

NOUVEAUTÉ 2006

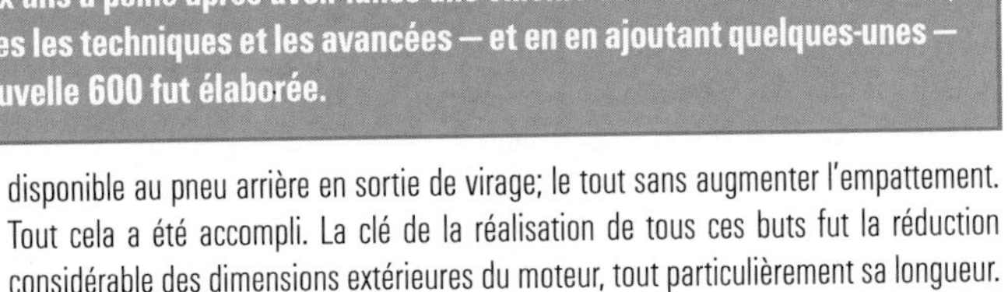

Petite 1000...

Il n'est de créneau qui soit aussi impitoyable, aussi ingrat et aussi infidèle que celui des sportives pures de 600 centimètres cubes. Invariablement, immanquablement, sitôt sa courte heure de gloire passée, sitôt une autre nouveauté arrivée, une 600 tombe instantanément dans l'oubli le plus complet. Voilà pourquoi Suzuki se devait de présenter, deux ans à peine après avoir lancé une énième évolution de la GSX-R600, une version drastiquement revue du modèle. C'est en s'inspirant de toutes les techniques et les avancées – et en en ajoutant quelques-unes – qui ont fait de la GSX-R1000 2005 une machine aussi réussie que la nouvelle 600 fut élaborée.

TECHNIQUE

Dans cette impitoyable catégorie où le terme longévité n'existe tout simplement pas, faire sa marque n'est pas une mince affaire. Parlez-en à Triumph, qui a, l'espace de quelques années, osé tenter de croiser le fer avec les constructeurs japonais pour finalement se rendre compte que s'il était une mission impossible, elle était celle qu'il vivait. Le moment qu'a choisi le constructeur anglais pour s'écarter de la zone de guerre et proposer la fort intéressante option qu'est la Daytona 675 n'aurait pu mieux tomber, car le genre de technologie qu'exige la conception d'une 600 dominante est devenu absolument inimaginable. La nouvelle Yamaha YZF-R6 en est un éloquent exemple, mais ce véritable modèle réduit de la formidable GSX-R1000 qu'est la dernière évolution de la GSX-R600 n'a rien de timide non plus.

LA DERNIÈRE ÉVOLUTION DE LA GSX-R600 EST UN VÉRITABLE MODÈLE RÉDUIT DE LA GSX-R1000.

Alors que créer une nouvelle GSX-R600 amenait certains buts évidents, comme la production d'une puissance et d'un couple supérieurs ou la recherche d'une meilleure centralisation de la masse, d'autres améliorations s'annonçaient moins évidentes. Les leçons apprises en compétition et appliquées avec succès sur la GSX-R1000 ont confirmé aux ingénieurs de Suzuki que si elle devait être plus rapide sur un tour de piste, la 600 devrait bénéficier d'un bras oscillant plus long afin de moins affecter la géométrie du châssis à mesure que la suspension arrière se compresse; d'un pivot de bras oscillant plus avancé, afin de permettre au pilote de mieux sentir le niveau de traction disponible au pneu arrière en sortie de virage; le tout sans augmenter l'empattement. Tout cela a été accompli. La clé de la réalisation de tous ces buts fut la réduction considérable des dimensions extérieures du moteur, tout particulièrement sa longueur. Ce dernier a subi une liste interminable d'améliorations qui lui ont permis de gagner quatre chevaux. Comme un bras oscillant plus long peut utiliser un amortisseur plus court pour atteindre le même débattement, et comme un amortisseur plus court libère un certain espace sous la selle, cette dernière a été abaissée d'une quinzaine de millimètres en plus d'avoir été avancée vers le guidon. Les résultats sont une position plus rapprochée du pilote par rapport au centre de masse de la moto et une position de conduite moins sévère puisque les poignets ont moins de poids à supporter. Parlant de rapprochement du centre de masse, il s'agit du facteur responsable de cet étrange silencieux central. Buell insiste d'ailleurs depuis des années pour dire qu'un tel emplacement du système d'échappement est optimal.

Plusieurs nouveaux procédés ont été utilisés pour concevoir le châssis, dont une technique de coulage de l'aluminium permettant au cadre tout entier d'être fabriqué de pièces moulées plutôt qu'extrudées et de beaucoup réduire le nombre de soudures.

Chez les 600 tout particulièrement, la ligne est de la plus haute importance puisqu'il n'est pas rare que les décisions d'achats soient basées sur le style, ce qui a poussé le manufacturier à créer une nouvelle GSX-R600 dont l'aspect visuel est particulièrement agressif, plus même que celui de la GSX-R1000.

SUZUKI

Liste obligatoire

Il n'y a que quelques années, il suffisait à une 600 d'avoir une particularité technique innovatrice pour arriver à voler la vedette. Se démarquer dans cette catégorie est aujourd'hui une affaire beaucoup, beaucoup plus complexe. En fait, toute 600 qui ne serait pas agressive à l'extrême d'un point de vue du style, qui ne disposerait pas d'une puissante mécanique ultrapointue et qui ne bénéficierait pas de technologies de pointe comme un embrayage avec limiteur de contrecouple, ne serait tout simplement pas dans le coup aux yeux des acheteurs. La GSX-R600 2006 possède tous ces atouts et en ajoute encore quelques-uns avec son châssis entièrement fait d'éléments coulés, son système d'échappement en position centrale, ses repose-pieds ajustables, ses systèmes ultrapoussés d'injection et de valves d'échappement, son puissant ordinateur de bord, etc. Dire que tout ça sera complètement « désuet » d'ici deux ans...

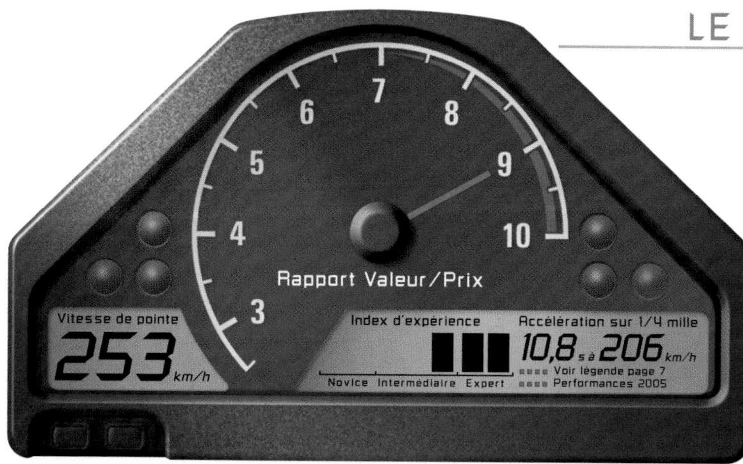

Général

Catégorie	Sportive
Prix	11 799 $
Garantie	1 an/kilométrage illimité
Couleur(s)	bleu et blanc, rouge et noir, blanc et argent
Concurrence	Honda CBR600RR, Kawasaki ZX-6R, Triumph Daytona 675, Yamaha YZF-R6 et YZF-R6S

Partie cycle

Type de cadre	périmétrique, en aluminium
Suspension avant	fourche inversée de 41 mm ajustable en précharge, compression et détente
Suspension arrière	monoamortisseur ajustable en précharge, compression et détente
Freinage avant	2 disques de 310 mm de Ø avec étriers radiaux à 4 pistons
Freinage arrière	1 disque de 220 mm de Ø avec étrier à 1 piston
Pneus avant/arrière	120/70 ZR17 & 180/55 ZR17
Empattement	1 400 mm
Hauteur de selle	810 mm
Poids à vide	161 kg
Réservoir de carburant	16,5 litres

Moteur

Type	4-cylindres en ligne 4-temps, DACT, 4 soupapes par cylindre, refroidissement par liquide
Alimentation	injection à 4 corps de 40 mm
Rapport volumétrique	12,5:1
Cylindrée	599,4 cc
Alésage et course	67 mm x 42,5 mm
Puissance (sans Ram Air)	124 ch @ 13 000 tr/min
Couple (sans Ram Air)	51,7 lb-pi @ 10 800 tr/min
Boîte de vitesses	6 rapports
Transmission finale	par chaîne
Révolution à 100 km/h	n/d
Consommation moyenne	n/d
Autonomie moyenne	n/d

Conclusion

En concevant la nouvelle GSX-R600, Suzuki s'est donné le but de dominer la catégorie des 600 de la manière dont il avait dominé celle des 1000 et des 750. Sans avoir pu pousser la dernière évolution de la GSX-R en piste avant d'aller sous presse, il est évidemment impossible d'attester ou de nuancer le résultat de cette très ambitieuse intention. Nul doute, toutefois, que tous les efforts nécessaires à arriver à ce but ont été déployés et que la nouveauté se montrera encore plus rapide et précise que sa devancière, ce qui n'est pas peu dire. Plus que jamais, il s'agit d'une période extraordinaire pour les amateurs de sportives.

QUOI DE NEUF EN 2006 ?

- Modèle entièrement repensé
- Coûte 200 $ de plus qu'en 2005

PAS MAL

- Une refonte très ambitieuse qui fait appel à toutes les technologies de pointe et aux composantes les plus avancées du moment
- Une livrée de puissance qui est annoncée plus élevée, mais aussi présente sur une plus grande plage de régimes
- Une tenue de route qu'on n'attend rien de moins que phénoménale; il sera très intéressant de constater comment les efforts liés à la centralisation des masses arriveront à améliorer le comportement

BOF

- Une zone rouge qui grimpe et qui grimpe, si bien qu'on se questionne sur la légitimité de la supposée amélioration de la souplesse; avec un régime limite fixé à 16 000 tr/min, les mi-régimes deviennent 8 000 tr/min...
- Un confort qui était limité sur l'ancienne version; il est toutefois fort possible qu'il soit amélioré sur la nouveauté en raison des changements liés à la position de conduite
- Une volonté marquée de la part du constructeur de tisser un lien serré entre les trois GSX-R, ce qui crée depuis plusieurs années un problème d'identité chez le modèle

SUZUKI KATANA 600

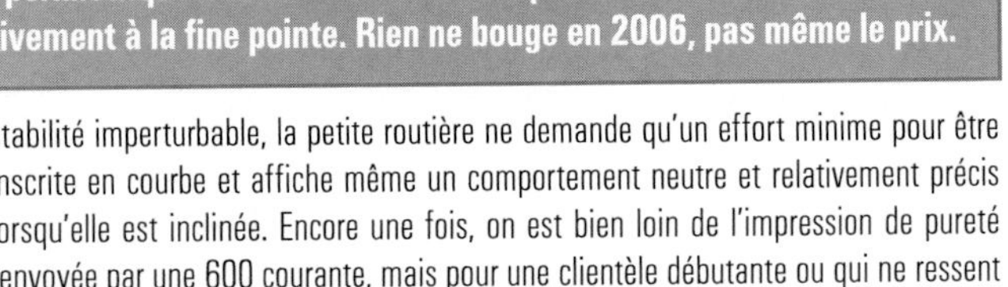

Retraitée...

Quel jeunot arriverait aujourd'hui à croire que cette monture d'entrée en matière qu'est la Katana 600, que ce modèle dont ne veulent généralement que les néophytes ou les motocyclistes de faible stature, notamment ces dames, ait un jour été parmi ce que la catégorie avait de plus sportif ? Et pourtant, reculez jusqu'en 1988, l'année de mise en marché du modèle, et c'est exactement de cette façon que la petite Katana était positionnée. Il faut dire qu'à l'époque, son cadre périmétrique et son moteur refroidi par air et huile – une version 600 cc de la mécanique de la toute première GSX-R750 – étaient effectivement à la fine pointe. Rien ne bouge en 2006, pas même le prix.

S'il est vrai qu'il y eut des époques où le nom Katana fut synonyme de compétition – au début des années 80, puis avec la Katana 600 en 1988, mais pas dans le cas de la 750 –, aujourd'hui, les Katana ont plutôt pris le rôle de routières honnêtes et bon marché. À ce sujet, Suzuki utilise d'ailleurs quelques tactiques qui lui permettent de garder ses prix aussi bas que possible. Des économies d'échelle sont, par exemple, réalisées en conservant un lien très étroit entre la 600 et la 750 qui, à l'exception de leur différence de cylindrée, sont pratiquement identiques. Ainsi, d'un point de vue technique, exactement comme cela a été fait dans le cas de la 750, la 600 est un collage de pièces piratées çà et là de la division sportive de l'époque. Le moteur, qui est essentiellement celui de la GSX-R750 1985 réduit à 599 cc, ainsi que les freins et les éléments des suspensions, qui proviennent des anciennes sportives de la marque, illustrent bien ce fait. Le cadre périmétrique en acier des Katana introduites à partir de 1988 n'avait toutefois rien à voir avec celui des GSX-R, pas plus que la ligne, d'ailleurs. Cet héritage est ce qui confère aujourd'hui au comportement de la Katana 600 une certaine légitimité sportive. On ne parle bien évidemment de rien qui se rapproche, même de loin, à ce dont est capable une sportive moderne de cylindrée moyenne, mais cela n'implique en aucune façon qu'on ne puisse pas s'amuser sur une route sinueuse aux commandes d'une Katana 600. Faisant toujours preuve d'une stabilité imperturbable, la petite routière ne demande qu'un effort minime pour être inscrite en courbe et affiche même un comportement neutre et relativement précis lorsqu'elle est inclinée. Encore une fois, on est bien loin de l'impression de pureté renvoyée par une 600 courante, mais pour une clientèle débutante ou qui ne ressent pas le besoin maladif de posséder le dernier cri en la matière, la petite Katana arrivera sans aucun doute à satisfaire.

L'ACHETEUR AYANT PASSÉ LE CAP DE L'INITIATION DEVRAIT SÉRIEUSEMENT ENVISAGER LA 750 QUI N'EST NI PLUS LOURDE NI PLUS HAUTE.

Les performances rendues par la vieille mécanique sont honnêtes, voire divertissantes pour un pilote moins expérimenté, mais certainement pas impressionnantes. Les chevaux disponibles suffisent dans la plupart des situations, mais le couple à bas régime est faible et le poids amené par un passager affecte considérablement les accélérations. L'acheteur qui estime avoir passé le cap de l'initiation devrait sérieusement envisager l'acquisition de la 750 qui n'est ni plus lourde ni plus haute. La puissance supplémentaire que la facture légèrement supérieure lui garantira en vaut nettement la peine.

L'une des raisons pour lesquelles on sent la Katana 600 tellement polyvalente est son bon niveau de confort puisqu'il agrémente chaque facette du pilotage. La selle est excellente pour le pilote comme pour le passager, les suspensions sont calibrées de façon plutôt souple et peuvent donc gérer les imperfections de la route sans meurtrir le pilote, la position de conduite ne cause aucun inconfort et la protection au vent s'avère à la fois bonne et exempte de turbulences.

Général

Catégorie	Routière Sportive
Prix	9 099 $
Garantie	1 an/kilométrage illimité
Couleur(s)	bleu et blanc, noir
Concurrence	Honda CBR600F4i, Kawasaki ZZ-R600, Yamaha YZF600R autre(s) possibilité(s) : Suzuki Bandit 650S et V-Strom 650, Yamaha FZ6,

Partie cycle

Type de cadre	périmétrique, en acier
Suspension avant	fourche conventionnelle de 41 mm ajustable en détente
Suspension arrière	monoamortisseur ajustable en précharge et détente
Freinage avant	2 disques de 290 mm de Ø avec étriers à 2 pistons
Freinage arrière	1 disque de 240 mm de Ø avec étrier à 2 pistons
Pneus avant/arrière	120/70 ZR17 & 150/70 ZR17
Empattement	1 470 mm
Hauteur de selle	785 mm
Poids à vide	208 kg
Réservoir de carburant	20 litres

Moteur

Type	4-cylindres en ligne 4-temps, DACT, 4 soupapes par cylindre, refroidissement par air et huile
Alimentation	4 carburateurs à corps de 32 mm
Rapport volumétrique	11,3:1
Cylindrée	599 cc
Alésage et course	62,6 mm x 48,7 mm
Puissance	80 ch @ 10 500 tr/min
Couple	41,7 lb-pi @ 9 500 tr/min
Boîte de vitesses	6 rapports
Transmission finale	par chaîne
Révolution à 100 km/h	environ 5 000 tr/min
Consommation moyenne	5,7 l/100 km
Autonomie moyenne	350 km

Conclusion

Si la Katana 600 reste une moto pleine grandeur remplie de qualités, le fait est que le contexte dans lequel elle se trouve aujourd'hui a largement évolué depuis l'époque pas si lointaine où elle était la seule offerte à un tel prix. D'un autre côté, bien qu'une FZ6, une SV650S ou encore une V-Strom 650 puisse être acquise pour une somme plus ou moins équivalente – tous des modèles beaucoup plus modernes –, aucune de ces motos ne dispose d'un carénage intégral, ce qui s'avère important pour certains acheteurs. Ces derniers peuvent se diriger vers la « vieille » Suzuki sans crainte puisqu'elle demeure une routière compétente dont le niveau de confort est supérieur à la moyenne et dont la fiabilité et l'entretien minimal sont largement documentés. Cela dit, il serait peut-être temps pour Suzuki de penser à moderniser le concept, ou alors d'abaisser le prix du modèle afin de mieux refléter son calibre technologique. Après tout, ça doit faire un moment qu'il est payé ce moteur, non ?

QUOI DE NEUF EN 2006 ?

- **Lentilles de clignotants claires**
- **Aucune augmentation de prix**

PAS MAL

- **Un achat dont la bonne valeur est documentée; la petite Katana fonctionne bien, elle est fiable et reste abordable**
- **Un comportement routier très amical qui se caractérise par une stabilité toujours présente et une facilité de pilotage**
- **Un niveau de confort élevé amené par une bonne selle, une généreuse protection au vent, des suspensions souples et une position de conduite relevée**

BOF

- **Un 4-cylindres dont l'origine lointaine a pour conséquence un niveau de vibrations léger mais toujours présent, qui est surtout transmis par les poignées**
- **Des performances correctes pour les motocyclistes peu expérimentés, mais qui décevront les autres**
- **Un marché dans lequel la valeur imbattable qu'était jadis la Katana 600 n'est plus aussi claire, surtout face aux FZ6, V-Strom 650 et compagnie**

SUZUKI **GS500F**

Le choix des experts...

Tous les motocyclistes d'expérience préféreraient voir les nouveaux arrivants au sport gravir patiemment les échelons des cylindrées, et le faire en commençant tout en bas. Ne leur demandez toutefois pas avec quoi *eux* ont débuté... Le raisonnement est souvent vite rejeté, mais lorsqu'il ne l'est pas, la GS500F s'inscrit inévitablement sur la liste des candidates possibles. Utilisée depuis toujours par les écoles de conduite, la petite Suzuki est proposée en version non carénée depuis sa mise en marché en 1989. Le succès de la version entièrement carénée lancée en 2004 a toutefois été tel que Suzuki a choisi de n'inclure que celle-là dans son catalogue 2006.

On pourrait presque croire que les services de psychologues furent retenus par Suzuki lors de l'élaboration de la version F de la bonne vieille GS500E. Dans les faits, la GS500F n'est rien de plus ou de moins que le modèle bien connu qui n'a pratiquement pas changé depuis la fin des années 90, auquel on a greffé un carénage dont la ligne a un lien de famille avec le dessin des sportives GSX-R. Si les bénéfices d'un tel carénage au niveau du confort sur l'autoroute sont indéniables, la vraie raison pour laquelle la version F a été mieux reçue que la version standard originale est tout simplement qu'elle flatte l'ego des acheteurs. Et pourquoi pas ? En demandant à nos néophytes de débuter sur une petite cylindrée, on leur demande aussi souvent d'accepter de rouler sur une moto dont ils ne sont pas fiers visuellement, un problème que la GS500F a réglé avec la simple adition de ce fameux carénage sportif.

La proposition de Suzuki est rafraîchissante puisqu'il y a des années que les montures abordables destinées à une clientèle novice n'évoluent pas, du moins sur notre marché. Cette solution est d'autant plus intelligente qu'elle n'a nécessité que la conception de la partie avant d'un carénage, un ajout qui n'a fait grimper la facture que de 700 $ par rapport au prix d'une GS500E. Le montant est raisonnable, car en plus de rehausser de manière très nette l'apparence de la moto, il donne à la monture de base une caractéristique qu'elle n'a jamais pu offrir depuis son arrivée sur le marché en 1989 : une protection au vent. D'une standard à l'allure timide dont la fonctionnalité et le confort sont limités par l'absence de toute protection, la GS500 est devenue une vraie petite moto d'allure fière qui ne craint désormais plus les journées venteuses ou les distances prolongées sur l'autoroute. Grâce au pare-brise et au carénage, la pression du vent au niveau du torse n'est pas plus importante que sur une moto comme une Bandit ou une Katana, ce qui est excellent. L'aspect confort de la GS500 a toujours profité de la position relevée que le guidon haut impose au pilote, d'une bonne selle et de suspensions calibrées de façon souple. Toutes ces qualités ne font que s'ajouter aux avantages apportés par le carénage sur la version F.

LA GS500F A ÉTÉ MIEUX REÇUE QUE L'ORIGINALE SIMPLEMENT PARCE QU'ELLE A SU FLATTER L'EGO DES ACHETEURS.

L'une des facettes du pilotage de la GS500 qui a toujours été exceptionnelle est l'agilité du modèle. Le poids faible, la hauteur de selle modérée, la minceur de la moto et l'effet de levier considérable du large guidon se combinent pour en faire une monture qui se montre à la fois facile à manœuvrer dans les situations serrées, et légère et précise dans les situations plus rapides, comme une route sinueuse parcourue à un bon rythme.

La cinquantaine de chevaux disponible permet aux débutants de se divertir sans problème, et même d'atteindre et de maintenir des vitesses plutôt élevées. Le bicylindre parallèle n'est pas un exemple de souplesse, mais la manière linéaire avec laquelle il livre ses chevaux, le bon contrôle des vibrations qu'il génère, et la légèreté de l'embrayage et de la transmission le rendent plaisant à solliciter.

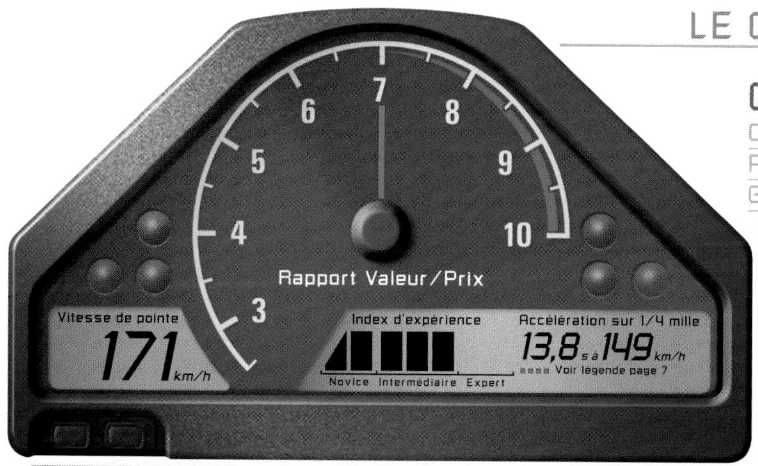

Général

Catégorie	Routière Sportive
Prix	6 799 $
Garantie	1 an/kilométrage illimité
Couleur(s)	bleu et blanc, noir et argent
Concurrence	Kawasaki Ninja 500R

Partie cycle

Type de cadre	périmétrique, en acier
Suspension avant	fourche conventionnelle de 37 mm non ajustable
Suspension arrière	monoamortisseur ajustable en précharge
Freinage avant	1 disque de 310 mm de Ø avec étrier à 4 pistons
Freinage arrière	1 disque de 250 mm de Ø avec étrier à 2 pistons
Pneus avant/arrière	110/70-17 & 130/70-17
Empattement	1 405 mm
Hauteur de selle	790 mm
Poids à vide	180 kg
Réservoir de carburant	20 litres

Moteur

Type	bicylindre parallèle 4-temps, DACT, 4 soupapes par cylindre, refroidissement par air
Alimentation	2 carburateurs à corps de 34 mm
Rapport volumétrique	9:1
Cylindrée	487 cc
Alésage et course	74 mm x 56.6 mm
Puissance	52 ch @ 9 200 tr/min
Couple	30,4 lb-pi @ 7 500 tr/min
Boîte de vitesses	6 rapports
Transmission finale	par chaîne
Révolution à 100 km/h	environ 6 700 tr/min
Consommation moyenne	5,5 l/100 km
Autonomie moyenne	363 km

Conclusion

Le rôle de GS500F est de rendre plus intéressant le genre de moto que les motocyclistes d'expérience souhaitent voir les pilotes novices rouler. Sa présence sur le marché n'est pas banale puisqu'il s'agit de la première initiative dans ce sens depuis la refonte qui a transformé la Kawasaki EX500 en Ninja 500R en 1994. On ne cesse de reprocher aux débutants les choix téméraires qu'ils font de plus en plus en matière de première moto, mais encore faut-il qu'on leur propose qui soient attrayantes. Cela n'implique pas que la GS500F résout cet éternel problème une fois pour toutes, mais plutôt qu'elle représente un pas dans la bonne direction. Quant à la disparition de la version E, elle ne peinera probablement personne d'autre que les écoles de conduite.

QUOI DE NEUF EN 2006 ?

- Aucun changement
- Aucune augmentation de prix

PAS MAL

- Une solution intelligente au problème de la moto de novice typiquement trop peu attrayante; la GS500F est très jolie
- Un excellent niveau de confort amené par une bonne selle, des suspensions souples, une position relevée et, grâce au carénage et son pare-brise, une fort honnête protection au vent
- Un comportement routier à la fois sûr et précis, et très facile d'accès qui met instantanément les débutants à l'aise

BOF

- Un maigre 100 $ qui sépare le prix d'une GS500F de celui d'une Kawasaki Ninja 500R plus puissante
- Une puissance limitée qui satisfera le novice dans pratiquement toutes les situations, mais seulement pour un certain temps
- Une apparence sportive qu'il faut prendre avec un grain de sel puisque le modèle est suspendu mollement et supporte mal une conduite vraiment agressive

BURGMAN 650 ABS

SUZUKI BURGMAN 650

NOUVELLE VARIANTE

Roi des scooters...

Voilà déjà trois ans que Suzuki fit le pari d'importer le gros Burgman 650 de ce côté de l'Atlantique. L'idée de concevoir un mégascooter de 650 cc n'a, au début, pas semblé judicieuse à tout le monde, pas plus d'ailleurs que celle de décider de l'offrir sur notre marché supposément conservateur dans son choix de moto. En effet, on pense souvent que le motocycliste nord-américain ne comprend et n'achète que des Harley-Davidson, des Ninja et des Gold Wing. Ce fut donc à la surprise de tous que celui qu'on appelle avec affection le gros Burger s'avéra être un franc succès. Pour 2006, une version ABS vient s'ajouter au catalogue.

L'erreur commune de tous ceux qui conclurent prématurément que personne ne voudrait d'un scooter de 650 centimètres cubes commandant un déboursé de 11 000 $ fut de baser leur raisonnement sur les habitudes d'achat du motocycliste moyen. Or, les clients qui se présentent depuis trois ans chez leur concessionnaire dans le but d'acquérir un mégascooter n'ont bien souvent rien du motocycliste moyen. De ces hommes plus ou moins dans la cinquantaine, plusieurs ont avoué avoir été attirés par la transmission automatique, alors que d'autres ont expliqué avoir toujours rêvé d'une grosse machine de tourisme, mais d'avoir aussi toujours été intimidés par leur gigantisme. Certains ont même dit ne pas considérer leur acquisition comme celle d'une moto, mais plutôt comme celle d'un autre genre de véhicule, comme s'il avait été question d'une motoneige ou d'un VTT. Tous, néanmoins, adorent totalement leur gros « Burger ». Portez attention et vous les apercevrez rouler, sourire immanquablement flanqué au visage et pas toujours vêtus d'équipement spécialisé, profitant simplement du moment. Il faut dire que nous avons, nous aussi, et malgré avoir été sceptique au début, succombé au charme du Burgman 650. Ce charme n'a d'ailleurs rien à voir avec celui d'une custom, d'une sportive ou d'une quelconque moto à caractère, mais tient plutôt d'un amusement simpliste et presque enfantin. Sur un Burgman, tout est simple. On s'installe sans même lever la jambe au-dessus du siège, on met le contact et on part. Pas d'embrayage, pas de vitesses à changer, pas de rétrogradage, pas de conduite saccadée, juste le plaisir d'une deux-roues dans sa forme la plus primitive.

UN TEL ASPECT PRATIQUE N'EXISTE QUE SUR UN TRÈS FAIBLE POURCENTAGE DE MOTOS ÉQUIPÉES DE MULTIPLES VALISES.

L'un des aspects les plus surprenants de la conduite d'un gros scooter est la découverte d'un côté pratique qui n'existe que sur un très faible pourcentage de motos équipées de multiples valises. Comme ces modèles sont presque immanquablement encombrants, leur capacité de chargement n'est que rarement mise à profit. La simplicité d'utilisation du Burgman jumelée à son immense et logeable coffre de 55 litres fait qu'on s'en sert tout le temps pour faire toute sorte de courses. De la simple visite au bureau de poste jusqu'au ramassage de matériaux à la quincaillerie en passant par l'arrêt au kiosque à blé d'Inde, tout y passe.

Une selle aussi accueillante que généreuse dans ses proportions – les passagers apprécieront d'ailleurs grandement le dossier de la version ABS –, une excellente protection au vent et une position naturelle et dégagée assurent que tout genre de distances passées aux commandes du gros Burgman l'est de façon agréable et confortable. Les voyages sont même parfaitement envisageables. Quant aux performances, disons simplement que personne ne devrait se plaindre de la vivacité du bicylindre, au contraire. En fait, l'aisance avec laquelle des vitesses illégales sont maintenues sur l'autoroute est même si surprenante qu'une certaine attention est de mise. On ne voudrait pas avoir à raconter comment on a perdu son permis de conduire aux commandes d'un scooter...

Général

Catégorie	Scooter
Prix	10 999 $ (Burgman 650 ABS : 11 899 $)
Garantie	1 an/kilométrage illimité
Couleur(s)	gris, blanc (Burgman 650 ABS : gris)
Concurrence	Honda Silver Wing

Partie cycle

Type de cadre	tubulaire, en acier
Suspension avant	fourche conventionnelle de 41 mm non ajustable
Suspension arrière	2 amortisseurs ajustables en précharge
Freinage avant	2 disques de 260 mm de Ø avec étriers à 2 pistons
Freinage arrière	1 disque de 250 mm de Ø avec étrier à 2 pistons
Pneus avant/arrière	120/70 R15 & 160/60 R14
Empattement	1 595 mm
Hauteur de selle	750 mm
Poids à vide	238 kg (Burgman 650 ABS : 244 kg)
Réservoir de carburant	15 litres

Moteur

Type	bicylindre parallèle 4-temps, DACT, 4 soupapes par cylindre, refroidissement par liquide
Alimentation	injection à 2 corps de 32 mm
Rapport volumétrique	11,2:1
Cylindrée	638 cc
Alésage et course	75,5 mm x 71,3 mm
Puissance	55 ch @ 7 000 tr/min
Couple	46 lb-pi @ 5 000 tr/min
Boîte de vitesses	automatique/séquentielle à 5 rapports
Transmission finale	par courroie
Révolution à 100 km/h	4 500 tr/min
Consommation moyenne	5,8 l/100 km
Autonomie moyenne	258 km

Conclusion

Le Burgman 650 trône présentement sur la catégorie des mégascooters. Le seul modèle qui s'en approche est l'excellent Honda Silver Wing 600, mais la puissance inférieure de celui-ci combinée au fait qu'il ne soit plus seul à offrir un système de freinage ABS, puisque le gros Burgman en fait autant en 2006, le relègue au second rang. Performant, confortable, pratique et amusant, le 650 de Suzuki se présente donc non seulement comme le meneur actuel de cette étrange catégorie, mais aussi comme une monture capable de se débrouiller de fort belle manière dans une multitude de situations qui vont du voyage à la simple balade en passant par les courses quotidiennes.

BURGMAN 650

QUOI DE NEUF EN 2006 ?

- Ajout d'une version avec système de freinage ABS, couvercle de silencieux et embout d'échappement chromés, embouts de poignées chromés, rétroviseurs à contrôle électrique et dossier de passager; coûte 900 $ de plus que la version standard
- Aucune augmentation de prix pour la version standard

PAS MAL

- Un agrément de pilotage certain; le Burgman 650 n'est pas une bombe et n'est certes pas un exemple en termes de caractère moteur, mais sa conduite mène immanquablement à un grand sourire
- Un excellent degré de confort rendu par une position de conduite naturelle et une grande flexibilité au niveau des jambes, par une selle généreuse et par une très bonne protection au vent
- Un côté pratique extrêmement apprécié au jour le jour, surtout en raison de l'accessibilité et du volume du coffre

BOF

- Une efficacité aérodynamique très honnête puisqu'il n'y a pas de turbulences, mais qui n'empêche pas l'écoulement du vent d'être bruyant, surtout avec un casque ouvert
- Une hauteur de selle considérable et un poids important qui rendent le 650 nettement moins indiqué que le 400 pour les pilotes plus courts ou moins expérimentés
- Des suspensions et des freins corrects, mais qu'on sent rudimentaires; la sensation quelque peu floue en ce qui concerne le niveau de la traction disponible est d'ailleurs une excellente raison d'opter pour le modèle ABS

SUZUKI BURGMAN 400

Petit gros...

Un Burgman 650, c'est bien, mais c'est aussi passablement gros, haut et lourd pour qui n'a pas la plus imposante des statures. Et c'est aussi plutôt cher pour qui n'a pas le plus garni des portefeuilles. Que faire, alors, lorsqu'on n'a ni une stature imposante ni un portefeuille garni, mais qu'on veut un Burgman ? Facile : on choisit le 400. Disponible depuis 2004, le Burgman 400 fut rejoint l'an dernier par une version Type-S d'allure plus urbaine. Pare-brise court, roues et fourche peintes en noir, et dossier de passager retiré sont autant de caractéristiques qui le distinguent de la version originale. Il est proposé pour une centaine de dollars de plus.

Opter pour un Burgman 400 au lieu d'un 650, c'est évidemment se priver d'une bonne dose de chevaux, mais c'est aussi réaliser une économie substantielle puisque l'écart entre le petit et le gros des gros est de plus de 3 000 $, voire 4 000 $ s'il s'agit de la version ABS du 650. Malgré l'importante différence de prix, l'aspect pratique, lui, reste intact.

Certains motocyclistes un peu snobs considèrent toujours ces gros scooters comme des jouets grand format, mais ils le font surtout par ignorance puisque la réalité est plutôt que les véhicules comme le Burgman 400 s'avèrent non seulement étonnamment amusants à piloter, mais aussi très pratiques. D'abord, il n'y a pas d'embrayage. On n'a qu'à ouvrir les gaz et c'est parti. Dans le cas du Burgman 400, l'accélération n'est pas mauvaise du tout. La poignée droite doit être bien tordue la majeure partie du temps, mais les performances sont parfaitement suffisantes pour rouler aux côtés de la circulation automobile sans le moindre problème. On se retrouve même souvent en tête une fois le feu tombé au vert. Contrairement au seul autre scooter de cette cylindrée sur notre marché, le Yamaha Majesty 400, le Burgman n'hésite pas et bondit tout de suite en quittant un arrêt. Le petit monocylindre injecté de 400 cc permet de rouler largement au-dessus des vitesses légales puisqu'il passe rapidement le cap des 100 km/h et ne commence à s'essouffler qu'une fois les 130 km/h passés. Les 140 km/h arrivent ensuite, et on peut même prendre un 10 km/h de plus avec un petit peu de patience. Entre les anémiques scooters de faible cylindrée qui nous font craindre la moindre circulation automobile et ses impatients conducteurs, et le Burgman 400, il y a un monde. Et entre la plupart des motos et le Burgman 400, il y a un gros coffre de 55 litres sous la selle. C'est assez pour loger deux casques intégraux, une petite épicerie ou une foule d'autres choses qui sont immanquablement un casse-tête à traîner tant qu'on ne roule pas sur une moto équipée de sacoches ou de valises. On ne tarde pas non plus à trouver un tas d'utilités au coffre à gants logé dans la console centrale.

LE PETIT MONO INJECTÉ DE 400 CC PERMET DE ROULER LARGEMENT AU-DESSUS DES VITESSES LÉGALES.

Le Burgman 400 n'est pas un véhicule de tourisme, mais il n'y a aucune raison pour qu'il ne puisse être utilisé à cette fin. La position de conduite assise est reposante, les jambes ont une grande latitude de mouvements, la selle est bonne pour le pilote comme pour le passager – qui profite en plus d'un très plaisant dossier – et la protection au vent est excellente en plus d'être agréablement exempte de turbulences. Les suspensions ne sont pas des merveilles de raffinement, mais elles restent assez souples pour adéquatement filtrer la plupart des irrégularités de la route.

À l'exception de freins qui font leur travail correctement, mais qu'on sent spongieux aux leviers et dont l'endurance n'est pas impressionnante, le comportement routier est sain. La stabilité est bonne, la direction est ultralégère sans être nerveuse et la tenue de route en courbe, tant qu'on n'exagère pas, reste posée et relativement précise.

Général

Catégorie	Scooter
Prix	7 899 $ (Type S : 7 999 $)
Garantie	1 an/kilométrage illimité
Couleur(s)	argent, bleu (Type S : noir)
Concurrence	Yamaha Majesty 400

Partie cycle

Type de cadre	tubulaire, en acier
Suspension avant	fourche conventionnelle de 41 mm non ajustable
Suspension arrière	monoamortisseur ajustable en précharge
Freinage avant	1 disque de 260 mm de Ø avec étrier à 4 pistons
Freinage arrière	1 disque de 210 mm de Ø avec étrier à 2 pistons
Pneus avant/arrière	110/90-13 & 130/70-13
Empattement	1 590 mm
Hauteur de selle	695 mm
Poids à vide	184 kg
Réservoir de carburant	13 litres

Moteur

Type	monocylindre 4-temps, SACT, 4 soupapes, refroidissement par liquide
Alimentation	par injection
Rapport volumétrique	10,2:1
Cylindrée	385 cc
Alésage et course	83 mm x 71,2 mm
Puissance	32 ch @ 7 000 tr/min
Couple	23,6 lb-pi @ 5 000 tr/min
Boîte de vitesses	automatique, à rapport continuellement variable
Transmission finale	par courroie
Révolution à 100 km/h	environ 5 700 tr/min
Consommation moyenne	5,2 l/100 km
Autonomie moyenne	250 km

Conclusion

Les scooters de 400 cc, qu'il s'agisse du Yamaha ou du Suzuki, sont des véhicules qui méritent vraiment d'être découverts. Les acheteurs ont tendance à se demander si 400 cc suffiront, s'ils ne devraient pas envisager le 650 et ses chevaux supplémentaires. La réponse est que contrairement à ce qui est vrai dans l'univers de la moto, où l'on semble ne jamais en avoir assez, chez les scooters, on arrive parfaitement à se satisfaire des prestations d'un 400, qui atteint et franchit les 100 km/h sans le moindre problème. D'un autre côté, il ne faudrait pas oublier que si le Burgman 650 est plus rapide, il est aussi plus lourd, plus haut et considérablement plus cher. Tant mieux pour ceux qui peuvent se le permettre, autant physiquement que financièrement, mais pour les autres, le 400 ne devrait vraiment pas être perçu comme un choix inférieur. Ils doivent plutôt le voir comme un choix plus adapté à leurs besoins.

BURGMAN 400 TYPE-S

QUOI DE NEUF EN 2006 ?

- **Aucun changement**
- **Aucune augmentation de prix**

PAS MAL

- **Des dimensions compactes, un poids faible et une selle basse qui se combinent pour en faire un scooter considérablement plus facile d'accès que la version de 650 cc**
- **Des performances qui ne sont pas éblouissantes, loin de là, mais qui suffisent toujours à la tâche**
- **Un bon niveau de confort dû à la position dégagée, à la bonne selle et à l'excellent travail du pare-brise**

BOF

- **Des freins qui ne sont pas endurants et dont la sensation aux leviers est spongieuse et imprécise**
- **Une mécanique qui tourne un peu haut lorsqu'on passe les 130 km/h, ce qu'on se retrouve souvent à faire même sans s'en rendre compte**
- **Des suspensions dont le travail est correct si le revêtement n'est pas trop abîmé, mais dont la conception rudimentaire se fait sentir sur une route en mauvais état**

NOUVEAUTÉ 2006

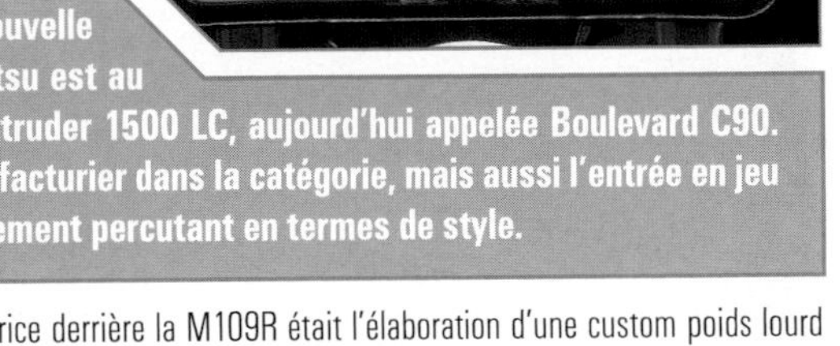

Enfin !

Quiconque connaît la situation de Suzuki en ce qui concerne le créneau des grosses customs comprendra rapidement l'importance d'un modèle comme la toute nouvelle Boulevard M109R. Il y a en effet de longues années que le constructeur d'Hamamatsu est au point mort dans cette classe, plus précisément depuis 1998 et l'introduction de l'Intruder 1500 LC, aujourd'hui appelée Boulevard C90. L'arrivée de la M109R annonce donc non seulement le retour – et le réveil – du manufacturier dans la catégorie, mais aussi l'entrée en jeu d'un modèle à la fois étonnamment avancé d'un point de vue technique et particulièrement percutant en termes de style.

TECHNIQUE

Dire qu'on attendait la nouvelle M109R avec impatience ne tiendrait certes pas de l'exagération. Tant du côté des détaillants que de celui du public, on arrivait tout bonnement pas à comprendre comment une firme capable de produire une GSX-R1000 pouvait démontrer si peu d'efforts et d'intérêt pour l'un des créneaux le plus important du marché, celui des customs poids lourd. Sans parler du récent épisode – heureusement aujourd'hui terminé – qui a vu le constructeur avoir recours à une Kawasaki pour moderniser un peu sa gamme. Même si les statistiques indiquent que la Boulevard M109R ne sera vraisemblablement pas un modèle vendu à grand volume – pas plus que les équivalents chez Honda, Kawasaki ou Yamaha –, l'importance du modèle demeure capitale pour l'image d'ensemble de la portion custom du catalogue de Suzuki.

LA M109R A POUR BUT DE DEVENIR UNE CUSTOM DONT LE CONSTRUCTEUR SERA AUSSI FIER QU'IL L'EST DE SES GSX-R.

Parlant d'image, on ne pourra certainement pas reprocher à la M109R d'avoir fait une entrée en scène discrète. Arrière fuyant, silhouette basse et musclée, réservoir immense et gigantesque pneu arrière de 240 mm de section ne sont que quelques-uns de nombreux points très intéressants du style choisi par Suzuki, qui a décidément le mérite d'innover plutôt que de suivre la tendance classique actuellement à la mode. Si *Le Guide de la Moto* peut s'accorder le droit d'émettre une opinion au niveau de la ligne de la nouveauté – une fois n'est pas coutume –, elle se résume à deux pouces hauts.

L'idée directrice derrière la M109R était l'élaboration d'une custom poids lourd qui incorporerait de façon claire et marquée les capacités technologiques utilisées par Suzuki sur ses sportives, un fait d'ailleurs souligné par la présence de la lettre R à la fin du nom de la nouveauté. Le porte-drapeau de la gamme Boulevard devait donc absolument devenir une custom dont le constructeur serait aussi fier qu'il l'est de sa GSX-R1000.

Le V-Twin de 1 783 cc qui propulse la M109R dispose de la majorité de ces technologies : chambre de combustion ultra efficace avec allumage à deux bougies, alimentation par injection à double papillon, système d'échappement muni d'une valve de contrôle, astuces multiples pour minimiser la friction des pièces internes et maximiser la puissance, etc. On croirait littéralement lire la fiche technique d'une sportive pure. Le lien avec la GSX-R1000 se poursuit au niveau de la partie cycle puisque le constructeur affirme que les disques de frein avant et leurs étriers à montage radial sont ni plus ni moins que ceux de la 1000. Compte tenu du thème musclé de la moto, l'utilisation d'une fourche inversée était presque incontournable.

L'une des caractéristiques les plus intéressantes de la M109R est qu'une attention particulière aurait été portée à la facilité de maniement lorsque le moteur est à l'arrêt. Le recours à un système de lubrification par carter semi-sec ayant permis d'abaisser le moteur – et donc le centre de gravité – ainsi qu'une béquille conçue pour faciliter le soulèvement de la moto sont des exemples du genre d'efforts réalisés.

UN STYLE TOUT EN MUSCLE, UN GIGANTESQUE PNEU ARRIÈRE ET UN V-TWIN N'AYANT TECHNIQUEMENT RIEN À ENVIER À UNE GSX-R1000 TÉMOIGNENT DU RÔLE DE LA LETTRE R QUI SUIT LE NOM DE LA PLUS GROSSE BOULEVARD À CE JOUR. LA M109R TENTE DE COMBINER HAUTE PERFORMANCE ET HAUTE COUTURE.
SUZUKI

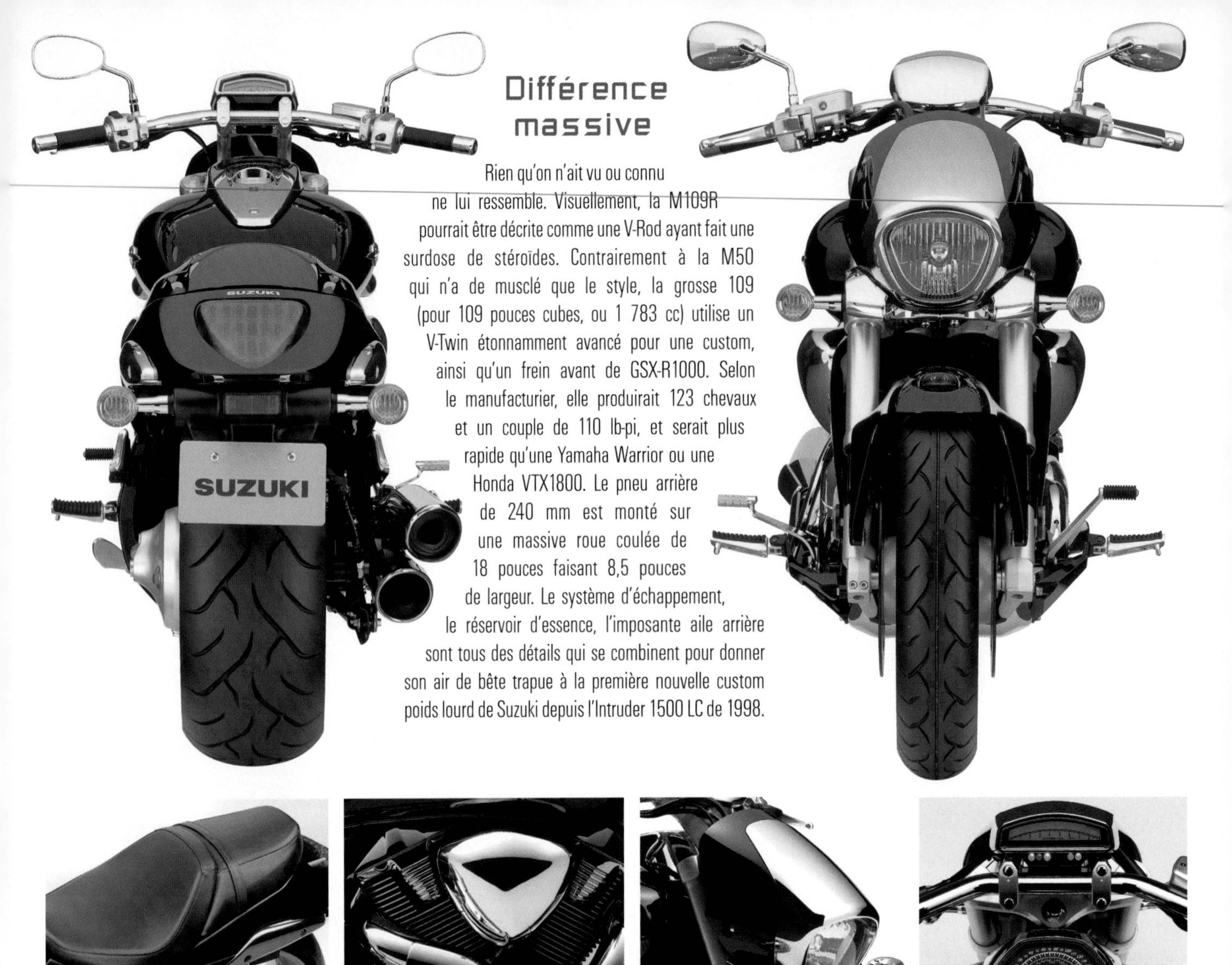

Différence massive

Rien qu'on n'ait vu ou connu ne lui ressemble. Visuellement, la M109R pourrait être décrite comme une V-Rod ayant fait une surdose de stéroïdes. Contrairement à la M50 qui n'a de musclé que le style, la grosse 109 (pour 109 pouces cubes, ou 1 783 cc) utilise un V-Twin étonnamment avancé pour une custom, ainsi qu'un frein avant de GSX-R1000. Selon le manufacturier, elle produirait 123 chevaux et un couple de 110 lb-pi, et serait plus rapide qu'une Yamaha Warrior ou une Honda VTX1800. Le pneu arrière de 240 mm est monté sur une massive roue coulée de 18 pouces faisant 8,5 pouces de largeur. Le système d'échappement, le réservoir d'essence, l'imposante aile arrière sont tous des détails qui se combinent pour donner son air de bête trapue à la première nouvelle custom poids lourd de Suzuki depuis l'Intruder 1500 LC de 1998.

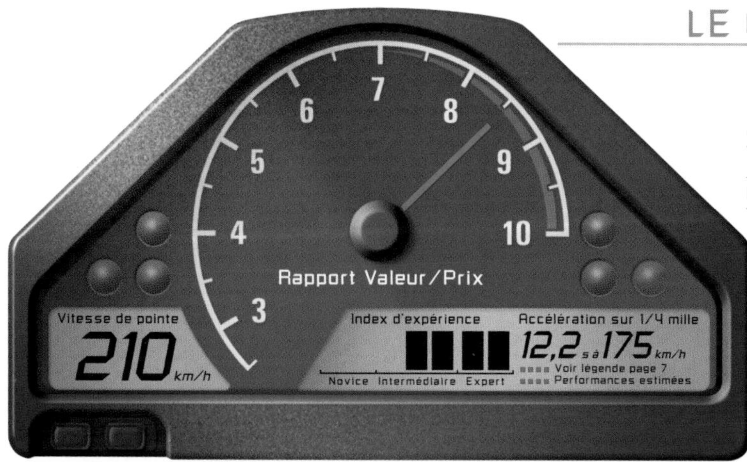

Général

Catégorie	Custom
Prix	17 999 $
Garantie	1 an/kilométrage illimité
Couleur(s)	noir, argent, bleu
Concurrence	Harley-Davidson V-Rod et Night Rod, Kawasaki Vulcan 2000 Classic, Triumph Rocket III, Victory Hammer et Jackpot, Yamaha Road Star Warrior et Roadliner

Partie cycle

Type de cadre	double berceau, en acier
Suspension avant	fourche inversée de 46 mm non ajustable
Suspension arrière	monoamortisseur ajustable en précharge
Freinage avant	2 disques de 310 mm de Ø avec étriers radiaux à 4 pistons
Freinage arrière	1 disque de 275 mm de Ø avec étrier à 2 pistons
Pneus avant/arrière	130/70 R18 & 240/40 R18
Empattement	1 715 mm
Hauteur de selle	700 mm
Poids à vide	315 kg
Réservoir de carburant	19 litres

Moteur

Type	bicylindre 4-temps en V à 54 degrés, DACT, 4 soupapes par cylindre, refroidissement par liquide
Alimentation	injection à 2 corps de 56 mm
Rapport volumétrique	10,5:1
Cylindrée	1 783 cc
Alésage et course	112 mm x 90,5 mm
Puissance	123 ch @ 6 500 tr/min
Couple	110 lb-pi @ 3 500 tr/min
Boîte de vitesses	5 rapports
Transmission finale	par arbre
Révolution à 100 km/h	n/d
Consommation moyenne	n/d
Autonomie moyenne	n/d

Conclusion

Suzuki l'avait promise depuis un an à ses concessionnaires qui commençaient à s'impatienter d'avoir à leur disposition trop de vieilleries et trop peu de nouveautés. Elle devait avoir au moins 1 700 cc, elle en a 1 800. Sa ligne est provocante et inhabituelle, comme le sont occasionnellement les produits du constructeur. Son niveau technologique est étonnamment poussé pour une custom, et des performances correspondantes sont avancées. Comme toutes les customs géantes, elle n'est pas donnée, mais des caractéristiques comme l'énorme pneu arrière et la technologie de pointe utilisée font penser que son prix est justifié. Elle aurait tiré une leçon du poids très élevé de certaines concurrentes et serait plus facile à manier que son gabarit ne le laisserait croire. Voilà une liste de caractéristiques fort éloquente pour une moto qu'on n'en finissait plus d'attendre. Il s'agit décidément d'un des essais auxquels Le Guide portera une attention particulière lorsque le modèle deviendra enfin disponible au début de 2006.

QUOI DE NEUF EN 2006 ?

- Nouveau modèle

PAS MAL

- Un style osé et très inhabituel qui s'éloigne des tendances classiques actuellement en vogue et se lance à fond dans le thème du muscle
- Une attention particulière aurait été portée à la façon dont le poids est distribué et une béquille aurait même été spécialement conçue pour faciliter le soulèvement de la moto
- Un degré de technologie franchement impressionnant au niveau du V-Twin qui n'a pas grand chose à envier à une mécanique de GSX-R

BOF

- Un poids quand même assez élevé; il sera intéressant de voir si Suzuki a vraiment réussi à « alléger » une moto de 315 kg à sec
- Un style osé très inhabituel qui aura tôt fait de trouver ses détracteurs
- Une puissance et un couple annoncés qui ne sont certes pas banals, mais qui demeurent inférieurs à ceux d'une Vulcan 2000 Classic; il faudra évidemment attendre de constater les performances réelles sur le terrain, mais on peut s'interroger sur le choix de la cylindrée

Boulevard C90SE

SUZUKI BOULEVARD C90

Juste assez et pas plus...

Au moment où la Boulevard C90 fut introduite en 1998, les constructeurs commençaient à mieux comprendre ce que le consommateur demandait, notamment un gros V-Twin et des lignes classiques. Alors qu'une partie de la clientèle custom est devenue plus exigeante avec le passage des années, l'autre reste relativement satisfaite par l'équation de départ, surtout si un prix intéressant y est rattaché. La C90 est exactement ce que ces motocyclistes recherchent, puisqu'elle n'a pratiquement pas évolué depuis son arrivée sur le marché et que son prix est parmi les plus bas de la catégorie. Les versions C90SE et C90T sont livrées avec sacoches et pare-brise.

Le marché de la custom a la particularité de ne pas être très exigeant en termes de nouveautés. C'est d'ailleurs grâce à cette réalité qu'un modèle comme la C90 dont l'origine remonte à 1998 -- elle s'appelait à l'époque l'Intruder 1500 LC – réussit encore aujourd'hui à trouver preneur sans trop de difficultés. L'une des grandes raisons de cette longévité est liée à son style et à ses proportions pleines, presque exagérées qui semblent beaucoup plaire à une certaine catégorie d'acheteurs, et ce, même si ses 1 500 cc sont aujourd'hui devenus un chiffre carrément faible chez les customs poids lourd. Appelée Boulevard depuis l'an dernier seulement, la C90 bénéficie également depuis de l'injection de carburant, une technologie qui régularise le rendement et réduit les émissions polluantes sans toutefois apporter de gains notables au chapitre des performances.

TOUT SUR LA C90 FONCTIONNE CORRECTEMENT SANS TOUTEFOIS AVOIR QUOI QUE CE SOIT D'EXCEPTIONNEL.

Si la C90 semble reprendre des proportions normales une fois qu'on en prend les commandes, elle demeure une moto imposante. On peut dire que la sensation est agréable, surtout que la générosité des dimensions se retrouve aussi au niveau des selles qui sont particulièrement larges, pour le pilote comme pour le passager. La version canadienne C90SE et la version d'usine C90T sont équipées de la même façon, même si les accessoires ne sont pas tout à fait identiques. Ces versions de tourisme léger se montrent bien plus à l'aise lors de longs trajets sur l'autoroute grâce à la protection accrue apportée par leur gros pare-brise qui a la belle qualité de ne pas provoquer de turbulences. Par ailleurs, le confort sur toutes les versions de la C90 est bon puisque la position de conduite est naturelle et généreusement dégagée et que les suspensions accomplissent un travail généralement honnête.

L'une des caractéristiques prédominantes du V-Twin de 1 500 cc de Suzuki est son manque de charisme et sa sonorité quelque peu industrielle. Ce n'est toutefois rien qui rende la moto désagréable, surtout que le niveau de performances reste correct, avec de bas régimes musclés et des accélérations dans la moyenne de la classe. Les vibrations ne sont jamais un problème. L'ensemble embrayage/transmission, à l'image du reste, fonctionne correctement sans toutefois avoir quoi que ce soit d'exceptionnel.

Dans l'ensemble, la tenue de route peut être qualifiée de saine puisqu'elle n'attire pas de critique particulière en conduite normale, du moins à l'exception d'une garde au sol typiquement limitée. Comme sur toutes les customs affligées d'une telle limite, il suffit de prendre connaissance de l'inclinaison maximale et de la respecter. Le freinage s'avère par ailleurs correct, tandis que la stabilité est irréprochable dans toutes les circonstances. Grâce au large guidon, l'effort à la direction est faible en entrée de courbe et le comportement reste solide et neutre en virage. Comme à peu près toutes les customs de ce gabarit, la C90 est lourde et demande une attention particulière de la part du pilote durant les manipulations à l'arrêt comme lors des manoeuvres lentes et serrées, et ce, même si la hauteur de selle est faible.

Général

Catégorie	Custom (SE et T : Tourisme léger)
Prix	14 599 $ (SE : 16 699 $, T : 16 999 $)
Garantie	1 an/kilométrage illimité
Couleur(s)	noir, argent et gris, bleu et gris (T : noir, gris)
Concurrence	C90 : toutes les customs Harley de 1 450 cc, Kawasaki Mean Streak, Vulcan 1500 et 1600 Classic, toutes les customs Victory, Yamaha Road Star 1700 C90SE et C90 T : Harley-Davidson Road King, Kawasaki Vulcan 1600 Nomad, Victory Touring Cruiser, Yamaha Road Star 1700 Silverado et Stratoliner 1900

Partie cycle

Type de cadre	double berceau, en acier
Suspension avant	fourche conventionnelle de 41 mm non ajustable
Suspension arrière	monoamortisseur ajustable en précharge
Freinage avant	2 disques de 300 mm de Ø avec étriers à 2 pistons
Freinage arrière	1 disque de 275 mm de Ø avec étrier à 4 pistons
Pneus avant/arrière	150/80-16 & 180/70-15
Empattement	1 700 mm
Hauteur de selle	700 mm
Poids à vide	299 kg (SE : 319 kg, T : 316 kg)
Réservoir de carburant	15 litres

Moteur

Type	bicylindre 4-temps en V à 45 degrés, SACT, 3 soupapes par cylindre, refroidissement par air et huile
Alimentation	injection
Rapport volumétrique	8,5:1
Cylindrée	1 462 cc
Alésage et course	96 mm x 101 mm
Puissance	67 ch @ 4 800 tr/min
Couple	84 lb-pi @ 2 300 tr/min
Boîte de vitesses	5 rapports
Transmission finale	par arbre
Révolution à 100 km/h	environ 2 700 tr/min
Consommation moyenne	6,6 l/100 km
Autonomie moyenne	227 km

Conclusion

C'est surtout en maintenant le prix de sa grosse Intruder 1500 LC, aujourd'hui devenue Boulevard C90, à un niveau considérablement plus faible que celui des modèles concurrents que Suzuki est arrivé à conserver un certain intérêt du marché. La proposition semble faire l'affaire de tout le monde puisque le manufacturier ne cache pas l'âge de son modèle et que le consommateur semble, de son côté, accepter le genre de compromis qu'on lui propose. C'est d'ailleurs la seule bonne manière d'interpréter la C90, peu importe la version envisagée. Il s'agit d'une custom n'ayant rien de très particulier à offrir au niveau des sensations de conduite, sans toutefois que cela la prive d'un certain agrément de pilotage. La C90 est un produit de calibre moyen offert à un prix moyen, rien de plus, rien de moins.

Boulevard C90T

QUOI DE NEUF EN 2006 ?

- **Barre avec phares auxiliaires et arceau de protection sur la C90SE et la C90T**
- **Remaniement des prix : les C90 et C90SE ont maintenant une version noire coûtant 300 $ de moins que la version de couleur**
- **C90 coûte 100 $, C90SE coûte 500 $ et C90T coûte 500 $ de plus qu'en 2005**

PAS MAL

- **Un excellent pare-brise pour les versions SE et T puisqu'il a la rare qualité de ne pas générer de turbulences**
- **Un bon niveau de confort rendu par des selles généreuses, des suspensions correctes et une position dégagée**
- **Un comportement routier qui reste solide et sain même s'il n'a pas de qualité exceptionnelle**

BOF

- **Un poids élevé qui demande du muscle pour bouger la moto à l'arrêt et une attention particulière lors de manoeuvres lentes et serrées**
- **Des sacoches en cuir dont l'accès n'est pas toujours aisé et dont la position avancée gêne les pieds du passager**
- **Un V-Twin qui joue son rôle de façon un peu fade et qui manque un peu de caractère; on est loin de la cadence profonde et finement ajustée de certaines concurrentes**

Boulevard C50

SUZUKI BOULEVARD C50

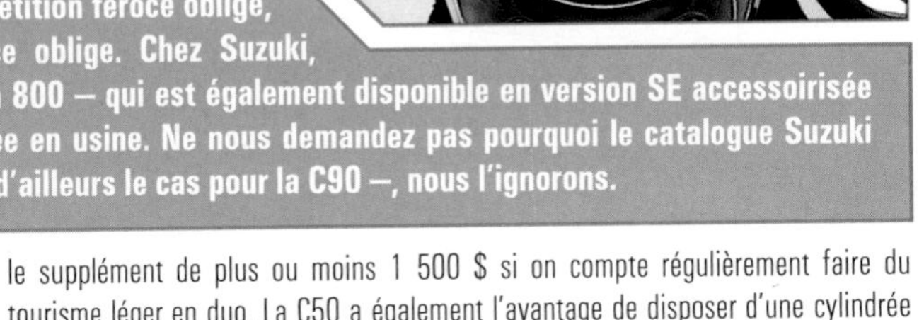

Cheval de bataille...

Les customs de moyenne cylindrée sont un défi de taille pour les constructeurs puisqu'ils doivent proposer de modèles à la fois économiques, compétition féroce oblige, et extrêmement généreux en caractéristiques, compétition féroce oblige. Chez Suzuki, cet important rôle revient depuis 2001 à la C50 – autrefois Volusia 800 – qui est également disponible en version SE accessoirisée par Suzuki Canada, ainsi que, pour 2006, en version T accessoirisée en usine. Ne nous demandez pas pourquoi le catalogue Suzuki comprend deux versions équipées de la même façon – comme c'est d'ailleurs le cas pour la C90 –, nous l'ignorons.

Le palmarès des unités vendues chez les grands manufacturiers est très souvent dominé par les customs de cylindrée moyenne, soit de 750 à 800 cc. Pour cette raison, même si Suzuki traîne sérieusement en arrière depuis plusieurs années dans le créneau pourtant très prolifique des customs, le constructeur s'est au moins doté d'une candidate moderne dans cette classe, la C50. Il est très facile de critiquer la majorité des modèles présents au catalogue du constructeur de Hamamatsu, soit en raison de leur âge très avancé comme dans le cas des S83, S50 et S40, soit en raison d'un manque d'évolution comme dans celui de la C90. Toutefois, en ce qui concerne la C50, le contraire est plutôt vrai puisqu'une comparaison, même rapide, avec ce qu'offre le reste de la catégorie démontre que le modèle est positionné de façon avantageuse. En plus de lignes fluides et élégantes qui n'ont rien à envier à celles des rivales, d'un pratique entraînement final par arbre et d'un niveau de finition soigné, la C50 bénéficie depuis l'an dernier d'une alimentation par injection, une rareté dans cette classe, le tout sans pénalité au chapitre de la facture. Depuis 2002, Suzuki offre même une version SE de tourisme léger qui représente une avenue plutôt intéressante. Notons qu'une version T équipée de façon similaire, mais en usine plutôt que par Suzuki Canada, vient s'ajouter en 2006. L'ajout de cet ensemble d'accessoires populaires qui les distingue du modèle original – un gros pare-brise, un dossier de passager et une paire de sacoches souples – vaut surtout le supplément de plus ou moins 1 500 $ si on compte régulièrement faire du tourisme léger en duo. La C50 a également l'avantage de disposer d'une cylindrée légèrement supérieure à celle de certaines concurrentes, un point dont on saisit l'importance lorsqu'on se souvient que les performances de cette classe ne sont pas particulièrement étincelantes. Le V-Twin de 805 cc qui anime la C50 fait bien son travail, mais sans toutefois montrer un caractère réellement excitant. Il est doux, tremble et gronde gentiment, et procure des accélérations et des reprises satisfaisantes pour la classe. L'ajout de l'injection ne fait que régulariser le rendement sans vraiment accroître les performances. Un effort léger au levier d'embrayage et une transmission plutôt douce et précise sont d'autres points qui rendent la besogne quotidienne plaisante.

LA C50 BÉNÉFICIE DEPUIS L'AN DERNIER D'UNE ALIMENTATION PAR INJECTION, UNE RARETÉ DANS CETTE CLASSE.

En raison de son poids modéré, de sa selle basse et de sa position de conduite naturelle et décontractée, la C50 est une custom facile à prendre en main, même pour un pilote peu expérimenté. Les manœuvres lentes et serrées souvent délicates sur les customs de plus grosse cylindrée s'accomplissent ici sans tracas, tandis qu'une fois en mouvement, elle se montre facile à mettre en angle tout en demeurant neutre et saine le long des virages. Les plateformes finissent par frotter, mais pas trop prématurément pour la classe. Si la stabilité reste généralement bonne quand la vitesse grimpe, les freinages n'impressionnent pas, surtout en raison de la sensation de mollesse du levier et de la puissance limitée du frein avant.

Général

Catégorie	Custom (SE, T : Tourisme léger)
Prix	8 999 $ (SE : 10 399 $, T : 10 699 $)
Garantie	1 an/kilométrage illimité
Couleur(s)	noir, argent et gris, bleu et gris (T: gris)
Concurrence	Harley-Davidson Sportster 883, Honda Shadow Aero et Spirit 750, Hyosung Aquila 650, Kawasaki Vulcan 800 Classic et Vulcan 900 Classic, Suzuki M50 et S50, Triumph America et Speedmaster, Yamaha V-Star 650

Partie cycle

Type de cadre	double berceau, en acier
Suspension avant	fourche conventionnelle de 41 mm non ajustable
Suspension arrière	monoamortisseur ajustable en précharge
Freinage avant	1 disque de 300 mm de Ø avec étrier à 2 pistons
Freinage arrière	tambour mécanique de 180 mm de Ø
Pneus avant/arrière	130/90 H16 & 170/80 H15
Empattement	1 655 mm
Hauteur de selle	700 mm
Poids à vide	246 kg (SE, T : 257 kg)
Réservoir de carburant	15,5 litres

Moteur

Type	bicylindre 4-temps en V à 45 degrés, SACT, 4 soupapes par cylindre, refroidissement par liquide
Alimentation	injection à 2 corps de 34 mm
Rapport volumétrique	9,4:1
Cylindrée	805 cc
Alésage et course	83 mm x 74,4 mm
Puissance	51 ch @ 6 000 tr/min
Couple	51 lb-pi @ 3 500 tr/min
Boîte de vitesses	5 rapports
Transmission finale	par arbre
Révolution à 100 km/h	environ 3 800 tr/min
Consommation moyenne	5,2 l/100 km
Autonomie moyenne	298 km

Conclusion

On recherche avant tout une valeur exceptionnelle lorsqu'il s'agit d'arrêter son choix sur une custom de cylindrée moyenne. L'idée générale est d'obtenir ce qu'offrent les convoitées customs aux cylindrées immenses qui trônent tout en haut du genre, mais pour environ la moitié du prix. La C50 et ses versions de tourisme léger, les SE et T, accomplissent cette mission de belle façon en offrant plusieurs caractéristiques propres aux 1500, 1600 ou 1700 équivalentes – notamment, un niveau d'équipement plus élaboré, une ligne classique et soignée, des proportions pleines et un comportement routier solide – pour une fraction du prix. On reproche parfois à la C50 une certaine timidité au niveau du caractère de son V-Twin et un degré de performances qui n'a rien d'extraordinaire, mais le fait est que la majorité des modèles rivaux sont affligés des mêmes limites.

Boulevard C50T

QUOI DE NEUF EN 2006 ?

- Modèle C50T accessoirisé comme la SE, mais en usine plutôt que par Suzuki Canada
- Remaniement des prix : les C50 et C50SE ont maintenant une version noire coûtant respectivement 200 $ et 300 $ de moins que la version de couleur
- C50 et C50SE coûtent 100 $ de plus qu'en 2005

PAS MAL

- Des valeurs sûres : la finition est bonne, les lignes sont à jour, la mécanique fait le travail, et le prix est correct
- Une tenue de route relativement solide et équilibrée et un comportement général facile d'accès
- Un V-Twin qui fonctionne en douceur et dont les performances sont dans la moyenne pour la catégorie

BOF

- Un moteur qui n'est pas très caractériel sans toutefois que cela en fasse une mécanique désagréable
- Une suspension arrière qui ne digère pas toujours avec élégance les routes abîmées
- Un freinage qui n'impressionne pas, surtout à cause du frein avant peu puissant et spongieux

SUZUKI BOULEVARD M50

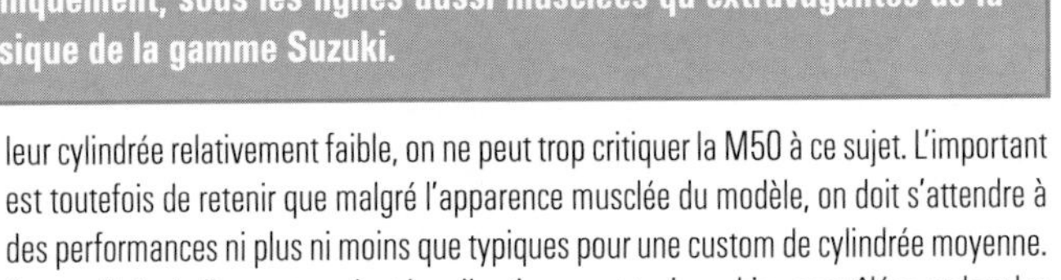

Hors norme...

Des customs de style classique, on en trouve présentement treize à la douzaine sur le marché. De la Harley-Davidson Fat Boy à la Yamaha V-Star 1100 Classic en passant la Honda Shadow Aero, pour n'en nommer qu'une poignée, le choix ne manque décidément pas. Introduite l'an dernier, la Boulevard M50 a le rôle de présenter une autre possibilité au motocycliste amateur de motos de type custom désirant autre chose qu'une monture avec un style « moi aussi ». Ironiquement, sous les lignes aussi musclées qu'extravagantes de la M50 se cache une C50, la custom de cylindrée moyenne au style classique de la gamme Suzuki.

Un rapide survol des customs dont le style s'éloigne du sympathique genre classique suffit pour comprendre que celui-ci demeure, et de loin, le favori du public. Car si l'on devait dresser une liste de ces customs au style dissident, en plus de cette Boulevard M50, elle ne compterait guère plus que la Yamaha Road Star Warrior, la Harley-Davidson V-Rod et la Hyosung Aquila 650. La défunte Suzuki Marauder 800 que remplace la M50 pourrait aussi être nommée, mais la liste ne va pas beaucoup plus loin. Demandez aux motocyclistes intéressés par ce style ce qu'ils pensent de cette rareté et ils vous répondront que le côté marginal de ce genre de ligne est justement ce qui les a séduits.

SI LA M50 S'ÉLOIGNE VISUELLEMENT DES SENTIERS BATTUS, ELLE DEMEURE CONSERVATRICE POUR LE RESTE.

Si la M50 s'éloigne des sentiers battus d'un point de vue visuel, elle s'avère en revanche bien plus conservatrice en termes de partie cycle et de motorisation. La réalité est que la M50 n'est pas beaucoup plus qu'une C50 redessinée. La mécanique utilisée est exactement la même, soit le bon vieux V-Twin de 805 cc que Suzuki a commencé à utiliser sur l'Intruder 800, puis sur la Marauder 800 et la Volusia 800 alias C50, et enfin sur la M50. Il s'agit d'une mécanique raisonnablement performante compte tenu de la cylindrée, ce qui revient à dire que ses accélérations sont satisfaisantes et surtout caractérisées par une bonne livrée de couple à partir des régimes bas, mais surtout moyens. Bien qu'il soit audible, le grondement du V-Twin reste plutôt timide, si bien qu'on n'a pas affaire au plus communicatif des moteurs du genre. Comme c'est aussi pratiquement le cas de tous les modèles de la catégorie en raison de leur cylindrée relativement faible, on ne peut trop critiquer la M50 à ce sujet. L'important est toutefois de retenir que malgré l'apparence musclée du modèle, on doit s'attendre à des performances ni plus ni moins que typiques pour une custom de cylindrée moyenne. Comme il s'agit d'un moteur dont les vibrations sont toujours bien contrôlées et dont les tours restent relativement bas sur l'autoroute, la M50 se révèle être une compagne plutôt agréable lors de longues balades. Dans cet environnement, une suspension arrière sèche sur mauvais revêtement et une selle très correcte, mais dont le confort n'est pas sans limites sont les seules sources d'inconfort.

Malgré sa ligne agressive, la M50 propose une position de conduite classique, du genre qu'offrirait par exemple la C50. Les repose-pieds sont juste assez avancés et le guidon juste assez reculé pour permettre au pilote de garder le dos droit et d'avoir les jambes confortablement dégagées.

Comme la plupart de customs de conception moderne, la M50 dispose d'un châssis solide dont l'une des caractéristiques prépondérantes est la facilité de prise en main. En raison d'un centre de gravité bas et d'un poids raisonnable, la M50 se manie avec relativement d'aisance à l'arrêt ou dans les situations serrées, tandis que son comportement s'allège dès qu'on se met à rouler. On la sent stable dans toutes les circonstances, légère à lancer en courbe et solide en pleine inclinaison. Le frein arrière à tambour travaille décemment, mais un disque double à l'avant permettrait de donner au freinage le genre de mordant que la ligne du modèle suggère.

Général

Catégorie	Custom
Prix	8 899 $
Garantie	1 an/kilométrage illimité
Couleur(s)	noir, bleu, gris
Concurrence	Harley-Davidson Sportster 883, Honda Shadow Aero et Spirit 750, Hyosung Aquila 650, Kawasaki Vulcan 800 Classic et 900 Classic, Suzuki C50 et S50, Triumph America et Speedmaster, Yamaha V-Star 650

Partie cycle

Type de cadre	double berceau, en acier
Suspension avant	fourche inversée de 41 mm non ajustable
Suspension arrière	monoamortisseur ajustable en précharge
Freinage avant	1 disque de 300 mm de Ø avec étrier à 2 pistons
Freinage arrière	tambour mécanique de 180 mm de Ø
Pneus avant/arrière	130/90-16 & 170/80-15
Empattement	1 655 mm
Hauteur de selle	700 mm
Poids à vide	245 kg
Réservoir de carburant	15,5 litres

Moteur

Type	bicylindre 4-temps en V à 45 degrés, SACT, 4 soupapes par cylindre, refroidissement par liquide
Alimentation	injection à 2 corps de 34 mm
Rapport volumétrique	9,4:1
Cylindrée	805 cc
Alésage et course	83 mm x 74.4 mm
Puissance	51 ch @ 6 000 tr/min
Couple	51 lb-pi @ 3 500 tr/min
Boîte de vitesses	5 rapports
Transmission finale	par arbre
Révolution à 100 km/h	environ 3 800 tr/min
Consommation moyenne	5,2 l/100 km
Autonomie moyenne	298 km

Conclusion

On pourrait facilement discréditer la Boulevard M50 en concluant qu'elle n'est ni plus ni moins qu'une C50 rhabillée – ce qu'elle est – et qu'elle n'offre donc pas un intérêt proportionnel à la singularité de ses lignes. Ce serait aller un peu vite. Certes, le message envoyé par la ligne tout en muscles et par la fourche inversée est à prendre avec un grain de sel, puisqu'on n'a décidément pas affaire à un monstre de puissance doté d'une tenue de route hors du commun. Cela dit, on ne peut enlever à la M50 le fait qu'elle se comporte très bien pour une custom de ce prix, que ce soit au chapitre de la mécanique ou à celui du comportement. Son plus grand atout reste toutefois cette audacieuse ligne puisqu'elle permet au motocycliste n'ayant pas envie de se laisser emporter dans le courant de la mode d'exprimer son goût distinct tout en n'ayant aucun compromis à faire en termes de comportement ou de mécanique.

QUOI DE NEUF EN 2006 ?

- **Aucun changement**
- **Aucune augmentation de prix**

PAS MAL

- **Une ligne originale qu'on peut trouver belle ou pas, mais qui a au moins le mérite de proposer un autre choix de style que le genre classique arboré par la majorité des customs sur le marché**
- **Un V-Twin doux et suffisamment coupleux à bas et moyen régimes pour rendre la conduite plaisante, à défaut de la rendre excitante**
- **Une partie cycle aux réactions saines et solides qui rend le pilotage accessible même aux moins expérimentés**

BOF

- **Une suspension arrière qui se débrouille honnêtement la plupart du temps, mais qui se montre sèche sur mauvais revêtement**
- **Une mécanique qu'on souhaiterait un peu plus communicative dans ses sensations, comme c'est souvent le cas avec ce genre de cylindrée**
- **Une image musclée qui ne se traduit en aucun genre de performances particulières, qu'on parle de mécanique ou de tenue de route**

SUZUKI BOULEVARD S83

Vieille école...

Même si elle a eu droit l'an dernier à une nouvelle selle et à un nouveau guidon, la Boulevard S83 demeure l'un des plus anciens vestiges du genre custom puisqu'il s'agit de l'Intruder 1400, un modèle datant de 1987 et n'ayant essentiellement jamais évolué durant sa vingtaine d'années de production. Notons que la version illustrée ici dispose de quelques accessoires optionnels.

Si Suzuki a profité de l'adoption d'une nouvelle appellation pour sa gamme entière de customs, l'an dernier, pour effectuer quelques changements sur sa vieillarde d'Intruder 1400, ces derniers demeurent d'ordre mineur. Lancée il y a quelque 20 ans, l'Intruder 1400 n'a essentiellement jamais évolué. À l'époque, le concept d'origine était l'un des plus sérieux en matière de style et de mécanique pour une custom japonaise. On notait parmi les caractéristiques prépondérantes du modèle une apparence particulièrement soignée. L'attention qui fut portée à l'épuration de l'aspect visuel de la mécanique est digne de mention puisqu'un travail impressionnant fut réalisé afin de faire disparaître tout câblage, tandis que le choix de refroidissement par air élimina la nécessité d'un gros radiateur et de sa plomberie. Un cadre de couleur agencée à celle de la moto et d'élégantes roues à rayons sont encore aujourd'hui des touches appréciées. Le V-Twin qui anime la vieille S83 est son meilleur atout. Il n'a pas une sonorité ou un rythme qui sortent vraiment de l'ordinaire, mais il génère des performances quand même intéressantes pour la catégorie et fait preuve d'une agréable souplesse à bas régime. À l'inverse de la mécanique, la partie cycle de la S83 n'offre pas un comportement impressionnant. La direction est plutôt lourde en entrée de courbe et demande une pression constante au guidon pour maintenir un arc régulier, ce qui reflète bien le genre de caractéristiques typiques des motos d'une autre époque, ce qu'est en fin de compte la S83.

Général

Catégorie	Custom
Prix	10 799 $
Garantie	1 an/kilométrage illimité
Couleur(s)	noir, rouge
Concurrence	Harley-Davidson Sportster 1200, Honda VTX1300, Shadow Spirit et Sabre, Kawasaki Vulcan 1500 Classic, Yamaha V-Star 1100

Moteur

Type	bicylindre 4-temps en V à 45 degrés, SACT, 3 soupapes par cylindre, refroidissement par air et huile
Alimentation	2 carburateurs à corps de 36 mm
Rapport volumétrique	9,3:1
Cylindrée	1 360 cc
Alésage et course	94 mm x 98 mm
Puissance	71 ch @ 4 800 tr/min
Couple	88 lb-pi @ 3 000 tr/min
Boîte de vitesses	5 rapports
Transmission finale	par arbre
Révolution à 100 km/h	environ 3 100 tr/min
Consommation moyenne	5,7 l/100 km
Autonomie moyenne	228 km

Partie cycle

Type de cadre	double berceau, en acier
Suspension avant	fourche conventionnelle de 39 mm non ajustable
Suspension arrière	2 amortisseurs ajutables en précharge
Freinage avant	1 disque de 292 mm de Ø
Freinage arrière	1 disque
Pneus avant/arrière	100/90-19 & 170/80-15
Empattement	1 620 mm
Hauteur de selle	740 mm
Poids à vide	243 kg
Réservoir de carburant	13 litres

SUZUKI BOULEVARD S50

Général

Catégorie	Custom
Prix	8 299 $
Garantie	1 an/kilométrage illimité
Couleur(s)	noir, argent
Concurrence	Harley-Davidson Sportster 883, Honda Shadow Aero et Spirit 750, Hyosung Aquila 650, Kawasaki Vulcan 800 Classic et 900 Classic, Suzuki C50 et M50, Triumph America et Speedmaster, Yamaha V-Star 650

Moteur

Type	bicylindre 4-temps en V à 45 degrés, SACT, 4 soupapes par cylindre, refroidissement par liquide
Alimentation	2 carburateurs à corps de 36 mm
Rapport volumétrique	10:1
Cylindrée	805 cc
Alésage et course	83 mm x 74.4 mm
Puissance	60 ch @ 7 500 tr/min
Couple	50,6 lb-pi @ 5 500 tr/min
Boîte de vitesses	5 rapports
Transmission finale	par arbre
Révolution à 100 km/h	environ 3 800 tr/min
Consommation moyenne	5,2 l/100 km
Autonomie moyenne	230 km

Partie cycle

Type de cadre	double berceau, en acier
Suspension avant	fourche conventionnelle de 39 mm non ajustable
Suspension arrière	2 amortisseurs ajutables en précharge
Freinage avant	1 disque de 292 mm de Ø
Freinage arrière	tambour mécanique
Pneus avant/arrière	100/90-19 & 140/90-15
Empattement	1 560 mm
Hauteur de selle	700 mm
Poids à vide	201 kg
Réservoir de carburant	12 litres

Toujours là...

Voilà maintenant plus de 20 ans que Suzuki propose cette custom qui a débuté sa carrière avec une cylindrée de 750 cc en 1985. S'il s'agit aujourd'hui d'une 800 et si elle doit être appelée Boulevard S50 plutôt qu'Intruder 800 depuis l'an dernier, dans les faits, on a affaire en 2006 à une moto très similaire au modèle original.

Au moment où l'Intruder 750 fut introduite, en 1985, les constructeurs japonais commençaient à peine à prendre le genre custom au sérieux. Personne ne sait exactement ce qui pousse Suzuki à continuer de l'inclure dans son catalogue, mais le constructeur affirme qu'il continue d'en vendre quelques-unes chaque année, ce qui serait surtout dû à son style que certains motocyclistes semblent toujours apprécier. Gonflé à 800 cc en 1992 et rebaptisé Boulevard S83 en 2005, le modèle a également reçu un nouveau guidon et une selle revue pour cette occasion. La S50 dicte une position de conduite inhabituelle qui ne reflète pas la posture plus dégagée et naturelle des customs récentes. L'une des seules véritables qualités du modèle, outre ce fameux style mince et effilé, est son niveau de performances. Le modèle vient d'une époque à laquelle les ingénieurs japonais concentraient encore toute leur énergie à rendre un moteur performant et n'accordaient qu'une importance minime aux sensations renvoyées au pilote par la mécanique. Le résultat est une moto dont les accélérations sont relativement bonnes, mais dont la présence mécanique n'a rien de très agréable. L'âge du concept de la S50 se ressent aussi clairement dans son comportement routier puisque ce dernier n'exhibe pas la facilité de prise en main et le plaisant équilibre qui caractérise la conduite de la plupart des customs récentes. Malgré toutes ses années de production, la S50 reste aussi chère que ses rivales modernes, ce qui reste l'un des aspects les plus difficiles à accepter du modèle.

SUZUKI BOULEVARD S40

Entrée du boulevard...

L'aspect le plus particulier de cette petite custom d'initiation est qu'elle soit construite autour d'un monocylindre de 650 cc au lieu d'un traditionnel V-Twin, une caractéristique qu'elle possède surtout par souci d'économie. La S40, qui était connue depuis 1986 sous le nom de Savage, bénéficie depuis l'an dernier d'un guidon de style drag reflétant mieux le goût du jour.

La principale raison pour laquelle la S40, alias Savage 650, n'a jamais vraiment évolué durant sa carrière qui s'étend maintenant sur deux décennies est qu'elle n'est ni plus ni moins qu'un outil d'initiation. Son rôle n'est donc pas d'exciter les sens, d'être performante ou de faire tourner les têtes, mais plutôt de permettre à une catégorie bien spécifique de motocyclistes d'entreprendre l'aventure du pilotage d'une moto dans les conditions les plus simples et les plus amicales possible. Ces derniers la trouvent en général immédiatement basse et légère, ce qui augmente leur niveau de confiance. Bien qu'elles n'aient rien de très excitant, même pour un novice, les performances que propose la S40 sont quand même beaucoup plus intéressantes que celles des petites 250 d'initiation. La sonorité agricole du monocylindre n'a rien de vraiment agréable non plus. Il n'y a pas de problème à suivre la circulation automobile, mais cela devient toutefois plus ardu avec un passager ou s'il faut dépasser rapidement. Comme la mécanique se débrouille bien à bas régime, on peut généralement éviter les tours élevés et leurs vibrations. Le prix peut sembler bas pour une moto neuve, mais on doit réaliser que ce qu'il permet d'obtenir est un véhicule techniquement vétuste. La S40 est en fin de compte une moto qui ne devrait être envisagée que si et seulement si le seul but de l'exercice est d'acquérir une monture qui permettra une période d'apprentissage aussi amicale que possible.

Général

Catégorie	Custom
Prix	6 299 $
Garantie	1 an/kilométrage illimité
Couleur(s)	noir, argent, rouge
Concurrence	Honda Shadow VLX, Kawasaki Vulcan 500 LTD

Moteur

Type	monocylindre 4-temps, SACT, 4 soupapes, refroidissement par air
Alimentation	1 carburateur à corps de 40 mm
Rapport volumétrique	8,5:1
Cylindrée	652 cc
Alésage et course	94 mm x 94 mm
Puissance	31 ch @ 5 400 tr/min
Couple	37 lb-pi @ 3 000 tr/min
Boîte de vitesses	5 rapports
Transmission finale	par courroie
Révolution à 100 km/h	n/d
Consommation moyenne	5,1 l/100 km
Autonomie moyenne	206 km

Partie cycle

Type de cadre	berceau semi-double, en acier
Suspension avant	fourche conventionnelle de 36 mm non ajustable
Suspension arrière	2 amortisseurs ajustables en précharge
Freinage avant	1 disque de 260 mm de Ø avec étrier à 2 pistons
Freinage arrière	tambour mécanique
Pneus avant/arrière	110/90-19 & 140/80-15
Empattement	1 480 mm
Hauteur de selle	700 mm
Poids à vide	160 kg
Réservoir de carburant	10,5 litres

SUZUKI MARAUDER 250

Général

Catégorie	Custom
Prix	4 699 $
Garantie	1 an/kilométrage illimité
Couleur(s)	noir, argent
Concurrence	Honda Rebel 250, Hyosung Aquila 250, Yamaha Virago 250

Moteur

Type	monocylindre 4-temps, SACT, 4 soupapes, refroidissement par air
Alimentation	1 carburateur à corps de 32 mm
Rapport volumétrique	9:1
Cylindrée	249 cc
Alésage et course	72 mm x 61.2 mm
Puissance	20 ch @ 8 000 tr/min
Couple	15,3 lb-pi @ 6 000 tr/min
Boîte de vitesses	5 rapports
Transmission finale	par chaîne
Révolution à 100 km/h	n/d
Consommation moyenne	4,8 l/100 km
Autonomie moyenne	291 km

Partie cycle

Type de cadre	berceau semi-double, en acier
Suspension avant	fourche conventionnelle non ajustable
Suspension arrière	2 amortisseurs ajustables en précharge
Freinage avant	1 disque de 275 mm de Ø avec étrier à 2 pistons
Freinage arrière	tambour mécanique de 130 mm
Pneus avant/arrière	110/90-16 & 130/90-15
Empattement	1 450 mm
Hauteur de selle	680 mm
Poids à vide	137 kg
Réservoir de carburant	14 litres

Rapport Valeur/Prix

Vitesse de pointe 130 km/h

Index d'expérience: Novice Intermédiaire Expert

Accélération sur 1/4 mille 18,0 s à 100 km/h

Trottinette...

La Marauder 250 est la seule custom de la gamme Suzuki qui n'a pas adopté l'appellation Boulevard en 2005. Il s'agit d'une minuscule machine d'apprentissage qui est bien plus fréquemment utilisée dans l'environnement des écoles de conduite que dans celui de la route. Elle utilise un petit monocylindre 4-temps de 249 cc et une boîte à 5 rapports.

À défaut de grimper sur un petit scooter, on trouvera difficilement une moto plus basse et plus légère que la Marauder 250. Ces caractéristiques sont d'ailleurs ce qui lui permet de bien jouer son rôle de monture d'apprentissage. Elle se montre extrêmement maniable autant dans les situations lentes et serrées qu'à plus haute vitesse. Le petit monocylindre de 250 cc atteint les 100 km/h assez facilement, du moins tant qu'on ne gravit pas une côte ou qu'il ne vente pas trop. Il perd rapidement son souffle par la suite, plafonnant vers les 130 km/h si on est très patient. En ville, pour autant qu'on fasse tourner sans gêne le petit moulin et qu'on soit rapide sur le sélecteur de vitesses, il n'y a aucun problème à suivre la circulation automobile. À l'exception d'une selle correctement rembourrée, mais qui tend à faire glisser le pilote vers l'avant, le niveau de confort est satisfaisant. La position assise est compacte et équilibrée, l'exposition au vent n'est que rarement un problème puisqu'on ne roule pas assez vite, et les suspensions calibrées de manière souple travaillent assez bien. Pour un prix raisonnable, la Marauder 250 se laisse apprivoiser presque instantanément, même par les débutants les plus craintifs. Si cela en fait une candidate idéale pour une école de conduite, il est toutefois important de saisir qu'il est irréaliste de compter garder une telle moto pendant plusieurs années en raison de son niveau de performances extrêmement modeste.

DR-Z400SM

SUZUKI **DR-Z400S ET SM**

Talent en sus...

Il n'est de plus beau spectacle que celui d'une moto de type Supermotard en pleine glisse, pneus avant et arrière marquant le bitume d'une fumante trace noir dans une démonstration d'équilibre absolu. Royaume exclusif des pilotes au talent extraordinaire, ce genre de scène se voulait jadis d'une grande rareté. D'autant plus rare, en fait, que le type de moto nécessaire à la réaliser – une création appelée Supermotard – devait littéralement être fabriqué à la main. Depuis 2005, toutefois, une simple visite chez un détaillant Suzuki et un peu plus de 8 000 $ suffisent pour mettre la main sur l'une des très rares motos de production du genre, la DR-Z400SM. La DR-Z400S est la version double-usage de la SM.

Née d'une discipline dont le but se résume à combiner la compétition sur route et hors-route, la moto de type Supermotard est essentiellement une machine de cross abaissée et roulant sur des pneus de route. Ce qui décrit d'ailleurs de façon très juste la Suzuki DR-Z400SM puisqu'elle est basée sur la DR-Z400S, l'une des double-usage les plus habiles en sentier du moment. Cette dernière s'est vu greffer, pour sa nouvelle application, des suspensions, des freins, des roues et des pneus de type routier. Le résultat, à l'image de l'amalgame de composantes et de genres qui décrit la nouveauté, est, quant à lui, un plaisant mélange de sensations.

EN TERMES D'ÉQUILIBRE PUR, RIEN N'APPROCHE LE TALENT DONT DOIT FAIRE PREUVE UN PILOTE DE SUPERMOTARD.

On a beau s'être habitué à des sportives ultralégères, une monture comme la DR-Z400SM est simplement dans une autre classe au chapitre du poids. Peu importe s'il s'agit de la sortir du garage ou de la faufiler dans un centre-ville congestionné, la minceur, la hauteur et la légèreté de la moto sont telles qu'on croirait avoir affaire à un vélo, si bien qu'elle semble presque disparaître d'entre les jambes. La position de conduite avancée et le guidon ultralarge rappellent de manière convaincante une monture de motocross. À la différence d'une double-usage, la DR-Z400SM ne plonge que de façon modérée au freinage, tandis que la fermeté des pneus sportifs montés sur des roues de 17 pouces – la norme actuelle pour une routière de performances – contraste nettement avec les réactions floues des flasques pneus de sentiers qu'on aurait par exemple retrouvés sur la DR-Z400S de laquelle la SM est inspirée. Le résultat est une prise de confiance immédiate, même de la part d'un pilote peu familiarisé avec ce genre de moto, et une capacité tout à fait réelle d'attaquer en courbe.

Avoir été témoin d'une seule course de type Supermotard suffit néanmoins à saisir qu'attaquer en courbe ne représente que les préliminaires pour la discipline. En effet, un circuit de Supermotard est composé en partie de bitume et en partie de terre. On se débrouille comme on peut avec les glissantes gommes de route sur la portion de terre, mais c'est sur la portion asphaltée que le spectacle atteint son apogée. Là, une combinaison de courbes serrées et de pneus enrobés de poussière amène un type de pilotage qu'on ne retrouve tout simplement nulle part ailleurs. Oubliez la mise en angle graduelle et coulée d'une compétition sur circuit routier disputée sur de puissantes sportives puisque dans ce cas, pour être dans le coup, on n'a d'autre choix que de mettre la moto tout entière en glissade avant même d'atteindre le virage. En termes d'équilibre pur, rien n'approche le talent dont doit faire preuve un pilote de Supermotard sur la partie asphaltée d'un tracé.

Avec un châssis rigide aux réactions prévisibles, des suspensions ni trop molles ni trop dures au comportement sans surprise, une direction hyperlégère qui ne demande essentiellement aucun effort et des freins surdimensionnés aussi puissants que faciles à moduler, la DR-Z400SM est l'une des très rares motos du monde qui puissent effectuer des cascades de la sorte dès sa sortie du concessionnaire, ce qui rend d'autant plus intéressante la facture légèrement supérieure à 8 000 $.

Général

Catégorie	Supermoto
Prix	7 399 $ (SM : 8 199 $)
Garantie	1 an/kilométrage illimité
Couleur(s)	jaune, bleu et blanc (SM : jaune, noir)
Concurrence	DR-Z400S : aucune DR-Z400SM : KTM 625 SMC

Partie cycle

Type de cadre	berceau semi-double, en acier
Suspension avant	fourche conventionnelle de 49 mm (SM : inversée) ajustable en précharge et compression (SM : inversée)
Suspension arrière	monoamortisseur ajustable en précharge, compression et détente
Freinage avant	1 disque de 250 mm (SM : 310 mm) de Ø avec étrier à 2 pistons
Freinage arrière	1 disque de 220 mm (SM : 240 mm) de Ø avec étrier à 2 pistons
Pneus avant/arrière	80/100-21 & 120/90-18 (SM : 120/70 R17 & 140/70 R17)
Empattement	1 485 mm (SM : 1 460 mm)
Hauteur de selle	935 mm (SM : 890 mm)
Poids à vide	132 kg (SM : 134 kg)
Réservoir de carburant	10 litres

Moteur

Type	monocylindre 4-temps, DACT, 4 soupapes, refroidissement par liquide
Alimentation	1 carburateur à corps de 36 mm
Rapport volumétrique	11,3:1
Cylindrée	398 cc
Alésage et course	90 mm x 62.6 mm
Puissance	39 ch @ 7 500 tr/min
Couple	29 lb-pi @ 6 500 tr/min
Boîte de vitesses	5 rapports
Transmission finale	par chaîne
Révolution à 100 km/h	n/d
Consommation moyenne	5,6 l/100 km
Autonomie moyenne	178 km

Conclusion

Quiconque envisage une DR-Z400SM doit réaliser qu'au-delà de son look et son potentiel acrobatique, il s'agit aussi d'une routière propulsée par un petit monocylindre de 400 cc qui, quoi que généreux en couple à bas régime et pas trop vibreux, demeure une mécanique de puissance modeste qui s'essouffle rapidement au-dessus des vitesses communes d'autoroute. Ajoutez à cela une selle particulièrement étroite et une protection au vent minimaliste, et vous n'obtenez pas exactement une monture de premier choix pour traverser le pays. Mais là n'est pas son but et ce que la DR-Z400SM laisse finalement comme impression est celle d'une monture parfaitement capable du fantastique arsenal de cascades issues de cette spectaculaire discipline qu'on appelle le Supermotard. En fait, il ne manque qu'un pilote capable de les accomplir...

DR-Z400S

QUOI DE NEUF EN 2006 ?

- **Aucun changement**
- **Aucune augmentation de prix**

PAS MAL

- **Une agilité phénoménale qui rivalise carrément avec celle d'un vélo; la DR-Z400SM semble disparaître d'entre les jambes du pilote, tandis que la DR-Z400S demeure l'une des double-usage les plus habiles du moment**
- **Une valeur intéressante pour la DR-Z400SM puisqu'il peut coûter très cher d'effectuer une telle transformation soi-même**
- **Une partie cycle solide et sérieuse qui permet à la SM de vraiment livrer la marchandise, pour autant que le pilote soit à la hauteur...**

BOF

- **Un niveau de confort plutôt limité sur les deux versions, surtout en raison de la selle étroite et de l'exposition totale au vent; les suspensions sont en revanche souples**
- **Une autonomie faible en raison de la contenance minime du réservoir d'essence qui n'accepte qu'une dizaine de litres**
- **Comme c'est le cas avec une sportive pure, la SM a non seulement la gueule de l'emploi, elle a aussi toutes les capacités prétendues; le problème, c'est que faire glisser les deux roues d'une moto sur l'asphalte – sans finir à plat ventre – n'est certes pas donné à tout le monde**

Fidèle mono...

Voilà maintenant déjà 10 ans que la DR650S a été lancée. Malgré le fait qu'elle n'ait pas bénéficié de la moindre évolution durant cette décennie, elle reste l'un des choix les plus intéressants de la classe, notamment parce que celle-ci n'a pratiquement pas évolué non plus. Le modèle dispose d'une caractéristique qui fait l'affaire des pilotes courts puisqu'il peut être abaissé de quelques centimètres.

Les double-usage de 650 cc comme la DR650S ont non seulement l'avantage de conserver un excellent niveau d'agilité, mais d'offrir un niveau de performances nettement plus plaisant que celui des cylindrées inférieures, notamment au chapitre d'une bonne livrée de couple à bas régime qui facilite et agrémente les déplacements urbains. Les accélérations du gros mono sont suffisamment musclées pour qu'on s'amuse sans ressentir un manque de puissance. La DR650S n'éprouve aucune difficulté à atteindre et maintenir des vitesses d'autoroute, mais un rythme élevé entraînera des vibrations. Dans l'environnement urbain, le poids très faible, la position de conduite haute et assise ainsi que la grande légèreté de la direction se traduisent par une excellente agilité. Le comportement de la partie cycle démontre assez de solidité et de précision pour permettre un pilotage sportif. La DR650S peut garder un rythme surprenant dans une série de virages puisque la garde au sol est pratiquement illimitée et que la gomme tendre des pneus double-usage s'agrippe farouchement au bitume. Il faut néanmoins prendre le temps de s'acclimater à la mollesse des suspensions également calibrées pour le pilotage hors-route. Les possibilités, lorsqu'on sort des routes asphaltées, ne se limitent pas uniquement aux chemins non pavés, mais incluent aussi des sentiers plus difficiles. Le niveau de confort est honnête puisque la position est naturelle et dégagée et que les suspensions absorbent absolument tout. Le seul point vraiment négatif à ce sujet est la selle dont l'étroitesse finit par devenir incommodante à la longue.

SUZUKI DR650S

Général

Catégorie	Double-Usage
Prix	6 999 $
Garantie	1 an/kilométrage illimité
Couleur(s)	jaune, bleu et blanc
Concurrence	BMW F650GS, Honda XR650L, Kawasaki KLR650, KTM 640 Adventure

Moteur

Type	monocylindre 4-temps, SACT, 4 soupapes, refroidissement par air et huile
Alimentation	1 carburateur à corps de 40 mm
Rapport volumétrique	9,5:1
Cylindrée	644 cc
Alésage et course	100 mm x 82 mm
Puissance	46 ch @ 5 000 tr/min
Couple	49 lb-pi @ 6 200 tr/min
Boîte de vitesses	5 rapports
Transmission finale	par chaîne

Partie cycle

Type de cadre	berceau semi-double, en acier
Suspension avant	fourche conventionnelle de 43 mm non ajustable
Suspension arrière	monoamortisseur ajustable en précharge et compression
Freinage avant	1 disque de 290 mm de Ø avec étrier à 2 pistons
Freinage arrière	1 disque de 210 mm de Ø avec étrier à 2 pistons
Pneus avant/arrière	90/90-21 & 120/90-17
Empattement	1 490 mm
Hauteur de selle	885 mm (845 mm avec option d'abaissement)
Poids à vide	147 kg
Réservoir de carburant	13 litres

SUZUKI DR200S

Général

Catégorie	Double-Usage
Prix	4 999 $
Garantie	1 an/kilométrage illimité
Couleur(s)	jaune, bleu et blanc
Concurrence	Yamaha XT225

Moteur

Type	monocylindre 4-temps, SACT, 2 soupapes, refroidissement par air
Alimentation	1 carburateur à corps de 31 mm
Rapport volumétrique	9,4:1
Cylindrée	199 cc
Alésage et course	66 mm x 58.2 mm
Puissance estimée	20 ch
Couple	n/d
Boîte de vitesses	5 rapports
Transmission finale	par chaîne

Partie cycle

Type de cadre	berceau semi-double, en acier
Suspension avant	fourche conventionnelle non ajustable
Suspension arrière	monoamortisseur ajustable en précharge
Freinage avant	1 disque
Freinage arrière	tambour mécanique
Pneus avant/arrière	70/100-21 & 100/90-18
Empattement	1 405 mm
Hauteur de selle	810 mm
Poids à vide	113 kg
Réservoir de carburant	13 litres

Rapport Valeur/Prix

Vitesse de pointe 125 km/h

Index d'expérience: Novice Intermédiaire Expert

Accélération sur 1/4 mille 17,0 s 110 km/h

Pour apprendre en dehors...

C'est à l'initiation à la conduite et à l'amusement léger en sentier qu'est destinée la DR200S. Il s'agit de la routière la plus petite en termes de cylindrée du catalogue Suzuki. Sa mission de familiarisation explique que, malgré le fait qu'il s'agisse d'une double-usage, sa hauteur de selle demeure relativement peu élevée, tandis que son poids est évidemment très faible.

La seule mission de la DR200S est d'arriver à mettre le motocycliste néophyte le plus rapidement possible en confiance, et de le faire avec un minimum de tracas. Elle accomplit cette tâche au moyen d'une selle dont la hauteur est relativement faible pour une moto de cette catégorie, surtout une fois que le pilote est en place et que les suspensions souples sont comprimées. Comme le poids est très faible et que la direction est extrêmement légère, la maniabilité est excellente. La petite DR200S se montre plutôt précise et très facile à exploiter sur la route. Le comportement du châssis est même assez bon pour tirer plaisir d'une série de virages serrés. Le comportement hors-route est, lui aussi, suffisamment honnête pour s'amuser, du moins tant qu'on s'en tient à un rythme modéré sur les sentiers ou sur les routes en gravier. La faible hauteur de la selle et le poids réduit deviennent également des éléments clés pour établir la confiance dans ces circonstances. Les performances de la DR200S n'intimideront décidément personne. La puissance est d'un niveau très limité et le pilote doit faire tourner le moteur sans gêne pour en tirer le meilleur parti. Se faufiler dans la circulation urbaine se fait sans problème et il est même possible de s'aventurer sur l'autoroute. Le confort bénéficie grandement de la position relevée typique de ces motos et de la grande souplesse des suspensions à grand débattement. L'entretien général est facile à effectuer à la maison et la fiabilité est bonne.

TRIUMPH **SPRINT ST**

TRIUMPH

Meilleure qu'une VFR ?

Les motos qui tentent de tout bien faire sont aussi nombreuses que variées de nature. Celles qui arrivent réellement à tout bien faire sont néanmoins très rares. Malgré ses bonnes intentions, la Sprint ST n'a jamais été considérée par *Le Guide de la Moto* comme l'une d'elles. Depuis l'arrivée d'une ST entièrement remaniée en 2005, toutefois, Le Guide se permet — et se doit — de changer son verdict et d'associer désormais l'anglaise à la plus haute élite du motocyclisme. D'où cette question, qui suscitera, à n'en pas douter, des discussions nombreuses et animées. Est-il possible que Triumph et sa Sprint ST soient vraiment arrivés à surclasser la sacro-sainte Honda VFR800 ?

La sensation ne se produit que très rarement au courant d'une année d'essais, mais il arrive que je m'installe aux commandes d'un modèle que je pilote pour la première fois et que, quelques instants à peine après avoir enclenché la première, je réalise avoir affaire à une moto spéciale. Ce fut le cas avec la Triumph Sprint ST. Immédiatement, tout semble tomber sous les mains et fonctionner de manière transparente. Le parallèle avec la légendaire fonctionnalité des Honda m'a frappé sur la Sprint, ce qu'on n'aurait certainement pas pu dire de la génération précédente. Ce n'est rien qu'on puisse pointer du doigt, mais plutôt une impression d'ensemble renvoyée par la moto pilotée, une impression d'aboutissement, de maturité. Si ce sentiment découle d'une foule de petits détails, il est aussi largement généré par la mécanique, l'embrayage et la transmission. Ratez l'un de ces éléments et la moto ne semble soudainement plus aussi bien exécutée. La Sprint ST excelle à tous les niveaux en ce qui concerne la mécanique. L'embrayage et la transmission sont presque sans reproches, l'injection est parfaite et le tricylindre, lui, est carrément envoûtant. Triumph annonce 123 chevaux, mais les chiffres n'ont plus d'importance une fois en selle. Tout ce qu'on sait, c'est que ça tire amplement pour s'amuser, et que la façon dont ça tire est amusante. Il s'agit d'un moteur dont la livrée des chevaux est exceptionnellement linéaire, ce qui signifie simplement que la puissance croît de façon régulière et prononcée avec le passage de chaque graduation du tachymètre. Comme la production de couple est généreuse dès les tout premiers tours, on n'a qu'à enrouler pour accélérer sérieusement. La puissance est même tellement bien répartie, tellement disponible à tout moment que je me suis rendu compte avoir très rarement eu besoin de rétrograder sur la Sprint. Si j'avais besoin de bouger, j'enroulais et je partais.

ENSORCELANTE SERAIT PROBABLEMENT LA MEILLEURE MANIÈRE DE QUALIFIER LA MUSIQUE DU TRICYLINDRE.

Si les performances de la ST et la façon avec laquelle elles sont livrées sont donc parfaitement satisfaisantes, elles ne représentent pas la totalité de l'agrément de conduite. La sonorité du tricylindre y est aussi pour quelque chose. Ensorcelante serait probablement la meilleure manière de qualifier la musique qui accompagne chaque montée en régime et qui provient non pas du système d'échappement, qui est relativement muet, mais plutôt de l'admission qui, elle, est particulièrement bavarde. Un délice auditif et rien d'autre.

Il n'y a pas qu'au chapitre de la mécanique que la Sprint ST excelle, puisqu'elle se débrouille de manière tout aussi admirable en ce qui concerne le comportement routier. Qu'il soit tout de suite clair qu'on n'a pas affaire à une rescapée des circuits. La Sprint est d'abord et avant tout une routière, mais une routière qui s'incline de façon instinctive et invitante, dont les suspensions sont finement et habilement calibrées entre sport et confort, dont les freins – ce qui inclut le comportement du système ABS – sont puissants, dont la position de conduite a une saveur sportive sans être extrême, dont la selle et la protection au vent sont excellentes et dont l'instrumentation est étonnamment complète. Ce qui ne laisse bien franchement pas grand-chose à critiquer.

Rapport Valeur/Prix

Vitesse de pointe: 254 km/h

Index d'expérience: Novice Intermédiaire Expert

Accélération sur 1/4 mille: 11,2 s à 199 km/h

Voir legende page 7

Général

Catégorie	Routière Sportive
Prix	15 299 $ (ABS : 16 599 $)
Garantie	2 ans/kilométrage illimité
Couleur(s)	bleu, argent, rouge
Concurrence	BMW R1200ST; Ducati ST3s, Honda VFR800 autre(s) possibilité(s) : Suzuki Katana 750

Partie cycle

Type de cadre	périmétrique, en aluminium
Suspension avant	fourche conventionnelle de 43 mm ajustable en précharge
Suspension arrière	monoamortisseur ajustable en précharge et détente
Freinage avant	2 disques de 320 mm de Ø avec étriers à 4 pistons
Freinage arrière	1 disque de 255 mm de Ø avec étrier à 2 pistons
Pneus avant/arrière	120/70 ZR17 & 180/55 ZR17
Empattement	1 457 mm
Hauteur de selle	805 mm
Poids à vide	210 kg (option ABS : 213 kg)
Réservoir de carburant	20 litres

Moteur

Type	3-cylindres en ligne 4-temps, DACT, 4 soupapes par cylindre, refroidissement par liquide
Alimentation	injection à 3 corps
Rapport volumétrique	12:1
Cylindrée	1 050 cc
Alésage et course	79 mm x 71,4 mm
Puissance	123 ch @ 9 100 tr/min
Couple	77 lb-pi @ 7 500 tr/min
Boîte de vitesses	6 rapports
Transmission finale	par chaîne
Révolution à 100 km/h	environ 3 600 tr/min
Consommation moyenne	7,2 l/100 km
Autonomie moyenne	277 km

Conclusion

Le temps d'une évolution, la Sprint ST est passée de sympathique routière à culte en devenir. N'est-ce pas en termes de culte qu'on fait référence à la Honda VFR ? Alors, ce doit aussi l'être pour la Triumph. Car l'anglaise possède bel et bien le charisme mécanique et l'excellence d'exécution qui donnent à ces très rares motos droit à un tel statut. Je ne crois pas avoir l'habitude de lancer des fleurs pour rien. Mais dans ce cas, une belle grande gerbe est de mise. Quant à la fameuse question concernant la VFR, la seule chose qui m'empêche pour le moment de déclarer la Sprint ST supérieure est le fait de ne pas encore avoir pris contact avec la version 2006 de la Honda et ses améliorations. S'il fallait toutefois y répondre sans tenir compte de ces supposées améliorations, je le ferais en anglais.

QUOI DE NEUF EN 2006 ?

- Disponibilité d'un système ABS moyennant un supplément de 1 300 $
- Aucune augmentation de prix

PAS MAL

- Une mécanique envoûtante autant par la musique de ses trois cylindres que par sa superbe livrée de puissance
- Un châssis merveilleusement maniéré, agile sans être hypernerveux et stable sans être lourd de direction
- Une ligne racée et distincte qui sort enfin le modèle de l'anonymat dans lequel il végétait depuis toujours

BOF

- Un prix quelque peu élevé, surtout avec l'ABS, bien qu'on ne puisse nier qu'il achète une monture de très haut calibre
- Une très occasionnelle tendance de la transmission à « coller » sur un rapport lors de passages de vitesses très rapides
- Quel dommage d'avoir dû la laisser retourner chez Triumph; la Sprint ST est l'une des rares motos qu'on aurait franchement aimé rouler à plus long terme

TRIUMPH **TIGER**

TRIUMPH

Les essayer, c'est les adopter...

Il n'y a pas si longtemps, quatre ou cinq ans tout au plus, la Tiger et ses semblables étaient encore perçues, chez nous, comme des excentricités construites par et pour des européens pour des raisons que nous ne pouvions que qualifier de floues. « Une lourde routière avec des suspensions à grand débattement et des pneus double-usage, mais à quoi bon ? » disions-nous. Peut-être est-ce en raison de l'état lamentable de nos routes, peut-être est-ce par curiosité, mais le fait est que notre marché est en train de changer complètement d'avis au sujet des aventurières comme cette Tiger, la seule du créneau arborant un tricylindre en guise de motorisation.

C'est BMW qui, le premier en 1980, avec sa R 80 G/S, inventa la catégorie des aventurières. L'allemande demeura seule dans sa classe durant plusieurs années, jointe de temps à autre par des concurrentes visuellement semblables, mais dont l'exécution ratait la cible plus souvent qu'autrement. La Tiger en est un bel exemple, car bien que le constructeur de Hinckley soit habilement arrivé à lui donner la gueule de l'emploi, elle n'a longtemps été qu'une pâle émulation de la BMW, ne se distinguant réellement que par l'utilisation d'un tricylindre. À force d'évolution et de raffinements, la Triumph est néanmoins parvenue à un stade extrêmement respectable, tout particulièrement depuis l'amélioration notable de ses suspensions – des composantes critiques sur ces motos – il y a deux ans. Triumph avait également décidé à ce moment de fignoler la géométrie de direction et d'opter pour des roues coulées qui accepteraient des pneus sans chambre. Une telle révision a beau sembler mineure, il reste que l'effet qu'elle a eu sur le comportement de la Tiger fut marquant. Sans qu'elle ait été transformée, l'aventurière britannique s'est tout de même trouvée grandement améliorée. Le côté un peu flou et mollasson du modèle précédent, par exemple, surtout en pilotage sportif, a depuis fait place à un comportement sûr, solide et précis dans absolument toutes les situations. D'une manière presque magique, la Tiger arrive maintenant à niveler une route très abîmée sans jamais bousculer son pilote. Isolée, cette qualité n'est pas exceptionnelle, mais le fait est que les suspensions de la Tiger arrivent à se montrer à la fois souples et merveilleusement posées en pilotage sportif. Comme le châssis a toujours été capable d'encaisser sans broncher un rythme assez élevé dans une enfilade de courbes, comme la direction est extrêmement légère et comme les freins font un travail fort honnête, la Tiger a maintenant la capacité de se transformer en chasseuse de sportives au simple gré du pilote. Sur une route sinueuse et dégradée, très peu de motos peuvent la suivre. Quant à son potentiel hors-route – elle est chaussée de pneus double-usage, ne l'oublions pas – il se limite comme c'est bien souvent le cas chez ces motos à la possibilité d'affronter n'importe quel type de revêtement, de la terre au gravier en passant par les routes québécoises.

SUR UNE ROUTE SINUEUSE ET DÉGRADÉE, AVEC UN BON PILOTE EN SELLE, TRÈS PEU DE MOTOS PEUVENT SUIVRE LA TIGER.

Le tricylindre de la Tiger produit une quantité de couple à bas et moyen régimes assez importante pour régulièrement envoyer l'avant en l'air en pleine accélération, ce qui colle parfaitement avec le tempérament joueur de la moto. Il est doux et aisément assez puissant pour distraire un pilote d'expérience. S'il est une caractéristique qu'on souhaiterait voir améliorée, c'est sa présence sonore qui est pour le moment trop proche de celle d'un 4-cylindres en ligne. Cela dit, ce n'est probablement qu'une question de temps avant que Triumph s'applique à relever la richesse sensorielle du tricylindre de la Tiger puisque ce genre de médecine est petit à petit administré à chaque monture de la gamme anglaise depuis quelques années.

Rapport Valeur/Prix

Vitesse de pointe 208 km/h

Index d'expérience — Novice Intermédiaire Expert

Accélération sur 1/4 mille 12,3 s à 170 km/h

Voir légende page 7

Général

Catégorie	Routière Aventurière
Prix	15 299 $
Garantie	2 ans/kilométrage illimité
Couleur(s)	noir, bleu, argent
Concurrence	BMW R1200GS, Buell Ulysses XB12X, Ducati Multistrada 1000, KTM 950 Adventure, Suzuki V-Strom 1000

Partie cycle

Type de cadre	périmétrique, en acier
Suspension avant	fourche conventionnelle de 43 mm non ajustable
Suspension arrière	monoamortisseur ajustable en précharge et détente
Freinage avant	2 disques de 310 mm de Ø avec étriers à 2 pistons
Freinage arrière	1 disque de 285 mm de Ø avec étrier à 2 pistons
Pneus avant/arrière	110/80 V19 & 150/70 V17
Empattement	1 515 mm
Hauteur de selle	840/860 mm
Poids à vide	215 kg
Réservoir de carburant	24 litres

Moteur

Type	3-cylindres en ligne 4-temps, DACT, 4 soupapes par cylindre, refroidissement par liquide
Alimentation	injection à 3 corps
Rapport volumétrique	11,65:1
Cylindrée	955 cc
Alésage et course	79 mm x 65 mm
Puissance	105 ch @ 8 900 tr/min
Couple	71 lb-pi @ 5 700 tr/min
Boîte de vitesses	6 rapports
Transmission finale	par chaîne
Révolution à 100 km/h	environ 4 200 tr/min
Consommation moyenne	6,2 l/100 km
Autonomie moyenne	387 km

Conclusion

S'il fut un temps où la Tiger n'était pas trop prise au sérieux, où elle passait pour une « moi aussi » de la classe, il est aujourd'hui indéniablement révolu. Certes, on lui préférera possiblement une BMW ou une KTM si l'on compte vraiment traverser le continent africain en diagonale. Mais si tel n'est pas le cas, ne pas la considérer serait rien de moins qu'une erreur puisqu'il s'agit maintenant d'une des motos les plus abouties et les plus gratifiantes à piloter du marché, un fait auquel le charisme du tricylindre anglais n'est certainement pas étranger.

QUOI DE NEUF EN 2006 ?

- Adoption des carters de la Speed Triple et de la Sprint ST; il s'agit d'un changement relatif au procédé de manufacture qui n'affecte aucunement les performances
- Système d'embrayage légèrement modifié
- Aucune augmentation de prix

PAS MAL

- Un côté « fun » indéniable; la Tiger est l'une de ces motos qui font sourire et qui donnent l'impression au pilote de pouvoir faire n'importe quoi
- Des suspensions presque magiques puisqu'elles restent posées en pilotage sportif et assez souples pour être qualifiées de confortables
- Une partie cycle étonnamment capable sur une route sinueuse; la Tiger pourrait surprendre bien des proprios de sportives

BOF

- Un tricylindre performant et doux, mais qui s'exprime de façon un peu timide par rapport à ceux des Speed Triple et Daytona 955i dont la voix est claire et distincte
- Une bonne protection au vent, mais un pare-brise qui cause de la turbulence au niveau du casque, surtout à haute vitesse
- Une hauteur de selle importante qui fait même pointer des pieds les pilotes de six pieds

TRIUMPH

TRIUMPH DAYTONA 675

NOUVEAUTÉ 2006

Identité propre et forte...

Confronter les quatre grands japonais dans l'arène des sportives pures de 600 cc tient pratiquement de la folie. Malgré de bonnes intentions, malgré une machine avec d'étonnantes qualités, Triumph dut se rendre à l'évidence et mettre fin au programme de la petite Daytona poids moyen tel qu'on le connaissait. L'accroissement de sa cylindrée à 650 cc, l'an dernier, n'aura donc réussi qu'à retarder l'inévitable. Ou, devrait-on plutôt dire, à faire patienter jusqu'à l'arrivée, pour 2006, de la nouvelle Daytona 675. Eh non, Triumph n'a absolument pas dit son dernier mot au sujet des sportives poids moyen. Il a simplement opté pour un changement de stratégie.

TECHNIQUE

On pourrait dire, avec même un peu de sarcasme, que l'épopée de Triumph dans le créneau des 600 hypersportives était vouée à l'échec avant même de débuter. N'importe quel observateur savait fort bien qu'affronter les asiatiques sur un tel terrain équivalait à du suicide, comme si un seul individu s'attaquait à une armée entière. Remarquez, lorsque le constructeur anglais lança la Daytona 600 en 2003, on y a presque cru. Mais les japonais étaient encore une fois trop forts. Compte tenu du niveau des progrès phénoménaux réalisés presque chaque année dans la catégorie – des progrès phénoménaux effectués à partir de motos déjà phénoménales ! –, il est désormais clair qu'il n'y a que les japonais qui puissent rivaliser avec les japonais en ce qui concerne les 600 haute performance.

C'est après avoir accepté cette dure réalité que Triumph eut l'idée de retourner la force des 600 japonaises contre elles, et d'exploiter pleinement leurs faiblesses. Leurs faiblesses ? Absolument, car s'il est indiscutable que ces motos sont extraordinairement avancées, personne n'a dit qu'elles n'avaient pas de faiblesses. Le plus grand défaut de ces motos est sans aucun doute l'incroyable courte durée de l'intérêt qu'elles génèrent. D'une manière générale, à peine une année suffit à ce qu'on oublie complètement une moto et qu'on déporte toute notre attention vers la dernière évolution d'un modèle concurrent. *Le Guide de la Moto* aime bien d'ailleurs qualifier ces machines de « jetables » pour ces raisons. Une autre grande faiblesse des 600 est l'éternel manque de souplesse de leur mécanique pointue. Même si elles se sont améliorées au fil des ans à ce sujet, comme nous l'avons maintes fois répété, une 600 reste une 600. Cet argument explique par ailleurs pourquoi Le Guide prévoit toujours un retour des 750 à moyen terme, mais c'est là une autre histoire. Enfin, les 600 ont le défaut de n'avoir aucun caractère mécanique, au point que nous en avons même occasionnellement qualifiées « d'électriques ».

L'IDÉE D'UNE « 600 » PROPULSÉE PAR UN CARACTÉRIEL TRICYLINDRE DE 675 CC NOUS SEMBLE ABSOLUMENT GÉNIALE.

Pour tourner toutes ces faiblesses à son avantage, Triumph devait donc créer une moto de cylindrée moyenne qui captiverait suffisamment les motocyclistes pour qu'ils ne l'oublient pas instantanément, qui serait clairement moins creuse aux régimes bas et moyen que les 600 courantes et, enfin, qui ferait preuve d'une présence mécanique forte. La spectaculaire ligne qu'on aperçoit sur ces pages, la cylindrée de 675 cc et la configuration à trois cylindres de la mécanique sont les réponses des anglais. Il reste à voir ce que le temps aura à dire à propos du vieillissement de la ligne, ainsi qu'à constater à quel point Triumph aura été capable d'injecter l'ensorcelante personnalité de ses récents moteurs dans une cylindrée considérablement plus faible, mais en ce qui nous concerne, l'idée d'une « 600 » propulsée par un caractériel tricylindre de 675 cc nous semble absolument géniale. Si nous avions pu devancer la date de présentation d'une seule moto afin de pouvoir la tester avant la publication du Guide 2006 et d'en rendre compte aux lecteurs, la Daytona 675 aurait aisément été notre choix.

Tricylindre Hi-Tech

La Daytona 675 a beau s'éloigner de la zone de guerre nucléaire qu'est devenue la catégorie des sportives « classiques » de 600 centimètres cubes, elle n'est pas pour autant sans défense lorsqu'il s'agit de parler technologie. Le tricylindre qui l'anime est, par exemple, extraordinairement compact. Sa longueur a été grandement diminuée en superposant les axes de la transmission et en rapprochant l'axe de l'embrayage de celui du vilebrequin – ce qui est devenu la norme chez les japonaises – tandis que l'absence d'un « quatrième cylindre » permet à sa largeur d'être réduite de façon particulièrement drastique. Vue de face ou de l'arrière, la Daytona 675 est extraordinairement mince, au point qu'elle fait paraître grasses certaines 600 à quatre cylindres et qu'elle pourrait même aisément passer pour une sportive à moteur V-Twin. Le tricylindre bénéficie de toutes les dernières technologies en matière d'efficacité d'extraction maximale de la puissance : taux de compression élevé, angle aigu entre les soupapes, injecteurs multiports, entrée de Ram Air centrale et boîte à air avec trappe motorisée gérant l'arrivée d'air, échappement avec valve de débit, et la liste est encore longue. Bref, même si la Daytona 675 n'est pas tout à fait au niveau des japonaises à quatre cylindres de pointe – on note, par exemple, l'absence

d'un embrayage avec limiteur de contre-couple ou de disques de freins « à pétales » –, elle reste actuelle d'un point de vue technologique. Triumph annonce 123 chevaux et un couple maximum de 53 lb-pi, ce qui est bien mais pas exceptionnel. La vraie question est toutefois de savoir à quel point ce couple est bien distribué sur la plage de régimes, et aussi à quel point le caractère du tricylindre compense pour les performances, qu'il serait très peu vraisemblable d'attendre plus élevées que celle des 600 actuelles. Cela dit, avec un poids à sec annoncé à 165 kilos, la 675 ne devrait avoir aucune difficulté à distraire un pilote d'expérience en ligne droite ou sur circuit. Notons du côté de la partie cycle que Triumph adopte à son tour un bras oscillant ultralong, tandis que les suspensions sont entièrement réglables et que de toutes nouvelles roues à cinq branches font leur apparition. Il est intéressant de voir que le cadre est non seulement extrêmement étroit, grâce à la faible largeur du moteur, mais que lui et le bras oscillant sont aussi entièrement fabriqués en aluminium coulé. Le procédé, inauguré sur la Yamaha YZF-R6 en 2003, permet de parfaitement contrôler le poids des composantes moulées et de précisément doser leur degré de rigidité. Au chapitre du freinage, la Daytona 675 est à la fine pointe puisqu'elle dispose d'étriers à montage radial qui sont devenus la norme chez les sportives.

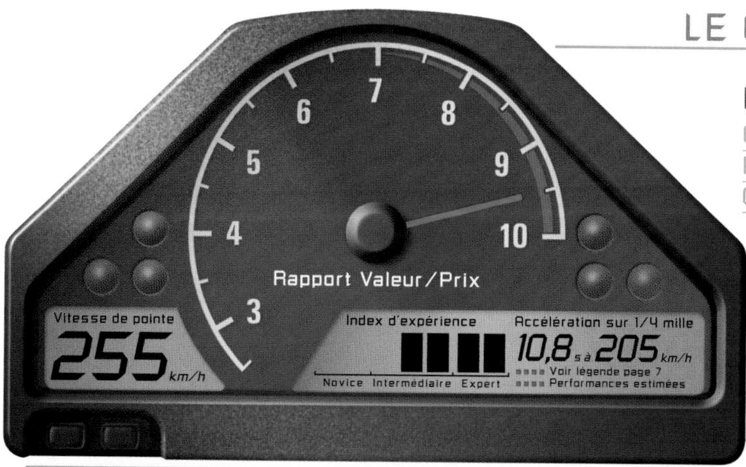

Général

Catégorie	Sportive
Prix	11 999 $
Garantie	2 ans/kilométrage illimité
Couleur(s)	rouge, jaune, graphite
Concurrence	Honda CBR600RR, Kawasaki ZX-6R, Suzuki GSX-R600, Yamaha YZF-R6 et YZF-R6S

Partie cycle

Type de cadre	périmétrique, en aluminium
Suspension avant	fourche inversée de 41 mm ajustable en précharge, compression et détente
Suspension arrière	monoamortisseur ajustable en précharge, compression et détente
Freinage avant	2 disques de 308 mm de Ø avec étriers radiaux à 4 pistons
Freinage arrière	1 disque de 220 mm de Ø avec étrier à 1 piston
Pneus avant/arrière	120/70 ZR17 & 180/55 ZR17
Empattement	1 392 mm
Hauteur de selle	825 mm
Poids à vide	165 kg
Réservoir de carburant	17,4 litres

Moteur

Type	3-cylindres en ligne 4-temps, DACT, 4 soupapes par cylindre, refroidissement par liquide
Alimentation	injection à 3 corps 44 mm
Rapport volumétrique	12,65:1
Cylindrée	675 cc
Alésage et course	74 mm x 52,3 mm
Puissance	123 ch @ 12 500 tr/min
Couple	53 lb-pi @ 11 750 tr/min
Boîte de vitesses	6 rapports
Transmission finale	par chaîne
Révolution à 100 km/h	n/d
Consommation moyenne	n/d
Autonomie moyenne	n/d

Conclusion

La Daytona 675 arrive en scène à une période à laquelle prolifèrent les 600 incroyablement avancées et les 1000 aux performances démentes. Elle se voit donc mise en marché à une étape de l'histoire du motocyclisme où il est devenu extrêmement difficile pour un manufacturier ou pour un modèle de se démarquer clairement de la concurrence, du moins chez les sportives. Et pourtant, il s'agit d'une des motos les plus distinctes et marquantes du millésime 2006. Il reste bien entendu à voir de quel bois elle se chauffe, mais compte tenu du fait qu'il est aujourd'hui reconnu que Triumph a la capacité de produire une sportive dont la tenue de route est de très haut calibre, et qu'il est tout aussi clair que le manufacturier anglais maîtrise parfaitement l'alchimie nécessaire à rendre un tricylindre vivant, disons simplement que la Daytona 675 a le potentiel de livrer une expérience de pilotage littéralement extraordinaire. Quoi que ce soit de moins serait décevant.

QUOI DE NEUF EN 2006 ?

- Nouveau modèle

PAS MAL

- Un concept tout neuf chez les sportives poids moyen, ce qu'on ne voit certes pas arriver tous les ans; bravo à Triumph pour avoir trouvé une façon intelligente et originale de continuer de produire une « 600 »
- Une mécanique de 675 cc qui a le potentiel de combler deux des défauts majeurs des 600 traditionnelles, le manque de souplesse et l'absence de caractère
- Une tenue de route qu'on attend impeccable; celle de la Daytona 650 était déjà excellente, et la 675 est une toute nouvelle génération

BOF

- Des chiffres de puissance et de couple solides, mais qu'on ne peut malheureusement pas qualifier d'extraordinairement élevés; les performances seront-elles vraiment à la hauteur de celles d'une 600, ou faudra-t-il se rabattre sur du couple et du caractère pour se satisfaire ?
- Une liste de composantes sportives qui, même si elle est longue et étoffée, n'est pas à la hauteur de celle d'une 600 de pointe actuelle; on ne devrait donc pas envisager la Daytona 675 si ce qu'on recherche est uniquement de rouler la « bombe » de l'heure ou la sportive poids moyen avec le plus de gadgets sur le marché

TRIUMPH

TRIUMPH SPEED TRIPLE

Invitation à la perversion...

Mal léchée parmi les mal léchées, la Triumph Speed Triple incite tellement à la perversion routière que les comportements les plus répréhensibles sont devenus sa marque de commerce. Instantanément reconnaissable à son regard exorbité, l'infâme Speed Triple et sa silhouette de crapule a en effet toujours eu une telle réputation. Et dire que depuis la refonte complète du modèle en 2005, les choses n'ont fait qu'empirer... Arrière tronqué jusqu'au milieu de l'essieu, échappement double collé aux fesses et tricylindre gonflé à bloc, voilà de quoi pousser l'une des deux roues les moins disciplinées du marché à s'insurger davantage.

Son derrière amputé lui donne l'air d'un chat errant qui aurait perdu sa queue des suites d'on ne sait quel méfait. C'est bien la moitié d'une roue qu'on voit traîner là derrière ? Décidément, la dernière incarnation de la Speed Triple apparaît facilement comme la plus impolie de la lignée. Ce qui expliquerait pourquoi, quelques mètres à peine après m'être installé aux commandes de la célèbre anglaise, nous voilà déjà à la verticale, ou presque. La figure est évidemment tout ce qu'il y a de plus illégal sur la voie publique, et je suis déjà coupable, quelques minutes plus tard, de suffisamment d'effronteries routières pour perdre le privilège de la conduite sur route pour des années. Merci mon Dieu pour les chemins reculés de la campagne et les hauts champs de blé d'Inde qui les protègent des regards de la droiture. J'ai pourtant besoin de ce privilège pour gagner ma croûte et je m'étais pourtant promis de faire attention à ce genre de comportement, mais tel est le pouvoir hypnotique de la Speed Triple, un pouvoir ne provenant pas d'une quelconque force maléfique, mais plutôt d'efforts considérables déployés par les ingénieurs de Hinckley.

QUELQUES MÈTRES APRÈS MON PREMIER CONTACT AVEC L'ANGLAISE, NOUS VOILÀ DÉJÀ À LA VERTICALE.

Bien que la ligne très particulière de la Speed Triple nourrisse généreusement l'imagination, une fois en selle, cette image disparaît et ne devient plus un facteur. La personnalité de la moto qui se manifeste alors est dominée par des traits joueurs et un comportement étonnamment facile d'accès. Au-delà de ses espiègleries, la Speed Triple est aussi une standard extrêmement plaisante à utiliser dans la besogne quotidienne.

Étant basée sur une plateforme de sportive, la Speed Triple positionne son pilote de façon compacte, surtout au niveau des jambes et de la manière dont les repose-pieds élevés les plient. À la différence d'une sportive pure, le guidon tubulaire est plus large et positionné beaucoup plus haut. Le résultat est une posture serrée, mais tout à fait tolérable en raison du très faible poids que les poignets ont à supporter. Par-dessus tout, la position de conduite met en confiance rapidement et donne le sentiment au pilote de pouvoir accomplir n'importe quoi.

Rares sont les moteurs dont les chevaux sont aussi bien répartis sur la plage de régimes que sur cette superbe version du tricylindre anglais. Disponibles en dose généreuse dès les tout premiers tours, les chevaux s'amènent par la suite de manière parfaitement linéaire jusqu'aux 10 000 tr/min et l'arrivée de la zone rouge. Non seulement le tricylindre en ligne se montre puissant et coupleux, mais il est aussi parfaitement injecté et suffisamment doux pour que tous les régimes, jusqu'aux plus élevés, soient confortablement utilisables. Puis, il y a cette sonorité, envoûtante et fascinante qu'on ne se lasse tout simplement jamais d'entendre.

Avec ses suspensions fermes, voire rudes sur certaines de nos « belles » routes, sa selle minimaliste – parlez-en au passager – et son absence totale de protection au vent, il est vrai que la Speed Triple n'est pas ce qu'on qualifierait d'un exemple de confort. Mais pour autant qu'on soit un peu insolent, on a vite fait de lui pardonner.

Vitesse de pointe	Index d'expérience	Accélération sur 1/4 mille
242 km/h	Novice Intermédiaire Expert	10,9 s à 203 km/h

Rapport Valeur/Prix

Voir légende page 7

Général

Catégorie	Standard
Prix	13 999 $
Garantie	2 ans/kilométrage illimité
Couleur(s)	blanc, bleu, jaune, noir
Concurrence	BMW R1150R, Buell XB12S, Benelli TNT, Ducati Monster 1000, Harley-Davidson Street Rod, Honda 919, Kawasaki Z1000 et ZRX1200R, Yamaha MT-01 et V-Max

Partie cycle

Type de cadre	périmétrique, en aluminium tubulaire
Suspension avant	fourche inversée de 43 mm ajustable en précharge, compression et détente
Suspension arrière	monoamortisseur ajustable en précharge, compression et détente
Freinage avant	2 disques de 320 mm de Ø avec étriers radiaux à 4 pistons
Freinage arrière	1 disque de 220 mm de Ø avec étrier à 2 pistons
Pneus avant/arrière	120/70 ZR17 & 180/55 ZR17
Empattement	1 425 mm
Hauteur de selle	815 mm
Poids à vide	189 kg
Réservoir de carburant	18 litres

Moteur

Type	3-cylindres en ligne 4-temps, DACT, 4 soupapes par cylindre, refroidissement par liquide
Alimentation	injection à 3 corps
Rapport volumétrique	12:1
Cylindrée	1 050 cc
Alésage et course	79 mm x 71,4 mm
Puissance	128 ch @ 9 100 tr/min
Couple	78 lb-pi @ 7 500 tr/min
Boîte de vitesses	6 rapports
Transmission finale	par chaîne
Révolution à 100 km/h	environ 3 600 tr/min
Consommation moyenne	7,3 l/100 km
Autonomie moyenne	246 km

Conclusion

La Speed Triple est sans le moindre doute l'une des deux roues les plus caractérielles de l'univers moto. Son tricylindre anglais est enchanteur, magnétique, subjuguant. Il arrive à vous faire faire des trucs juste pour l'entendre, encore et encore. Magique. Non, la Speed Triple n'est pas, comme une BMW R1150R, une routière extraordinairement confortable. Mais là n'est pas non plus son rôle. Ce dernier tient plutôt de l'incitation à la désobéissance civile, de l'invitation au vice routier. Pilotée « normalement », elle pourrait très bien prendre le rôle d'une standard agile, accessible et brillamment motorisée. Mais vous n'y arriverez pas. J'en sais quelque chose.

QUOI DE NEUF EN 2006 ?

- **Aucun changement**
- **Aucune augmentation de prix**

PAS MAL

- **Un tricylindre au pouvoir hypnotique; un son et des sensations de la sorte tiennent de la magie noire**
- **Un niveau de performances non seulement très relevé, mais aussi extrêmement accessible compte tenu de l'excellente répartition des chevaux et de la production hâtive de couple**
- **Une partie cycle très compétente; on a beau la traiter de tous les noms, la Speed Triple peut devenir très sérieuse sur une route sinueuse**

BOF

- **Une exposition totale au vent qui rend plus souvent qu'autrement l'exploitation du plein potentiel de puissance l'affaire de quelques secondes, puis c'est le retour à des vitesses plus discrètes**
- **Des suspensions calibrées assez fermement pour que la conduite devienne rude sur une mauvaise route**
- **Une direction très légère qui devient facilement nerveuse, par exemple, lorsque le pilote s'agrippe en accélération ou lorsque la force du vent le fait bouger**

TRIUMPH **ROCKET III**

TRIUMPH

NOUVELLE VARIANTE

Plus, plus, plus...

Pour un manufacturier de motos, se démarquer de la concurrence est à la fois l'un des éléments les plus complexes et les plus essentiels du succès. L'une des directions souvent prises est celle de l'extrême. On cherche à faire plus rapide, plus puissant, plus radical que les autres. Dans le cas de la Rocket III, Triumph a tenté de faire plus gros que les constructeurs rivaux. Beaucoup plus gros. Inaugurée il y a déjà deux ans, la Rocket III dispose du moteur le plus gros – et par une bonne marge – de l'industrie de la moto, avec ses 2 300 cc. Pour 2006, l'arrivée d'une version Classic se distinguant par une peinture deux tons et l'ajout de quelques accessoires représente le seul changement.

Une silhouette bossue, un radiateur démesuré, un moteur colossal, un système d'échappement mi-bagnole, mi-moto, des yeux d'insectes... On croirait décrire une caricature ou un photomontage à la Frankenstein, mais c'est en fait de l'anglaise la plus étrange de l'histoire de la moto dont il est question, la Triumph Rocket III. Sous ces traits hideux ou géniaux – les opinions ne tombent pas souvent entre les deux – se trouve la raison d'être de cette bête, un monstrueux, un colossal, un titanesque tricylindre de 2 294 cc et pas un de moins. Dément ? Oh que non. Essayez plutôt prodigieux. C'est du moins le qualificatif qui traduit le mieux les accélérations et les reprises dont est capable une telle mécanique. Laisser glisser le levier d'embrayage de façon légèrement brusque et enrouler avec générosité la poignée droite simultanément – on n'oublie pas de se cramponner – a pour conséquence d'instantanément enfumer le large pneu arrière de 240 mm, action qui se fait dans l'ambiance d'un cri de caoutchouc à ameuter un quartier. Qu'on se le dise, la Rocket III et les gros chiffres de puissance et de couple qui l'accompagnent sont tout sauf de la frime. Car si on s'attend à ce qu'une moto de 2,3 litres arrache de façon grandiose en pleine accélération sur le premier rapport, on ne s'attend pas nécessairement à ce que l'intensité de cette dernière demeure essentiellement la même lorsqu'on passe la seconde, et la troisième, et la quatrième... Le tout dans ce qui doit être décrit comme un véritable vacarme mécanique rappelant celui d'une vieille caisse en pleine crise d'accélération.

REVENEZ À UN RYTHME NORMAL ET LE MONSTRE FOU QU'ÉTAIT LA ROCKET III SE TRANSFORME EN GENTIL GÉANT.

Pourtant, ça reste plaisant, et doux. On sent bien le gros tricylindre travailler, mais jamais ses manières ne sont déplacées. En fait, oubliez les cascades et tenez-vous-en à un rythme de balade, et le monstre fou qu'était la Rocket III se transforme soudainement en gentil géant. Mécanique douce et ultrasouple, transmission très convenable, embrayage léger, sonorité feutrée, on croirait presque être aux commandes d'une bonne vieille Valkyrie, une impression d'autant plus renforcée par la position classique et dégagée typique d'une grosse custom.

La docilité dont fait preuve la Rocket III en conduite normale ne s'arrête pas qu'à la mécanique, mais s'étend aussi jusqu'au comportement. Étrangement, malgré les immenses proportions de l'engin, un rien d'effort suffit à la soulever de sa béquille, tandis qu'une fois en route, on découvre une moto étonnamment équilibrée. La seule caractéristique hors-normes digne de mention est liée à la largeur inhabituelle du pneu arrière qui donne au pilote l'impression que la moto résiste à la poussée du guidon en entrée de courbe. Un ajustement du pilote plus tard et on en parle plus.

Même si elle ne dispose d'aucune protection au vent, la Rocket III a la particularité d'avoir un réservoir d'essence tellement haut que ce dernier offre un surprenant abri au pilote. Le confort n'est pour le reste pas mauvais puisque la selle est bonne, les suspensions travaillent correctement et la position n'est d'aucune façon exagérée ou extrême.

Général

Catégorie	Custom
Prix	21 999 $ (Classic : 22 999 $)
Garantie	2 ans/kilométrage illimité
Couleur(s)	rouge, noir, graphite, jaune
Concurrence	V-Max autre(s) possibilité(s) : Kawasaki Vulcan 2000 Classic

Partie cycle

Type de cadre	double épine dorsale, en acier
Suspension avant	fourche inversée de 43 mm non ajustable
Suspension arrière	2 amortisseurs ajustables en précharge
Freinage avant	2 disques de 320 mm de Ø avec étriers à 4 pistons
Freinage arrière	1 disque de 316 mm de Ø avec étrier à 2 pistons
Pneus avant/arrière	150/80 R17 & 240/50 R16
Empattement	1 695 mm
Hauteur de selle	740 mm
Poids à vide	320 kg
Réservoir de carburant	24 litres

Moteur

Type	3-cylindres en ligne 4-temps, DACT, 4 soupapes par cylindre, refroidissement par liquide
Alimentation	injection à 3 corps de 56 mm
Rapport volumétrique	8,7:1
Cylindrée	2 294 cc
Alésage et course	101,6 mm x 94,3 mm
Puissance	140 ch @ 6 000 tr/min
Couple	147 lb-pi @ 2 500 tr/min
Boîte de vitesses	5 rapports
Transmission finale	par arbre
Révolution à 100 km/h	n/d
Consommation moyenne	7,1 l/100 km
Autonomie moyenne	352 km

Conclusion

Une custom carrément difforme de laquelle pend ce qui a tous les airs d'un moteur automobile de 2 300 cc peut facilement sembler douteux comme concept. Pourtant, il s'agit d'une entreprise que Triumph a menée de façon absolument brillante puisque non seulement le constructeur britannique possède désormais la moto de production la plus grosse du monde, mais il détient aussi un modèle dont le caractère et les performances sont inimitables. Le rabais de quelque 2 000 $ dont bénéficie la version 2006 ne rend pas la Rocket III bon marché, mais solidifie plutôt la valeur du modèle. Car on pourrait dépenser ce genre de montant bien facilement et obtenir en retour une bonne portion de frime. Ici, le terme frime ne s'applique à rien. La Rocket III n'est bien entendu pas pour tout le monde, mais les motocyclistes qu'elle rejoint savent à quel point ils sont privilégiés que la marque de Hinckley se soit lancée dans une telle aventure.

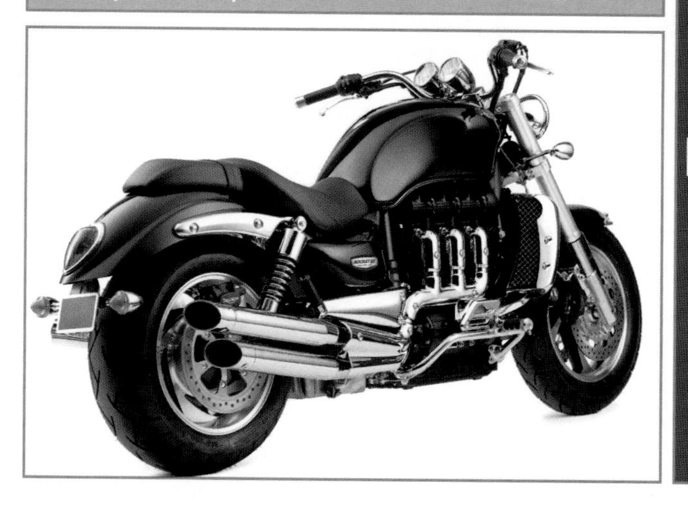

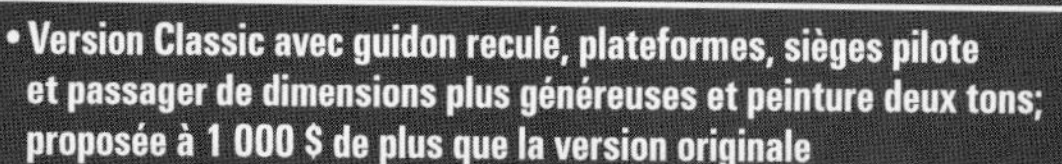

QUOI DE NEUF EN 2006 ?

- Version Classic avec guidon reculé, plateformes, sièges pilote et passager de dimensions plus généreuses et peinture deux tons; proposée à 1 000 $ de plus que la version originale
- Rocket III coûte 2 000 $ de moins qu'en 2005

PAS MAL

- Une mécanique phénoménale, gavée de puissance et de couple comme aucun autre moteur de l'industrie ne l'est; elle vaut le prix d'entrée à elle seule
- Un niveau de confort qui ressemble beaucoup à celui d'une custom poids lourd commune, autant en ce qui concerne la position de conduite que les suspensions
- Un comportement étonnamment docile pour une 2 300 cc; la Rocket III surprend par son agilité et sa facilité de maniement

BOF

- Pilotez-la comme nous nous sommes amusés à le faire et ça pourrait devenir coûteux en matière de pneumatiques
- Une largeur extrême du pneu arrière qui provoque une résistance de la direction en entrée de courbe et qui demande un effort constant au guidon le long d'un virage
- Une ligne qui ne fait pas l'unanimité et qui n'est acceptée qu'à cause de l'immensité de la chose; si la Rocket III avait la même ligne, mais qu'il s'agissait d'une 1500, on en rirait sûrement

America

TRIUMPH

TRIUMPH AMERICA ET SPEEDMASTER

Obligatoires...

Dans un marché où les customs comptent pour aisément plus de la moitié des routières vendues, proposer des customs dans son catalogue devient pratiquement une obligation de la part d'un constructeur. Ainsi, même si l'essence de ce qu'est et de ce que représente Triumph n'est pas vraiment lié à la culture des customs, le manufacturier britannique se doit quand même d'en produire. Les Speedmaster et America sont les résultats de cette obligation. Des résultats payants, d'ailleurs, car bien que les chiffres des ventes des modèles soient très loin d'inquiéter les Honda Aero et les Yamaha V-Star de ce monde, ils restent parmi les plus élevés au sein de la gamme anglaise.

Le chemin qui mène à la mise en production de motos comme la nouvelle Scrambler ou la Thruxton est fascinant et rempli de liens avec la riche histoire de Triumph, mais tel n'est pas le cas pour le duo America et Speedmaster. La réalité, en ce qui concerne ces modèles, est surtout parsemée de raisons beaucoup plus commerciales qu'historiques. En gros, ils existent pour le marché nord-américain et son appétit apparemment sans fond pour les customs. Triumph n'étant pas à la base un expert en la matière, il s'est tout simplement appliqué à créer des motos qui plairaient au plus grand nombre de motocyclistes possible, ce qui fut fait en observant quels styles obtenaient le plus de succès sur le marché. La seule restriction – qui est aussi ce qui distingue le plus les customs anglaises du reste du marché – fut l'obligation de conserver le bicylindre parallèle qui était à l'époque déjà utilisé par la Bonneville.

LA RAISON D'ÊTRE DE CES MODÈLES S'EXPLIQUE PAR DES RAISONS BEAUCOUP PLUS COMMERCIALES QU'HISTORIQUES.

La Speedmaster et l'America sont les équivalents britanniques des customs japonaises de cylindrée moyenne (750-800 cc), ou encore de la Harley-Davidson Sportster 883. Peu importe le degré d'expérience du pilote, ce dernier se sentira donc immédiatement à l'aise aux commandes de l'une ou l'autre des anglaises. Leur position de conduite allonge généreusement les jambes vers l'avant et laisse tomber les mains de façon naturelle sur un guidon de type large et bas sur l'America, et de type droit et avancé sur la Speedmaster. Rien de désagréable jusque-là, au contraire. Mettez le contact, toutefois, et il devient clair qu'on n'a pas affaire à des customs comme les autres. Malgré des efforts non négligeables de la part du manufacturier visant à donner un caractère de V-Twin au bicylindre parallèle, l'illusion ne réussit pas vraiment. Il s'agit d'un moteur extrêmement doux et discret sur l'America, à un point tel qu'on ne l'entend et qu'on ne le sent pratiquement plus une fois en route. La Speedmaster a un net avantage à ce sujet puisqu'elle bénéficie d'une cylindrée de 865 cc plutôt que de 790 cc, ce qui se traduit par des accélérations clairement plus intéressantes et par un caractère moins abstrait. La raison pour laquelle l'America n'a toujours pas ce moteur nous échappe d'ailleurs. Les chevaux arrivent graduellement avec les tours dans les deux cas et n'amènent jamais avec eux de vibrations déplaisantes. Si l'America traîne également derrière au chapitre du comportement routier, c'est moins flagrant et uniquement en raison des meilleurs pneus et des meilleurs freins de la Speedmaster. Les deux versions s'inclinent sans effort, se montrent précises, neutres et solides en virage, et restent toujours stables.

Le niveau de confort n'est pas mauvais, car les positions dégagées sont agréables, du moins pour des périodes limitées, et parce que la selle est bien formée et bien rembourrée. Sans être rude, la suspension arrière reste ferme. Comme sur plusieurs customs, la position concentre une bonne partie du poids du pilote sur le bas de son dos, et il comprendra vite qu'il vaut mieux contourner les trous que les confronter.

Général

Catégorie	Custom
Prix	11 699 $ (Speedmaster : 12 299 $)
Garantie	2 ans/kilométrage illimité
Couleur(s)	America : noir, argent et vert, rouge et graphite Speedmaster : noir, noir et rouge, noir et bleu
Concurrence	Harley-Davidson Sportster 883, Honda Shadow Aero et Spirit 750, Hyosung Aquila 650, Kawasaki Vulcan 800 et 900 Classic, Suzuki C50, M50 et S50, Yamaha V-Star 650

Partie cycle

Type de cadre	double berceau, en acier
Suspension avant	fourche conventionnelle de 41 mm non ajustable
Suspension arrière	2 amortisseurs ajustables en précharge
Freinage avant	1 (Speedmaster : 2) disque(s) de 310 mm de Ø avec (Speedmaster : 2) étrier(s) à 2 pistons
Freinage arrière	1 disque de 285 mm de Ø avec étrier à 2 pistons
Pneus avant/arrière	110/90 R18 (Speedmaster : 110/80 R18) & 170/80 R15
Empattement	1 655 mm
Hauteur de selle	720 mm
Poids à vide	226 kg (Speedmaster : 229 kg)
Réservoir de carburant	16,6 litres

Moteur

Type	bicylindre parallèle 4-temps, DACT, 4 soupapes par cylindre, refroidissement par air
Alimentation	2 carburateurs à corps de 36 mm
Rapport volumétrique	9,2:1
Cylindrée	790 cc (Speedmaster : 865 cc)
Alésage et course	86 mm (Speedmaster : 90 mm) x 68 mm
Puissance	61 ch @ 7 400 tr/min (Speedmaster : 54 ch @ 6 750 tr/min)
Couple	44 lb-pi @ 3 500 tr/min (Speedmaster : 51 lb-pi @ 4 800 tr/min)
Boîte de vitesses	5 rapports
Transmission finale	par chaîne
Révolution à 100 km/h	n/d
Consommation moyenne	5,0 l/100 km
Autonomie moyenne	332 km

Conclusion

L'America et la Speedmaster sont les équivalents britanniques des customs japonaises de plus ou moins 800 cc, à la différence qu'elles commandent des sommes considérablement plus élevées et qu'elles ne sont pas propulsées par le traditionnel V-Twin. On pourrait dès lors conclure qu'il s'agit de propositions moins intéressantes, mais ce serait omettre le fait qu'à l'exception d'une mécanique quelque peu avare de sensations, ni l'une ni l'autre ne fait de faute grave du point de vue du comportement, et ce serait aussi oublier qu'elles sont des Triumph. Comme chez Harley-Davidson, pour beaucoup d'acheteurs, le nom pèse souvent assez dans la balance pour accepter une facture plus élevée. Au moins, si vous devez absolument rouler en custom et en anglais, prenez en considération le moteur plus plaisant et les meilleurs freins de la Speedmaster. Ils le méritent.

Speedmaster

QUOI DE NEUF EN 2006 ?

- **Aucun changement**
- **Aucune augmentation de prix**

PAS MAL

- **Des lignes sympathiques qui semblent plaire malgré l'absence du traditionnel V-Twin**
- **Un châssis solide et précis qui inspire confiance instantanément et qui ne frotte pas prématurément en virage**
- **Une mécanique bien plus éveillée sur la Speedmaster que sur l'America**

BOF

- **Des prix élevés; ce sont des motos dont les équivalents japonais se vendent environ 3 000 $ de moins**
- **Une suspension arrière ferme qui devient rude sur mauvais revêtement**
- **Un caractère moteur presque absent et des performances très timides pour l'America**

TRIUMPH **SCRAMBLER**

TRIUMPH

NOUVEAUTÉ 2006

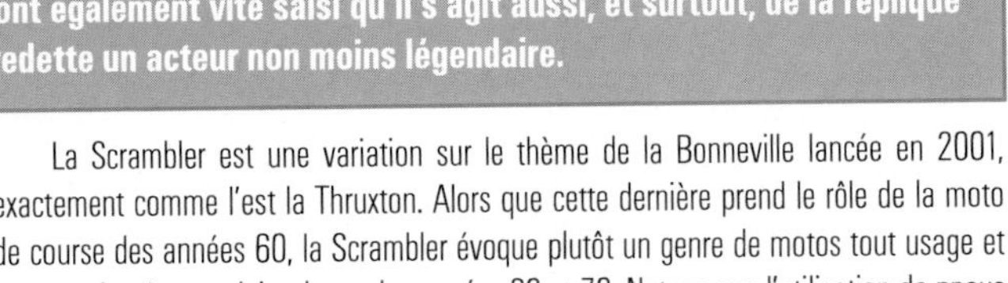

Légende roulante...

Les plus jeunes pourraient avoir besoin de quelques explications, mais les motocyclistes grisonnants – ou sur le point de l'être – saisiront vite la signification de la nouvelle Scrambler. Cette plus récente variation de la Triumph Bonneville est la réincarnation d'un genre de motos surtout populaire durant les années 60 et 70, des montures simples, solides et polyvalentes qui se sont avérées être les précurseures des grosses aventurières actuelles. Les connaisseurs auront également vite saisi qu'il s'agit aussi, et surtout, de la réplique d'une moto rendue célèbre par un film légendaire dans lequel tenait la vedette un acteur non moins légendaire.

TECHNIQUE

La scène du célèbre film The Great Escape de 1963 dans laquelle Steve McQueen – ou plutôt sa doublure – effectue un spectaculaire saut au-dessus d'une clôture de fils barbelés, aux commandes d'une Triumph TR6C, est certainement l'une des plus mémorables de l'histoire de la moto au cinéma. Avec ses pneus à larges crampons, ses roues à rayons, son double échappement haut, sa selle plate et ses protecteurs de fourche en accordéon, la nouvelle Scrambler ramène cette fameuse Triumph à la vie.

LA SCRAMBLER EST LA RÉINCARNATION DE LA TRIUMPH TR6C PILOTÉE PAR STEVE MCQUEEN DANS LE FILM *THE GREAT ESCAPE*.

Selon les dires du constructeur de Hinckley, la nouveauté est destinée, pour commencer, au motocycliste ayant été profondément imprégné de ce genre de style durant sa jeunesse et qui désirera très probablement retourner dans le temps pour visiter ces souvenirs en acquérant une Scrambler. C'est d'ailleurs, soit dit en passant, exactement le jeu de la Bonneville et de la Thruxton. Mais il est intéressant de noter que Triumph croit également qu'une clientèle beaucoup plus diverse s'ajoutera à la liste d'acheteurs de Scrambler. Il s'agit d'individus ayant possiblement déjà roulé à moto à un plus jeune âge, ou ayant toujours voulu rouler à moto sans jamais l'avoir fait. Selon Triumph, ces gens ne souhaiteraient que la promenade la plus simple qui soit. Aller vite ne les intéresserait pas plus que de se pavaner sur une custom et le constructeur compte sur les lignes d'époque et l'approche amicale de la Scrambler pour les convaincre de finalement succomber à la tentation.

La Scrambler est une variation sur le thème de la Bonneville lancée en 2001, exactement comme l'est la Thruxton. Alors que cette dernière prend le rôle de la moto de course des années 60, la Scrambler évoque plutôt un genre de motos tout usage et tout terrain très populaire durant les années 60 et 70. Notons que l'utilisation de pneus à gros crampons de type double-usage n'est toutefois que thématique et que les suspensions ne sont aucunement conçues pour supporter une conduite hors-route un tant soit peu intensive. Cela dit, il n'y a pas vraiment de raison pour que la Scrambler ne se débrouille pas décemment sur une route de terre ou de gravier.

La nouveauté reprend presque intégralement la plate-forme de la Bonneville. Tandis que le cadre et les suspensions sont essentiellement les mêmes, la version du Twin parallèle retenue dans ce cas par Hinckley est celle de 865 cc avec allumage à 270 degrés produisant 54 chevaux qui est également utilisée sur la Speedmaster. S'il existe des variantes plus puissantes du Twin anglais, celle-ci est en revanche la plus généreuse en ce qui concerne la livrée de couple à bas régime, ce qui, compte tenu des prestations de la Speedmaster, devrait se traduire par des performances certes pas électrisantes, mais sûrement exploitables dans le contexte de la conduite quotidienne. La position de conduite est semblable à celle de la Bonneville, ce qui laisse prévoir qu'à l'exception de légères différences amenées par le genre de pneus utilisé, la Scrambler aura un comportement routier sain très similaire à celui de la Bonneville, une caractéristique dont certainement personne n'aura à se plaindre.

AVEC SES PNEUS À LARGES CRAMPONS, SES ROUES À RAYONS, SON DOUBLE ÉCHAPPEMENT HAUT, SA SELLE PLATE ET SES PROTECTEURS DE FOURCHE EN ACCORDÉON, LA NOUVELLE SCRAMBLER ÉVOQUE DE FAÇON ÉTONNAMMENT FIDÈLE LA MOTO RENDUE CÉLÈBRE PAR LES STUDIOS D'HOLLYWOOD EN 1963.

Plus authentique qu'authentique

Si la Scrambler de série – disponible en rouge et blanc ou bleu et blanc – se veut déjà une interprétation extrêmement fidèle de la moto pilotée par le légendaire acteur Steve McQueen, les fanatiques du film *The Great Escape*, ou à tout le moins de l'ambiance qui entourait la moto à l'époque du film, pourront pousser l'illusion encore plus loin avec une foule d'accessoires proposés au catalogue Triumph. La moto ci-dessus est, par exemple, équipée d'une plaque protectrice pour le dessous du moteur, d'une grille de protection sur le phare avant, d'une selle solo et d'un porte-bagages, d'un guidon avec travers en mousse de type motocross et, enfin, d'une plaque à numéros. Pourquoi le numéro 278, demanderez-vous ? Certainement pas par hasard puisqu'il s'agit du numéro affiché sur la Triumph TR6C pilotée par Steve McQueen durant une rude compétition – l'International Six-Day Trials – tenue en Allemagne en 1964. Tout est dans les détails...

Rapport Valeur/Prix

Vitesse de pointe 168 km/h

Index d'expérience: Novice Intermédiaire Expert

Accélération sur 1/4 mille 13,6 s à 157 km/h

Voir légende page 7

Performances estimées

Général

Catégorie	Standard
Prix	11 599 $
Garantie	2 ans/kilométrage illimité
Couleur(s)	bleu et blanc, rouge et blanc
Concurrence	aucune

Partie cycle

Type de cadre	double berceau, en acier
Suspension avant	fourche conventionnelle de 41 non ajustable
Suspension arrière	2 amortisseurs ajustables en précharge
Freinage avant	1 disque de 310 mm de Ø avec étrier à 2 pistons
Freinage arrière	1 disque de 255 mm de Ø avec étrier à 2 pistons
Pneus avant/arrière	100/90 R19 & 130/80 R17
Empattement	1 500 mm
Hauteur de selle	825 mm
Poids à vide	205 kg
Réservoir de carburant	16,6 litres

Moteur

Type	bicylindre parallèle 4-temps, DACT, 4 soupapes par cylindre, refroidissement par air
Alimentation	2 carburateurs à corps de 36 mm
Rapport volumétrique	9,2:1
Cylindrée	865 cc
Alésage et course	90 mm x 68 mm
Puissance	54 ch @ 7 000 tr/min
Couple	51 lb-pi @ 5 000 tr/min
Boîte de vitesses	5 rapports
Transmission finale	par chaîne
Révolution à 100 km/h	environ 3 900 tr/min (est.)
Consommation moyenne	5,7 l/100 km (est.)
Autonomie moyenne	280 km (est.)

Conclusion

Il est très probable que dans plusieurs cas, la motivation derrière l'achat d'une Scrambler sera une affaire d'émotions et de sentiments de nostalgie. C'est du moins ce que Triumph espère et très franchement, compte tenu de la fidélité et du bon goût des lignes de la nouveauté, nous serons les derniers à en douter. D'un point de vue plus terre-à-terre, la Scrambler s'annonce comme une plaisante et pratique petite moto à tout faire, comme l'est d'ailleurs la Bonneville. Le choix de la mécanique moins puissante mais plus coupleuse est à notre avis judicieux puisqu'il collera parfaitement avec la vocation utilitaire de cette plus récente manière qu'à trouvé Triumph de capitaliser sur sa riche et dense histoire.

QUOI DE NEUF EN 2006 ?

- **Nouveau modèle basé sur la Bonneville**

PAS MAL

- **Un thème visuel exquis qui reprend avec une fidélité exceptionnelle le style, les proportions et les détails des Triumph d'il y a 40 ans, comme le font d'ailleurs aussi brillamment les Bonneville et Thruxton**
- **Un choix de mécanique judicieux puisqu'il s'agit du même Twin au caractère coupleux que celui de la Speedmaster**
- **Un comportement qu'il n'est pas difficile de prévoir sain et facile d'accès puisque la Scrambler est essentiellement une Bonneville déguisée**

BOF

- **Un prix qui n'est pas exagéré, mais qui n'est pas faible non plus; il est vrai qu'on ne peut pour l'instant acheter une moto de ce style ailleurs, d'où la possibilité pour Triumph d'en demander ce prix, mais le fait est qu'un tel montant achète aussi des motos beaucoup plus évoluées**
- **Un niveau de sensations pour lequel les Twin anglais sont reconnus pour être avares; celui-ci sera-t-il différent ?**
- **Des performances qu'on attend utilisables, mais certainement pas extraordinaires**

TRIUMPH **THRUXTON**

Quand revit le passé...

Construire une moto comme la Thruxton avec un minimum de crédibilité n'est pas donné à tous les manufacturiers. Avec Harley-Davidson, Triumph est peut-être même bien parmi les seuls à en avoir le pouvoir moral. Contrairement à la défunte Thunderbird Sport qui n'avait de rétro que le thème, la Thruxton est un Café Racer dans le sens le plus pur du terme. Grâce à ses proportions minimalistes et à sa sympathique silhouette d'antan, elle nous ramène à la Belle Époque. Depuis qu'elle fut introduite en 2004, la Thruxton n'a pas subi le moindre changement. Son bicylindre parallèle de 865 cc prend petit à petit la place du 790 cc sur les autres Triumph à deux cylindres.

Certaines motos existent pour rouler longtemps et loin, d'autres pour aller vite, vite, vite. La Thruxton, elle, n'existe que parce que le passé a eu lieu, et qu'il a au passage marqué plusieurs individus aujourd'hui âgés dans la cinquantaine. Pour cause, ne cherchez rien de familier ou dans ses lignes ou dans sa conduite, ce serait en vain puisqu'elle est unique. Cette individualité d'exécution, on la remarque dès l'instant où l'on y prend place. C'est d'abord l'étonnante fidélité avec laquelle la Thruxton respecte les proportions qui étaient courantes il y a un demi-siècle – mais qui sont aujourd'hui minuscules – qui attire l'attention. Prenez place sur sa selle basse mais étroite et mince et la moto tout entière ne vous semble pas plus large que le pneu avant. On n'est pas bien loin de la réalité puisqu'à l'exception du réservoir, des silencieux de style mégaphone et des couvercles latéraux de la mécanique, rien n'est plus large que la fourche. La position de conduite est à peu près aussi inhabituelle que les proportions puisqu'elle vous penche considérablement vers l'avant et vous lève les pieds en l'air, en plus de vous placer les mains étrangement rapprochées, sur des poignées qui pointent bizarrement vers l'arrière et vers le bas. On s'y fait, mais ce n'est décidément pas commun comme posture.

À L'EXCEPTION DU RÉSERVOIR, DES SILENCIEUX ET DES COUVERCLES DU BICYLINDRE, RIEN N'EST PLUS LARGE QUE LA FOURCHE.

Malgré le fait qu'il dispose de 865 cc, le bicylindre parallèle se montre timide autant dans ses performances qu'au niveau de son caractère. Livrant sa puissance de façon très linéaire, il génère des accélérations modestes à bas régime, décentes au milieu, puis qui s'intensifient ensuite à mesure que les tours montent. Comme le Twin parallèle se montre surtout doux jusqu'à 5 000 tr/min, mais qu'il s'agite par la suite jusqu'à devenir considérablement vibreux à l'approche de la zone rouge de 7 500 tr/min, on préfère généralement garder des tours plus bas et n'avoir recours aux régimes élevés qu'occasionnellement. La Thruxton n'est pas lente, mais elle demande du pilote qu'il ne soit pas trop gourmand en chevaux pour apprécier l'expérience.

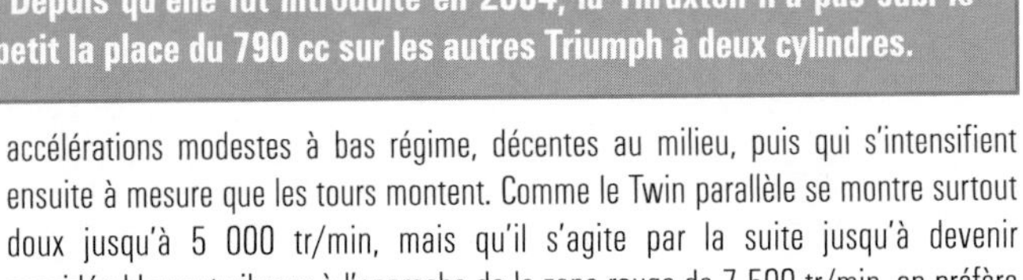

Le faible effet de levier généré par ses poignées rapprochées rend la Thruxton assez lourde à lancer dans une courbe ou à faire basculer rapidement d'un angle à l'autre, et ce, malgré son poids modéré. Ce n'est pas désagréable puisque ça donne l'impression d'avoir à travailler un peu pour manier la moto, un contraste par rapport à plusieurs machines récentes qui semblent se piloter toutes seules. La Thruxton se montre solide et neutre en courbe, tandis que sa stabilité est sans reproche, même à vitesse élevée.

Si elle a une gueule sympathique et qu'elle offre décidément une expérience de pilotage inhabituelle, la Thruxton n'est en revanche pas un exemple de confort. La suspension arrière est simpliste et se montre rude sur une route en mauvais état, un fait que la dureté de la selle n'améliore pas. Ce n'est pas pire qu'une sportive pointue, mais ce n'est rien pour rendre intéressante une balade allongée.

Général

Catégorie	Standard
Prix	11 999 $
Garantie	2 ans/kilométrage illimité
Couleur(s)	noir, bleu, jaune
Concurrence	aucune

Partie cycle

Type de cadre	double berceau, en acier
Suspension avant	fourche conventionnelle de 41 mm ajustable en précharge
Suspension arrière	2 amortisseurs ajustables en précharge
Freinage avant	1 disque de 320 mm de Ø avec étrier à 2 pistons
Freinage arrière	1 disque de 255 mm de Ø avec étrier à 2 pistons
Pneus avant/arrière	100/90 R18 & 130/80 R17
Empattement	1 490 mm
Hauteur de selle	790 mm
Poids à vide	205 kg
Réservoir de carburant	16,6 litres

Moteur

Type	bicylindre parallèle 4-temps, DACT, 4 soupapes par cylindre, refroidissement par air
Alimentation	2 carburateurs à corps de 36 mm
Rapport volumétrique	9,2:1
Cylindrée	865 cc
Alésage et course	90 mm x 68 mm
Puissance	69 ch @ 7 200 tr/min
Couple	53 lb-pi @ 6 400 tr/min
Boîte de vitesses	5 rapports
Transmission finale	par chaîne
Révolution à 100 km/h	environ 3 900 tr/min
Consommation moyenne	5,7 l/100 km
Autonomie moyenne	280 km

Conclusion

Pour aimer et apprécier la Thruxton, il faut comprendre la Thruxton. Et pour comprendre la Thruxton, il faut avoir envie de revivre la façon dont on pilotait une moto il y a un demi-siècle. Analysée froidement, il s'agit d'une moto relativement lente, étonnement lourde de direction pour de telles proportions, vibreuse à haut régime et inconfortable. Mais c'est aussi ce qu'étaient les motos d'époque, ou du moins comment on les percevrait si on les pilotait aujourd'hui. Elle s'adresse au motocycliste qui désire revenir dans le temps et rouler comme on roulait jadis, mais sans pour autant avoir à se taper tous les tracas d'une antiquité restaurée.

QUOI DE NEUF EN 2006 ?

- **Aucun changement**
- **Aucune augmentation de prix**

PAS MAL

- **Un thème de sportive d'antan admirablement bien reproduit, autant dans les lignes que dans les proportions**
- **Un comportement routier qui n'a rien de vieux puisque le comportement en courbe est propre et que la stabilité n'attire aucune critique**
- **Un bicylindre très doux à bas et moyen régimes, même s'il devient vibreux ensuite**

BOF

- **Un niveau de confort faible en raison des poignées basses, de la suspension arrière qui se montre souvent rude et de la selle étroite et dure**
- **Des performances qui n'ont rien de palpitant; la Thruxton ne satisfera pas les amateurs d'accélérations**
- **Une mécanique au caractère timide, partiellement en raison du murmure étouffé des silencieux**

TRIUMPH

TRIUMPH BONNEVILLE T100

Authentique anglaise...

Il faut être fin connaisseur de deux-roues britanniques d'époque pour arriver à distinguer d'un simple coup d'oeil une Bonneville actuelle d'un modèle vieux de 40 ans, un fait illustrant très bien à quel point Triumph s'est appliqué à respecter le modèle original lorsqu'il s'est décidé à élaborer la réplique moderne. Propulsée par un bicylindre parallèle de 790 cc au début, la Bonneville s'est vu offrir une version de cette mécanique gonflée à 865 cc à l'occasion des célébrations du centième anniversaire du constructeur, en 2002. Nommée T100, cette version est en 2006 la seule à être importée au pays.

Entre le moment où l'industriel britannique John Bloor racheta les droits de la marque Triumph et celui où la marque de Hinckley revint à ses racines en commercialisant la version moderne de la célèbre Bonneville en 2001, presque deux décennies s'étaient écoulées.

En effet, après que l'usine originale eut fermé ses portes en 1983, la compagnie se remit à produire des motos au début des années 90, mais celles-ci n'avaient strictement rien à voir avec les Triumph d'époque. Pas moins de 10 ans sont ensuite passés avant que le constructeur introduise enfin la monture que plusieurs nostalgiques n'en pouvaient plus d'attendre : la Bonneville. Véritable réplique des mythiques montures anglaises, mince, simple et propulsée par un bicylindre parallèle ressemblant à s'y méprendre aux modèles des années 60, la Bonneville était de retour. Même si cette dernière reproduit de façon étonnamment fidèle le style original, elle est bâtie avec des composantes modernes et utilise une mécanique expressément conçue pour cette utilisation. Il s'agit d'un moteur relativement peu puissant, avec ses quelques 66 chevaux, et dont la vocation n'est pas d'exciter, mais plutôt de satisfaire, ce qu'il accomplit quand même décemment. Il est très silencieux et étonnamment doux, au point que ses vibrations sont presque imperceptibles une fois en route. Certains motocyclistes apprécieront une telle tranquillité, mais à n'en pas douter, d'autres souhaiteront vivre un contact plus intime avec la mécanique.

LA BONNEVILLE RESSEMBLE À S'Y MÉPRENDRE AUX MODÈLES ORIGINAUX DES ANNÉES 60.

En fait, ces derniers devraient s'estimer heureux puisque la version de 865 cc du bicylindre qui propulse la T100, le seul modèle offert cette année, représente une amélioration notable sur la version de 790 cc au chapitre des performances comme à celui des sensations mécaniques.

Comme c'est le cas pour la mécanique, le cadre à double berceau de la Bonneville reste moderne et solide même s'il est dessiné de façon à ne pas entrer en conflit avec le style d'époque recherché par Triumph. Même si les éléments de suspension sont plutôt rudimentaires, l'ensemble reste assez rigide pour permettre un comportement routier solide et relativement précis. La Bonneville ne louvoie en virage que si on exagère, et reste autrement assez facile à lancer en courbe et très saine lorsqu'elle est inclinée. Basse, mince et légère, il s'agit d'une petite moto très facile d'accès qui démontre une bonne maniabilité dans les situations serrées de la conduite urbaine. On ne jouera évidemment pas les Daytona sur une route sinueuse, mais tous les ingrédients sont là pour quand même arriver à s'amuser.

La position de pilotage de la Bonneville est typique d'une machine de style standard puisqu'elle offre amplement de dégagement pour les jambes et laisse le dos droit. Comme la selle n'est pas mauvaise et que les suspensions accomplissent décemment leur travail, le confort est acceptable.

Rapport Valeur/Prix

Vitesse de pointe	Index d'expérience	Accélération sur 1/4 mille
160 km/h	Novice Intermédiaire Expert	13,9 s à 151 km/h

Voir legende page 7

Général

Catégorie	Standard
Prix	11 299 $
Garantie	2 ans/kilométrage illimité
Couleur(s)	orange et blanc, noir et rouge
Concurrence	aucune

Partie cycle

Type de cadre	double berceau, en acier
Suspension avant	fourche conventionnelle de 41 mm non ajustable
Suspension arrière	2 amortisseurs ajustables en précharge
Freinage avant	1 disque de 310 mm de Ø avec étrier à 2 pistons
Freinage arrière	1 disque de 255 mm de Ø avec étrier à 2 pistons
Pneus avant/arrière	100/90 R19 & 130/80 R17
Empattement	1 500 mm
Hauteur de selle	775 mm
Poids à vide	205 kg
Réservoir de carburant	16,6 litres

Moteur

Type	bicylindre parallèle 4-temps, DACT, 4 soupapes par cylindre, refroidissement par air
Alimentation	2 carburateurs à corps de 36 mm
Rapport volumétrique	9,2:1
Cylindrée	865 cc
Alésage et course	90 mm x 68 mm
Puissance	66 ch @ 7 200 tr/min
Couple	52 lb-pi @ 6 000 tr/min
Boîte de vitesses	5 rapports
Transmission finale	par chaîne
Révolution à 100 km/h	environ 3 700 tr/min
Consommation moyenne	5,0 l/100 km
Autonomie moyenne	332 km

Conclusion

Comme la Thruxton et la nouvelle Scrambler, la Bonneville n'a pas d'équivalent sur le marché actuel. Kawasaki a bien importé une W650 fort réussie il y quelques années – c'était d'ailleurs non seulement une concurrente, mais carrément une copie de la Bonneville –, mais à cette exception près, l'anglaise est la seule du genre. Sa mission, tout comme celle des modèles énumérés plus tôt, est de ramener les intéressés à une époque à laquelle on considérait ces montures comme des sportives, rien de moins. La Bonneville y parvient non seulement de brillante manière grâce à des proportions et une ligne absolument fidèles, mais aussi en faisant preuve d'un comportement sain et facile à vivre qui est certainement en partie responsable de l'amour que les amateurs du modèle lui vouent.

QUOI DE NEUF EN 2006 ?

- Version à moteur de 790 cc n'est plus importée au Canada
- Aucun changement
- Aucune augmentation de prix

PAS MAL

- Un style étonnamment fidèle aux Triumph de la Belle Époque; même les connaisseurs s'y méprennent
- Un bon niveau de fonctionnalité qui en fait plus qu'une réplique, mais aussi une bonne petite moto à tout faire
- Un bon niveau de confort amené par une position de conduite équilibrée et des suspensions assez souples

BOF

- Des performances plutôt ordinaires qui arrivent à satisfaire, mais certainement pas à exciter
- Une mécanique avare en sensations puisqu'elle est particulièrement douce et très silencieuse
- Un prix quand même élevé pour ce qu'on achète d'autre que la ligne nostalgique

Croissance...

Une nouveauté pour 2006, le GTS de 250 cc se veut le modèle le plus gros et le plus puissant de la longue histoire du constructeur italien. Basé sur le Granturismo de 200 cc, qui demeure toujours disponible, il diffère de se dernier au niveau de sa selle de dimensions plus généreuse, de la présence d'un porte-bagages et de quelques détails d'ordre visuel.

TECHNIQUE

La tendance qui pousse la cylindrée des motos à grossir sans cesse se retrouve aussi chez les scooters, comme en témoignent d'ailleurs les nombreuses études de style récemment réalisées autour du thème du scooter géant. Chez Vespa, où la plus grosse cylindrée était jusqu'à l'an dernier de l'ordre de 200 cc, on n'échappe pas à cette tendance, dont le résultat est l'arrivée en 2006 d'une variante du Granturismo appellée GTS. Les deux modèles partagent le même châssis monocoque en acier, mais le GTS dispose de suspensions un peu plus évoluées. D'une façon générale, le GTS peut être perçu comme une version considérablement plus moderne du Granturismo. Son instrumentation avec panneau d'information à cristaux liquides est un exemple de ce fait, mais c'est « sous le capot » que se trouvent les différences les plus importantes. La nouveauté bénéficie d'une alimentation par injection là où le Granturismo utilise encore un carburateur, une technologie qui lui permet de se conformer aux sévères normes Euro 3. Un accroissement de 11,4 mm de la course du piston fait passer la cylindrée de 198 cc à 244 cc, ce qui ne se traduit pas par des gains majeurs au niveau du couple et de la puissance, mais qui devrait assurément permettre au GTS de se montrer plus rapide à l'accélération et plus vivant en reprise, des avantages d'une importance extrême sur des véhicules aussi limités en termes de performances. À ce chapitre, le constructeur annonce une vitesse de pointe à peine supérieure à celle du Granturismo, qui devrait toutefois logiquement être atteinte plus vite.

VESPA GRANTURISMO ET GTS

Général

Catégorie	Scooter
Prix	6 899 $ (7 499 $)
Garantie	1 an/kilométrage illimité
Couleur(s)	vert, anthracite (rouge, gris, brun)
Concurrence	Honda Reflex

Moteur

Type	monocylindre 4-temps, SACT, 4 soupapes, refroidissement par liquide
Alimentation	1 carburateur à corps de 30 mm (injection)
Rapport volumétrique	11:1
Cylindrée	198 (244) cc
Alésage et course	72 mm x 48,6 (60) mm
Puissance	21 (22) ch @ 8 500 (8 250) tr/min
Couple	12,9 (14,9) lb-pi @ 6 500 tr/min
Boîte de vitesses	automatique
Transmission finale	par courroie

Partie cycle

Type de cadre	monocoque, en acier
Suspension avant	fourche monobranche à bras articulé non ajustable
Suspension arrière	2 amortisseurs ajustables en préchagre
Freinage avant	1 disque de 220 mm de Ø avec étrier à 2 pistons
Freinage arrière	1 disque de 220 mm de Ø avec étrier à 2 pistons
Pneus avant/arrière	120/70-12 & 130/70-12
Empattement	1 395 mm
Hauteur de selle	790 mm
Poids à vide	138 (148) kg
Réservoir de carburant	10 litres

NOUVEAUTÉ 2006 VESPA LX50 ET LX150

Général

Catégorie	Scooter
Prix	4 399 $ (5 699 $)
Garantie	1 an/kilométrage illimité
Couleur(s)	mauve, rouge, gris
Concurrence	LX50 : tous les scooters 50 cc LX150 : Yamaha Vino 125

Moteur

Type	monocylindre 4-temps, SACT, 2 soupapes refroidissement par air forcé
Alimentation	1 carburateur
Rapport volumétrique	n/d
Alésage et course	39 (62,8) mm x 41,8 (48,6) mm
Cylindrée	49,4 (150) cc
Puissance	4,2 (11,7) ch
Couple	2,58 (8,5) lb-pi @ 6 500 (6 000) tr/min
Boîte de vitesses	automatique
Transmission finale	par courroie

Partie cycle

Type de cadre	monocoque, en acier
Suspension avant	fourche monobranche à bras articulé non ajustable
Suspension arrière	monoamortisseur non ajustable
Freinage avant	1 disque de 200 mm de Ø avec étrier à 2 pistons
Freinage arrière	tambour mécanique de 110 mm de Ø
Pneus avant/arrière	110/70-11 & 120/70-10
Empattement	1 280 mm
Hauteur de selle	775 mm
Poids à vide	102 (111) kg
Réservoir de carburant	8,6 litres

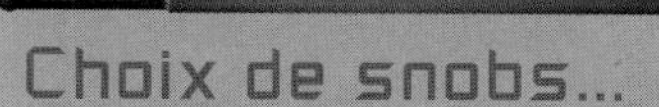

Rapport Valeur/Prix

Vitesse de pointe 62/95 km/h

Index d'expérience: Novice Intermédiaire Expert

Accélération sur 1/4 mille

Choix de snobs...

En chiffres romains, LX signifie 60, et en 2006, Vespa fête ses 60 ans. Telle est la logique derrière l'adoption du nom des LX50 et LX150 qui viennent prendre la place des anciens ET2 et ET4, deux des modèles les plus populaires de l'histoire du constructeur italien. À l'exception de la différence de cylindrée de leur monocylindre 4-temps, les deux LX sont en tous points identiques.

On peut difficilement saisir l'intérêt d'un scooter de plus ou moins 150 cc sans l'avoir roulé dans son contexte de prédilection : la jungle urbaine. Casque ouvert, lunettes fumées et omniprésence de l'arôme monoxidocarbonique de tout centre-ville qui se respecte. Telles sont les circonstances dans lesquelles un LX150 exhibe l'aisance d'un poison dans l'eau. Plein gaz à la tombée du feu vert, le gros LX vous laisse assez facilement dire au revoir aux Accent et autres Echo de ce monde. Vous atteignez les 80 km/h sans peiner le moindrement, et même 90km/h, puis 100 km/h. Trouvez un tunnel, faites vous petit, et une dizaine de kilomètres heure en plus n'est pas hors de question. Si un tel niveau de performances s'avère tout juste suffisant dans un contexte campagnard, en pleine ville, il est tout ce dont on a besoin. En trichant un peu à gauche et à droite, on arrive même à traverser la ville en bien moins de temps qu'on ne le ferait en bagnole, ce qui illustre bien à quel point le genre de mobilité proposée suffit. C'est toutefois tout le contraire dans le cas du modèle de 50 cc qui est particulièrement léthargique, tout comme la plupart des autres scooters de cette cylindrée à moteur 4-temps, d'ailleurs. Ça bouge et on finit par arriver à destination, mais on est très loin du plaisir apporté par le 150. Une légèreté de direction extrême caractérise le comportement du LX, dont les roues ne semblent pas générer la moindre force gyroscopique, tandis que les freins et les suspensions font un travail décent.

En raison de leur prix passablement élevé, les LX semblent destinés à attirer uniquement les fanatiques de la marque.

VICTORY **TOURING CRUISER**

Pas convaincante...

Avec ses 1 500 cc, une ligne visiblement datée et un prix de détail qui frôle celui d'une Yamaha Stratoliner de 1 900 cc, nous doutons beaucoup que ce soit grâce à la Touring Cruiser que les ventes du constructeur du Minnesota soient en hausse. Il s'agit de la seule survivante de la toute première génération de customs produite par Victory, en 1998.

Construire une custom de tourisme léger à partir d'un modèle déjà existant est une opération relativement simple qui n'implique généralement que la greffe d'une série d'accessoires, ce qui résume exactement comment la Touring Cruiser est née. Malgré la popularité toujours croissante de ce genre de moto, et malgré que, techniquement, la Touring Cruiser ne fait rien de vraiment mal, dans ce cas le résultat ne semble pas réussir à attirer des foules. C'est que le modèle ne fait rien non plus qui sorte de l'ordinaire. Par exemple, si le V-Twin est agréablement coupleux en bas et se montre plutôt en santé à haut régime, ni son rythme ni sa sonorité n'arrivent à stimuler les sens. L'équipement est intéressant puisqu'il inclut de rares valises rigides et un gros pare-brise, entre autres, mais ces valises ont une forme quelconque qui n'apporte rien de très excitant au style déjà fade de la moto. Quant au pare-brise, s'il est généreux dans ses proportions, il crée de la turbulence au niveau du casque. On obtient donc une custom relativement performante et bien équipée, mais qui n'arrive pas à exciter le regard, dont la mécanique n'est pas très caractérielle et dont l'équipement n'est pas toujours efficace. À plus de 20 000 $ pour la version noire – passablement plus avec les options de couleurs et de roues –, le prix semble même exagérément gonflé. La seule conclusion possible est que, tant que Victory ne s'attardera pas à faire évoluer le modèle – ce qui devrait logiquement se produire dans un avenir rapproché –, les raisons d'en considérer l'acquisition semblent essentiellement inexistantes.

Général

Catégorie	Tourisme léger
Prix	20 329 $
Garantie	1 an/kilométrage illimité
Couleur(s)	noir (autres couleurs optionnelles)
Concurrence	Harley-Davidson Electra Glide Standard, Road King et Road Glide, Kawasaki Vulcan 1600 Nomad, Yamaha Royal Star Tour Deluxe, Road Star Midnight Silverado et Stratoliner

Moteur

Type	bicylindre 4-temps en V à 50 degrés (Freedom 92/5), SACT, 4 soupapes par cylindre, refroidissement par air et huile
Alimentation	injection à 2 corps de 44 mm
Rapport volumétrique	9,2:1
Cylindrée	1 507 cc
Alésage et course	97 mm x 102 mm
Puissance	81 ch @ 5 500 tr/min
Couple	92 lb-pi @ 3 300 tr/min
Boîte de vitesses	5 rapports
Transmission finale	par courroie

Partie cycle

Type de cadre	double berceau, en acier
Suspension avant	fourche conventionnelle de 45 mm non ajustable
Suspension arrière	monoamortisseur ajustable en précharge
Freinage avant	2 disques de 300 mm de Ø avec étriers à 4 pistons
Freinage arrière	1 disque de 300 mm de Ø avec étrier à 2 pistons
Pneus avant/arrière	MT90 B16 & 160/80 B16
Empattement	1 666 mm
Hauteur de selle	720 mm
Poids à vide	327 kg
Réservoir de carburant	19 litres

Jackpot

VICTORY VEGAS

Général

Catégorie	Custom
Prix	17 699 $ (8-Ball); 20 349 $ (Vegas); 22 749 $ (Jackpot)
Garantie	1 an/kilométrage illimité
Couleur(s)	noir (Vegas et Jackpot : autres couleurs optionnelles)
Concurrence	toutes les customs Harley de 1 450 cc, Kawasaki Mean Streak, Vulcan 1500 et 1600 Classic, Suzuki Boulevard C90, Yamaha Road Star et Roadliner

Moteur

Type	bicylindre 4-temps en V à 50 degrés (Freedom 100/6), SACT, 4 soupapes par cylindre, refroidissement par air et huile
Alimentation	injection à 2 corps de 44 mm
Rapport volumétrique	9,8:1
Cylindrée	1 634 cc
Alésage et course	101 mm x 102 mm
Puissance	89 ch @ 5 500 tr/min
Couple	112 lb-pi @ 3 300 tr/min
Boîte de vitesses	6 rapports
Transmission finale	par courroie

Partie cycle

Type de cadre	double berceau, en acier
Suspension avant	fourche conventionnelle de 43 mm non ajustable
Suspension arrière	monoamortisseur ajustable en précharge
Freinage avant	1 disque de 300 mm de Ø avec étrier à 4 pistons
Freinage arrière	1 disque de 300 mm de Ø avec étrier à 2 pistons
Pneus avant/arrière	80/90-21 & 180/55 B18 (Jackpot : 250/40 R18)
Empattement	1 690 (Jackpot : 1 684) mm
Hauteur de selle	673 (Jackpot : 663) mm
Poids à vide	292 kg
Réservoir de carburant	17 litres

Rapport Valeur/Prix

Bonne direction...

Les customs Victory ont longtemps semblé se chercher une identité, n'ayant apparemment rien d'autre à vendre que leur origine américaine. Mais voilà qu'en 2006, les Vegas gagnent toutes la mécanique de 100 pouces cubes introduite sur la Hammer l'an dernier, et que la Jackpot, une nouveauté, propose la populaire caractéristique qu'est un massif pneu arrière de 250 mm. Il y a de l'espoir !

TECHNIQUE

Lorsqu'on demande une vingtaine de milliers de dollars pour une custom, mieux vaut avoir quelque chose de substantiel à vendre. Chez Harley, on comprend qu'on paie pour un nom, chez Kawasaki (Vulcan 2000 Classic) pour du cubage monstre et chez Yamaha (Roadliner) pour un ensemble très impressionnant. Et chez Victory, on paie 20 000 $ pour quoi ? Jusqu'à tout récemment, la réponse était vague, mais voilà que petit à petit le constructeur du Minnesota semble vouloir trouver sa direction et se créer une niche. Il y eut d'abord la Vegas et sa ligne propre. Un bon départ. Puis arriva la Hammer avec son massif pneu arrière de 250 mm et sa mécanique de 100 pouces cubes (1 634 cc). De mieux en mieux. Et voilà maintenant, en 2006, que Victory laisse toutes les Vegas profiter du nouveau V-Twin. Notons que seule la 8-Ball continue d'utiliser la transmission à 5 rapports. Mais la grosse nouvelle est l'arrivée de la Jackpot, une variante du thème de la Vegas à laquelle on a greffé le spectaculaire train arrière de la Hammer. À près de 23 000 $ pour une Jackpot noire, on n'est certes pas au rayon des aubaines, mais il faut savoir que de plus en plus de motocyclistes investissent des sommes substantielles afin d'installer ce genre de pneu ultra-large sur leur moto. Pour cette catégorie d'amateurs, l'achat d'une Victory aux lignes sympathiques, livrée de série avec une telle caractéristique pourrait commencer à avoir du bon sens.

VICTORY KINGPIN

Classique façon Minnesota...

La Kingpin est une rafraîchissante variante du thème de la custom classique aux formes rondes et sympathiques telle que vue par Victory. Propulsée en 2006 par l'ensemble du V-Twin de 100 pouces cubes et de la transmission à 6 rapports introduit l'an dernier sur la Hammer, elle est également disponible en version Deluxe équipée pour le tourisme léger.

TECHNIQUE

S'il faut avouer que la filiale du géant Polaris qu'est Victory a joliment trouvé le moyen de distinguer le style de ces motos de celui des célèbres machines de Milwaukee, certaines pratiques de mise en marché, elles, continuent de se ressembler beaucoup. Par exemple, Harley-Davidson est bien connu pour la démultiplication d'une même plateforme en de nombreux modèles. Le principe utilisé par Victory pour développer sa Kingpin est identique puisqu'il s'agit d'une Vegas accessoirisée. La Kingpin utilise une fourche inversée plutôt que conventionnelle et une roue avant de 18 pouces plutôt que 21 pouces. Le style différent est surtout dû aux garde-boue aussi généreux qu'élancés qui contrastent non seulement avec les lignes plus sobres de ceux de la Vegas, mais aussi avec le populaire style classique qu'est celui d'une Fat Boy ou d'une Heritage Softail. Le cadre à double berceau est identique à celui de la Vegas, et tout comme cette dernière, la Kingpin reçoit en 2006 la combinaison 100 pouces cubes et 6 vitesses introduite l'an dernier sur la Hammer. Quant à la version Deluxe, il s'agit de la typique custom à laquelle un gros pare-brise, une paire de sacoches latérales, des plateformes et un dossier de passager ont été greffés afin d'en faire une monture de tourisme léger. Notons que Victory met l'accent depuis plusieurs années sur des programmes assez élaborés de personnalisation afin de proposer un grand choix de finis.

Général

Catégorie	Custom
Prix	20 679 $
Garantie	1 an/kilométrage illimité
Couleur(s)	noir (autres couleurs optionnelles)
Concurrence	toutes les customs Harley de 1 450 cc, Kawasaki Mean Streak, Vulcan 1500 et 1600 Classic, Suzuki Boulevard C90, Yamaha Road Star et Roadliner

Moteur

Type	bicylindre 4-temps en V à 50 degrés (Freedom 100/6), SACT, 4 soupapes par cylindre, refroidissement par air et huile
Alimentation	injection à 2 corps de 44 mm
Rapport volumétrique	9,8:1
Cylindrée	1 634 cc
Alésage et course	101 mm x 102 mm
Puissance	89 ch @ 5 500 tr/min
Couple	112 lb-pi @ 3 300 tr/min
Boîte de vitesses	6 rapports
Transmission finale	par courroie

Partie cycle

Type de cadre	double berceau, en acier
Suspension avant	fourche inversée de 43 mm non ajustable
Suspension arrière	monoamortisseur ajustable en précharge
Freinage avant	1 disque de 300 mm de Ø avec étrier à 4 pistons
Freinage arrière	1 disque de 300 mm de Ø avec étrier à 2 pistons
Pneus avant/arrière	130/70-18 & 180/55 B18
Empattement	1 690 mm
Hauteur de selle	673 mm
Poids à vide	290 kg
Réservoir de carburant	17 litres

VICTORY **HAMMER**

Général

Catégorie	Custom
Prix	22 149 $
Garantie	1 an/kilométrage illimité
Couleur(s)	noir (autres couleurs optionnelles)
Concurrence	Harley-Davidson V-Rod, Yamaha Road Star Warrior

Moteur

Type	bicylindre 4-temps en V à 50 degrés (Freedom 100/6), SACT, 4 soupapes par cylindre, refroidissement par air et huile
Alimentation	injection à 2 corps de 44 mm
Rapport volumétrique	9,8:1
Cylindrée	1 634 cc
Alésage et course	101 mm x 102 mm
Puissance	89 ch @ 5 500 tr/min
Couple	112 lb-pi @ 3 300 tr/min
Boîte de vitesses	6 rapports
Transmission finale	par courroie

Partie cycle

Type de cadre	double berceau, en acier
Suspension avant	fourche inversée de 43 mm non ajustable
Suspension arrière	monoamortisseur ajustable en précharge
Freinage avant	2 disques de 300 mm de Ø avec étriers à 4 pistons
Freinage arrière	1 disque de 300 mm de Ø avec étrier à 2 pistons
Pneus avant/arrière	130/70 R18 & 250/40 R18
Empattement	1 669 mm
Hauteur de selle	669 mm
Poids à vide	299 kg
Réservoir de carburant	17 litres

Bon filon...

En présentant sa Hammer l'an dernier, Victory a probablement mis en marché la moto la plus significative de sa courte histoire. Car jamais avec elle un modèle du constructeur américain n'avait attiré autant d'attention. Dessinée avec goût et distinction, propulsée par un moteur avec des poumons de dimensions décentes, la Hammer impressionnait surtout par son gros pneu arrière de 250 mm.

TECHNIQUE

À la base, une Hammer est une proche parente d'une Vegas et d'une Kingpin. La mécanique utilisée est un V-Twin que Victory a baptisé Freedom 100/6 en raison de sa cylindrée de 100 pouces cubes, ou 1 634 cc, et de sa transmission à 6 rapports, une rareté chez les customs. Introduite l'an dernier sur la Hammer, cette mécanique est d'ailleurs aussi utilisée en 2006 sur la Vegas et la Kingpin, ce qui démontre la rapidité d'exécution du manufacturier lorsqu'il flaire qu'une direction semble amener de l'intérêt à la marque. La même philosophie est, soit dit en passant, également responsable de l'adoption d'un large pneu de 250 mm sur la Vegas Jackpot cette année. Au niveau de la partie cycle, la Hammer reprend la fourche inversée de la Kingpin, mais se distingue par son frein avant à disque double. L'attrait principal du modèle est, sans l'ombre d'un doute, la massive roue arrière de 8,5 pouces sur laquelle est monté un éléphantesque pneu de 250 mm. Il faut en voir une en chair et en os pour réaliser à quel point l'effet est impressionnant et réussi. À plus de 22 000 $, la Hammer n'est certainement pas bon marché, mais pour les motocyclistes qui doivent absolument posséder une moto avec un tel train arrière et qui investissent souvent de lourdes sommes dans la modification d'une Harley, ce genre de montant n'est pas du tout effrayant. S'il est une caractéristique qui commence à justifier le prix de la Hammer, c'est celle-là.

Royal Star Venture

YAMAHA ROYAL STAR VENTURE

Custom de tourisme...

Trop chère et sous motorisée, la Royal Star originale de 1996 ne fut certainement pas le plus grand succès commercial de la marque aux trois diapasons. Le modèle a toutefois eu un rôle important puisqu'il servit de base à l'élaboration de la seule moto de tourisme présente dans le catalogue Yamaha : la Venture. Propulsée par un V4 annoncé à tout près de 100 chevaux et disposant d'un cadre rigidifié par rapport à celui de la custom de 1996, la Venture se situe à mi-chemin entre une luxueuse et très équipée Gold Wing, et une bonne custom de tourisme léger comme la Royal Star Tour Deluxe. Elle fut lancée en 1999 et ne subit aucun changement en 2006.

Ce n'est pas devant une multitude de modèles que se retrouve le motocycliste désirant rouler sur une luxueuse machine de tourisme, car une fois l'option considérée des deux candidates évidentes, la BMW K1200LT et la Honda Gold Wing, les choix se font très minces. Entre les véritables Winnebago de la moto que sont ces dernières et les communes customs de tourisme léger – qui ne sont d'ailleurs pas de véritables montures de tourisme – se trouvent une poignée de modèles intermédiaires dont les Harley-Davidson Electra Glide Classic et Ultra Classic, et la Yamaha Royal Star Venture, qu'on pourrait décrire comme des customs de voyage. Dans ce petit groupe, la Yamaha se distingue surtout par son choix de motorisation, un V4 de 1,3 litre.

Il s'agit non seulement d'un moteur duquel émane une grondante sonorité qui garantit un charme bien particulier, mais aussi d'une mécanique plutôt puissante puisqu'elle libère tout près d'une centaine de chevaux. Cette puissance permet d'obtenir des performances intéressantes, surtout si on prend en considération celles des autres modèles de tourisme animés par un moteur bicylindre. Le V4 est nerveux dès les bas et moyens régimes et il permet d'accélérer franchement jusqu'aux derniers tours disponibles. Sa sonorité rauque et veloutée mérite d'être mentionnée puisqu'elle a une bonne part de responsabilité dans l'agrément de conduite qu'offre le modèle.

QUE CE SOIT DANS LES COURBES PRISES À GRANDE VITESSE OU EN LIGNE DROITE, LA STABILITÉ EST IRRÉPROCHABLE.

Depuis l'arrivée de la toute première version, les Royal Star ont toujours démontré une bonne tenue de route. La Venture profite d'un châssis plus rigide qui compense facilement l'excès de poids qu'elle affiche par rapport aux customs dont elle est dérivée. Que ce soit dans les courbes prises à grande vitesse ou en ligne droite, la stabilité est irréprochable alors que la direction s'avère agréablement légère et précise. À très basse vitesse ou lors de manœuvres à l'arrêt, le poids élevé demande une attention particulière. En conduite urbaine, le centre de gravité bas et la hauteur de la selle relativement faible facilitent les déplacements et les manoeuvres. Le comportement de la Venture dans les virages est solide; elle garde son cap de manière neutre et les imperfections de la route ne l'incommodent pas outre mesure. Le freinage est puissant et précis. Il serait néanmoins grand temps que Yamaha la munisse d'un système de freinage ABS.

Sur de longues distances, le pilote et son passager sont assurés d'être confortablement installés et de profiter des accessoires associés aux machines de tourisme. L'équipement fonctionnel est complet, la position de conduite est détendue et dégagée, la selle reste confortable pendant des heures, les suspensions s'en tirent avec une surprenante efficacité et la protection demeure excellente. La hauteur du pare-brise risque d'entraver la visibilité par temps pluvieux, car on doit regarder au travers plutôt qu'au-dessus. Enfin, la finition est irréprochable et la garantie de 5 ans est la meilleure de l'industrie.

Général

Catégorie	Tourisme de luxe
Prix	21 799 $ (Midnight : 22 399 $)
Garantie	5 ans/kilométrage illimité
Couleur(s)	bourgogne foncé (Midnight : noir)
Concurrence	BMW K1200LT, Harley-Davidson Electra Glide, Honda Gold Wing

Partie cycle

Type de cadre	double berceau, en acier
Suspension avant	fourche conventionnelle de 43 mm avec ajustement pneumatique
Suspension arrière	monoamortisseur avec ajustement pneumatique
Freinage avant	2 disques de 298 mm de Ø avec étriers à 4 pistons
Freinage arrière	1 disque de 320 mm de Ø avec étrier à 4 pistons
Pneus avant/arrière	150/80-16 & 150/90-15
Empattement	1 705 mm
Hauteur de selle	750 mm
Poids à vide	366 kg
Réservoir de carburant	22,5 litres

Moteur

Type	4-cylindres 4-temps en V à 70 degrés, DACT, 4 soupapes par cylindre, refroidissement par liquide
Alimentation	4 carburateurs à corps de 32 mm
Rapport volumétrique	10:1
Cylindrée	1 294 cc
Alésage et course	79 mm x 66 mm
Puissance	98 ch @ 6 000 tr/min
Couple	89 lb-pi @ 4 750 tr/min
Boîte de vitesses	5 rapports
Transmission finale	par arbre
Révolution à 100 km/h	environ 3 000 tr/min
Consommation moyenne	7,5 l/100 km
Autonomie moyenne	300 km

Conclusion

La Venture jouit de ce que bien peu de motos possèdent : l'exclusivité d'un concept. Positionnée quelque part entre les coûteux Winnebago de la classe et les Harley Electra Glide sous motorisées, la Venture propose le compromis d'un confort semblable à celui des premiers et d'un niveau de performances largement supérieur à celui des secondes. Le tout, fini de façon impeccable, est offert par Yamaha pour un prix raisonnable et couvert par une garantie inégalée de 5 ans sans limites de kilométrage. Présentement, aucune moto sur le marché, dans cette catégorie, n'est son équivalent direct.

Royal Star Midnight Venture

QUOI DE NEUF EN 2006 ?

- Aucun changement
- Coûtent 100 $ de plus qu'en 2005

PAS MAL

- Un V4 au grondement plaisant qui se montre à la fois doux, souple et puissant
- Un comportement relevé dû à une partie cycle solide et à de bons réglages de suspensions
- Un équipement généreux, un niveau de confort élevé dans toutes les circonstances et une finition irréprochable

BOF

- Des proportions imposantes qui compliquent les manoeuvres lentes et serrées
- Un pare-brise dont la hauteur fait qu'on doit regarder au travers plutôt qu'au-dessus, ce qui devient dérangeant par temps pluvieux ou lorsqu'il est couvert d'insectes, une situation qui empire la nuit
- L'équipement a beau être généreux, on doit se passer d'un système ABS ou de tout élément chauffant

Royal Star Midnight Tour Deluxe

YAMAHA ROYAL STAR TOUR DELUXE

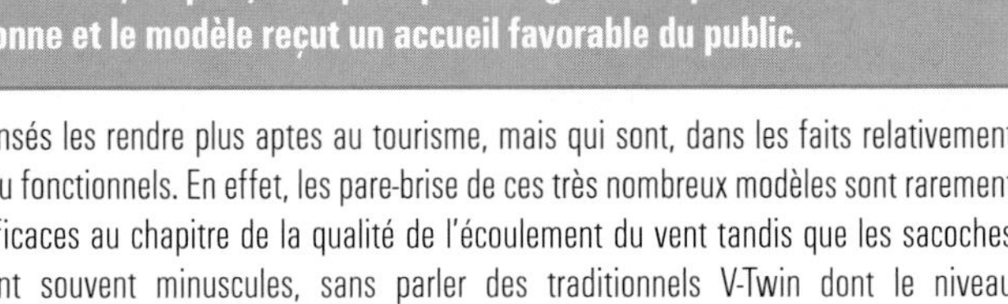

Prise deux...

La première fois qu'une custom appelée Royal Star Tour Deluxe fut présentée, vers la fin des années 90, l'essai ne fut guère concluant. L'équipement qu'avait ajouté Yamaha à la Royal Star originale était une bonne idée, mais les problèmes majeurs de cette dernière – un moteur poussif et un prix trop élevé – demeuraient non résolus. Le concept de la Tour Deluxe fut réintégré au catalogue Yamaha l'an dernier, mais cette fois sur la base de la Venture et à un prix plus logique. Grâce, en plus, à un pratique et ingénieux système de détache rapide du dossier de passager et du pare-brise, cette fois devait être la bonne et le modèle reçut un accueil favorable du public.

Yamaha croyait faire un grand coup avec la Royal Star originale. Lancée en 1996, la moto se voulait l'une des toutes premières customs japonaises qui respectent vraiment le style américain. La qualité de la finition était inégalée, tout comme la garantie de 5 ans. Mais le modèle arriva aussi sur le marché avec un prix fort, à une période où les customs japonaises n'avaient pas assez de notoriété pour le justifier. Propulsée par un V4 au potentiel immense (il était dérivé de celui de la V-Max), mais incompréhensiblement aseptisé pour cette utilisation, la première Royal Star entamait sa carrière d'un mauvais pied, et les divers accessoires qui lui furent greffés pour créer le modèle Tour Deluxe de l'époque n'y changèrent rien. Sur la version relancée en 2005, Yamaha a non seulement corrigé le tir en fixant un prix moins arrogant et en augmentant considérablement la puissance sans toucher à l'excellente garantie, il a aussi innové avec une paire d'accessoires à dépose rapide dont la facilité d'utilisation est extraordinaire. Le gros pare-brise et le dossier de passager livrés en équipement de série se détachent en effet tous deux sans le moindre outil et en quelques secondes à peine, faisant passer en un clin d'oeil la Tour Deluxe de machine de grand-route à boulevardière.

LA TOUR DELUXE AVALE LES KILOMÈTRES AVEC UN APPÉTIT QUI RAPPELLE CELUI DES MOTOS DE TOURISME SPÉCIALISÉES.

Yamaha affirme avoir voulu créer une moto qui dominerait un segment du marché actuellement constitué de machines à compromis, celui des customs de tourisme léger qui sont simplement des customs de grosse cylindrée équipées d'un pare-brise et d'une paire de sacoches, des accessoires censés les rendre plus aptes au tourisme, mais qui sont, dans les faits relativement peu fonctionnels. En effet, les pare-brise de ces très nombreux modèles sont rarement efficaces au chapitre de la qualité de l'écoulement du vent tandis que les sacoches sont souvent minuscules, sans parler des traditionnels V-Twin dont le niveau de puissance faible s'avère souvent insuffisant lorsqu'il est question de faire bouger moto, passagers et bagages avec un peu de coeur. Avec son pare-brise et son dossier en place, avec sa paire de généreuses sacoches rigides et la centaine de chevaux de son grondant V4 de 1 294 cc, la nouvelle Tour Deluxe avale les kilomètres avec un appétit qui rappelle véritablement celui des machines de tourisme spécialisées. Des selles confortables, des suspensions judicieusement calibrées et une mécanique douce et puissante s'ajoutent aux éléments qui font de la nouvelle Royal Star une excellente partenaire sur longue route.

On aimerait parfois, sur une moto équipée d'un gros pare-brise, pouvoir se rafraîchir par temps chaud et humide. Rien de plus facile puisque la Tour Deluxe est transformée en moins d'une minute grâce aux accessoires à dépose rapide. L'absence de pare-brise libère le champ de vison et laisse l'air frapper votre visage, tandis que la disparition du dossier et du siège arrière adapte parfaitement le style à l'occasion. S'il est évident que la moto reste fondamentalement la même, que les accessoires y soient fixés ou non, il n'en reste pas moins que le fait de pouvoir l'adapter à diverses situations élargit considérablement les possibilités d'utilisation.

Général

Catégorie	Tourisme léger
Prix	18 599 $ (Midnight : 18 999 $)
Garantie	5 ans/kilométrage illimité
Couleur(s)	blanc (Midnight : noir $)
Concurrence	Harley-Davidson Electra Glide Classic, Road King, Road Glide, Kawasaki Vulcan 1600 Nomad, Victory Touring Cruiser, Yamaha Stratoliner et Road Star Silverado

Partie cycle

Type de cadre	double berceau, en acier
Suspension avant	fourche conventionnelle de 43 mm avec ajustement pneumatique
Suspension arrière	monoamortisseur avec ajustement pneumatique
Freinage avant	2 disques de 298 mm de Ø avec étriers à 4 pistons
Freinage arrière	1 disque de 320 mm de Ø avec étrier à 4 pistons
Pneus avant/arrière	150/80-16 & 150/90-15
Empattement	1 715 mm
Hauteur de selle	740 mm
Poids à vide	357 kg
Réservoir de carburant	20 litres

Moteur

Type	4-cylindres 4-temps en V à 70 degrés, DACT, 4 soupapes par cylindre, refroidissement par liquide
Alimentation	4 carburateurs à corps de 32 mm
Rapport volumétrique	10:1
Cylindrée	1 294 cc
Alésage et course	79 mm x 66 mm
Puissance	98 ch @ 6 000 tr/min
Couple	89 lb-pi @ 4 750 tr/min
Boîte de vitesses	5 rapports
Transmission finale	par arbre
Révolution à 100 km/h	environ 3 000 tr/min
Consommation moyenne	7,5 l/100 km
Autonomie moyenne	266 km

Conclusion

Nous ne sommes pas du tout surpris de la bonne réception qu'a obtenue, cette fois, la Royal Star Tour Deluxe puisqu'il s'agit, désormais, non seulement d'une proposition pleine de bon sens, mais aussi unique. En effet, il n'existe pas d'autre modèle de cette classe qui prenne tant au sérieux les réalités du voyage à moto. Le gros V4 qui assure un niveau de puissance toujours suffisant, l'excellent confort de roulement et les équipements qui sont parfaitement fonctionnels forment un ensemble de qualités que très peu de customs de tourisme léger possèdent. Par ailleurs, le fait de pouvoir transformer la moto en quelques maigres secondes est beaucoup plus qu'une simple possibilité dont on ne prendra jamais avantage. Au contraire, on découvre qu'avoir la possibilité de se défaire du gros pare-brise ou de le remplacer par un plus petit selon son humeur ou celle de mère nature n'est rien de moins que génial. On commence d'ailleurs déjà à voir ce système de détache rapide être adapté à d'autres modèles de la gamme Yamaha, notamment la nouvelle Stratoliner.

Royal Star Tour Deluxe

QUOI DE NEUF EN 2006 ?

- Introduction d'une version Midnight
- Aucun changement
- Coûte 100 $ de plus qu'en 2005

PAS MAL

- Un système absolument génial de dépose rapide du pare-brise et du dossier de passager qui transforme la moto en quelques secondes à peine
- Un moteur doux, puissant et coupleux, à la fois plaisant au jour le jour et très bien adapté à la réalité du tourisme
- Un niveau de confort appréciable grâce à des suspensions bien calibrées et à une belle position de conduite, entre autres

BOF

- Des dimensions imposantes et un poids considérable qui compliquent les déplacements à l'arrêt et demandent une certaine expérience lors des manoeuvres lentes et serrées
- Un pare-brise très haut qui demande de regarder au travers plutôt qu'au-dessus, ce qui devient gênant lorsqu'il est tapissé d'insectes ou par temps pluvieux, une situation qui empire la nuit
- Une alimentation par carburateur qui fonctionne correctement, mais le prix substantiel du modèle et son statut suggèrent qu'il devrait y avoir un système d'injection

FJR1300AE

YAMAHA **FJR1300**

NOUVEAUTÉ 2006

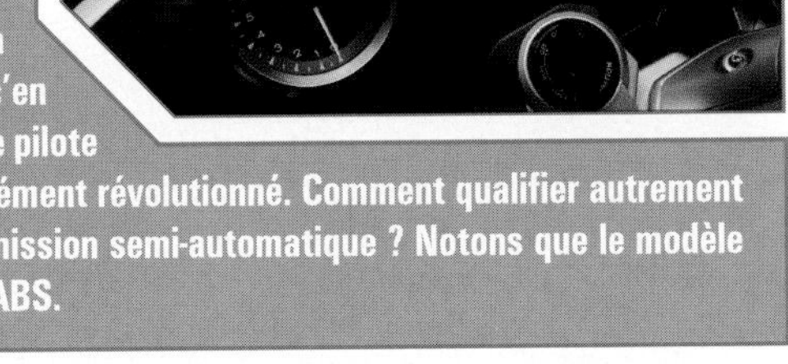

Sciences humaines...

Si l'édition 2006 de la respectée FJR1300 demeure presque intacte du point de vue de la motorisation et du châssis, elle comporte tellement de nouveautés partout ailleurs que c'en est presque étourdissant. En fait, pratiquement tout ce qui concerne l'interaction entre le pilote et la machine a été non seulement revu et amélioré, mais aussi, à certains égards, carrément révolutionné. Comment qualifier autrement la FJR1300AE qui n'a pas de levier d'embrayage et dispose d'une très complexe transmission semi-automatique ? Notons que le modèle de base, la FJR1300A, est désormais uniquement livrable avec un système de freinage ABS.

TECHNIQUE

Malgré sa solide réputation, la FJR1300 n'était pas sans défauts. Si l'impressionnante quantité d'améliorations apportée par Yamaha en 2006 vise à corriger ces derniers, elle a aussi pour but de faciliter grandement la « tâche » du tourisme sportif pour l'humain moyen en l'aidant avec plus de technologie qu'on ne peut en imaginer. Commençons par cette fameuse version semi-automatique du modèle, qu'on ne peut appeler automatique puisqu'elle continue de donner au pilote le plein choix du rapport utilisé, en automatisant toutefois l'action de l'embrayage et l'ajustement du régime optimal lors d'un changement de vitesse. Ça peut sonner compliqué – ça l'est d'un point de vue technique –, mais ce qu'il faut retenir, c'est que la FJR1300AE permet de changer les rapports soit avec l'index et le pouce de la main gauche, soit de façon traditionnelle avec le pied gauche.

LE PROBLÈME BIEN CONNU DE L'ÉVACUATION DE LA CHALEUR PAR TEMPS CHAUD AURAIT ÉTÉ RÉSOLU.

Au niveau de la partie cycle, les changements sont limités, mais non moins importants. Le système de freinage ABS, qui est maintenant installé de série, est désormais secondé par un *Combination Braking System* très similaire au *Linked Braking System* de Honda puisqu'il lie le frein arrière aux 2 pistons inférieurs de l'étrier avant droit. Il diffère toutefois du système Honda en gardant le frein avant indépendant du frein arrière, probablement par respect pour le thème sportif qui fait la réputation FJR1300. On note par ailleurs un allongement de 35 mm du bras oscillant pour une stabilité accrue.

C'est au chapitre de l'ergonomie et du confort du pilote et du passager que la vaste majorité des améliorations de la nouvelle FJR ont été apportées. Informé par une nouvelle instrumentation comportant l'affichage de la température ambiante et du rapport engagé, le pilote dispose d'une selle ajustable en hauteur sur 20 mm, en deux positions. Les poignées peuvent aussi bouger en trois positions vers l'avant ou l'arrière, sur 11 mm. Le passager, lui, profite de repose-pieds avancés de 40 mm, abaissés de 20 mm et écartés de 14 mm. Le problème de l'évacuation de la chaleur par temps chaud, une caractéristique bien connue des FJR, aurait été résolu en utilisant un radiateur courbé offrant plus de surface et disposant de deux ventilateurs plutôt qu'un, ainsi qu'en recouvrant la partie inférieure du réservoir d'essence d'un isolant thermique. Une autre lacune de la FJR, celle de la qualité de l'écoulement du vent, a aussi été attaquée en modifiant considérablement l'aérodynamisme. Un nouveau pare-brise en 2006 dispose de 120 mm d'ajustement plutôt que 80 mm en 2005. En position élevée, il est 14 mm plus haut et 63 mm plus proche du pilote. Une bouche d'aération située derrière l'instrumentation aiderait à réduire les turbulences et la pression négative à haute vitesse, tandis que de nouvelles ouïes latérales peuvent s'ouvrir sur 30 mm pour écarter le flot d'air des genoux du pilote. De nouvelles valises, qui se détacheraient plus facilement, disposent d'un nouveau système d'ancrage qui diminue la largeur de la moto de 25 mm. Enfin, une nouvelle démultiplication abaisserait les régimes moteurs de quelques centaines de tours par minute sur l'autoroute.

Détails, détails

Parmi les très nombreuses modifications faites à la FJR1300A 2006, on note une partie avant subtilement, mais tout de même complètement redessinée. Des phares plus menaçants aux nouveaux panneaux du carénage en passant par les nouveaux rétroviseurs et les clignotants affleurants, tout a été revu. Une grande attention aurait été apportée à la façon dont l'air s'écoule autour du corps et de la tête du pilote, qui dispose désormais d'un pare-brise dont la plage d'ajustements a été augmentée dans tous les sens.

Techno touring

Pour combler le pilote en mal de grandes doses de kilomètres, Yamaha n'a reculé devant rien. Très peu de travail a été effectué sur le moteur ou la partie cycle, une décision qui s'explique facilement par le fait qu'il s'agit d'aspects du modèle dont on ne s'est jamais plaint. Au contraire. Pour ce qui est du reste toutefois, pratiquement tout a été revu, parfois légèrement, parfois complètement.

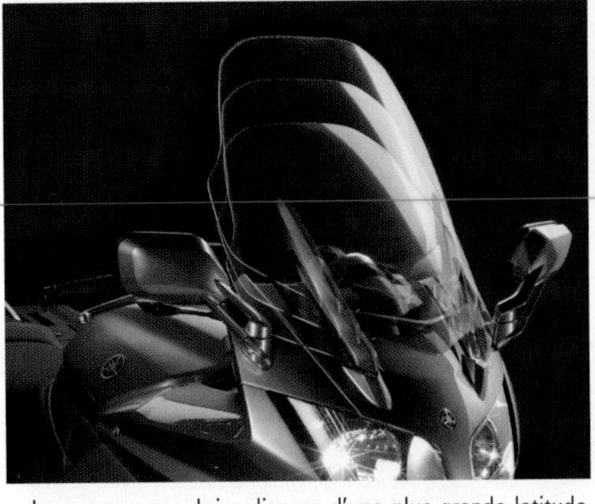

▲ Le nouveau pare-brise dispose d'une plus grande latitude d'ajustements et d'un meilleur aérodynamisme, ce qui l'aiderait à produire moins de turbulences

▲ La selle du pilote est maintenant ajustable en deux positions, en hauteur, sur 20 mm.

▲ Les rapports de la FJR1300AE peuvent être montés avec l'index gauche, et baissés avec le pouce gauche.

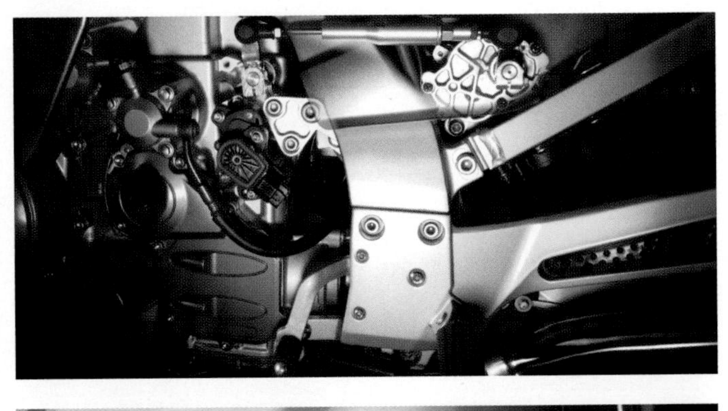

▲ (haut) Le mécanisme de changement des rapports est activé par la main ou le pied, mais finalement contrôlé par un ordinateur et un servomoteur. (bas) L'absence d'un levier d'embrayage trahit la présence de la transmission semi-automatique.

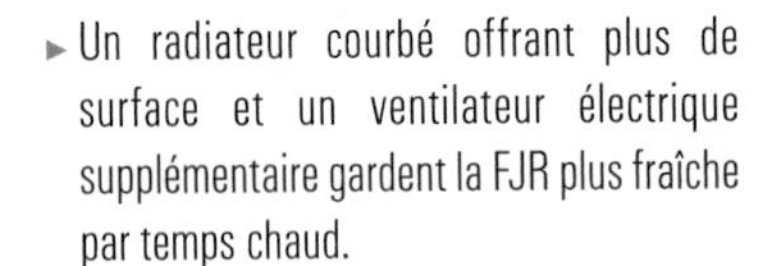

► Un radiateur courbé offrant plus de surface et un ventilateur électrique supplémentaire gardent la FJR plus fraîche par temps chaud.

Des ouïes de ventilation latérales peuvent être ouvertes ou fermées sur 30 mm afin d'éloigner le flot d'air des genoux du pilote.

► Une nouvelle ouverture réduirait la turbulence autour du casque.

Un nouveau système d'ancrage des valises latérales permet un détachement plus facile et réduit la largeur de la moto de 25 mm.

Général

Catégorie	Sport-Tourisme
Prix	18 999 $ (FJR1300AE : 20 999 $)
Garantie	1 an/kilométrage illimité
Couleur(s)	bleu foncé (FJR1300AE : argent)
Concurrence	BMW R1200RT et K1200GT, Honda ST1300

Partie cycle

Type de cadre	périmétrique, en aluminium
Suspension avant	fourche conventionnelle de 48 mm ajustable en précharge, compression et détente
Suspension arrière	monoamortisseur ajustable en précharge et détente
Freinage avant	2 disques de 320 mm de Ø avec étriers à 4 pistons
Freinage arrière	1 disque de 282 mm de Ø avec étrier à 2 pistons
Pneus avant/arrière	120/70 ZR17 & 180/55 ZR17
Empattement	1 550 mm
Hauteur de selle	805 mm
Poids à vide	264 kg (FJR1300AE : 268 kg)
Réservoir de carburant	25 litres

Moteur

Type	4-cylindres en ligne 4-temps, DACT, 4 soupapes par cylindre, refroidissement par liquide
Alimentation	injection à 4 corps de 42 mm
Rapport volumétrique	10,8:1
Cylindrée	1 298 cc
Alésage et course	79 mm x 66,2 mm
Puissance	145 ch @ 8 000 tr/min
Couple	99,1 lb-pi @ 7 000 tr/min
Boîte de vitesses	5 rapports
Transmission finale	par arbre
Révolution à 100 km/h	environ 3 500 tr/min (2005)
Consommation moyenne	7,5 l/100 km
Autonomie moyenne	333 km

Conclusion

Yamaha a entrepris la première évolution majeure de sa réputée touriste sportive de façon intelligente puisqu'il n'a pas touché à la mécanique, dont personne ne se plaignait vraiment, ni à l'essentiel de la partie cycle qui, elle non plus, n'a jamais fait trop de mécontents. C'est plutôt en fignolant, en repensant et en révolutionnant presque tous les autres aspects du pilotage que l'opération fut menée à terme. Reste à voir si le niveau de turbulences est réellement en baisse et si la nouvelle FJR ne fait plus cuire son pilote par temps chaud, en plus de vérifier comment toutes les autres petites améliorations affectent le confort. Et nous oubliions presque la version semi-automatique. Ça semble représenter beaucoup de travail, tout ça. Deux bonnes semaines et quelques milliers de kilomètres en juillet prochain devraient faire l'affaire. À moins qu'il en faille un peu plus. Faut ce qu'il faut, non ?

FJR1300A

QUOI DE NEUF EN 2006 ?

- La première évolution majeure de la FJR1300
- Modèle de base maintenant livré avec système ABS
- Introduction d'une version AE (ABS et Electronic Shift) utilisant une transmission semi-automatique
- FJR1300A coûte 100 $ de plus que la FJR1300 ABS de 2005

PAS MAL

- Un niveau de puissance impressionnant, autant en ce qui concerne le couple massif que la force des accélérations
- Un comportement dont la légitimité sportive fait plus penser à une vraie sportive un peu grasse qu'à une machine de sport-tourisme plus axée vers le tourisme; c'est le *statu quo* en 2006 à ce chapitre
- Un niveau de confort qui était déjà impressionnant et qui, compte tenu de toutes les améliorations à ce sujet, promet d'être supérieur

BOF

- Un pare-brise qui générait une agaçante quantité de turbulences, et ce, malgré avoir déjà été révisé en 2004; est-ce que cette fois serait enfin la bonne ?
- Une mécanique dont les vibrations parvenaient jusqu'aux poignées et chatouillaient les mains à certains régimes; Yamaha n'a rien fait pour corriger ce point en 2006
- Un système de freins ABS efficace, mais qui ne fait pas preuve du même genre de transparence et d'efficacité que celui des Honda et surtout des BMW lorsqu'il entre en action

YAMAHA **FZ1**

NOUVEAUTÉ 2006

Routière *hyper*sportive...

Quand la première génération de la FZ1 fut mise en marché en 2001, Yamaha la présenta comme une R1 « pour le vrai monde », une affirmation surtout basée sur le partage de mécanique entre les deux modèles. Dans les faits, toutefois, et sans rien enlever aux nombreuses qualités de la FZ1, l'affirmation manquait de crédibilité une fois sur la route. Avec cette seconde génération de la FZ1, Yamaha semble vouloir clouer le bec à quiconque tenterait de discréditer le parallèle qu'il annonce à nouveau entre l'actuelle YZF-R1 et la nouveauté. Cette fois, sur papier du moins, l'affirmation du constructeur paraît plausible. Très plausible, même.

TECHNIQUE

Un animal à mi-régime. Voilà comment Yamaha décrit la moto qu'il a demandé à ses ingénieurs de créer afin de remplacer la FZ1. Selon les dires du constructeur, la monture à laquelle ils ont abouti remplirait cette mission de manière brutale, pas moins. Un coup d'oeil attentif à la fiche technique de la nouveauté porte à croire que Yamaha dit vrai. Y parvenir semble même avoir été relativement facile : commencez par prendre le moteur de la génération courante de la YZF-R1 et ne pensez même pas à réaliser des économies ici ou là. Vous pourrez le trafiquer, mais seulement si le résultat de l'exercice est bénéfique aux mi-régimes. Sur la nouvelle FZ1, culasse, soupapes, pistons, bielles, transmission et même injection restent tous identiques aux pièces de la R1. Un vilebrequin 40 % plus lourd, un rapport volumétrique abaissé de presque un point, de nouveaux arbres à cames, des 5e et 6e rapports plus courts et une nouvelle cartographie d'injection résument les différences. Même si les chiffres avancés par Yamaha font état d'un couple maximum à peine supérieur à celui de l'ancienne version, le constructeur insiste pour dire que la motricité de la nouvelle FZ1 à mi-régime est améliorée, d'autant plus que le poids a été abaissé de quelque 14 kilos.

Aussi significative soit-elle, l'utilisation d'une mécanique de R1 n'est qu'une partie des caractéristiques marquantes de la nouvelle FZ1. La seconde en importance est sans aucun doute la partie cycle, qui fait désormais appel à un cadre en aluminium pesant 52 % de moins que le cadre en acier du modèle 2005. En utilisant sa technologie de coulage sous vide, Yamaha a pu doser avec précision la rigidité du nouveau cadre, qui est très massif au niveau de la colonne de direction et du pivot du bras oscillant, mais qui comporte un certain niveau de flexibilité volontairement induit entre ces deux points, une technique maintenant utilisée sur presque toutes les sportives. Le bras oscillant, qui est lui aussi fait de pièces d'aluminium coulées sous vide, mesure 45 mm de plus que l'an dernier, une autre tendance issue du monde sportif. À l'avant, une massive fourche inversée de 43 mm remplace la fourche conventionnelle du dernier modèle. Elle a la particularité d'être ajustable en compression par le poteau gauche et en détente par celui de droite, un système qui serait apparemment également utilisé sur la YZR-M1 de Moto GP. Les roues sont essentiellement empruntées à la R1, tandis que le freinage bénéficie de disques de 320 mm plutôt que 298 mm à l'avant.

EN UTILISANT SA TECHNOLOGIE DE COULAGE SOUS VIDE, YAMAHA A PU DOSER AVEC PRÉCISION LA RIGIDITÉ DU NOUVEAU CADRE.

Enfin, c'est au niveau de la position de conduite qu'on découvre le troisième aspect de la nouvelle FZ1 qui affiche des changements majeurs. Grâce à une réduction importante de la longueur du réservoir d'essence – qui contient maintenant 18 litres, soit 3 de moins qu'en 2005 – ,la position du pilote a pu être avancée de presque 50 mm. Ce dernier étreint un cadre aminci de presque 90 mm et pose ses mains sur un guidon abaissé de 25 mm et reculé de 10 mm. Des repose-pieds reculés de 27 mm et haussés de 16 mm complètent les changements à la position de conduite qui démontrent décidément, eux aussi, une influence marquée des tendances observées chez les sportives actuelles.

Gueule de FZ1, fiche de R1

Soulagée de son demi-carénage, la nouvelle FZ1 pourrait décidément passer pour une R1. Le moteur est d'ailleurs pratiquement le même si on fait exception d'une série de modifications visant à maximiser les accélérations à mi-régime, autrement dit dans les situations vécues au jour le jour. Comme plusieurs sportives, dont la nouvelle YZF-R6, la FZ1 utilise un silencieux court et bas, plutôt que long et haut comme sur la FZ6. Le but est le même que sur les sportives : ramener autant de masse que possible vers le bas et le centre de la moto afin de favoriser tous les aspects de la tenue de route.

Général

Catégorie	Routière Sportive
Prix	12 499 $
Garantie	1 an/kilométrage illimité
Couleur(s)	rouge, argent
Concurrence	Kawasaki Z1000, Suzuki Bandit 1200S

Partie cycle

Type de cadre	périmétrique, en aluminium
Suspension avant	fourche inversée de 43 mm ajustable en précharge, compression et détente
Suspension arrière	monoamortisseur ajustable en précharge et détente
Freinage avant	2 disques de 320 mm de Ø avec étriers à 4 pistons
Freinage arrière	1 disque de 245 mm de Ø avec étrier à 1 piston
Pneus avant/arrière	120/70 ZR17 & 190/50 ZR17
Empattement	1 460 mm
Hauteur de selle	815 mm
Poids à vide	194 kg
Réservoir de carburant	18 litres

Moteur

Type	4-cylindres en ligne 4-temps, DACT, 5 soupapes par cylindre, refroidissement par liquide
Alimentation	injection à 4 corps de 45 mm
Rapport volumétrique	11,5:1
Cylindrée	998 cc
Alésage et course	77 mm x 53,6 mm
Puissance	150 ch @ 11 000 tr/min
Couple	78,5 lb-pi @ 8 000 tr/min
Boîte de vitesses	6 rapports
Transmission finale	par chaîne
Révolution à 100 km/h	n/d
Consommation moyenne	n/d
Autonomie moyenne	n/d

Conclusion

On doit, paraît-il, faire attention à ce qu'on souhaite au risque de finir par l'obtenir. À force de se faire répéter que sa première FZ1 était un peu trop douce pour qu'on l'associe véritablement à la R1, voilà que Yamaha nous livre une nouvelle génération du modèle inspirée sous tous ses angles de l'hypersportive. Heureusement, la mission première de la FZ1, celle d'associer performances élevées et réalité quotidienne avec autant de transparence que possible, semble continuer d'être l'idée directrice du nouveau modèle.

QUOI DE NEUF EN 2006 ?

- Nouvelle génération de la FZ1
- Coûte 500 $ de plus qu'en 2005

PAS MAL

- Un niveau de technologie qui est franchement impressionnant; sur papier, la FZ1 n'a absolument rien à envier à une YZF-R1
- Une puissance plus élevée, un poids plus faible et une attention particulière portée à la générosité des mi-régimes; la recette semble difficile à critiquer
- Une partie cycle extrêmement sérieuse qui promet de faire de la FZ1 non seulement une routière précise, mais aussi une machine capable de maintenir un bon rythme en piste

BOF

- Une évolution qui semble fortement inspirée des dernières tendances sportives; espérons que le niveau de confort n'en souffre pas trop
- La mécanique utilisée a la caractéristique de ne pas être exceptionnelle à mi-régime, d'où les efforts de Yamaha pour l'améliorer à cet égard. Aura-t-on vraiment plus de couple à mi-régime que sur l'ancien modèle ?
- Un confort de passager qui n'a pas semblé faire l'objet d'efforts particuliers, du moins pas selon la documentation de presse

YZF-R1 SP

YAMAHA **YZF-R1**

NOUVELLE VARIANTE

Griffée...

Alors que Honda, Kawasaki et Suzuki se sont tous engagés à renouveler leur 1000 hypersportives chaque deux ans – ou à tout le moins de les faire sérieusement évoluer –, Yamaha et sa R1 se la coulent douce, entamant une troisième année de production confiants qu'une simple mise à niveau suffira à garder l'intérêt des acheteurs. Par ailleurs, pour la première fois en 2006, la marque aux trois diapasons propose une édition limitée de la YZF-R1, la LE, dont la particularité vient de ses suspensions Öhlins, de ses roues Marchesini et de son embrayage avec limiteur de contrecouple. Elle sera construite à seulement un millier d'exemplaires à l'échelle mondiale.

TECHNIQUE

En cette année de sérieux renouveaux chez les sportives pures d'un litre, ramener un modèle qui en est à sa troisième année de production sans changements pourrait avoir des conséquences fâcheuses au niveau des ventes. D'un autre côté, quoi faire quand la nouvelle génération de ce modèle n'est pas encore prête ? Chez Yamaha, dans le cas de la YZF-R1, on opte en 2006 pour le compromis d'une mise à niveau, ce que le manufacturier a d'ailleurs fait l'an dernier avec la R6 afin de faire patienter le marché jusqu'à l'introduction de la spectaculaire remplaçante de celle-ci. En attendant la prochaine génération de la YZF-R1 prévue pour 2007, la marque aux trois diapasons présente ainsi cette année une légère évolution du modèle, d'ailleurs aussi disponible en version SP avec peinture Kenny Roberts Replica moyennant un supplément très raisonnable de 300 $.

IL S'AGIT DE LA PREMIÈRE FOIS QU'UN CONSTRUCTEUR JAPONAIS PROPOSE UNE TELLE VARIANTE, À UN TEL PRIX.

La liste des modifications est courte. On note d'abord un cadre dont la rigidité est revue – non simplement augmentée – et un léger déplacement de l'équilibre des masses vers l'avant grâce à l'allongement de 20 mm du bras oscillant. Le but serait, selon Yamaha, d'améliorer l'efficacité de la R1 en entrée et en sortie de courbe, en compétition. Du côté de la mécanique, une réduction de la longueur des soupapes et une révision de la culasse seraient responsables d'un gain de 3 chevaux en puissance maximale, qui passe de 172 à 175 chevaux, sans l'apport du système Ram Air. Pour le motocycliste moyen, à moins d'une très grande surprise, ces modifications ne devraient avoir qu'un effet mineur sur le pilotage. La grande légèreté de direction, l'impressionnante précision du châssis et le superbe freinage de la version 2005 devraient donc décrire, à très peu de choses près, le comportement de la version 2006. Quant à la livrée de puissance, il est très peu probable que les 3 chevaux changent quoi que ce soit aux performances, même si leur arrivée est bienvenue. On devrait donc toujours avoir affaire à une 1000 dont les performances sont très élevées, mais dont la livrée de puissance est surtout impressionnante à haut régime.

Si les nouvelles concernant la version régulière de la YZF-R1 sont donc relativement anodines, la disponibilité d'un modèle LE (pour Limited Edition), elle, risque de faire jaser. Se détaillant presque 11 000 $ *de plus* qu'une R1 de grande série, la LE ne sera construite qu'à 1 000 unités. Il s'agit de la première fois qu'un constructeur japonais propose une telle variante, à un tel prix. La réaction du public sera d'ailleurs intéressante, mais nous ne choisirions pas de parier contre Yamaha. Les produits exclusifs à gros prix, peu importe le domaine, semblent toujours réussir à attirer une certaine clientèle. Ce que permet d'acheter ce supplément se résume essentiellement à des suspensions signées Öhlins et conçues selon les spécifications de Yamaha exclusivement pour le modèle, ainsi que des roues Marchesini en aluminium forgé légèrement moins lourdes que les roues d'origine. Un embrayage avec limiteur de contrecouple et un ajustement de 10 mm de la hauteur de l'arrière de la moto complètent la liste des caractéristiques ajoutées à la YZF-R1 LE.

À l'échelle mondiale, seulement 1000 exemplaires de la YZF-R1 LE ornant cette page seront produits pour 2006. Uniquement disponible en noir ou en bleu pour le Canada, elle se détaille la bagatelle somme de 26 000 $. La facture, qui s'explique en partie par la rareté du modèle, est surtout due à l'exclusivité de ses suspensions et de ses roues. Il s'agit de véritables équivalents mécaniques de vêtements griffés respectivement signés Öhlins et Marchesini.

Raisons d'exclusivité

Plusieurs motifs ont poussé Yamaha à créer l'exclusive version LE de la YZF-R1. Le premier est lié à la compétition de niveau mondial où l'ancien modèle commençait à peiner. Produite en quantité suffisante pour être homologuée, la LE représente une base supérieure pour les équipes de courses. La présence du modèle apporte aussi une certaine aura d'exclusivité au modèle de production régulière, mais il permet surtout à ce dernier de générer un certain intérêt durant une année de plus, le temps de faire patienter un public insatiable en termes de nouveauté et de performance jusqu'à l'arrivée d'une nouvelle génération, en 2007. Enfin, même si les noms des composantes qui distinguent la LE sont connus et respectés, le surplus de 11 000 $ que commande cette édition limitée doit inclure une bonne part de bénéfices.

Général

Catégorie	Sportive
Prix	15 199 $ (SP : 15 499 $; LE : 26 000 $)
Garantie	1 an/kilométrage illimité
Couleur(s)	noir, bleu (SP : jaune et noir; LE : noir, bleu)
Concurrence	Honda CBR1000RR, Kawasaki ZX-10R, Suzuki GSX-R1000

Partie cycle

Type de cadre	périmétrique « Deltabox V », en aluminium
Suspension avant	fourche inversée de 43 mm ajustable en précharge, compression et détente (LE : Öhlins, mêmes spécifications)
Suspension arrière	monoamortisseur ajustable en précharge, compression et détente (LE : Öhlins, mêmes spécifications)
Freinage avant	2 disques de 320 mm de Ø avec étriers radiaux à 4 pistons
Freinage arrière	1 disque de 220 mm de Ø avec étrier à 1 piston
Pneus avant/arrière	120/70 ZR17 & 190/50 ZR17
Empattement	1 415 mm
Hauteur de selle	835 mm
Poids à vide	173 kg (LE : 174 kg)
Réservoir de carburant	18 litres

Moteur

Type	4-cylindres en ligne 4-temps, DACT, 5 soupapes par cylindre, refroidissement par liquide
Alimentation	injection à 4 corps de 45 mm
Rapport volumétrique	12,4:1
Cylindrée	998 cc
Alésage et course	77 mm x 53,6 mm
Puissance sans Ram Air	175 ch @ 12 500 tr/min
Puissance avec Ram Air	183 ch @ 12 500 tr/min
Couple sans Ram Air	78,9 lb-pi @ 10 500 tr/min
Boîte de vitesses	6 rapports
Transmission finale	par chaîne
Révolution à 100 km/h	environ 4 200 tr/min
Consommation moyenne	6,6 l/100 km
Autonomie moyenne	272 km

Conclusion

Même si la YZF-R1 devra cette année faire face à des concurrentes revues et corrigées provenant de chez Honda et de chez Kawasaki, le sort de la Yamaha n'est pas du tout inquiétant. Car il faut savoir que grâce à ses magnifiques lignes, le modèle obtient encore beaucoup de succès auprès d'une clientèle qui semble commencer à comprendre qu'une fois qu'une catégorie atteint dans son ensemble un tel niveau de performances, choisir la plus belle est certainement une façon valable de faire un achat. Quant à la dispendieuse version LE, parions qu'une poignée de motocyclistes tout aussi limitée ne la trouveront pas si dispendieuse que cela. Dans l'ensemble, tout cela devrait s'avérer amplement suffisant pour faire patienter l'année qui, apparemment, nous sépare d'une révision radicale de la R1.

QUOI DE NEUF EN 2006 ?

- Introduction d'une version LE vendue 26 000 $ et dotée de suspensions Öhlins, de roues Marchesini, d'un embrayage avec limiteur de contrecouple et d'ajustement de l'assiette
- Introduction d'une édition SP avec peinture Kenny Roberts Replica
- Rigidité de la partie cycle revue : modification du té de fourche inférieur, de l'épaisseur de la partie avant du cadre, du pivot du bras oscillant et des supports du moteur; bras oscillant allongé de 20 mm; poids sur la roue avant augmenté de 1 %
- Fourche de couleur dorée dont les tubes ont une rigidité modifiée
- Modèle régulier coûte 200 $ de plus qu'en 2005

PAS MAL

- Un niveau de puissance phénoménal qui s'avère euphorique à exploiter en piste
- Une tenue de route exceptionnelle, que ce soit au chapitre de la précision de la direction, de la solidité du châssis ou du freinage, et qui ne devrait se trouver qu'améliorée en 2006
- Une ligne exotique qui continue non seulement de plaire beaucoup, mais qui constitue une importante raison des ventes de R1

BOF

- Un niveau de puissance phénoménal qui s'avère difficile, voire impossible à pleinement exploiter sur la route, sur la R1 comme sur les autres 1000 rivales, d'ailleurs
- Une direction qui, malgré la présence d'un amortisseur de direction pouvait quand même s'agiter un peu lors de situations extrêmes; il s'agit d'une des caractéristiques qui, compte tenu des changements apportés à la version 2006, pourraient être différentes sur celle-ci
- Un embrayage avec limiteur de contrecouple malheureusement seulement offert sur la dispendieuse version LE

YAMAHA YZF-R6

NOUVEAUTÉ 2006

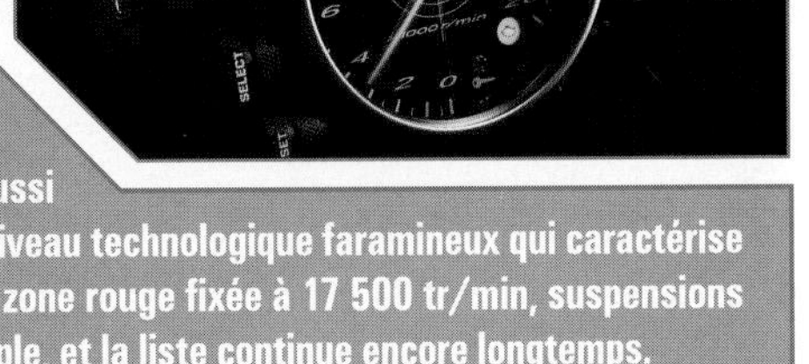

Ingéniérie extrême...

Dire que la toute dernière génération de la YZF-R6 présentée cette année est la sportive de série la plus avancée de l'histoire du motocyclisme ne serait certainement pas une affirmation gratuite. Car lorsqu'une classe de motos évolue de façon aussi drastique et par intervalles aussi courts que celle à laquelle appartient le modèle, on ne peut finir que par arriver au genre de niveau technologique faramineux qui caractérise la Yamaha. Jugez par vous-même : châssis à flexibilité contrôlée, moteur ultracompact avec zone rouge fixée à 17 500 tr/min, suspensions inédites, contrôle électronique de l'ouverture des gaz, embrayage avec limiteur de contrecouple, et la liste continue encore longtemps.

Le rythme auquel progresse la catégorie des sportives pures de 600 centimètres cubes est absolument dément. On pourrait dépenser des centaines et des centaines de dollars sur une bagnole sans même s'approcher du genre de technologie offert par la nouvelle YZF-R6, qui doit être considérée en 2006 comme la sportive la plus avancée du marché, toutes cylindrées confondues.

Le nouveau 4-cylindres en est un exemple éloquent puisqu'il tourne maintenant jusqu'à une incroyable zone rouge de 17 500 tr/min. Les gains en puissance par rapport à l'ancienne version sont considérables puisqu'on parle de 7 chevaux. Plein gaz, en ligne droite ou en sortie de virage, la R6 hurle. La puissance à très bas régime n'est pas en progrès, mais une fois la barre des 9 000 tr/min franchie, on découvre un genre d'accélération qui était jusqu'à maintenant réservée à la ZX-6R « tricheuse » et ses 636 cc. Bien que la moto continue de tirer fort jusqu'au régime maximum, l'accélération cesse de s'intensifier juste sous les 15 000 tr/min.

La YZF-R6 2006 est la première moto de production qui utilise un accélérateur « drive-by-wire », ce qui signifie que la poignée droite n'actionne pas les papillons de l'admission, mais qu'elle envoie plutôt un signal à un servomoteur qui, lui, ouvre ces derniers. Pour des raisons de sécurité, la fermeture des papillons, elle, reste mécanique. Développée pour les puissantes machines de Moto GP, cette technologie donne à la R6 une douceur exemplaire à l'ouverture des gaz, une caractéristique indispensable à un bon comportement sur circuit, ce qui est essentiellement le but du modèle. Il fait d'ailleurs peu de doute que les puissantes 1000 et leurs chevaux brutaux seront les prochaines à recevoir ce système.

DÉVELOPPÉE EN MOTO GP, CETTE TECHNOLOGIE DONNE À LA R6 UNE DOUCEUR EXEMPLAIRE À L'OUVERTURE DES GAZ.

Un embrayage à limiteur de contrecouple fait son apparition sur le moteur de la R6 cette année et les bénéfices qu'il amène au pilotage sur circuit sont magiques. Vous freinez fort tout en enfonçant le levier de vitesse aussi souvent que vous le voulez sans jamais avoir à vous soucier d'un blocage de la roue arrière. Un tel pilotage sans ce dispositif garantit pratiquement une chute.

Un travail tout aussi poussé a été accompli sur la nouvelle partie cycle. Si carrément tout est nouveau, l'essence du comportement extrêmement incisif de l'ancien modèle, elle, demeure. On sent toutefois la nouvelle YZF-R6 plus à l'aise dans les manoeuvres les plus délicates comme le freinage intense en entrée de courbe et la remise des gaz. Sans que le poids ait baissé de beaucoup, la moto arrive quand même à se jeter d'une pleine inclinaison à l'autre avec encore plus de facilité, une qualité qui est probablement due à tous les efforts de centralisation des masses. Les nouvelles suspensions sont essentiellement irréprochables sur circuit tandis que leur comportement sur la route demeure relativement acceptable. Quant à leurs multiples possibilités d'ajustements, disons qu'elles demandent d'un pilote qu'il sache ce qu'il fait. Car le superbe équilibre des ajustements de série pourrait facilement être bousculé. Enfin, les freins sont non seulement très puissants, mais ils s'avèrent aussi faciles à moduler avec précision.

12
16
10
18
YAMAHA

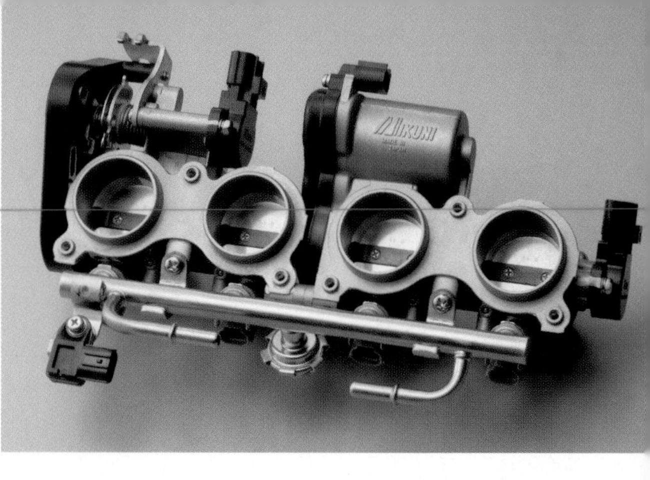

Bon 50e

Même s'il a fêté ses 50 ans en 2005, c'est par l'annonce de certains modèles 2006 que Yamaha célèbre cet événement majeur de son histoire. La nouvelle YZF-R6 est l'un de modèles disponibles en version anniversaire. Celle-ci se distingue surtout par une peinture jaune à rayures noires simulant les graphiques des montures de Grand Prix de la fin des années 70 chez Yamaha, une période qui vit le légendaire Kenny Roberts être couronné champion du monde. Notons que la différence de peinture est la seule distinction entre l'édition spéciale du modèle et sa version de grande production. La YZF-R6 SP coûte 300 $ de plus que le modèle régulier.

Au nom du chrono

Il y a un moment que le cliché de la vitrine technologique ne s'est pas appliqué avec autant de justesse à une moto que dans ce cas. En fait, la YZF-R6 2006 est assurément l'une des motos de production les plus axées vers la performance sur piste qui n'ait jamais été développée. Elle donnera d'ailleurs très probablement le ton aux années à venir en matière de 600 hypersportives. Le fait que son 4-cylindres atteigne les 17 500 tr/min parle de lui-même puisqu'il a demandé aux ingénieurs de la marque aux trois diapasons qu'ils poussent l'allègement des composantes internes et la lutte à la friction jusqu'à des niveaux inédits. La position centrale du système d'échappement ne fait pas l'affaire de tous d'un point de vue esthétique, mais il constitue la meilleure manière de centraliser toute cette masse, un principe que Buell applique depuis belle lurette. Notez la présence d'un système EXUP juste derrière le court silencieux, une première sur une 600 Yamaha. La particularité des suspensions de la nouvelle R6 est qu'elles disposent d'ajustements pour la haute et la basse vitesse de la compression et de la détente, une caractéristique réservée jusque-là à de dispendieuses composantes de machines de course. Quant au fameux système d'injection, ci-haut, il n'utilise qu'un papillon par corps, et l'ouverture de ce dernier est activée par un moteur électrique, lui-même activé par la poignée des gaz. Comme en Moto GP.

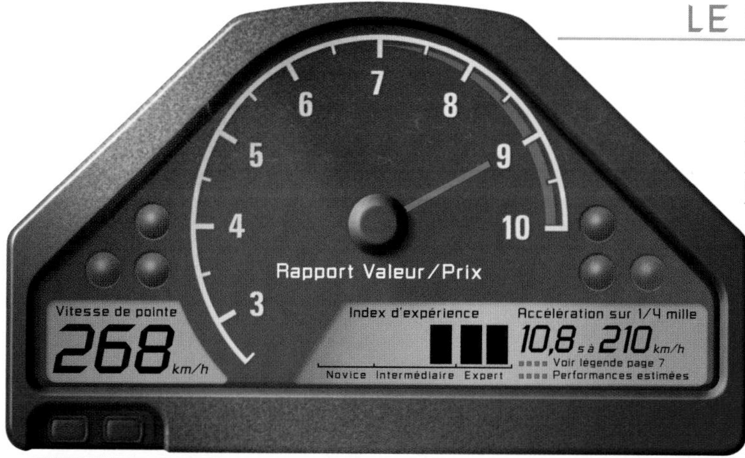

Général

Catégorie	Sportive
Prix	12 499 $ (YZF-R6 SP : 12 799 $)
Garantie	1 an/kilométrage illimité
Couleur(s)	bleu, noir (YZF-R6 SP : jaune et noir)
Concurrence	Honda CBR600RR, Kawasaki ZX-6R, Suzuki GSX-R600, autre(s) possibilité(s) : Triumph Daytona 675

Partie cycle

Type de cadre	périmétrique, en aluminium
Suspension avant	fourche inversée de 41 mm ajustable en précharge, ainsi qu'en haute et basse vitesse de compression et de détente
Suspension arrière	monoamortisseur ajustable en précharge, ainsi qu'en haute et basse vitesse de compression et de détente
Freinage avant	2 disques de 310 mm de Ø avec étriers à 4 pistons
Freinage arrière	1 disque de 220 mm de Ø avec étrier à 1 piston
Pneus avant/arrière	120/70 ZR17 & 180/55 ZR17
Empattement	1 380 mm
Hauteur de selle	850 mm
Poids à vide	161 kg
Réservoir de carburant	17,5 litres

Moteur

Type	4-cylindres en ligne 4-temps, DACT, 4 soupapes par cylindre, refroidissement par liquide
Alimentation	injection à 4 corps de 41 mm
Rapport volumétrique	12,8:1
Cylindrée	599 cc
Alésage et course	67 mm x 42,5 mm
Puissance avec Ram Air	133 ch @ 14 500 tr/min
Puissance sans Ram Air	127 ch @ 14 500 tr/min
Couple avec Ram Air	50,2 lb-pi @ 12 000 tr/min
Couple sans Ram Air	48,8 lb-pi @ 12 000 tr/min
Boîte de vitesses	6 rapports
Transmission finale	par chaîne
Révolution à 100 km/h	environ 5 600 tr/min
Consommation moyenne	6,4 l /100 km
Autonomie moyenne	273 km

Conclusion

La nouvelle YZF-R6 ouvre un nouveau chapitre chez les sportives pures, celui où tout semble permis, sans exception. Kawasaki a ouvert le bal l'an dernier avec son excellente ZX-6R, mais avec une mécanique aussi poussée et des systèmes aussi avancés que ce fameux contrôle électronique des gaz, Yamaha vient de renchérir la mise. Le comportement de la moto est absolument exceptionnel, et ce, à tous les niveaux, à un point tel qu'il devient sérieusement difficile de prendre quoi que ce soit en faute. Le seul petit bémol est que toute cette technologie semble vouloir pousser le prix des 600 à la hausse, même si on conviendra que les quelque 700 $ qui séparent le prix du modèle 2005 de celui de la nouvelle génération ont tous les airs d'une somme fort intelligemment dépensée.

QUOI DE NEUF EN 2006 ?

- **Nouvelle génération de la YZF-R6**
- **Coûte 700 $ de plus qu'en 2005**

PAS MAL

- **Un niveau de technologie non seulement complètement effarant, mais aussi tout à fait fonctionnel; la nouvelle R6 est bourrée de gadgets et tous sont efficaces**
- **Des performances qui viennent de faire un bond assez sérieux; on n'a pas affaire à une 750, mais on peut maintenant chauffer les fesses des 600 avec plus de 600 cc**
- **Une tenue de route absolument irréprochable, certainement l'une des plus précises et incisives de l'univers sportif**

BOF

- **Une mécanique dont la puissance maximale à augmenté, ce qui facilite le pilotage en piste, mais qui n'a essentiellement pas amélioré son sort à mi-régime**
- **Des suspensions dont l'ajustement promet d'être très complexe pour le motocycliste moyen; mieux vaut bien noter les réglages d'origine, question de pouvoir y revenir...**
- **Une facture qui a aussi fait un bond; le prix d'une R6 approche maintenant celui d'une GSX-R750**

YAMAHA YZF-R6 S

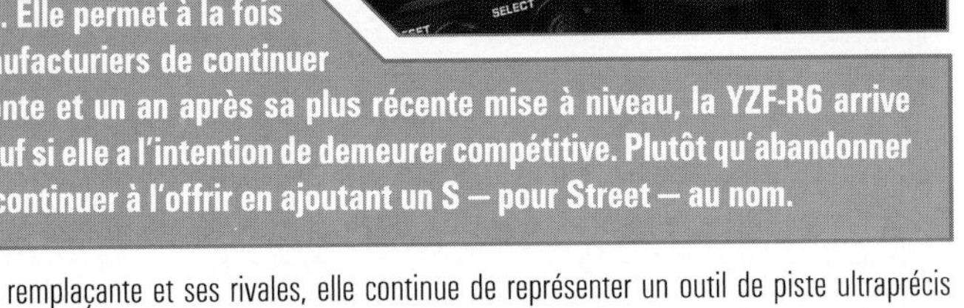

Recyclage...

La pratique qui consiste à continuer d'offrir un modèle même après l'arrivée d'une nouvelle génération ne date pas d'hier et semble faire l'affaire de tout le monde. Elle permet à la fois aux acheteurs d'obtenir un produit de qualité à prix réduit et aux manufacturiers de continuer de vendre un produit déjà développé. Trois ans après sa dernière refonte et un an après sa plus récente mise à niveau, la YZF-R6 arrive au point où elle doit déjà être remplacée par un design complètement neuf si elle a l'intention de demeurer compétitive. Plutôt qu'abandonner l'ancien modèle, Yamaha choisit en 2006 de faire comme Honda et de continuer à l'offrir en ajoutant un S – pour Street – au nom.

Il est quelque peu difficile d'accepter que cette 600 pourtant réputée pour son comportement pointu et son attitude totalement dédiée au pilotage sur piste doit dorénavant être considérée comme une sportive de second rang orientée davantage vers la rue que le circuit, et ce, seulement parce qu'une R6 de nouvelle génération fait cette année son apparition. Devrons-nous considérer la nouvelle R6 comme une monture plus docile et vouée à la route lorsqu'elle sera remplacée dans deux ou trois ans ?

Dans les faits, qu'on ajoute ou pas un S à la fin du nom de la YZF-R6 de l'an dernier, elle demeure bien entendu la même sportive de haut niveau qu'on connaît depuis plusieurs années. Si elle ne doit donc pas être considérée comme plus docile ou moins pointue que par le passé, il reste que par rapport au dernier cri en matière de 600 extrêmes, on ne peut que constater qu'elle a pris du vieux. Il est presque impensable de parler ainsi de cette moto dont on louangeait le comportement il y a à peine deux ans, mais le fait est qu'après avoir roulé des nouveautés comme les Kawasaki ZX-6R et Yamaha YZF-R6 de nouvelle génération, force est d'admettre que l'ancienne R6, qu'on doit désormais appeler YZF-R6 S, semble un peu moins précise, un peu moins posée, un peu moins stable et un peu moins puissante qu'on la croyait être il y a quelque temps. Évidemment, cette constatation n'est qu'une illusion découlant du niveau totalement dément de sophistication et de technologie désormais présent sur les 600 de pointe. Car si la YZF-R6 S est un petit peu moins performante à tous les niveaux du pilotage que sa remplaçante et ses rivales, elle continue de représenter un outil de piste ultraprécis motorisé par une mécanique avide de régimes très élevés. Les changements qui lui ont été apportés l'an dernier – principalement une fourche inversée et des étriers de freins avant à montage radial – n'ont qu'un effet mineur sur son comportement, qui reste celui d'une sportive légère et extrêmement précise en pilotage sur circuit. Les freins et la fourche mis à jour semblent permettre une entrée en courbe en freinage encore plus intense que dans le passé. Combinez une telle qualité aux talents déjà bien documentés du modèle au chapitre de la tenue de route et vous obtenez une 600 que même les pilotes les plus critiques peuvent toujours pousser et apprécier en piste.

LA R6 S DEMEURE UN OUTIL DE PISTE ULTRAPRÉCIS MOTORISÉ PAR UNE MÉCANIQUE AVIDE DE RÉGIMES TRÈS ÉLEVÉS.

Le 4-cylindres qui anime la YZF-R6 S est une petite merveille mécanique qui vit pour les hauts régimes puisqu'il livre le meilleur de son excellent niveau de performances entre 9 000 tr/min et sa zone rouge de 15 500 tr/min. Cela dit, comme l'amélioration du couple généré aux régimes inférieurs a toujours été l'une des préoccupations de Yamaha, une utilisation routière « normale » du modèle peut facilement être faite sans avoir à jouer du sélecteur de vitesse de manière excessive, et sans nécessiter de régimes ultrahauts. En ligne droite, les accélérations sont très vives et à peine inférieures à celles des 600 de dernière génération.

Évidemment, qui dit R6 dit également sportive compacte et position de conduite relativement sévère. La nouvelle « vocation routière » amenée par le changement de nom pourrait le faire oublier, mais tel est le cas.

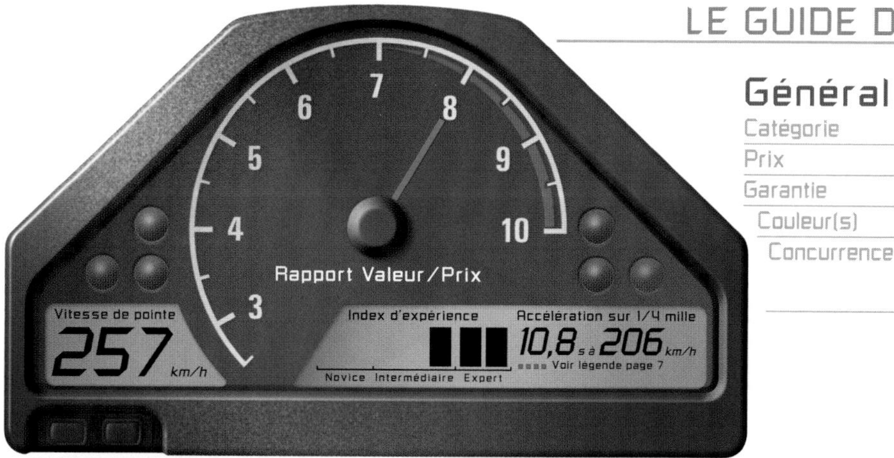

Général

Catégorie	Sportive
Prix	11 799 $
Garantie	1 an/kilométrage illimité
Couleur(s)	bleu, noir
Concurrence	Honda CBR600F4i et CBR600RR, Kawasaki ZZ-R600 et ZX-6R, Suzuki GSX-R600 autre(s) possibilité(s) : Triumph Daytona 675

Partie cycle

Type de cadre	périmétrique « Deltabox III » en aluminium
Suspension avant	fourche inversée de 41 mm ajustable en précharge, compression et détente
Suspension arrière	monoamortisseur ajustable en précharge, compression et détente
Freinage avant	2 disques de 310 mm de Ø avec étriers à 4 pistons
Freinage arrière	1 disque de 220 mm de Ø avec étrier à 1 piston
Pneus avant/arrière	120/70 ZR17 & 180/55 ZR17
Empattement	1 385 mm
Hauteur de selle	830 mm
Poids à vide	163 kg
Réservoir de carburant	17 litres

Moteur

Type	4-cylindres en ligne 4-temps, DACT, 4 soupapes par cylindre, refroidissement par liquide
Alimentation	injection à 4 corps de 40 mm
Rapport volumétrique	12,4:1
Cylindrée	600 cc
Alésage et course	65,5 mm x 44,5 mm
Puissance avec Ram Air	126 ch @ 13 000 tr/min
Puissance sans Ram Air	120 ch @ 13 000 tr/min
Couple avec Ram Air	50,6 lb-pi @ 12 000 tr/min
Couple sans Ram Air	49,2 lb-pi @ 12 000 tr/min
Boîte de vitesses	6 rapports
Transmission finale	par chaîne
Révolution à 100 km/h	environ 5 400 tr/min
Consommation moyenne	6,2 l/100 km
Autonomie moyenne	274 km

Conclusion

Comme Honda l'a fait avec sa CBR600F4i en 2003 et comme Kawasaki le fait cette année en remplaçant sa ZZ-R600 par la version de la ZX-6R lancée en 2000, Yamaha choisit en 2006 de garder l'ancienne génération de la R6 – qu'il rebaptise R6 S – même si une toute nouvelle version du modèle est lancée, et même s'il continue d'offrir la YZF600R. Plus de choix pour le consommateur ne peut qu'être une bonne chose, mais ce dernier doit réaliser, surtout s'il n'est pas à l'affût de toutes les nuances du marché, que la YZF-R6 S n'est pas une « inoffensive 600 vieux jeu », mais bel et bien une arme de piste totalement dédiée à cet environnement. On peut déjà entendre le vendeur tentant d'en faire une « 600 moins violente » ou, pire, une « 600 pour commencer », mais la réalité est qu'elle demeure une 600 aussi agressive et pointue qu'elle l'était lorsqu'il n'y avait pas de S au bout de son nom.

QUOI DE NEUF EN 2006 ?

- Version 2005 de la YZF-R6 qui est renommée YZF-R6 S en raison de l'arrivée d'une nouvelle génération du modèle
- Aucun changement
- Aucune augmentation de prix

PAS MAL

- Une mécanique qui adore être poussée de façon répétée dans la partie supérieure de sa plage de régimes, où elle produit un niveau de puissance qui demeure très respectable
- Une partie cycle dont la beauté du comportement est devenue la marque de commerce du modèle; ancienne génération ou pas, la R6 S demeure un outil de piste redoutable
- Une 600 d'ancienne génération qui reste encore à jour, ou presque

BOF

- Une direction qui, sur notre modèle d'essai 2005, s'agitait avec une facilité et une régularité anormale; la R6 n'ayant pas l'habitude de démontrer un tel comportement, nous croyons qu'il s'agit d'un cas isolé, mais nous ne pouvons pour autant omettre d'en faire mention
- Une désignation S – pour Street – qui pourrait porter à confusion en laissant croire qu'il s'agit d'une 600 à vocation plus routière que sportive, ce que le modèle n'a jamais été et n'est toujours pas
- Un prix qui n'est pas réduit d'un sou par rapport à celui de l'an dernier, et pourtant, le modèle n'est plus d'actualité

YAMAHA YZF600R

En avance sur son temps...

La YZF600R date d'une époque plutôt lointaine où une sportive de 600 cc devait arriver à exceller dans un large éventail de circonstances. Lors de son introduction en 1996, elle partageait la scène avec les Honda CBR600F3 et Kawasaki ZX-6R dont la mission était similaire. Tout changea lorsque Yamaha lança la YZF-R6 en 1999, et que son succès mit en évidence l'intérêt des acheteurs pour la performance pure. Si la YZF600R demeure toujours présente au catalogue du constructeur, c'est que ce ne sont pas *tous* les acheteurs qui partagent cet intérêt. D'autres veulent tout simplement une 600 relativement moderne, mais par-dessus tout polyvalente.

Plusieurs s'étonneront de voir réapparaître de nouveau la YZF600R cette année. Yamaha ayant choisi de conserver la dernière génération de la YZF-R6 comme « 600 de catégorie B », on aurait facilement pu croire que la longue carrière de la YZF600R tirait à sa fin. Mais tel n'est pas le cas. Heureusement d'ailleurs, car cette dernière, en raison de son âge et de ses différences de conception majeures par rapport aux 600 actuelles, a le potentiel de satisfaire une catégorie d'acheteurs qui ne saurait quoi faire de la R6 2005, devenue R6 S en 2006. Il ne s'agit absolument pas d'une 600 lente ou imprécise, du moins pas pour le motocycliste qui n'a jamais possédé ou pas souvent conduit une sportive performante. En fait, si on recule une dizaine d'années, la YZF600R n'était rien d'autre qu'une 600 de pointe, principale raison pour laquelle elle bénéficie de suspensions entièrement réglables et d'une partie cycle solide, des caractéristiques partagées par les modèles actuels. Si la YZF600R n'a pas été un franc succès pour Yamaha, c'est surtout en raison de ses lignes, qui demeurent un peu étranges même aujourd'hui. Mais ses compétences, qui sont étonnamment nombreuses, n'ont jamais été mises en question. Le 4-cylindres qui l'anime, par exemple, est réglé de manière à démontrer une souplesse tout de même honnête à moyen régime, une caractéristique qui permet de limiter les changements de rapports et de conserver des tours relativement bas; la conduite normale s'en trouve facilitée et devient plus agréable. Cette souplesse n'implique aucunement une réduction du potentiel de vitesse puisque le pilote dispose quand même de 105 chevaux au vilebrequin, assez pour générer des performances élevées. Pour mettre le tout en perspective, il suffit de savoir que les sportives pointues actuelles sont plus légères et produisent plus ou moins une vingtaine de chevaux supplémentaires. La partie cycle de la YZF600R utilise des composantes rigides de qualité, mais son poids plus élevé ralentit son agilité par rapport à celle des sportives de 600 cc courantes. Il est nécessaire de le répéter souvent : tant qu'on ne procède pas à une comparaison directe, le comportement de la vieille YZF peut être qualifié de relevé. La direction est légère, plutôt rapide, neutre et précise, tandis que le niveau de stabilité et de maniabilité est excellent. Sur une mauvaise route, la souplesse des suspensions est bienvenue. Tant qu'il ne s'agit pas de pilotage extrême sur un circuit – ce que la YZF600R a tout de même la capacité de réaliser occasionnellement –, cette souplesse n'entraîne pas de comportement fautif en virage. Le freinage est très bon grâce aux excellentes composantes du système.

LA YZF600R A LE POTENTIEL DE SATISFAIRE UNE CATÉGORIE D'ACHETEURS QUI NE SAURAIT QUOI FAIRE DE LA YZF-R6 S.

Il est surprenant de constater que le niveau de confort offert par la YZF600R est probablement le meilleur de la catégorie et qu'il rivalise même avec celui de la FZ6. En selle, la position est sportive, mais redressée de façon à ne pas faire souffrir les poignets et à trop replier les jambes. La bonne protection au le vent, la douceur du moteur, les suspensions calibrées de façon réaliste et le confort de la selle agrémentent les longues distances.

Général

Catégorie	Routière Sportive
Prix	9 999 $
Garantie	1 an/kilométrage illimité
Couleur(s)	bleu, noir
Concurrence	Honda CBR600F4i, Kawasaki ZZ-R600, Suzuki Katana 600

Partie cycle

Type de cadre	périmétrique « Deltabox », en acier
Suspension avant	fourche conventionnelle de 41 mm ajustable en précharge, compression et détente
Suspension arrière	monoamortisseur ajustable en précharge, compression et détente
Freinage avant	2 disques de 298 mm de Ø avec étriers à 4 pistons
Freinage arrière	1 disque de 245 mm de Ø avec étrier à 1 piston
Pneus avant/arrière	120/60 ZR17 & 160/60 ZR17
Empattement	1 415 mm
Hauteur de selle	805 mm
Poids à vide	187 kg
Réservoir de carburant	19 litres

Moteur

Type	4-cylindres en ligne 4-temps, DACT, 4 soupapes par cylindre, refroidissement par liquide
Alimentation	4 carburateurs à corps de 36 mm
Rapport volumétrique	12:1
Cylindrée	599 cc
Alésage et course	62 mm x 49,6 mm
Puissance	105 ch @ 11 500 tr/min
Couple	47,9 lb-pi @ 9 500 tr/min
Boîte de vitesses	6 rapports
Transmission finale	par chaîne
Révolution à 100 km/h	environ 4 800 tr/min
Consommation moyenne	5,9 l/100 km
Autonomie moyenne	322 km

Conclusion

Plus les 600 de pointe deviennent extrêmes et plus les motos comme la YZF600R prennent tout leur sens. À un tel point qu'ironiquement, il est possible que cette dernière ait plus sa place sur le marché en 2006 qu'elle ne l'a eu il y a 10 ans, lorsqu'elle fut lancée. Le problème qu'amenait sa ligne étrange à l'époque n'en est plus un, son niveau de polyvalence contraste agréablement avec la mission étroite des équivalents actuels et même son prix n'est pas mauvais du tout. On pourrait presque dire que si la YZF600R n'existait pas, Yamaha aurait aujourd'hui de bonnes raisons de la concevoir.

QUOI DE NEUF EN 2006 ?

- Aucun changement
- Aucune augmentation de prix

PAS MAL

- Une valeur intéressante : c'est un peu plus cher qu'une FZ6, mais les suspensions sont ajustables, le carénage est intégral et le confort est sensiblement supérieur
- Une mécanique dont la souplesse n'est pas mauvaise et dont les performances restent très correctes
- Un confort aisément supérieur à celui des 600 de pointe grâce à une bonne selle, une position raisonnable et des suspensions plutôt souples

BOF

- Une 600 qui a en réalité presque 10 ans et dont le niveau de performances ne satisfera pas les pilotes exigeants
- Une tenue de route relevée, mais qui n'est pas du tout dans la même ligue que celle des dernières 600
- Un style qui reste controversé, même presque une décennie après son apparition

YAMAHA **FZ6**

Simplement moderne...

Il n'y a que deux ans que la FZ6 a été lancée et déjà, elle fait partie intégrante du folklore motocycliste. En effet, parlez de beau, de bon et de pas cher et, si la discussion traite de routières à saveur sportive, la Yamaha sera inévitablement l'un des premiers modèles à être cités. Si la petite routière a atteint une telle notoriété en si peu de temps, c'est principalement en raison de son rapport valeur/prix exceptionnel. Pour un peu plus de 9 000 $, l'amateur de kilomètres et de courbes en obtient beaucoup, comme une mécanique et des roues de YZF-R6 S, un châssis en aluminium coulé, une béquille centrale et une finition impeccable, entre autres.

On réalise très vite, en faisant l'inventaire des composantes qui constituent la FZ6, que c'est avec une grande générosité que le constructeur a assemblé le modèle. La preuve est que techniquement, une FZ6 est presque l'équivalent d'une YZF-R6 S, pour environ 2 500 $ de moins. On n'obtient ni les suspensions entièrement réglables de la sportive ni ses freins de haut calibre, et il faut faire avec un demi-carénage et une ligne plus sobre. Mais pour ce qui est du reste, les ressemblances sont choquantes. Le moteur est, par exemple, le même – du moins à l'exception d'une injection moins complexe et d'un réglage moins pointu qui lui volent une vingtaine de chevaux – tandis que le cadre en aluminium moulé sans soudures reste parmi les plus avancés du marché. Les roues sont, quant à elles, exactement les mêmes. La principale raison derrière cette générosité technologique vient du nombre d'unités vendues à l'échelle mondiale.

TECHNIQUEMENT, UNE FZ6 EST PRESQUE L'ÉQUIVALENT D'UNE YZF-R6 S, POUR ENVIRON 2 500 $ DE MOINS.

En pleine accélération, et en dépit d'une puissance inférieure à celle d'une R6 S par une vingtaine de chevaux, le 4-cylindres en ligne de la FZ6 émet à haut régime le même hurlement électrique que celui de la sportive. Les performances sont semblables à celles de cette dernière jusqu'à environ 9 000 tr/min, mais à partir de ce point, la R6 S s'enfuit. Cela dit, l'accélération dont est capable la FZ6, qui produit tout de même une centaine de chevaux, demeure tout à fait satisfaisante, surtout pour le motocycliste peu ou moyennement expérimenté. L'un des seuls défauts de la FZ6 se situe au niveau de sa souplesse à mi-régime, qui est peu impressionnante puisqu'elle est très similaire à celle d'une 600 de pointe, voire légèrement inférieure. S'il y a une caractéristique de la FZ6 sur laquelle on doit sérieusement se questionner avant l'achat, c'est cette dernière. À ce sujet, il ne fait aucun doute que les pilotes plus expérimentés et surtout habitués à une plus grosse cylindrée risquent de trouver les accélérations ordinaires.

À part un chatouillement léger et typique des 4-cylindres en ligne qui traverse les poignées à vitesse constante sur autoroute, les vibrations sont bien contrôlées. En ce qui concerne le confort, la FZ6 se sort d'ailleurs très bien d'affaire. La position relevée est excellente, la selle est au-dessus de la moyenne et la protection au vent est généreuse et exempte de turbulences. Notons que Yamaha offre en accessoire un pare-brise considérablement plus haut, une caractéristique très rare chez ces motos. Les amateurs de tourisme remarqueront aussi que la position centrale du silencieux facilite l'installation de sacoches souples.

Afin de favoriser la conduite sportive, les suspensions sont calibrées de manière un peu ferme, ce qui se traduit par un compromis qui n'est pas méchant puisqu'en échange d'une sécheresse occasionnelle sur mauvais revêtement, ces réglages permettent de tirer le meilleur parti du potentiel sportif considérable de la partie cycle. Légère à lancer en courbe et très précise en virage, la FZ6 n'a d'ailleurs aucun problème à rester dans la roue d'une 600 de pointe sur une route sinueuse, ce qui en dit long sur ses capacités sportives.

Général

Catégorie	Routière Sportive
Prix	9 199 $
Garantie	1 an/kilométrage illimité
Couleur(s)	bleu, rouge
Concurrence	Honda 599, Kawasaki Z750S, Suzuki Bandit 650S et SV650S autre(s) possibilité(s) : Suzuki V-Strom 650

Partie cycle

Type de cadre	périmétrique, en aluminium
Suspension avant	fourche conventionnelle de 43 mm non ajustable
Suspension arrière	monoamortisseur ajustable en précharge
Freinage avant	2 disques de 298 mm de Ø avec étriers à 2 pistons
Freinage arrière	1 disque de 245 mm de Ø avec étrier à 1 piston
Pneus avant/arrière	120/70 ZR17 & 180/55 ZR17
Empattement	1 440 mm
Hauteur de selle	795 mm
Poids à vide	187 kg
Réservoir de carburant	19 litres

Moteur

Type	4-cylindres en ligne 4-temps, DACT, 4 soupapes par cylindre, refroidissement par liquide
Alimentation	injection à corps de 36 mm
Rapport volumétrique	12,2:1
Cylindrée	599 cc
Alésage et course	65,5 mm x 44,5 mm
Puissance	98 ch @ 12 000 tr/min
Couple	46,5 lb-pi @ 10 000 tr/min
Boîte de vitesses	6 rapports
Transmission finale	par chaîne
Révolution à 100 km/h	environ 5 100 tr/min
Consommation moyenne	6,0 l /100 km
Autonomie moyenne	316 km

Conclusion

Depuis son arrivée sur le marché en 2004, la FZ6 a redéfini le concept de valeur chez les motos « pleine grandeur » vendues sous la barre des 10 000 $. Depuis son introduction – et celle de motos comme la Kawasaki Z750, la Honda 599 ou la Suzuki V-Strom 650 – le motocycliste en obtient décidément plus pour son fric. À un tel point qu'il n'y a plus de place sur le marché pour les modèles construits autour de vieilles technologies que ce genre de montant permettait d'acheter jusqu'à tout récemment. En ce qui concerne la FZ6 plus particulièrement, elle représente un choix qu'il est pratiquement impossible de regretter compte tenu de la somme demandée, surtout si l'on est conscient du genre de livrée de puissance quelque peu pointue du moteur de YZF-R6 S qui l'anime.

QUOI DE NEUF EN 2006 ?

- Finition améliorée de la partie avant du carénage
- Cadre, bras oscillant, moteur et roues peints en noir
- Coûte 200 $ de plus qu'en 2005

PAS MAL

- Un rapport très favorable entre le prix et la qualité de la construction, du comportement et de la finition
- Des accélérations divertissantes, du moins tant qu'on garde les régimes élevés, et une sonorité mécanique électrique et aiguë presque identique à celle de la R6 S
- Un comportement routier qui rappelle celui d'une 600 de pointe par sa précision et sa stabilité

BOF

- Une mécanique qui concentre ses chevaux à haut régime et dont la souplesse n'impressionne pas; une FZ7 avec 750 cc, au même prix ou presque, est-ce trop demander ?
- Un niveau de confort très acceptable, mais affecté par des suspensions fermes et, sur long trajet, par une selle un peu dure et de légères vibrations dans les poignées
- Un système d'injection « économique » qui se montre un peu abrupt à l'ouverture des gaz, surtout à bas régime, sur les premiers rapports

YAMAHA **MT-01**

NOUVEAUTÉ 2006

Coup de coeur...

Présentée comme concept au Salon de Tokyo de 1999, la MT-01 fut produite pour le marché européen en 2005. Elle aurait pu être vendue chez nous si seulement les États-Unis en avaient voulu, mais ils en décidèrent autrement, et nous en fûmes privés. Pour 2006, Yamaha Canada prend les choses en main en se chargeant d'importer le modèle uniquement pour notre marché, un geste d'une extrême rareté pour un importateur canadien. Peu d'unités entreront au pays, ce qui signifie que peu d'élus arriveront à mettre la main sur cette moto qui doit être considérée comme l'une des expériences de pilotage les plus particulières du motocyclisme.

C'est par le terme japonais « kodo », un synonyme de mots comme battement ou pulsation que Yamaha tente d'expliquer l'expérience proposée par la MT-01. Mais comprendre la signification du terme – et la mission de la moto – ne demande qu'une chose : l'enfourcher et partir.

Dès que prend vie le gros V-Twin de 1 670 cc – une mécanique très proche de celle de la Road Star Warrior –, un torrent de pulsations traverse le pilote. La première impression en est une de confusion, puisqu'on est après tout aux commandes d'une standard, et que ce genre de sensations est d'habitude réservé aux customs les plus caractérielles. L'étape de confusion se transforme néanmoins rapidement en sentiment d'appréciation pour un caractère d'une telle intensité. Du moins tant qu'on fait partie des motocyclistes amateurs de ce type d'expérience. Car s'il est une vérité à propos de la MT-01, c'est qu'elle n'est pas pour tout le monde. Amant de moteurs doux, passez votre chemin, celle-là est votre hantise. Par contre, pour qui comprend et apprécie le caractère fort de modèles comme une Buell Lightning, une BMW R1150R ou une Harley Street Rod, la MT-01 tient de la révélation puisqu'elle surclasse chacune d'elles en termes de présence mécanique, ce qui n'est certainement pas peu dire. Sur la Yamaha, cette fameuse présence prend la forme d'un niveau de pulsations puissant et franc ressenti durant chaque instant en selle. Les guidons et surtout la selle tremblent sans gêne au rythme des deux gros pistons, entraînant dans le processus chaque once de chair et d'os du pilote. Sans jamais être inconfortable, il s'agit de la sensation prédominante renvoyée par la mécanique.

S'IL EST UNE VÉRITÉ À PROPOS DE LA MT-01, C'EST QU'ELLE N'EST PAS POUR TOUT LE MONDE.

Solliciter une mécanique de custom tout en pilotant une standard n'est pas une expérience commune. En fait, à l'exception d'une Buell Lightning et de son moteur de Sportster, elle est particulière à la MT-01. Le mariage est absolument réussi puisque celle-ci s'élance avec autorité et sans effort à partir d'un arrêt. Sans qu'on puisse parler de performances exceptionnelles, les accélérations dont est capable la MT-01 demeurent très respectables et arriveront à n'en pas douter à satisfaire un pilote d'expérience. Ce n'est toutefois pas en chiffres qu'on mesure le plaisir retiré de l'ouverture des gaz de la MT-01. L'utilisation d'un moteur avec une zone rouge aussi basse et une production de couple aussi forte se traduit par des accélérations dont on sent clairement la force, mais qui semblent étrangement associées à des régimes qui grimpent très lentement. Ouvrez grand les gaz à 100 km/h, alors que le moteur dort à 2 300 tr/min en cinquième vitesse, et la MT-01 s'élance avec douceur et grâce jusqu'à 130 km/h à 3 000 tr/min, et jusqu'à 175 km/h à peine 1 000 tr/min plus tard ! Les 200 km/h sont franchis sans peine. L'embrayage est sans reproche et la transmission, qui vient pourtant d'une custom, est excellente.

Malgré sa partie cycle ultramoderne utilisant des suspensions de sportive et un cadre sans soudures formé de pièces d'aluminium droite et gauche coulées sous vide, puis boulonnées ensemble, la MT-01 n'est manifestement pas une machine de piste.

Sa stabilité en ligne droite ou dans les courbes prises à haute vitesse est sans reproche, une qualité rare sur les standards dont la solidité est facilement affectée par la pression du vent sur le pilote. Mais tenter d'enfiler une série de courbes avec entrain révèle une partie cycle qui préfère un rythme moins qu'extrême. Clairement, la MT-01 ne fait pas partie de ces motos qui se pilotent toutes seules. Le poids considérable et le centre de gravité élevé dicté par le lourd et haut V-Twin jouent probablement des rôles importants dans cette caractéristique. La MT-01 tolère mal les courbes bosselées négociées agressivement. Impeccable partout ailleurs, elle se met à se dandiner dans cette situation. L'effort nécessaire à l'inscrire en virage est modéré, c'est-à-dire ni très élevé ni très faible, mais la direction n'est pas neutre et une constante pression sur le guidon doit être exercée pour maintenir un arc choisi. On s'étonne un peu de ces traits de comportement compte tenu de la conception moderne de le fait d'avoir à travailler un peu pour piloter une moto a même quelque chose de rafraîchissant en cette période de tenues de route toujours plus instinctives.

Si la MT-01 est plutôt lourde à manoeuvrer l'arrêt – elle fait après tout quelque 240 kg à sec –, son poids n'est plus un facteur dès qu'on se met en mouvement. Du moins sauf en ce qui concerne le freinage, qui est très bon, mais qui demeure nettement moins impressionnant que sur une R1, d'où provient le système.

La position de conduite est idéale pour une standard. Elle penche le pilote vers l'avant juste assez pour qu'il sente une saveur sportive dans sa posture, mais sans mettre de poids sur ses mains, tandis que les jambes sont pliées juste sous le bassin. La selle est ferme, mais bien formée pour le pilote. Le passager, par contre, se sentira quelque peu recroquevillé. Malgré une certaine fermeté, les réglages des suspensions reflètent bien la nature routière. À l'exception de l'arrière qui brasse un peu le pilote sur une route en mauvais état, leur travail est satisfaisant.

Dessinée pour le Terminator...

Visuellement, la MT-01 est l'une des créations les plus audacieuses du motocyclisme. Au coeur de son cadre aux formes tourmentées, le moteur de la Warrior paraît immense. Sa hauteur pousse le réservoir et tout ce qu'il cache vers le haut. On remarque une suspension arrière logée à l'horizontale, un système d'échappement double de style mégaphone dont les silencieux sont surdimensionnés pour arriver à bien faire respirer le gros V-Twin, et l'entraînement final par chaîne à droite plutôt que par courroie et à gauche comme sur la Warrior.

Rapport Valeur/Prix

Vitesse de pointe 209 km/h

Index d'expérience: Novice Intermédiaire Expert

Accélération sur 1/4 mille 12,1 s à 179 km/h

Voir légende page 7

Général

Catégorie	Standard
Prix	15 999 $
Garantie	1 an/kilométrage illimité
Couleur(s)	mauve foncé, argent
Concurrence	BMW R1150R, Buell Lightning XB12S, Ducati Monster 1000, Harley-Davidson Street Rod, Triumph Speed Triple

Partie cycle

Type de cadre	périmétrique, en aluminium
Suspension avant	fourche inversée de 43 mm ajustable en précharge
Suspension arrière	monoamortisseur ajustable en précharge et détente
Freinage avant	2 disques de 320 mm de Ø avec étriers radiaux à 4 pistons
Freinage arrière	1 disque de 267 mm de Ø avec étrier à 2 pistons
Pneus avant/arrière	120/70 ZR17 & 190/50 ZR17
Empattement	1 525 mm
Hauteur de selle	825 mm
Poids à vide	240 kg
Réservoir de carburant	15 litres

Moteur

Type	bicylindre 4-temps en V à 48 degrés, culbuté, 4 soupapes par cylindre, refroidissement par air
Alimentation	injection à 2 corps de 40 mm
Rapport volumétrique	8,4:1
Cylindrée	1 670 cc
Alésage et course	97 mm x 113 mm
Puissance	90 ch @ 4 750 tr/min
Couple	111 lb-pi @ 3 750 tr/min
Boîte de vitesses	5 rapports
Transmission finale	par chaîne
Révolution à 100 km/h	environ 2 300 tr/min
Consommation moyenne	6,3 l/100 km
Autonomie moyenne	238 km

Conclusion

La MT-01 est clairement destinée au motocycliste connaisseur, exigeant et ouvert aux nouvelles sensations. Elle affiche certaines similitudes avec quelques autres standards caractérielles comme la Harley-Davidson Street Rod et la Buell Lightning XB12S, mais seulement des similitudes puisque l'expérience de pilotage qu'elle propose reste unique. Elle a ses petits défauts, mais ils sont tous noyés par l'intensité perpétuelle du tempérament de sa mécanique. La MT-01 demande d'être comprise pour être appréciée et il est impératif d'apprécier le caractère en forte dose pour la comprendre. Si cela vous ressemble, l'un des quelques exemplaires importés au Canada pourrait vous émouvoir. Sinon, oubliez ça.

QUOI DE NEUF EN 2006 ?

- Modèle lancé sur le marché européen l'an dernier et importé en faible quantité en 2006 au Canada

PAS MAL

- Un gros V-Twin qui réussit à merveille le passage d'une vocation custom à une utilisation standard en amenant sur ce type de moto un couple géant et des sensations inédites
- Une ligne qui va de pair avec la particularité des sensations mécaniques; la MT-01 est visuellement aussi unique que choquante
- Une exclusivité provenant du fait qu'il n'y en a pas au sud de la frontière et que seuls quelques exemplaires arriveront au Canada

BOF

- Un design issu d'une étude de style, avec les conséquences correspondantes; les gros et lourds silencieux hauts n'aident pas le comportement, pas plus que le centre de gravité élevé
- Un comportement relativement peu impressionnant dans les courbes bosselées où la moto a tendance à se dandiner
- Une force de caractère tellement intense qu'elle rend le modèle difficile à vendre; les connaisseurs apprécieront, la majorité trouvera que « ça vibre trop »

Le suspens du siècle...

L'information est crédible, mais nous hésitons fortement à l'utiliser. Car au fil des ans, nous ne comptons plus les fois où nous-mêmes avons cru à l'arrivée imminente d'une nouvelle V-Max, pour réaliser un an plus tard, qu'il n'en était rien. L'an dernier, alors que rien ne s'est matérialisé pour le 20e anniversaire du modèle – qui coïncidait en plus avec le 50e de Yamaha –, nous avons même baissé les bras. Puis, juste au moment où nous nous faisons à l'idée que, parce que les V-Twins sont à la mode et pas les V4, la MT-01 prendrait le rôle de la V-Max, voilà que Yamaha nous met encore une fois dans le doute. La nouvelle V-Max arriverait en 2007. On n'a pas déjà dit ça, nous ?

Résumons. La V-Max fut lancée en 1985 et, exception faite d'une mise à jour des suspensions et des freins, n'a pratiquement pas évolué depuis. Au cours de ces deux décennies de production, en raison de son style très particulier et de son furieux V4 – qui demeure à ce jour le plus proche équivalent motocycliste d'un V8 américain , la V-Max est carrément devenue un culte auquel sont dévouées, aux quatre coins du globe, nombre d'associations. Depuis des années maintenant, l'arrivée d'une nouvelle V-Max alimente les discussions, sans pourtant ne jamais se matérialiser. *Le Guide de la Moto* y a même cru dur comme fer pour plusieurs bonnes raisons. D'abord à cause de la demande pour le modèle, mais surtout parce que cela nous avait été confirmé de bonne source. À la fin de 1998, j'assistais quelque part aux États-Unis, dans le Maine, je crois, à l'introduction de la Royal Star Venture 1999. Les ingénieurs japonais responsables de la nouveauté avaient fait le voyage pour l'occasion. Lors d'une discussion avec l'un d'eux, j'amenai le sujet de la V-Max. À ma grande surprise, la conversation continua. Il me fut alors confirmé qu'une V-Max de nouvelle génération était bel et bien en développement et que différents prototypes roulants existaient déjà à cette époque. Cela dit, l'engouement de l'époque – et celui que Yamaha prévoyait pour les années à venir – pour les modèles à moteur V-Twin, notamment les customs, dicterait toutefois la direction des nouveautés à venir, ce qui repousserait indéfiniment l'arrivée d'une remplaçante de la V-Max. Depuis, des modèles aussi importants que la V-Star 1100, les Road Star 1600 et 1700, la Road Star Warrior et plus récemment la Roadliner et sa version de tourisme léger la Stratoliner ont été lancés, ce qui confirme la volonté de la marque aux trois diapasons de prioriser et d'exploiter le lucratif marché de la custom à moteur V-Twin, et explique la remise continuelle de la refonte de la V-Max. Puis à la fin de 2001, à l'occasion du Salon International de Tokyo, Suzuki lança la B-King – pour Boost King –, un prototype aux lignes futuristes motorisé par une mécanique suralimentée de Hayabusa. Un musclebike en bonne et due forme et une concurrente tout à fait légitime à la V-Max. L'intérêt du public pour le modèle poussa Suzuki à travailler sur une version de production, dont la date d'arrivée pourrait être 2007. Une version de 600 cc de ce modèle est d'ailleurs lancée en Europe cette année, la GSR600, qui peut, soit dit en passant, être vue au début du Guide 2006. Craignant de perdre sa clientèle au profit d'un modèle concurrent, Yamaha ne put s'empêcher de dévoiler le prototype de la prochaine V-Max au Salon de Tokyo de 2005, un geste destiné à gagner une dernière année de patience de la part des nombreux intéressés. Évidemment, personne ne veut en parler officiellement chez Yamaha, mais tout bas, quand personne ne regarde et que personne n'écoute, on chuchote que cette fois serait la bonne et que l'année serait 2007. *Le Guide de la Moto* ne fera pas de prédiction à ce sujet, mais vous laissera plutôt juger des faits par vous-mêmes. Croisons les doigts et attendons donc encore un an.

QUAND PERSONNE NE REGARDE ET QUE PERSONNE N'ÉCOUTE, ON CHUCHOTE TOUT BAS QUE CE SERAIT POUR 2007.

Général

Catégorie	Standard
Prix	12 699 $
Garantie	1 an/kilométrage illimité
Couleur(s)	noir avec flammes
Concurrence	Trimph Rocket III, Harley-Davidson V-Rod Destroyer

Partie cycle

Type de cadre	double berceau, en acier
Suspension avant	fourche conventionnelle de 43 mm ajustable pour la pression d'air
Suspension arrière	2 amortisseurs ajustables en précharge et détente
Freinage avant	2 disques de 298 mm de Ø avec étriers à 4 pistons
Freinage arrière	1 disque de 282 mm de Ø avec étrier à 2 pistons
Pneus avant/arrière	110/90 V18 & 150/90 V15
Empattement	1 590 mm
Hauteur de selle	765 mm
Poids à vide	263 kg
Réservoir de carburant	15 litres

Moteur

Type	4-cylindres 4-temps en V à 70 degrés, DACT, 4 soupapes par cylindre, refroidissement par liquide
Alimentation	4 carburateurs à corps de 35 mm avec système V-Boost
Rapport volumétrique	10,5:1
Cylindrée	1 198 cc
Alésage et course	76 mm x 66 mm
Puissance	145 ch
Couple	86,9 lb-pi @ 7 500 tr/min
Boîte de vitesses	5 rapports
Transmission finale	par arbre
Révolution à 100 km/h	environ 3 800 tr/min
Consommation moyenne	6,8 l/100 km
Autonomie moyenne	220 km

Conclusion

Si une V-Max de nouvelle génération semble finalement vouloir se concrétiser pour l'an prochain – et nous avons bien dit *semble* –, pour le moment, le modèle qu'on connaît depuis plus de deux décennies continue d'être la seule réelle manière de rouler en V-Max. Autant caractérisée par un grondant V4 de 1 200 cc que par une partie cycle préhistorique qui n'a jamais été capable de véritablement mater la furie de ce dernier, la V-Max demeure un achat intéressant. En partie en raison de l'aura qui entoure le modèle, mais surtout parce qu'il continue d'être divertissant à piloter et que son prix reste attrayant. La prochaine génération sera sans l'ombre d'un doute supérieure à tous les niveaux, ce qui porte à croire que les acheteurs du modèle actuel en feront l'acquisition par nostalgie ou par manque d'information sur ce que réserverait 2007. Mais ils pourraient aussi acheter une V-Max en 2006 parce qu'ils sont tout simplement sceptiques quant à l'existence d'une remplaçante. Qui pourrait les blâmer ?

QUOI DE NEUF EN 2006 ?

- **Traitement général noir avec flammes sur le faux réservoir**
- **Aucun changement**
- **Coûte 100 $ de plus qu'en 2005**

PAS MAL

- **Un V4 fabuleux malgré son âge, un monstre de couple qui tire à tous les régimes et qui sait aussi très bien chanter**
- **Une position de conduite équilibrée et reposante qui est celle d'une standard bien avant d'être celle de n'importe quel autre type de moto**
- **Un style qui, incroyablement, fait encore tourner les têtes plus de deux décennies après le lancement du modèle**

BOF

- **Une partie cycle dont l'âge avancé devient évident dès qu'on laisse la chance au gros V4 de se déchaîner**
- **Des suspensions simplistes qui digèrent mal les routes abîmées, surtout à l'arrière où un mauvais revêtement amène des réactions sèches**
- **Un intérêt nostalgique indiscutable, mais lorsqu'on sait – ou qu'on croit savoir – qu'une nouvelle version arrive, les raisons d'acheter une V-Max neuve en 2006 deviennent presque inexistantes**

YAMAHA MAJESTY 400

Praticité 101...

Lorsqu'il arriva sur notre marché l'an dernier, le Yamaha Majesty était déjà commercialisé ailleurs dans le monde, notamment sur le marché européen où est né ce genre de scooter surdimensionné. Propulsé par un monocylindre quatre-temps de 395 centimètres cubes alimenté par injection, il utilise un châssis dont la construction fait appel aux toutes dernières techniques de coulage d'aluminium sous vide de Yamaha qui sont surtout utilisées sur les sportives de la marque. Si le Majesty fait preuve d'un niveau technologique étonnant, son mandat tient plutôt du déplacement simple, pratique et économique.

Trouver une deux-roues plus facile à piloter qu'un scooter de 400 cc comme ce Majesty est un défi de taille. Imaginez n'avoir aucun embrayage à manier et aucune vitesse à changer. Si, pour une catégorie de motocyclistes, priver la conduite d'une moto de ces manipulations tient du sacrilège, pour d'autres, il s'agit plutôt d'une bénédiction. Beaucoup d'acheteurs de gros scooters vous le diront : l'une des principales raisons de leur choix se veut la présence d'une transmission automatique, une caractéristique qui est virtuellement introuvable sur la moto moyenne. Parlant de différence avec la moto moyenne, le côté pratique d'un scooter comme le Majesty est également l'une des caractéristiques qui démarquent de façon nette sa conduite et son utilisation. La meilleure démonstration de ce côté pratique est facilement faite en se rendant compte des multiples applications possibles du vaste coffre de 60 litres qui se cache sous la selle. Quiconque possède une moto sait que le transport du moindre objet demande l'utilisation de certains équipements allant du sac à dos aux valises ajoutées. Et encore, même là, on n'amène pas ce qu'on veut. Sur le Majesty, on lève la selle, on jette des lettres à poster, un tuyau d'arrosage ou un sac d'épicerie et on file. C'est simple, c'est pratique et c'est très efficace.

LA TRANSMISSION AUTOMATIQUE EST UNE CARACTÉRISTIQUE VIRTUELLEMENT INTROUVABLE SUR LA MOTO MOYENNE.

Les 34 chevaux générés par le petit moteur sont appréciables, mais la masse considérable de l'ensemble limite les performances à un niveau qu'on pourrait qualifier d'utile mais timide. Autrement dit, sans pour autant qu'on le sente lent ou sous-motorisé – ce qui n'est pas le cas – le Majesty 400 n'impressionnera personne une fois le feu passé au vert. L'accélération est amplement suffisante pour suivre une circulation pressée, et à part une légère paresse à s'élancer à partir d'un arrêt complet, le monocylindre suffit toujours à la tâche. Plus à l'aise une fois en route, non seulement il passe le cap des 100 km/h sans peiner le moins du monde, mais il est aussi capable d'atteindre et maintenir plus de 140 km/h avec une étonnante facilité. À ces vitesses, l'un des plus grands atouts du Majesty, outre sa bonne stabilité, est l'impressionnante efficacité aérodynamique de son carénage et de son pare-brise. L'écoulement de l'air est même si propre qu'il est quasi exempt de turbulences, une qualité que plusieurs motos de tourisme de gros calibre peinent encore et toujours à offrir.

On semble toujours un peu étonné d'entendre que plusieurs acheteurs de ce genre de scooters surdimensionnés les utilisent pour le tourisme, mais l'idée devient tout à fait logique lorsqu'on constate l'excellent niveau de confort qu'ils offrent généralement. En plus d'une position de conduite reposante, d'une bonne selle et d'un carénage efficace, on a droit à une latitude au niveau de la position des jambes qui paraîtra infinie à quiconque a l'habitude de piloter une moto. Dans le cas du Majesty 400, la seule ombre au tableau à ce chapitre concerne les suspensions qui sont calibrées fermement, surtout à l'arrière, une caractéristique qui se traduit par des réactions sèches sur une route en mauvais état.

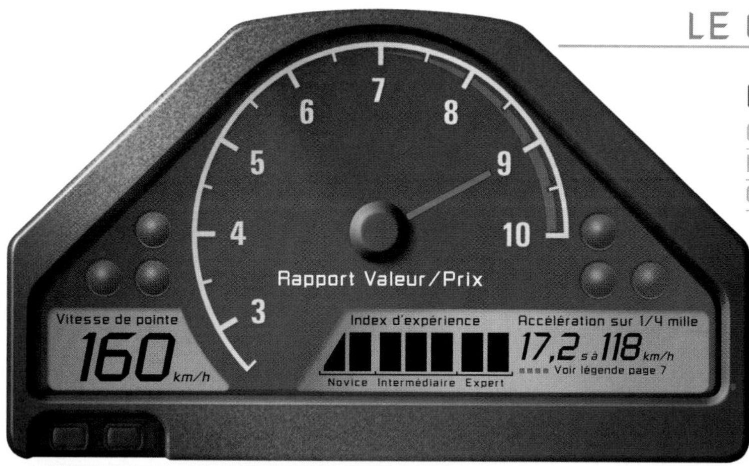

Général

Catégorie	Scooter
Prix	7 999 $
Garantie	1 an/kilométrage illimité
Couleur(s)	argent, rouge
Concurrence	Suzuki Burgman 400, Aprilia Scarabeo 500, Piaggio X9

Partie cycle

Type de cadre	tubulaire, en acier
Suspension avant	fourche conventionnelle de 41 mm non ajustable
Suspension arrière	2 amortisseurs non ajustables
Freinage avant	1 disque de 267 mm de Ø avec étrier à 2 pistons
Freinage arrière	1 disque de 267 mm de Ø avec étrier à 1 piston
Pneus avant/arrière	120/80-14 & 150/70-13
Empattement	1 565 mm
Hauteur de selle	750 mm
Poids à vide	197 kg
Réservoir de carburant	14 litres

Moteur

Type	monocylindre 4-temps, DACT, 4 soupapes, refroidissement par liquide
Alimentation	par injection
Rapport volumétrique	10,6:1
Cylindrée	395 cc
Alésage et course	83 mm x 73 mm
Puissance	34 ch @ 7 250 tr/min
Couple	26,8 lb-pi @ 6 000 tr/min
Boîte de vitesses	automatique
Transmission finale	par courroie
Révolution à 100 km/h	environ 5 200 tr/min
Consommation moyenne	4,9 l/100 km
Autonomie moyenne	285 km

Conclusion

Le côté pratique de ces gros scooters est presque inimaginable pour quiconque n'en a jamais fait l'expérience. S'ils sont assez amusants pour qu'on choisisse souvent de faire un détour pour arriver à destination, leurs plus grands atouts demeurent ce fameux niveau de praticité et cette facilité d'utilisation sans pareil. Parce qu'il faut dire que si on cherche de la performance ou une mécanique à caractère, on frappe ici à la mauvaise porte. Le Majesty est un scooter, pas une moto. C'est un mode de déplacement, pas uniquement un loisir. Il est drôle de le constater, mais même s'ils sont souvent perçus comme des deux-roues de second rang, les gros scooters arrivent à faire tout ce qu'une moto fait, alors que le contraire n'est pas vrai. Dans le cas du Majesty, tout cela est de plus accompli de façon aussi amicale qu'efficace.

QUOI DE NEUF EN 2006 ?

- **Aucun changement**
- **Aucune augmentation de prix**

PAS MAL

- **Un aspect pratique et utile inimaginable pour le propriétaire de moto conventionnelle; c'est léger, c'est automatique, c'est économique, c'est confortable, c'est plein de rangement, etc.**
- **Un petit moteur qui n'est évidemment pas très puissant, mais qui suffit toujours à la situation, de la ville au tourisme**
- **Une efficacité aérodynamique étonnante du grand pare-brise, meilleure que celle de bien des motos spécialisées**

BOF

- **Une légère paresse à s'élancer à partir d'un arrêt complet; tout de suite après, ça va mieux**
- **Une suspension arrière plutôt ferme qui ne s'ajuste pas et qui se montre rude sur mauvais revêtement**
- **Un équipement auquel il ne manque qu'un dossier pour le passager, comme on peut en retrouver un sur le Suzuki Burgman 400**

Roadliner S

YAMAHA **ROADLINER ET STRATOLINER**

NOUVEAUTÉ 2006

Puissante élégance...

La ligne de la nouvelle Roadliner s'inspire de manière évidente des styles « Streamliner » et Art déco fortement populaires durant les années 30 et 40. Elle est le fruit d'un effort de la part de Yamaha visant à se distancer des customs qui, visuellement, se limitent à recréer le thème de la Harley-Davidson, et traduit la volonté du constructeur de s'approcher davantage de l'image de la custom hautement personnalisée. Également disponible en version de tourisme léger appelée Stratoliner et proposée en trois niveaux de finition – de base, Midnight et S –, elle est propulsée par une toute nouvelle mécanique de 1 900 cc refroidie par air.

Si Yamaha comptait au départ opter pour une mécanique refroidie par liquide et défonçant allègrement le plafond des 2 000 cc, le poids beaucoup trop élevé des premiers prototypes de la Roadliner poussa apparemment le manufacturier à se raviser. Un tel embonpoint ne respectait tout simplement pas le but que s'était fixé Yamaha de produire une moto de forte cylindrée dont le maniement à l'arrêt demeurerait aisé. Il fut donc décidé d'opter pour un V-Twin refroidi par air, une technologie parfaitement maîtrisée par le constructeur qui l'emploie sur toutes ses autres customs à moteur V-Twin. Le résultat est franchement étonnant puisqu'il combine un niveau de performances semblable à celui des modèles concurrents et une agilité similaire à celle d'une Road Star de 1 700 cc. Le positionnement bas du moteur dans le châssis ainsi que l'utilisation d'un très rare cadre en aluminium – la Warrior est la seule autre custom à en posséder un – furent des éléments de conception cruciaux à ce sujet.

SITÔT EN MOUVEMENT, LA ROADLINER SE COMPORTE AVEC GRÂCE ET ÉLÉGANCE.

En s'installant aux commandes de la Roadliner, on note d'ailleurs immédiatement à quel point la moto se soulève facilement de sa béquille, du moins pour une bête d'une telle cylindrée. La sortir du garage demande tout de même de pousser quelque 320 kilos, ce qui n'est pas banal, mais le fait est que les efforts déployés pour abaisser le centre de gravité ont manifestement porté fruit. Sitôt en mouvement, la Roadliner se comporte avec grâce et élégance. La moindre poussée sur le large guidon suffit à l'inscrire en virage tandis que la moto reste neutre et majestueusement plantée en milieu de courbe. Les larges plateformes, qui finissent bien entendu par frotter, limitent avant quoi que ce soit le rythme étonnant qu'il est possible d'atteindre sur une route sinueuse. À l'intérieur de ces limites, la Roadliner est sublime. Non seulement en raison de la solidité du châssis et de la légèreté de la direction, mais aussi parce que le freinage n'est rien de moins qu'excellent et que les suspensions ne semblent pas trop fermement calibrées. Notons qu'à ce chapitre, seul un essai sur les belles routes du Québec – notre prise de contact s'est faite durant le lancement du modèle en Oregon – permettra de rendre un verdict final. Quant à la selle, elle est suffisamment bien formée pour offrir quelques heures de conduite sans trop de douleur, ce qui est supérieur à la moyenne.

La Roadliner possède un autre atout majeur que ceux de sa ligne raffinée, de sa finition magnifique et de son comportement solide : sa mécanique. Grâce à un système de balancier double, le V-Twin de 1 854 cc est plus doux que celui d'une Road Star malgré ses quelque 200 cc supplémentaires. Mais il est aussi beaucoup plus puissant. Du ralenti jusqu'à la coupure des régimes, le pilote a droit à une avalanche de couple gras très plaisant à solliciter. Difficile de dire si les accélérations sont supérieures ou pas à celles des grosses rivales, mais c'est décidément semblable, ce qui est excellent pour une mécanique refroidie par air. Le gros V-Twin fait preuve d'une impressionnante présence en grondant de façon juste assez lourde et juste assez grave pour transformer chaque minute en selle en intense expérience sensorielle.

Il est très intéressant de noter que la Roadliner devait initialement utiliser un refroidissement par liquide et allègrement passer les 2000 cc. Yamaha aurait même avancé le projet jusqu'au stade d'un prototype roulant, mais ce dernier fut jugé beaucoup trop lourd. Le concept final emploie un V-Twin refroidi par air de 1 900 cc moins haut et moins lourd, une caractéristique essentielle au centre de gravité bas recherché par les ingénieurs du constructeur.

À quelques kilomètres au nord de la ville de Portland, en Oregon, avec le magnifique fleuve Columbia en arrière-plan, l'auteur et la Roadliner S font la pause. De l'autre côté de la route, agrippé à une façade rocheuse, Tom Riles immortalise le moment.

Porte-bagages

Ajoutez à une Roadliner une paire de sacoches rigides recouvertes de cuir ainsi qu'un gros pare-brise et un dossier de passager – tous deux disposant du système de détache rapide inauguré sur la Royal Star Tour Deluxe en 2005 – et vous obtenez la Stratoliner. Peu importe le degré de finition, elle coûte 2 000 $ de plus que le modèle sans équipement.

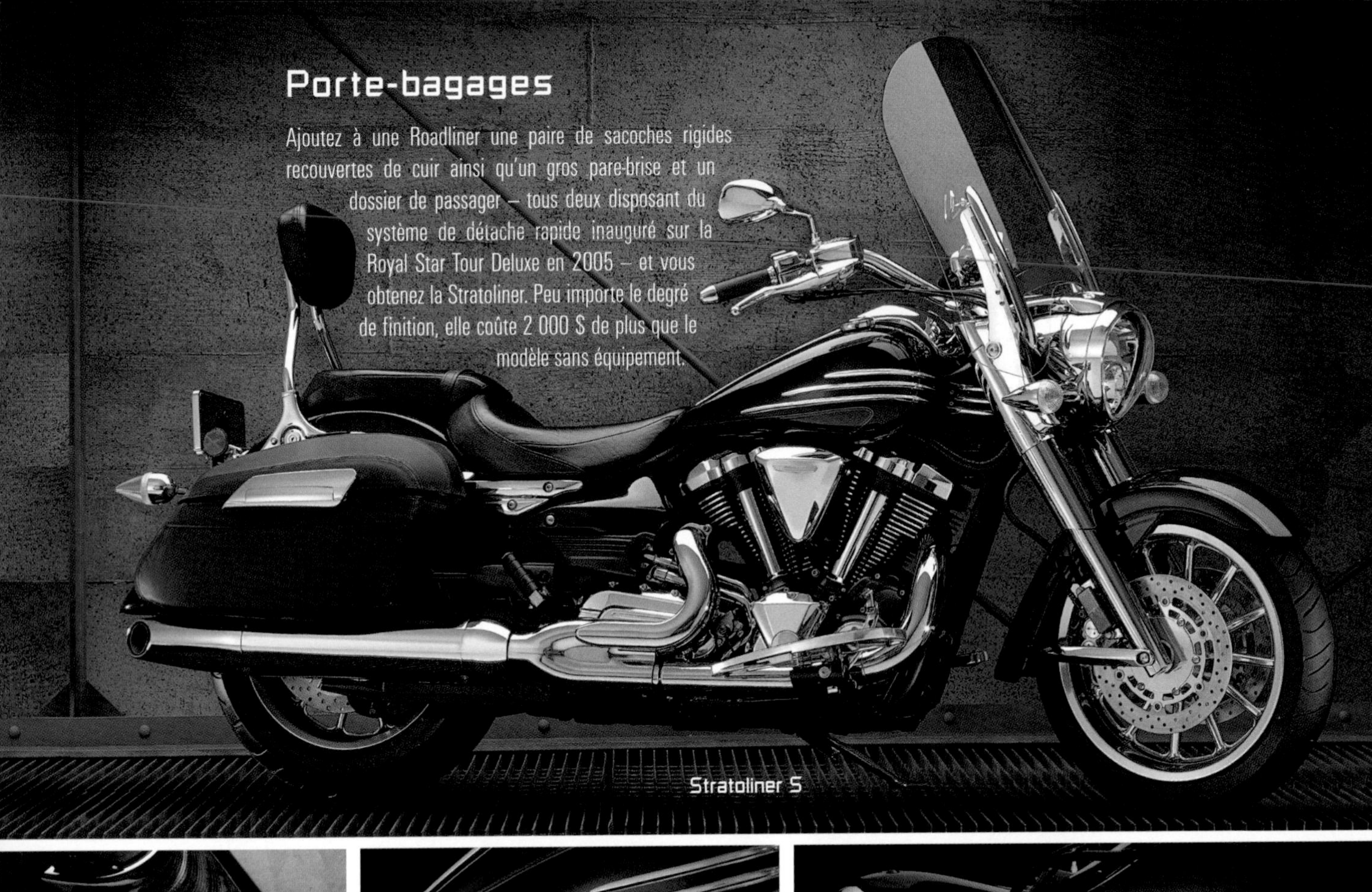

Stratoliner S

Du neuf partout

Ne cherchez pas de pièces communes avec les Road Star sur la Roadliner ou sa version de tourisme léger, la Stratoliner, vous n'en trouverez pas. Si l'architecture générale du V-Twin est la même avec son angle de 48 degrés, ses soupapes ouvertes par culbuteurs et son refroidissement par air, il a fallu repenser le tout pour arriver à générer le genre de puissance désirée. Sous ses lignes d'époque, la Roadliner cache d'ailleurs un impressionnant degré de technologie. Le cadre en aluminium comportant peu de soudures et le bras oscillant coulé sous vide, fait du même matériau, ne sont que quelques exemples. Le niveau de finition apporté au modèle est tout aussi impressionnant, particulièrement dans sa version la plus chère, la S. Des superbes roues à 12 branches jusqu'au complexe phare avant en passant par la magnifique instrumentation, la Roadliner abonde de preuves d'une très grande attention portée aux moindres pièces qui la composent.

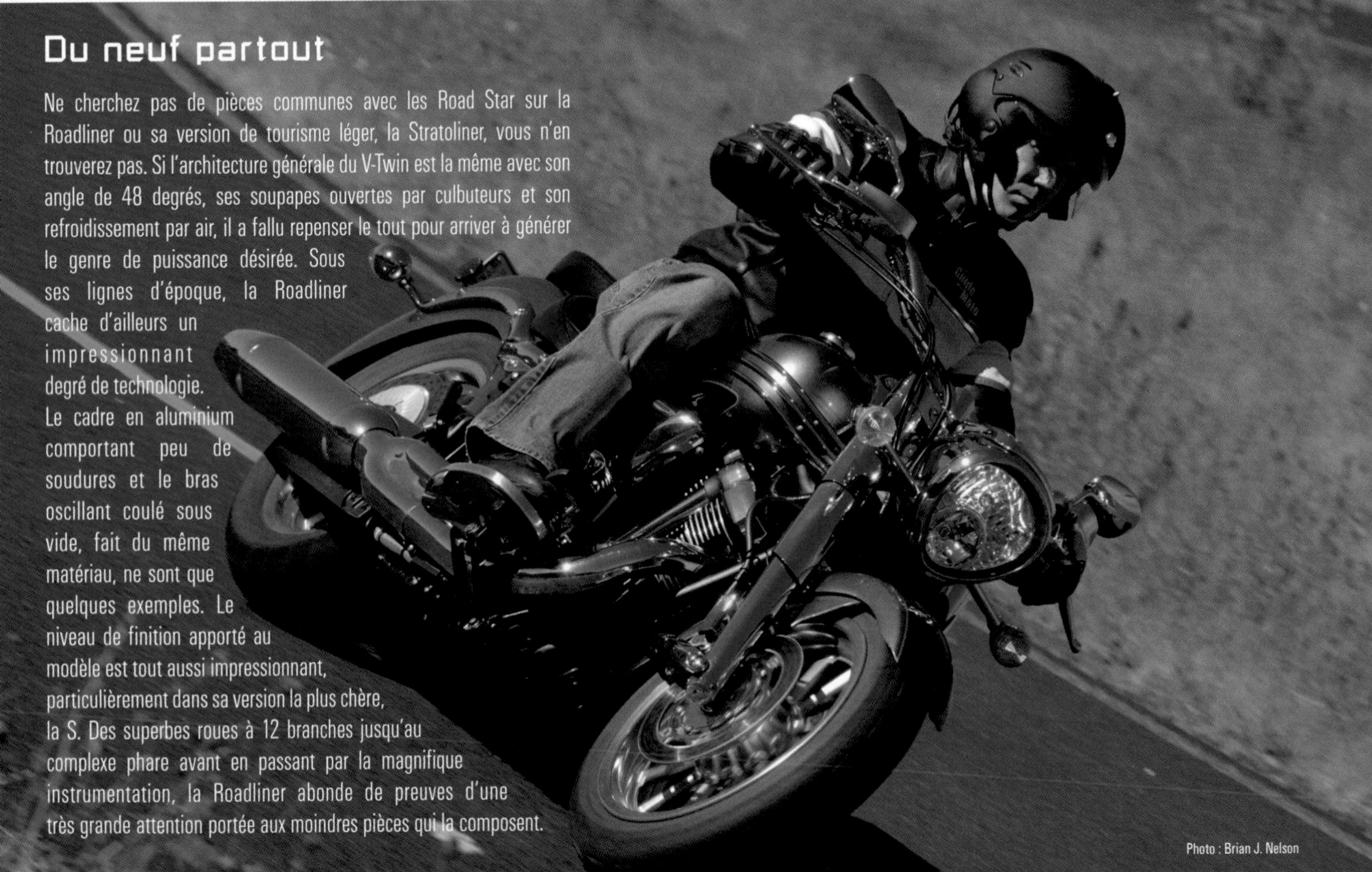

Photo : Brian J. Nelson

Rapport Valeur/Prix

Vitesse de pointe: 200 km/h

Index d'expérience: Novice Intermédiaire Expert

Accélération sur 1/4 mille: 12,3 s à 165 km/h

Voir légende page 7

Performances estimées

Général

Catégorie	Custom/Tourisme léger
Prix	Roadliner : 18 499 $ (Midnight : 18 999 $; S : 19 999 $) Stratoliner : 20 449 $ (Midnight : 20 999 $; S : 21 999 $)
Garantie	1 an/kilométrage illimité
Couleur(s)	rouge foncé, champagne et noir, blanc, bourgogne foncé, argent, (Midnight : noir)
Concurrence	Kawasaki Vulcan 2000 Classic, Suzuki Boulevard M109R

Partie cycle

Type de cadre	double berceau, en aluminium
Suspension avant	fourche conventionnelle de 46 mm non ajustable
Suspension arrière	monoamortisseur ajustable en précharge
Freinage avant	2 disques de 298 mm de Ø avec étriers à 4 pistons
Freinage arrière	1 disque de 320 mm de Ø avec étrier à 1 piston
Pneus avant/arrière	130/70 R18 & 190/60 R17
Empattement	1 715 mm
Hauteur de selle	735 mm
Poids à vide	320 kg
Réservoir de carburant	17 litres

Moteur

Type	bicylindre 4-temps en V à 48 degrés, culbuté, 4 soupapes par cylindre, refroidissement par air
Alimentation	injection à 2 corps de 43 mm
Rapport volumétrique	9,5:1
Cylindrée	1 854 cc
Alésage et course	100 mm x 118 mm
Puissance	101 ch @ 4 800 tr/min
Couple	124 lb-pi @ 2 200 tr/min
Boîte de vitesses	5 rapports
Transmission finale	par courroie
Révolution à 100 km/h	environ 2 500 tr/min
Consommation moyenne	6,8 l/100 km
Autonomie moyenne	250 km

Conclusion

L'une des caractéristiques les plus intéressantes de la Roadliner est qu'elle aurait pu être plus grosse, mais que Yamaha a plutôt choisi la voie de la facilité de manipulation. Serait-ce déjà la fin de la course aux armements chez ces customs format géant ? Probablement pas. La nouveauté se montre de toute façon tellement équilibrée et tellement agréable à balancer sur une jolie route qu'on ne peut tout bonnement qu'approuver l'approche retenue par la marque aux trois diapasons. La Roadliner est un magnifique amalgame de technologie, de grâce et de caractère. Quiconque choisira d'en faire sa prochaine custom ne pourra qu'être emballé de la moto qu'il découvrira. Du moins, s'il en a les moyens. Car si la Roadliner regorge de qualités et qu'elle démontre une attention au détail jamais vue dans le créneau, l'histoire, elle, fait une autre démonstration, celle de la difficulté qu'éprouvent les customs japonaises de ce prix à trouver preneur.

QUOI DE NEUF EN 2006 ?

- Nouveau modèle

PAS MAL

- Un comportement étonnamment bien équilibré; sur une route sinueuse, la Roadliner se balance avec une grâce et une élégance pratiquement jamais vues sur une custom
- Un V-Twin absolument réussi puisqu'il marie une présence mécanique aussi forte que plaisante à un niveau de performances brillant
- Une ligne non seulement différente, mais aussi très chic et raffinée, ainsi qu'une qualité de finition réellement impressionnante

BOF

- Un prix considérable qui privera à n'en pas douter la Roadliner de rejoindre la masse; elle vaut ce qu'on en demande, mais ça reste cher
- Une annonce de la part de Yamaha d'un niveau de performances supérieur à ceux de la Honda VTX1800 et de la Kawasaki Vulcan 2000 Classic, ce qui, malgré les excellentes performances de la Roadliner, n'est pas clairement ressenti en selle, surtout si l'on parle du coup de pied au derrière de la Vulcan à bas régime; cela dit, seule une confrontation directe peut trancher la question
- Un troisième bof ? Serait-il possible de vous revenir un peu plus tard là-dessus ?

Road Star Warrior

YAMAHA ROAD STAR WARRIOR

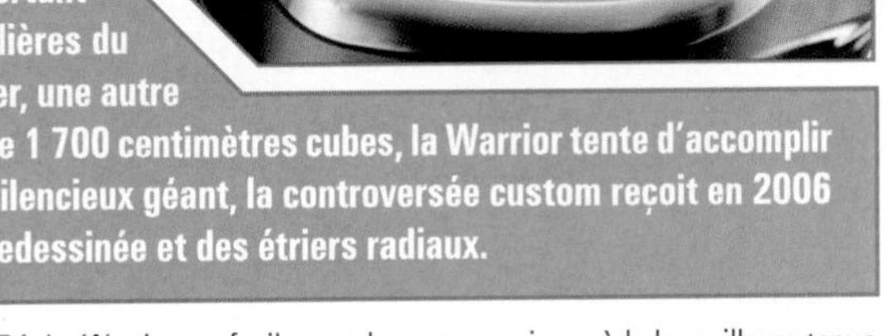

Différence célébrée...

Issue de la vision d'un constructeur qui cherchait à produire une custom ne se comportant pas comme une custom, la Road Star Warrior est l'une des motos les plus particulières du genre. Construite autour d'un cadre en aluminium rigide et léger – seule la Roadliner, une autre Yamaha, possède aussi un cadre de ce type – et propulsée par un grondant V-Twin de 1 700 centimètres cubes, la Warrior tente d'accomplir l'impossible et de rallier les genres sportif et custom. Toujours critiquée pour son silencieux géant, la controversée custom reçoit en 2006 les premières modifications de sa carrière : de nouvelles roues, une poulie arrière redessinée et des étriers radiaux.

Une phrase célèbre surtout utilisée dans le domaine de l'architecture dit que « *If you can't hide it, celebrate it.* », ce qui signifie en français qu'on devrait célébrer ce qu'on n'arrive pas à cacher. Après plusieurs années passées à tenter sans succès de vendre la Warrior aux amateurs de customs classiques, on s'est rendu compte chez Yamaha que les quelques intéressés étaient attirés par le modèle pour sa différence, pour la distance qu'il prenait par rapport au genre classique tellement populaire. Au lieu de continuer d'essayer de convaincre tout le monde, Yamaha a plutôt choisi de gâter les véritables amateurs du modèle en célébrant ce qui fait de la Warrior une custom différente, ce qui fut accompli cette année en accentuant davantage ses traits sportifs. Les touches noires plus nombreuses, les nouvelles roues sportives à cinq branches et les étriers de frein avant à montage radial – le dernier cri en la matière – sont les meilleurs exemples de ces écarts encore plus marqués avec le genre classique.

YAMAHA A CHOISI DE CÉLÉBRER CE QUI FAIT DE LA WARRIOR UNE CUSTOM DIFFÉRENTE PLUTÔT QU'ESSAYER DE LE CAMOUFLER.

L'expérience de pilotage, elle, reste la même agréable combinaison de sensations typiquement customs et de comportement étonnamment sportif. Aux commandes de la Warrior, l'impression dominante en est une de rigidité, de solidité d'ensemble qui reste à ce jour exclusive au modèle et qui provient de son châssis en aluminium.

Légère une fois en route, dotée d'une direction agréablement neutre et précise, elle offre en plus un freinage de première classe, gracieuseté des composantes de frein avant identiques à celles de la dernière génération de R1. La Warrior est facilement la custom qui possède la meilleure tenue route de l'industrie. La preuve de cette affirmation ne tardera pas à devenir évidente à quiconque tentera de maintenir un rythme aussi rapide et soutenu que le permet une Warrior sur une route en lacet avec n'importe quelle autre custom du marché. Si elle ne peut évidemment pas s'incliner autant qu'une sportive, les angles dont elle est capable demeurent aisément plus intéressants que les inclinaisons limitées de la plupart des customs classiques.

Le plaisir qu'on tire de la Warrior n'a pas à voir qu'avec son impressionnant comportement routier puisque le caractère de la mécanique est aussi un grand responsable de l'agrément de pilotage. Tout le charisme du V-Twin de la Road Star 1700 demeure présent, ce qui n'est pas peu dire, avec en prime un niveau de performances considérablement supérieur. En plus du grondement profond et du tremblement marqué de la custom classique, on a aussi droit à des accélérations très agréables caractérisées par une production massive de couple dès les premiers régimes, suivie d'une augmentation graduelle et linéaire de la puissance. La Warrior n'est pas exceptionnellement rapide, mais le niveau de performances qu'elle offre reste aisément supérieur à la moyenne.

La position de conduite a dû être modifiée pour permettre les inclinaisons voulues, et le résultat, bien que très tolérable, ne plaît pas à tout le monde. Le travail des suspensions, lui, attire au contraire relativement peu de critiques.

Rapport Valeur/Prix

Vitesse de pointe	Index d'expérience	Accélération sur 1/4 mille
190 km/h	Novice Intermédiaire Expert	12,5 s à 170 km/h

Voir légende page 7

Général

Catégorie	Custom
Prix	17 999 $ (Midnight : 18 299 $)
Garantie	1 an/kilométrage illimité
Couleur(s)	bleu, rouge (Midnight : noir)
Concurrence	Harley-Davidson V-Rod et Night Rod, Victory Hammer

Partie cycle

Type de cadre	double berceau, en aluminium
Suspension avant	fourche inversée de 41 mm ajustable en précharge
Suspension arrière	monoamortisseur ajustable en précharge et détente
Freinage avant	2 disques de 298 mm de Ø avec étriers radiaux à 4 pistons
Freinage arrière	1 disque de 282 mm de Ø avec étrier à 1 piston
Pneus avant/arrière	120/70 ZR18 & 200/50 ZR17
Empattement	1 665 mm
Hauteur de selle	725 mm
Poids à vide	275,5 kg
Réservoir de carburant	15 litres

Moteur

Type	bicylindre 4-temps en V à 48 degrés, culbuté, 4 soupapes par cylindre, refroidissement par air
Alimentation	injection à 2 corps de 40 mm
Rapport volumétrique	8,4:1
Cylindrée	1 670 cc
Alésage et course	97 mm x 113 mm
Puissance	88 ch @ 4 400 tr/min
Couple	109 lb-pi @ 3 500 tr/min
Boîte de vitesses	5 rapports
Transmission finale	par courroie
Révolution à 100 km/h	environ 2 500 tr/min
Consommation moyenne	6,5 l/100 km
Autonomie moyenne	230 km

Conclusion

Les constructeurs créent parfois des concepts qui manquent finalement leur cible. Même si elle n'a obtenu qu'un accueil marginal depuis son arrivée sur le marché, la Warrior ne fait pas partie de ces idées plus ou moins réussies. En fait, le contraire est plutôt vrai puisqu'elle incarne exactement – et plus que jamais avec les améliorations de 2006 – ce que Yamaha avait comme vision originale. La Warrior arrive mieux que toute autre custom aux prétentions sportives à marier les éléments les plus plaisants de l'expérience custom, notamment le couple massif et les profondes pulsations d'un gros V-Twin, et l'exactitude et la solidité d'une sportive. Ceux qui n'aiment pas le silencieux – ou le reste – n'ont qu'à aller voir ailleurs, ils auront l'embarras du choix. Mais pour ces marginaux qui comprennent et apprécient l'intérêt de mêler les styles custom et sportif, la Warrior est pratiquement une proposition unique.

Road Star Midnight Warrior

QUOI DE NEUF EN 2006 ?

- Étriers avant à montage radial
- Roues à cinq branches plutôt que trois
- Poulie de roue arrière redessinée
- Aucune augmentation de prix

PAS MAL

- Un châssis de conception unique puisqu'il est construit à partir de technologies sportives; son comportement est d'un niveau unique chez les customs
- Un V-Twin absolument charmant par sa façon de pulser profondément et de gronder lourdement
- Qu'on aime ou qu'on n'aime pas, la Warrior est une moto d'exception; on n'en voit pas partout

BOF

- Une ligne très différente qui n'est jamais arrivée à se faire accepter des acheteurs typiques de customs
- Un niveau de confort toujours limité par une position de conduite pas aussi équilibrée que la coutume le veut sur ce genre de motos
- Un prix qui n'aide en rien les ventes; les customs japonaises à plus de 17 000 $ ou 18 000 $ sont difficiles à vendre, peu importe leur style

Road Star

YAMAHA ROAD STAR

Air familier...

Aucun manufacturier n'a poussé le thème de la grosse custom à l'américaine aussi loin que Yamaha avec sa série de Road Star, qui comprend le modèle de base ci-haut et sa version Midnight, ainsi qu'une variante Silverado accessoirisée pour le tourisme léger et sa version Midnight équipée de valises rigides plutôt que souples. Avec leur V-Twin de 1 700 cc culbuté et ouvert à 48 degrés, avec leur ligne fortement inspirée de celle des Fat Boy et Heritage Softail, et avec leur épais catalogue d'accessoires conçus pour être très facilement installés, on peut carrément parler de Harley-Davidson japonaises. Lancées en 1999, elles sont passées de 1 600 à 1 700 cc en 2004.

On peut s'étonner des risques qu'a pris Yamaha en présentant une custom aussi controversée et différente que la Warrior, mais le fait est que, de l'autre côté, le constructeur s'est d'une certaine manière protégé en s'assurant d'avoir dans son catalogue non seulement *un* modèle plus classique que classique, mais bien *une série* de variantes basées sur celui-ci, la Road Star. En effet, partout où la Warrior prend un risque et s'éloigne des tendances stylistiques établies, la Road Star, elle, suit et respecte ces dernières à la lettre, au point d'être devenue la référence du côté asiatique de l'univers custom. Lignes élancées, classiques et élégantes, chrome à perte de vue, V-Twin grondant en vedette, pas trop de technologie inutile et prix réfléchi; la Road Star – et Yamaha – connaît non seulement la chanson, mais elle la chante aussi avec une justesse admirable. Sans aide quelconque de la part d'un système d'injection – Yamaha affirme que sa clientèle n'est pas prête à payer plus cher pour ce genre « gadget » –, la Road Star prend vie dans l'un des plus profonds grondements du genre custom. La mécanique a gagné une centaine de centimètres cubes depuis 2004, mais à l'oreille – et aux tripes –, on jurerait du double ou du triple.

Comme sur les américaines, toutes les commandes sont surdimensionnées. Mais c'est surtout une fois la première enfoncée et l'embrayage relâché qu'on réalise tous les efforts déployés par Yamaha pour donner une âme au V-Twin de sa Road Star.

Plus que tout autre manufacturier, Yamaha semble conscient de l'importance des émotions que doit communiquer un moteur de custom. Sur la Road Star, cela prend la forme d'un rythme mécanique aussi profond et grave que parfaitement palpable. Chaque pulsation est ressentie, chaque explosion est entendue. Sur l'autoroute, les tours sont bas, le roulement de tambour de la paire de gros pistons est clairement audible, et le doux tremblement de leurs mouvements accompagne chaque instant de conduite. Il faut chercher longtemps pour trouver un V-Twin plus communicatif que celui-ci.

LA ROAD STAR PREND VIE DANS L'UN DES PLUS PLAISANTS ET PROFONDS GRONDEMENTS DU GENRE CUSTOM.

Comme si ce n'était pas suffisant, les performances sont particulièrement bonnes, non pas en termes de chiffres purs, mais plutôt en termes de muscle et de souplesse à bas régime. Cette franchise mécanique n'est pas toutefois appréciée de tous, certains préférant un V-Twin plus discret. Peut-être ceux-ci devraient-ils se diriger ailleurs, ou à tout le moins tenter de faire un essai avant l'achat ?

Les aspects confort et comportement de la Road Star ont toujours été très honnêtes, mais Yamaha a quand même profité du passage de 1600 à 1700, en 2004, pour les peaufiner. On a depuis droit à une moto qui reste tout aussi légère de direction et bien maniérée en courbe, mais qui freine mieux, gracieuseté des composantes empruntées à la R1, rien de moins. Le bel équilibre de la position de conduite décontractée et le travail tout à fait satisfaisant des suspensions étaient des acquis auxquels a été ajoutée une selle mieux formée et plus spacieuse. En fait, à l'exception des agaçantes turbulences que génère le pare-brise des versions Silverado et de leur poids qui reste élevé, les Road Star attirent bien peu de commentaires peu élogieux au sujet du confort ou de la conduite.

Rapport Valeur/Prix

Vitesse de pointe 175 km/h

Index d'expérience

Novice Intermédiaire Expert

Accélération sur 1/4 mille 14,1 s à 151 km/h

Voir legende page 7

Général

Catégorie	Custom/Tourisme léger
Prix	Road Star : 15 449 $ (Midnight : 15 899 $) Silverado : 17 299 $ (Midnight : 17 999 $)
Garantie	1 an/kilométrage illimité
Couleur(s)	Road Star : rouge, argent Road Star Silverado : blanc Midnight : noir
Concurrence	toutes les customs Harley de 1 450 cc, Kawasaki Mean Streak, Vulcan 1500 et 1600 Classic, Suzuki C90, toutes les customs Victory/Harley-Davidson Road King, Kawasaki Vulcan 1600 Nomad, Suzuki C90T, Victory Touring Cruiser

Partie cycle

Type de cadre	double berceau, en acier
Suspension avant	fourche conventionnelle de 43 mm non ajustable
Suspension arrière	monoamortisseur ajustable en précharge
Freinage avant	2 disques de 298 mm de Ø avec étriers à 4 pistons
Freinage arrière	1 disque de 320 mm de Ø avec étrier à 4 pistons
Pneus avant/arrière	130/90-16 & 150/80-16
Empattement	1 688 mm
Hauteur de selle	710 mm
Poids à vide	312 kg (Silverado 323 kg)
Réservoir de carburant	20 litres

Moteur

Type	bicylindre 4-temps en V à 48 degrés, culbuté, 4 soupapes par cylindre, refroidissement par air
Alimentation	1 carburateur à corps de 40 mm
Rapport volumétrique	8,4:1
Cylindrée	1 670 cc
Alésage et course	97 mm x 113 mm
Puissance	72,3 ch @ 4 000 tr/min
Couple	106,3 lb-pi @ 2500 tr/min
Boîte de vitesses	5 rapports
Transmission finale	par courroie
Révolution à 100 km/h	environ 2 400 tr/min
Consommation moyenne	6,5 l/100 km
Autonomie moyenne	307 km

Conclusion

Plusieurs customs nippones obtiennent un bon succès de ventes, mais aucune n'est arrivée à recréer le genre d'engouement qui anime les propriétaires de Harley-Davidson. Sauf la Road Star. Les associations de propriétaires qui sont nées et ont grandi autour d'elle, ainsi que les modèles profondément modifiés qui sont fréquemment aperçus – décidément l'exception à la règle chez les customs japonaises – ne sont que quelques exemples des comportements réservés jadis aux produits de Milwaukee, et qui s'appliquent aujourd'hui aussi à elle. L'attrait du modèle ne s'arrête heureusement pas à son aspect social, car la Road Star surpasse même ses rivales américaines directes, les Softail, à plusieurs égards. Le plus intéressant est celui de la mécanique, qui n'est pas seulement plus performante, mais aussi et surtout beaucoup plus communicative. S'il est un cas où l'élève a dépassé le maître dans l'univers custom, c'est celui-ci.

Road Star Midnight Silverado

QUOI DE NEUF EN 2006 ?

- Câbles d'embrayage et d'accélérateur en acier tressé
- Sélecteur de vitesses maintenant en deux parties
- Support des clignotants avant redessiné sur la Road Star
- Plateformes pour le passager au lieu de repose-pieds sur les Silverado
- Aucune augmentation de prix pour la Road Star Midnight Silverado; Road Star coûte 50 $, Road Star Midnight coûte 150 $ et Road Star Silverado coûte 100 $ de plus qu'en 2005

PAS MAL

- Une mécanique extraordinairement communicative et extrêmement plaisante pour les sens, du moins pour l'amateur de custom qui s'attend à un niveau sonore et tactile franc de son gros V-Twin
- Un châssis solide et bien maniéré qui est totalement exempt de vices
- Un niveau de confort appréciable amené par des suspensions bien calibrées et une position de conduite dégagée et détendue

BOF

- Un poids considérable qui complique autant les manoeuvres serrées et lentes que les manipulations quotidiennes, par exemple la sortie du garage
- Un pare-brise qui mériterait qu'on s'y attarde, sur les Silverado, puisqu'il génère depuis toujours un agaçant niveau de turbulences
- Une présence mécanique très forte qui ne plaît pas à tout le monde; certains acheteurs s'étonnent de retrouver un niveau de pulsations aussi franc, mais s'y habituent, tandis que d'autres concluent simplement que « ça vibre trop »

V-Star 1100 Custom

YAMAHA V-STAR 1100

Intouchable aubaine...

Dès sa mise en marché en 1999, la V-Star 1100 devint presque instantanément l'un des modèles les plus populaires du genre custom. En la concevant de manière simple, Yamaha réussit à conserver un prix de vente très raisonnable, un fait qui demeure à la base du succès du modèle. D'abord disponible en version Custom, puis en variante Classic en 2000, la V-Star 1100 fut proposée en édition Silverado accessoirisée pour le tourisme léger à partir de 2003. Elle représente aujourd'hui l'achat sûr et abordable chez les customs « pour adultes ». Étrangement, même si plusieurs manufacturiers pouvaient facilement la concurrencer, aucun ne semble vouloir s'en donner la peine.

La V-Star 1100 se trouve dans une position qui n'a pas vraiment changé de puis son introduction de 1999. Ce qui est étrange puisqu'il s'agit d'une situation qui l'avantage de façon marquante face à ses concurrentes et qu'aucun manufacturier rival ne semble vouloir la confronter directement, ce qui n'est certainement pas le cas dans la majorité des autres créneaux du marché. Sa popularité, qui est surtout due à l'excellente valeur que représente le produit, en a fait l'une des customs les plus populaires des dernières années. Si cela a le désavantage d'en faire aussi un modèle relativement commun, le fait est que Yamaha ne semble avoir aucune peine à convaincre les acheteurs. Le constructeur tourne d'ailleurs la situation à son avantage en proposant l'un des catalogues d'accessoires les plus complets et les plus sérieux du marché, permettant facilement aux propriétaires de personnaliser leurs motos.

LA POPULARITÉ DE LA V-STAR 1100 EST SURTOUT DUE À L'EXCELLENTE VALEUR QUE REPRÉSENTE LE PRODUIT.

Si une excellente valeur est à la base du succès des diverses variantes de la V-Star 1100, le fait que rien d'autre sur le marché ne tente de la concurrencer doit aussi être pris en compte. Non pas que les constructeurs rivaux se bousculent pour la déloger de son trône. Suzuki et Honda ont tous deux des machines capables de rivaliser la Yamaha : la S83 et la Shadow 1100. Évidemment, l'état végétatif dans lequel ces modèles traînent depuis des années les prive de tout intérêt, mais il n'en tient qu'à leur constructeur de les raviver et de les ramener à l'ère moderne, comme l'a habilement fait Yamaha en transformant sa bonne vieille Virago 1100 en V-Star 1100 en 1999.

D'ici là, la plus grosse des V-Star continue de représenter le meilleur choix, et de loin, chez les customs de cette cylindrée. Trois variantes du modèle sont offertes : la Custom au style diminutif, la Classic aux lignes rondes et rétro, et la Silverado qui est en fait une Classic à laquelle un nombre d'accessoires – pare-brise, dossier de passager et sacoches en cuir, principalement – a été ajouté afin d'en augmenter le niveau de confort et de commodité. Toutes les versions proposent une position de conduite décontractée dictée par une selle basse, des plateformes – repose-pieds pour la Custom – avancées et un guidon large et bas. Comme la selle n'est pas mauvaise du tout et que les suspensions travaillent très honnêtement, le niveau de confort peut être qualifié de bon.

Au coeur des V-Star 1100 bat un V-Twin de 1 100 cc refroidi par air auquel Yamaha s'est efforcé de donner autant de caractère que possible. Sans qu'il menace une Harley-Davidson Dyna à ce chapitre, il offre quand même une sonorité agréable et gronde juste ce qu'il faut pour qu'on sente qu'il s'agit bel et bien d'un bicylindre en V. Il n'est pas exceptionnellement puissant, mais la généreuse dose de couple qu'il lâche à bas régime suffit à le rendre plaisant à utiliser.

On ne peut reprocher grand-chose à la V-Star 1100 en ce qui concerne le comportement routier puisqu'elle ne fait rien de vraiment mal. La stabilité n'attire pas de critique, la direction n'exige qu'un effort minimal et la moto affiche un agréable équilibre en virage. De plus, grâce à un système de freinage avant à disque double, les ralentissements sont francs et faciles à doser.

Général

Catégorie	Custom/Tourisme léger
Prix	10 499 $ (Classic : 11 249 $; Silverado : 12 999 $)
Garantie	1 an/kilométrage illimité
Couleur(s)	Custom : rouge, noir Classic : noir. argent, rouge foncé Silverado : noir, argent et doré
Concurrence	Harley-Davidson Sportster 1200, Honda VTX1300, Shadow Spirit et Sabre, Kawasaki Vulcan 1500 Classic, Suzuki Boulevard S83/Honda VTX1300T

Partie cycle

Type de cadre	double berceau, en acier
Suspension avant	fourche conventionnelle de 41 mm non ajustable
Suspension arrière	monoamortisseur ajustable en précharge
Freinage avant	2 disques de 298 mm de Ø avec étriers à 2 pistons
Freinage arrière	1 disque de 282 mm de Ø avec étrier à 2 pistons
Pneus avant/arrière	130/90-16 (Custom : 110/90-18) & 170/80-15
Empattement	1 645 mm (Custom : 1 640 mm)
Hauteur de selle	710 mm (Custom : 690 mm)
Poids à vide	272 kg (Custom : 259 kg; Silverado : 285 kg)
Réservoir de carburant	17 litres

Moteur

Type	bicylindre 4-temps en V à 75 degrés, SACT, 2 soupapes par cylindre, refroidissement par air
Alimentation	2 carburateurs à corps de 37 mm
Rapport volumétrique	8,3:1
Cylindrée	1 063 cc
Alésage et course	95 mm x 75 mm
Puissance	62 ch @ 5 750 tr/min
Couple	63,6 lb-pi @ 2 500 tr/min
Boîte de vitesses	5 rapports
Transmission finale	par arbre
Révolution à 100 km/h	environ 3 400 tr/min
Consommation moyenne	5,5 l/100 km
Autonomie moyenne	309 km

Conclusion

Qu'il s'agisse de la Custom, de la Classic ou de la Silverado, la V-Star 1100 est l'une de ces rares motos qui, sans qu'elles soient vraiment extraordinaires, sont si habillement conçues, si fonctionnelles et ont un prix si intéressant qu'elles deviennent des options incontournables lors d'une décision d'achat. Dans le cas de la Yamaha, à moins d'avoir un véritable coup de coeur pour l'une de ses rivales directes, on n'arrive tout bonnement pas à trouver mieux. Il n'en tient qu'aux manufacturiers concurrents de réagir, ce qu'ils ne semblent étrangement pas pressés de faire, du moins si on tient compte du fait que la position de force de la V-Star 1100 dure depuis son introduction de 1999. Il ne faudrait d'ailleurs pas du tout s'étonner de voir Yamaha présenter à moyen terme une nouvelle version du modèle, ce qui n'annonce certainement pas de jours meilleurs pour cette fameuse concurrence, si elle ne bouge pas.

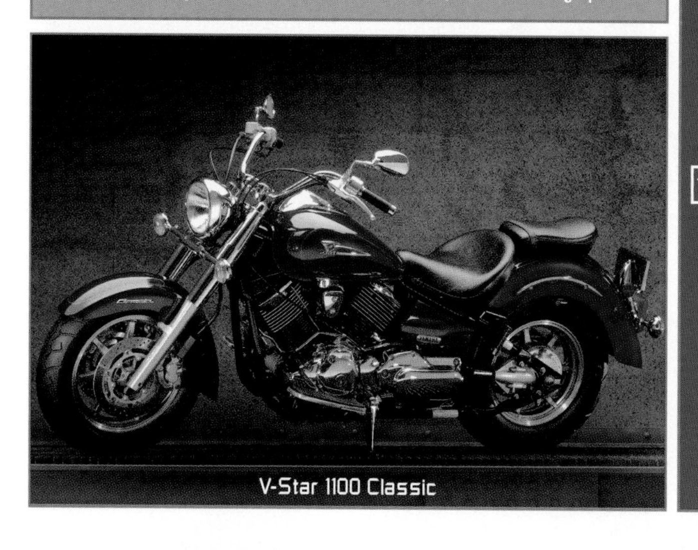
V-Star 1100 Classic

QUOI DE NEUF EN 2006 ?

- **Aucun changement**
- **Aucune augmentation de prix pour la V-Star 1100 Custom; V-Star 1100 Classic coûte 50 $ et V-Star 1100 Silverado coûte 100 $ de plus qu'en 2005**

PAS MAL

- **Une valeur qui demeure toujours imbattable dans ce créneau, peu importe la version**
- **Un V-Twin honnêtement souple qui livre des sensations plaisantes, à défaut d'être vraiment hors de l'ordinaire**
- **Une intéressante facilité d'accès; les V-Star 1100 sont moins difficiles à prendre en main que les customs de 1 500 cc ou plus**

BOF

- **Une mécanique qui joue bien son rôle de V-Twin custom, mais qui n'est pas débordante de caractère**
- **Une direction affligée d'un effet de pendule pour la Custom, une caractéristique due à sa grande roue avant**
- **Une limite décente, mais pas infinie d'inclinaison en virage; on doit s'y habituer et la respecter**

V-Star 650 Custom

YAMAHA V-STAR 650

Petite grosse...

Calquées sur les V-Star 1100 au point de les rendre difficiles à distinguer, les V-Star 650 furent lancées en 1998. Leur mécanique est une version retravaillée et gonflée de celle de la Virago 535, aujourd'hui disparue. En dépit de leur bas prix, les V-Star 650 affichent une attention soutenue à la finition et aux proportions pleines des composantes, des caractéristiques qui sont à la base de leur succès. L'entraînement final par arbre est également l'un de leurs atouts. Trois versions sont disponibles : l'économique Custom, la traditionnelle Classic et l'équipée Silverado, qui est en fait une Classic avec un pare-brise, une selle cloutée, des sacoches et un dossier de passager.

Avant le comportement, les performances ou la qualité de construction, l'allure d'une custom est ce qui la fait vendre ou non. Sans égard à leur sexe, à leur statut social ou à leur niveau d'expérience, les amateurs de customs veulent d'abord et avant tout une monture sur laquelle ils ou elles projetteront une image forte et désirable. Essayez de leur vendre un modèle sur lequel ils ou elles croient ne pas bien paraître et vous risquez de passer un moment difficile. Le problème avec ce genre de condition est que la plupart des customs capables de renvoyer une telle image sont relativement chères. Il faudra, par exemple, prévoir plus ou moins 20 000 $ pour acquérir la Harley de ses rêves, un genre de montant qui n'est évidemment pas à la portée de tous. La solution consiste à proposer un ensemble physiquement accessible et visuellement attrayant, à bon prix. Une énumération de caractéristiques qui collent parfaitement aux différentes variantes de la V-Star 650.

LES AMATEURS DE CUSTOMS VEULENT AVANT TOUT UNE MONTURE SUR LAQUELLE ILS OU ELLES PROJETTERONT UNE IMAGE DÉSIRABLE.

Qu'on soit en présence de la Custom, de la Classic ou de la Silverado, il s'agit dans l'ensemble de la même moto. La seule différence technique est la présence d'une roue plus grande au pneu plus mince sur la Custom que sur la Classic et la Silverado. La conduite est pratiquement identique. Le moteur de 650 cc et ses 40 chevaux convient aux débutants ou à ceux dont l'expérience limitée en fait des candidats intimidés. Elles ont tout pour mettre ces derniers rapidement à l'aise. Le poids réduit permet des performances honnêtes malgré une faible puissance, si bien que les V-Star 650 se fondent sans aucun problème dans la circulation urbaine ou sur l'autoroute tout en restant capables de suivre des customs de cylindrée supérieure. Le meilleur du couple se manifeste assez bas sur la plage de régimes pour qu'on arrive à garder les tours à ce niveau en conduite normale. Mais la souplesse du petit moteur reste pauvre et ce dernier demande de tourner haut pour livrer ses meilleures performances. Si ces régimes élevés n'entraînent pas trop de vibrations excessives, ils ne sont quand même pas agréables à utiliser.

Dans les situations exigeant du doigté, la maniabilité est bonne et la prise de confiance se fait rapidement grâce au poids peu élevé, au centre de gravité bas et à la faible hauteur de la selle. Sur la route, le comportement rappelle celui des plus grosses V-Star puisque la direction est légère et que l'aplomb en virage est rassurant. Le freinage est satisfaisant. Quant au confort, il est honnête, car les positions de conduite sont dégagées et sans exagération. La Classic pourvue de plateformes apparaît plus spacieuse. La forme et le rembourrage des selles sont réussis. Si on ne roule pas sur une route trop abîmée, le travail des suspensions est correct, mais l'arrière peut parfois se comporter sèchement.

Quant à la Silverado, son niveau d'équipement supplémentaire est intéressant compte tenu du surplus de 1 400 $ qu'elle commande par rapport à une Classic, d'autant plus que son confort et son côté pratique s'en trouvent nettement améliorés.

Général

Catégorie	Custom
Prix	7 899 $ (Classic : 8 399 $; Silverado : 9 799 $)
Garantie	1 an/kilométrage illimité
Couleur(s)	bleu, noir, blanc (Silverado : noir, argent)
Concurrence	Harley-Davidson Sportster 883, Honda Shadow Aero et Spirit 750, Hyosung Aquila 650, Kawasaki Vulcan 800 Classic, Suzuki C50, M50 et S50, Triumph America et Speedmaster

Partie cycle

Type de cadre	double berceau, en acier
Suspension avant	fourche conventionnelle de 41 mm non ajustable
Suspension arrière	monoamortisseur ajustable en précharge
Freinage avant	1 disque de 298 mm de Ø avec étrier à 2 pistons
Freinage arrière	tambour mécanique
Pneus avant/arrière	130/90-16 (Custom : 100/90-19) & 170/80-15
Empattement	1 625 mm (Custom : 1 610 mm)
Hauteur de selle	710 mm (Custom : 695 mm)
Poids à vide	225 kg (Custom : 214 kg, Silverado : 229 kg)
Réservoir de carburant	16 litres

Moteur

Type	bicylindre 4-temps en V à 70 degrés, SACT, 2 soupapes par cylindre, refroidissement par air
Alimentation	2 carburateurs à corps de 28 mm
Rapport volumétrique	9:1
Cylindrée	649 cc
Alésage et course	81 mm x 63 mm
Puissance	40 ch @ 6 500 tr/min
Couple	37,5 lb-pi @ 3 000 tr/min
Boîte de vitesses	5 rapports
Transmission finale	par arbre
Révolution à 100 km/h	environ 4 300 tr/min
Consommation moyenne	5,0 l/100 km
Autonomie moyenne	320 km

Conclusion

Les V-Star 650 ont toujours été de bonnes petites customs, ce qu'elles sont encore aujourd'hui malgré leur âge. Leurs lignes sympathiques, leurs dimensions pleines et leur finition impeccable continuent, avec raison, d'attirer regards et acheteurs. Leur plus grand handicap demeure toutefois leur cylindrée relativement faible, une caractéristique qui les restreint essentiellement à une clientèle débutante ou peu expérimentée. Comme Yamaha l'a fait en 1998 en gonflant le moteur de Virago 535 à 650 cc, le constructeur pourrait facilement et à peu de frais ressortir le V-Twin de la Virago 750 du placard et le gonfler à 800 cc. On pourrait alors parler de montures adaptées à un plus vaste éventail d'expérience.

V-Star 650 Silverado

QUOI DE NEUF EN 2006 ?

- Aucun changement
- Silverado coûte 100 $ de plus qu'en 2005
- Aucune augmentation de prix pour les Custom et Classic

PAS MAL

- Une parfaite illusion d'optique : il faut avoir l'oeil pour ne pas confondre une V-Star 650 avec une 1100
- Un comportement routier exempt de vices qui met même les novices instantanément à l'aise
- Une finition impressionnante pour le prix, sans parler de l'entraînement final par arbre

BOF

- Une faible cylindrée qui n'arrive à générer qu'un caractère mécanique plutôt anonyme
- Un niveau de performances faible et une livrée de couple à bas et moyen régimes qui n'a rien pour exciter
- Des prix qui restent relativement proches de ceux des montures semblables de 750 ou 800 cc

Custom miniature...

Avec la Hyosung Aquila 250, la Virago 250 est la seule custom de cette cylindrée qui bénéficie de l'attrait d'un bicylindre en V à l'image des « vraies » customs. Les motocyclistes sans expérience, un peu craintifs ou de petite stature la choisissent pour s'initier au sport. Uniquement livrable en noir, elle fut lancée en 1988 et n'a jamais été revue depuis.

Après une longue absence du marché, Yamaha n'avait qu'un but en réinscrivant sa Virago 250 dans son catalogue canadien en 2003, celui de ne pas abandonner cette catégorie aux concurrentes. Le modèle est identique à celui lancé en 1988. Dans ce créneau du marché, la Virago 250 est l'un des deux seuls modèles possédant une mécanique de configuration V-Twin – l'autre étant la Hyosung Aquila 250 –, ce qui lui permet de se conformer de façon plus authentique à l'allure custom que ses rivales principales, les Honda Rebel 250 et Suzuki Marauder 250. La vingtaine de chevaux de ce V-Twin miniature suffit pour suivre la circulation urbaine et même pour s'aventurer à l'occasion sur l'autoroute. Si les novices inexpérimentés ne la trouvent pas plus anémique que les autres motos de ce type, en revanche, les motocyclistes un peu plus avancés auront une tout autre opinion.

Sa grande maniabilité, imputable à son très faible poids, caractérise son comportement routier honnête. Malgré sa grande légèreté, la Virago 250 propose une position de conduite étrange qui peut rendre mal à l'aise. On ne peut certainement pas blâmer la selle basse, mais plutôt la position pas très naturelle dictée par la hauteur assez élevée du guidon, mais surtout à cause de l'angle inhabituel de ses poignées. Les motos de ce type sont généralement utilisées par les écoles de conduite et sont relativement peu intéressantes sur la route.

YAMAHA VIRAGO 250

Général

Catégorie	Custom
Prix	4 849 $
Garantie	1 an/kilométrage illimité
Couleur(s)	noir
Concurrence	Honda Rebel 250, Hyosung Aquila 250, Suzuki Marauder 250

Moteur

Type	bicylindre 4-temps en V à 60 degrés, SACT, 2 soupapes par cylindre, refroidissement par air
Alimentation	1 carburateur à corps de 26 mm
Rapport volumétrique	10:1
Cylindrée	249 cc
Alésage et course	49 mm x 66 mm
Puissance	21 ch @ 8 000 tr/min
Couple	15,2 lb-pi @ 6 000 tr/min
Boîte de vitesses	5 rapports
Transmission finale	par chaîne

Partie cycle

Type de cadre	double berceau, en acier
Suspension avant	fourche conventionnelle de 33 mm non ajustable
Suspension arrière	2 amortisseurs ajustables en précharge
Freinage avant	1 disque de 282 mm de Ø avec étrier à 2 pistons
Freinage arrière	tambour mécanique
Pneus avant/arrière	3,00-18 & 130/90-15
Empattement	1 488 mm
Hauteur de selle	685 mm
Poids à vide	137 kg
Réservoir de carburant	9,5 litres

YAMAHA TW200

6 7 8 5 9 4 10 3
Rapport Valeur/Prix
Vitesse de pointe 116 km/h
Index d'expérience Novice Intermédiaire Expert
Accélération sur 1/4 mille 17,9 s 108 km/h

Général

Catégorie	Double-Usage
Prix	4 749 $
Garantie	1 an/kilométrage illimité
Couleur(s)	bleu
Concurrence	Kawasaki Super Sherpa, Suzuki DR200S, Yamaha XT225

Moteur

Type	monocylindre 4-temps, SACT, 2 soupapes, refroidissement par air
Alimentation	1 carburateur à corps de 24 mm
Rapport volumétrique	9,5:1
Cylindrée	196 cc
Alésage et course	67 mm x 55,7 mm
Puissance	15,2 ch @ 8 000 tr/min
Couple	11,1 lb-pi @ 6 500 tr/min
Boîte de vitesses	5 rapports
Transmission finale	par chaîne

Partie cycle

Type de cadre	berceau semi-double, en acier
Suspension avant	fourche conventionnelle de 33 mm non ajustable
Suspension arrière	monoamortisseur ajustable en précharge
Freinage avant	1 disque de 220 mm de Ø avec étrier à 2 pistons
Freinage arrière	tambour mécanique
Pneus avant/arrière	130/80-18 & 180/80-14
Empattement	1 325 mm
Hauteur de selle	790 mm
Poids à vide	118 kg
Réservoir de carburant	8,7 litres

Gros jouet...

La silhouette ramassée et le pneu arrière ballon de la TW200 la rendent irrésistible. On en voit toutefois rarement en dehors des écoles de conduite, où elle est depuis des années une favorite. Lancée en 1987, elle a profité en 2001 de quelques améliorations qui ont été les seules de son existence. Elle coûte 100 $ de plus en 2006, mais demeure pour le reste intacte.

La TW200 est une petite double-usage fort agréable à piloter en sentier, du moins pour les motocyclistes qui ne se sont pas souvent aventurés dans la boue. Elle est tout aussi facile à prendre en main dans ces conditions que sur la route. Son poids faible, ses corpulents pneus à crampons, ses suspensions souples et sa selle plutôt basse sont tous des facteurs qui contribuent à la rendre accessible. Parmi les modifications mécaniques apportées en 2001, on notait un nouveau carburateur, une boîte à air revue, une nouvelle courbe d'allumage et un nouveau tendeur de chaîne automatique pour le moteur. Du côté de la partie cycle, le seul changement concernait le vieux frein avant à tambour qui se voyait finalement remplacé par un disque de 220 mm bien plus efficace. Quelles que soient les conditions, son pilotage est toujours amical puisqu'elle se manie avec presque autant de facilité qu'une bicyclette, d'où sa popularité dans un environnement d'apprentissage. Les performances générées par le petit monocylindre 4-temps de 196 cc ne sont certes pas renversantes, mais elles suffisent pour permettre des déplacements urbains faciles, de même qu'une sortie occasionnelle sur l'autoroute. Qu'il s'agisse d'initier un novice, de s'amuser à la campagne ou de servir de véhicule d'appoint qu'on accroche derrière le Winnebago, la TW200 arrive à remplir de manière économique toutes les facettes de son rôle.

Rapport Valeur/Prix

Vitesse de pointe 130 km/h

Index d'expérience

Accélération sur 1/4 mille 17,0 s 115 km/h

Double à initier...

La XT225 est un petit modèle double-usage destiné à l'initiation à la moto et aux déplacements modérés en sentier. Propulsée par un monocylindre 4-temps de 223 cc, elle est équipée de tous les éléments essentiels pour rouler aussi sur la route. Depuis son lancement en 1992, elle n'a pas été retouchée. Rien ne change en 2006, mais le prix augmente d'une centaine de dollars.

Il fut une époque à laquelle ces petites motos conviviales se vendaient bien, mais il y a déjà une vingtaine d'années que leur marché n'est plus aussi effervescent. La XT225 est l'une des rares survivantes de cette ère. Sa selle de faible hauteur, son poids très bas et sa direction ultralégère lui confèrent une excellente maniabilité qui ne risque pas d'intimider un pilote inexpérimenté. Le moteur de 20 chevaux rend faciles les déplacements urbains si on n'hésite pas à le faire tourner. On peut circuler sur l'autoroute, mais il n'est pas question de dépasser de beaucoup les vitesses légales. Les vibrations du petit mono sont assez bien contrôlées et ne dérangeront qu'après une longue période, si une vitesse élevée est soutenue. Le poids faible, la direction légère et les suspensions à grands débattements la rendent amusante en sentier et lui permettent de se faufiler partout. Ses suspensions se moquent facilement des pires trous de la chaussée alors que la position de conduite relevée contribue au confort. Cependant, la selle étroite fera sentir les limites de ses faibles dimensions. Utilisée à l'intérieur des paramètres de sa conception, la XT225 s'acquitte honnêtement de ses tâches. Elle remplit, pour un prix raisonnable, ses rôles dans les déplacements au chalet et d'initiatrice à la moto. De plus, la fiabilité est au poste et l'entretien est minimal.

YAMAHA XT225

Général

Catégorie	Double-Usage
Prix	5 249 $
Garantie	1 an/kilométrage illimité
Couleur(s)	bleu
Concurrence	Kawasaki Super Sherpa, Suzuki DR200S, Yamaha TW200

Moteur

Type	monocylindre 4-temps, SACT, 2 soupapes, refroidissement par air
Alimentation	1 carburateur à corps de 34 mm
Rapport volumétrique	9,5:1
Cylindrée	223 cc
Alésage et course	70 mm x 58 mm
Puissance	20 ch @ 8 000 tr/min
Couple	12,4 lb-pi @ 6 500 tr/min
Boîte de vitesses	6 rapports
Transmission finale	par chaîne

Partie cycle

Type de cadre	berceau semi-double, en acier
Suspension avant	fourche conventionnelle de 36 mm avec ajustement pneumatique
Suspension arrière	monoamortisseur réglable en précharge et détente
Freinage avant	1 disque de 220 mm de Ø avec étrier à 2 pistons
Freinage arrière	tambour mécanique
Pneus avant/arrière	2,75-21 & 120/80-18
Empattement	1 350 mm
Hauteur de selle	810 mm
Poids à vide	108 kg
Réservoir de carburant	10,6 litres

YAMAHA VINO 125

Rapport Valeur/Prix

Vitesse de pointe 105 km/h

Général

Catégorie	Scooter
Prix	3 549 $
Garantie	1 an/kilométrage illimité
Couleur(s)	argent, bleu
Concurrence	Derbi Boulevard 150, Vespa ET4

Moteur

Type	monocylindre 4-temps, SACT, 2 soupapes, refroidissement par air forcé
Alimentation	1 carburateur à corps de 26 mm
Rapport volumétrique	9,8:1
Cylindrée	124 cc
Alésage et course	51,5 mm x 60 mm
Puissance estimée:	10 ch
Couple	n/d
Boîte de vitesses	automatique
Transmission finale	par courroie

Partie cycle

Type de cadre	en acier
Suspension avant	fourche conventionnelle de 33 mm non ajustable
Suspension arrière	monoamortisseur non ajustable
Freinage avant	1 disque de 180 mm de Ø avec étrier à 1 piston
Freinage arrière	tambour mécanique de 110 mm de Ø
Pneus avant/arrière	3,50-10 & 3,50-10
Empattement	1 230 mm
Hauteur de selle	775 mm
Poids à vide	107,5 kg
Réservoir de carburant	4,7 litres

Plus qu'une bébelle...

Le Vino 125 est l'un des rares scooters de cette cylindrée sur notre marché. Relativement peu populaire en raison de la complexité de la législation – un véritable permis de conduire de moto est nécessaire –, il offre des performances beaucoup plus intéressantes que celles des typiques scooters de 50 cc à moteur 2-temps, pour une somme très similaire.

S'il est nettement plus intéressant à piloter qu'un léthargique scooter de 50 centimètres cubes, le Vino 125 n'est pas pour autant rapide. En fait, comme sur un 50 cc, on se retrouve la majorité du temps à tordre sa poignée droite comme s'il s'agissait d'un vulgaire chiffon qu'on essore, en attendant patiemment que l'aiguille de l'indicateur de vitesse bouge suffisamment. Il reste que contrairement à un 50 cc, on arrive à le piloter dans une grande variété de situations sans jamais exaspérer la circulation automobile. L'accélération initiale n'est pas méchante du tout et propulse le gros Vino jusqu'à environ 70 km/h sans la moindre hésitation, même avec un adulte « pleine grandeur » à ses commandes. Si la progression devient ensuite plus ardue, on arrive quand même à voir 80 km/h de façon régulière, et même plus de 90 km/h si les conditions sont bonnes. Toute vitesse supérieure sera due à un pilote poids plume ou à un concours de circonstances exceptionnelles, du genre « pente et vent dans le dos ». Doté d'une agilité de bicyclette et presque aussi facile à stationner, relativement confortable avec sa selle large et sa position de chaise, c'est dans l'environnement de la ville que le Vino 125 semble prendre tout son sens. Il représente une solution intelligente aux déplacements urbains puisqu'il est beaucoup mieux adapté à la réalité du rythme de la circulation automobile qu'un scooter de 50 cc. Son plus grand défaut est en réalité celui de notre système d'accès à la conduite qui ne permet pas facilement d'accéder à sa conduite, pourtant l'incarnation même du pilotage amical.

YAMAHA BW'S

Pour ados seulement...

Les adolescents semblent avoir adopté le BW's au même titre que les bijoux faciaux, l'ample pantalon hip-hop et les longues heures de clavardage sur l'Internet. Yamaha le commercialise sous le nom de Zuma aux É.-U. et BW's chez nous. Bien qu'il coûte 100 $ de plus en 2006, il reste l'un des choix les plus populaires et recommandables du marché.

La capacité de transporter légalement deux occupants qu'a le BW's est l'un des aspects du modèle qui fait son attrait, puisque ce ne sont pas tous les cyclomoteurs qui peuvent en faire autant. Son allure extrême et son côté pratique semblent le rendre irrésistible auprès des jeunes. Construit autour d'un châssis costaud en acier et pourvu de roues et de pneus surdimensionnés, le BW's affronte mieux les chocs nombreux que réservent nos routes négligées à tous les véhicules qui y circulent. De ce fait, il est plus solide et plus sécuritaire que les scooters normaux qui ne disposent que de roues plus frêles. Le frein avant à disque, qui remplace le minuscule tambour encore retrouvé sur certains modèles rivaux, a l'avantage d'entraîner des arrêts plus puissants et des distances de freinage plus courtes. La possibilité de transporter un passager n'est pas le seul aspect pratique du BW's puisque sa selle cache un compartiment de rangement verrouillable pouvant loger un casque intégral.

Le BW's a l'agilité typique des scooters de sa taille, mais dans son cas, on ne peut pas la qualifier de nerveuse. Au chapitre des performances, le BW's se fondra sans trop de problèmes dans le flot de la circulation urbaine. Mais la puissance est très limitée et il faut constamment prendre en considération la présence des automobilistes, qui ne tardent pas à s'impatienter au moindre ralentissement de leur rythme. Il s'agit d'un 50 cc, pas plus et pas moins.

Général

Catégorie	Scooter
Prix	2 849 $
Garantie	1 an/kilométrage illimité
Couleur(s)	noir, rouge, bleu, orange, gris
Concurrence	tous les scooters 50 cc

Moteur

Type	monocylindre 2-temps, refroidissement par air forcé
Alimentation	1 carburateur à corps de 14 mm
Rapport volumétrique	7,2:1
Cylindrée	49 cc
Alésage et course	40 mm x 39,2 mm
Puissance estimée:	5 ch
Couple	5,1 lb-pi @ 6 000 tr/min
Boîte de vitesses	automatique
Transmission finale	par courroie

Partie cycle

Type de cadre	en acier
Suspension avant	fourche conventionnelle non ajustable
Suspension arrière	monoamortisseur non ajustable
Freinage avant	1 disque de 180 mm de Ø avec étrier à 1 piston
Freinage arrière	tambour mécanique
Pneus avant/arrière	120/90-10 & 130/90-10
Empattement	1 275 mm
Hauteur de selle	765 mm
Poids à vide	91 kg
Réservoir de carburant	5,7 litres

NOUVEAUTÉ 2006 YAMAHA **VINO**

Rapport Valeur/Prix

Général

Catégorie	Scooter
Prix	2 599 $
Garantie	1 an/kilométrage illimité
Couleur(s)	noir, rouge, argent
Concurrence	tous les scooters 50 cc

Moteur

Type	monocylindre 4-temps, refroidissement par liquide et par air forcé
Alimentation	1 carburateur à corps de 14 mm
Rapport volumétrique	7,3:1
Cylindrée	49 cc
Alésage et course	n/d
Puissance estimée	n/d
Couple	4,7 lb-pi @ 6 000 tr/min
Boîte de vitesses	automatique
Transmission finale	par courroie

Partie cycle

Type de cadre	en acier
Suspension avant	fourche conventionnelle non ajustable
Suspension arrière	monoamortisseur non ajustable
Freinage avant	tambour mécanique de 110 mm de Ø
Freinage arrière	tambour mécanique de 110 mm de Ø
Pneus avant/arrière	90/90-10 & 90/90-10
Empattement	1 150 mm
Hauteur de selle	715 mm
Poids à vide	72 kg
Réservoir de carburant	4,5 litres

Scooter de l'avenir...

Le sympathique petit Vino et sa silhouette d'inspiration européenne revient en 2006 entièrement revu. De sa ligne à sa motorisation en passant par ses suspensions, tout a été repensé. Malgré l'étendue des changements, le prix de détail n'augmente que de 150 $ par rapport à celui de la version Classic du modèle de l'an dernier.

TECHNIQUE

Les scooters de 50 centimètres cubes, aussi simplistes qu'ils semblent être, représentent un défi de taille pour les constructeurs qui désirent passer sans plus attendre à l'ère des moteurs 4-temps. Plus complexes et plus coûteux que les équivalents à mécanique 2-temps, ils sont par-dessus le marché moins puissants. Avec son nouveau Vino, Yamaha tente de relever ce défi. Le petit monocylindre 2-temps serait plus performant que la moyenne – ce qui reste bien entendu à vérifier – grâce, entre autres, à l'utilisation d'une culasse à trois soupapes et à un système de refroidissement par liquide. L'alimentation par carburateur et l'enrichisseur automatique sont maintenus. Bien qu'elle garde son air italien, la ligne est toute nouvelle. L'instrumentation est revue et comporte une jauge d'essence et un indicateur de température. Le côté pratique de l'ancien modèle amené par la présence d'un porte-bagages et d'un spacieux compartiment sous la selle est conservé. Parmi les nouveautés, on remarque une fourche complètement repensée et des roues coulées à 5 branches d'allure plus contemporaine. Le Vino innove avec un système de verrouillage automatique de la roue arrière lorsque le scooter est à l'arrêt. La clé de contact ne sert plus qu'à initier le système électrique et à verrouiller la direction, mais elle permet aussi d'ouvrir le compartiment situé sous le siège. Notons que le freinage reste par tambour aux deux roues et que le Vino n'accepte toujours qu'un seul occupant.

A. PÉRUSSE
1908, St-Philippe, Trois-Rivières
Tél. : (819) 376-7436

ANDRÉ JOYAL MOTONEIGE
438, rang Thiersant, St-Aimé Massueville
Tél. : (450) 788-2289

ANGEL MÉCANO MOTO MÉTRIQUE
3191, King Est, Fleurimont
Tél. : (819) 565-0188

AS MOTO INC.
8940, boul. Ste-Anne, Château-Richer
Tél. : (418) 824-5585

ATELIER DE RÉPARATION LAFORGE
1167, boul. Laure, Sept-Îles
Tél. : (418) 962-6051

ATELIER FORTIN SPORTS
2500, avenue du Pont Sud, Alma
Tél. : (418) 662-6140

BEAUCE SPORT
610, boul. Vachon Sud, Ste-Marie-de-Beauce
Tél. : (418) 387-6655

CENTRE DE LA MOTO VANIER
176, boul. Hamel, Vanier
Tél. : (418) 527-6907

CENTRE MOTO FOLIE
7871, Notre-Dame Est, Montréal
Tél. : (514) 493-1956

CENTRE SPORTS MOTORISÉS
186, boul. de L'Aéroport, Gatineau
Tél. : (819) 663-4444

CLÉMENT MOTOS
630, Grande Carrière, Louiseville
Tél. : (819) 228-5267

DESHAIES MOTOSPORT
8568, boul. St-Michel, Montréal
Tél. : (514) 593-1950

ENTREPRISE QUIRION & FILS
283, Pabos, Pabos
Tél. : (418) 689-2179

ENTREPRISE VILNEAU
1159, boul. Fiset, Sorel-Tracy
Tél. : (450) 742-7173

ÉQUIPEMENTS MOTORISÉS LES CHUTES
975-5e avenue, Sawinigan Sud
Tél. : (819) 537-5136

ÉQUIPEMENT R.S. LACROIX
552, Principale Sud, Amos
Tél. : (819) 732-2177

ÉVASION HORS-PISTE
555, Route 220, St-Élie D'Orford
Tél. : (819) 821-3595

GUILLEMETTE ET FILS
1731, St-Désire, Thetford-Mines
Tél. : (418) 423-4737

JAC MOTOS SPORT
855, des Laurentides, St-Antoine
Tél. : (450) 431-1911

LABONTÉ SCIE A CHAINES
333, de la Cathédrale, Rimouski
Tél. : (418) 725-4545

LEHOUX SPORT
1407, Route 277, Lac Etchemin
Tél. : (418) 625-3081

LOCATION BLAIS INC.
280, avenue Larivière, Rouyn-Noranda
Tél. : (819) 797-9292

LOCATION VAL D'OR
336, avenue Centrale, Val-D'or
Tél. : (819) 825-3335

LOIGNON SPORT
1090, Route Kennedy, St-Côme, Beauce
Tél. : (418) 685-3893

MATANE MOTOSPORT
615, du Phare Est, Matane
Tél. : (418) 562-3322

MONETTE SPORTS
251, boul. des Laurentides, Laval
Tél. : (450) 668-6466

MOTO DUCHARME
761, chemin des Prairies, Joliette
Tél. : (450) 755-4444

MOTO EXPERT
6500, boul. Laurier Est, St-Hyacinthe
Tél. : (450) 799-3000

MOTO EXPERT BAIE-COMEAU
1884, Laflèche, Baie-Comeau
Tél. : (418) 295-3030

MOTO FALARDEAU
1670, boul. Paquette, Mont-Laurier
Tél. : (819) 440-4500

MOTO MAG
2, du Pont, Chicoutimi
Tél. : (418) 543-3750

MOTO PERFORMANCE 2000 INC.
1500, Forand, Plessisville
Tél. : (819) 362-8505

MOTOPRO GRANBY
564, Dufferin, Granby
Tél. : (450) 375-1188

MOTO REPENTIGNY
101, Grenier, Charlemagne
Tél. : (450) 585-5224

MOTOS ILLIMITÉES
3250, des Entreprises, Terrebonne
Tél. : (450) 477-4000

MOTOSPORT NEWMAN
7308, boul. Newman, LaSalle
Tél. : (514) 366-4863

MOTO SPORT NEWMAN RIVE-SUD
3259, boul. Taschereau, Greenfield Park
Tél. : (450) 656-5006

MOTO SPORT ST-APOLINAIRE
356, rue Laurier, St-Apolinaire
Tél. : (418) 881-2202

NADON SPORT
280, Béthanie, Lachute
Tél. : (450) 562-2272

NADON SPORT
62, St-Louis, St-Eustache
Tél. : (450) 473-2381

PELLETIER ROGER
6, rue des Érables, Cabano
Tél. : (418) 854-2680

PERFORMANCE N.C.
176, boul. Industriel, St-Germain-de-Grantham
Tél. : (819) 395-2464

PERFORMANCE VOYER
125, Grande Ligne, St-Raymond
Tél. : (418) 337-8744

R-100 SPORTS
512, chemin Chapleau, Bois-des-Filions
Tél. : (450) 621-7100

R. GOULET MOTO SPORTS
110, Turgeon, Ste-Thérèse
Tél. : (450) 435-2408

RÉGATE MOTO SPORT
5121, boul. Hébert, St-Timothée
Tél. : (450) 377-4447

RICHARD MOTO SPORT
945, chemin Rhéaume, St-Michel-de-Napierville
Tél. : (450) 454-9711

RIENDEAU SPORTS
1855, du Souvenir, Varennes
Tél. : (450) 652-3984

R.P.M. RIVE-SUD
4822, boul. de la Rive-Sud, Lévis
Tél. : (418) 835-1624

ST-JEAN MOTO
8, route 104, St-Jean-sur-Richelieu
Tél. : (450) 347-5999

SPENCE & FILS
4364, boul. du Royaume, Jonquière
Tél. : (418) 547-0054

SPORT PLUS ST-CASMIR
480, Notre-Dame, St-Casimir
Tél. : (418) 339-3069

SUPER MOTO ST-HILAIRE
581, boul. Laurier, St-Hilaire
Tél. : (450) 467-1521

TECH MINI-MÉCANIQUE
196, chemin Haut-de-la-Rivière, St-Pacôme
Tél. : (418) 852-2922

SPORT D.R.C. (1991)
3055, avenue du Pont, Alma
Tél. : (418) 668-7389

HARRICANA AVENTURES
211, Principale Sud, Amos
Tél. : (819) 732-4677

GARAGE J-M VILLENEUVE
206, boul. St-Benoit Est, Amqui
Tél. : (418) 629-1500

EXCÈS MOTOSPORTS
2633, boul. Laflèche, Baie-Comeau
Tél. : (418) 589-2012

MOTO THIBAULT MAURICIE
205, Dessurault, Cap-de-la-Madeleine
Tél. : (819) 375-2727

MOTO REPENTIGNY
101, Grenier, Charlemagne
Tél. : (450) 585-5224

PRO-PERFORMANCE GPL
7714, avenue Royale, Château-Richer
Tél. : (418) 824-3838

MARTIAL GAUTHIER LOISIRS
1015, boul. Ste-Geneviève, Chicoutimi
Tél. : (418) 543-6537

SUPER MOTO DESCHAILLONS
1101, Marie-Victorin, Deschaillons
Tél. : (819) 292-3438

PULSION SUZUKI
150 D, Route 122, (St-Germain) Drummondville
Tél. : (819) 395-4040

MOTO GATINEAU
666, boul. Maloney, Gatineau
Tél. : (819) 663-6162

EXCEL MOTO SPORT
474, Desjardins Sud, Granby
Tél. : (450) 776-7668

GERMAIN BOUCHER SPORTS
980, boul. Iberville, Iberville
Tél. : (450) 347-3457

ROLAND SPENCE & FILS
4364, boul. du Royaume, Jonquiere
Tél. : (418) 542-4456

LA BAIE MOTO SPORTS
1142, avenue du Pont, La Baie
Tél. : (418) 544-6530

MARINE NOR SPORT
25, boul. des Hauteurs, Lafontaine
Tél. : (450) 436-2070

LAVAL MOTO
315, boul. Cartier Ouest, Laval
Tél. : (450) 662-1919

MOTO FOLIE LAVAL
5952, boul. Arthur-Sauvé, Laval-Ouest
Tél. : (450) 627-6686

RPM RIVE-SUD
4822, boul. de la Rive-Sud, Lévis
Tél. : (418) 835-1624

CLÉMENT MOTOS
630, Grande Carrière, Louiseville
Tél. : (819) 228-5267

ZENON FORTIN
874, du Phare, Matane
Tél. : (418) 562-3072

SPORTS JLP
1596, boul. Gaboury, Mont-Joli
Tél. : (418) 775-3333

MONT-LAURIER SPORTS
224, boul. des Ruisseaux, Mont-Laurier
Tél. : (819) 623-4777

PROMOTO
230, chemin des Poiriers, Montmagny
Tél. : (418) 248-9555

CENTRE MOTO FOLIE
7871, Notre-Dame Est, Montréal
Tél. : (514) 493-1956

MOTOROUTE DES LAURENTIDES
444, Ouimet, Mont-Tremblant
Tél. : (819) 429-6686

MOTO SPORT DE LA CAPITALE
1100, boul. Saguenay, Noranda
Tél. : (819) 762-7714

GRÉGOIRE SPORT
2061, Route 131, Notre-Dame-de-Lourde
Tél. : (450) 752-2201

MOTO SPORT OKA
151 A, Notre-Dame, Oka
Tél. : (450) 479-1922

GAÉTAN MOTO
1601, boul. Henri-Bourassa, Québec
Tél. : (418) 648-0621

SM SPORT
113, boul. Valcartier, (Loretteville) Québec
Tél. : (418) 842-2703

SUZUKI AUTO & MOTO RC
688, boul. du Rivage, Rimouski
Tél. : (418) 723-2233

SPORT PLUS
5, du Carrefour, Rivière-du-Loup
Tél. : (418) 862-9444

SPORT PATOINE
1431, Route Kennedy, Scott
Tél. : (418) 387-5574

ATELIER RÉPARATION LAFORGE
1167, boul. Laure, Sept-Îles
Tél. : (418) 962-6051

MOTOS THIBAULT SHERBROOKE
3750, du Blanc-Coteau, Sherbrooke
Tél. : (819) 569-1155

Y. LEROUX SPORT
250, Principale, St-Damase
Tél. : (450) 797-2281

MINI MOTEUR RG
1012, Bergeron, St-Agapit
Tél. : (418) 888-3692

GRÉGOIRE SPORT
1291 A, Route 343, St-Ambroise
Tél. : (450) 752-2442

ÉQUIPEMENTS F.L.M.
1346, boul. St-Antoine, (St-Antoine) St-Jérome
Tél. : (450) 436-8838

BELLEMARE MOTO
1571, Principale, St-Étienne-des-Grès
Tél. : (819) 535-3726

SPORT BELLEVUE
1395, Sacré-Coeur, St-Félicien
Tél. : (418) 679-1005

BEAUCE SPORTS ST-GEORGES
15655, boul. Lacroix Est, St-Georges (Beauce)
Tél. : (418) 228-6619

SUPER MOTO ST-HILAIRE
581, boul. Laurier, St-Hilaire
Tél. : (450) 467-1521

CLAUDE STE-MARIE SPORTS
5925, chemin Chambly, St-Hubert
Tél. : (450) 678-4700

MOTO R.L. LAPIERRE
1307, rue St-Édouard, St-Jude
Tél. : (450) 792-2366

M. BROUSSEAU & FILS
163, Principale, Ste-Justine
Tél. : (418) 383-3212

DION MOTO
840, Côte Joyeuse, St-Raymond (Portneuf)
Tél. : (418) 337-2776

MOTOS ILLIMITÉES
3250, boul de L'Entreprise, Terrebonne
Tél. : (450) 477-4000

MOTO JMF
842, boul. Frontenac Ouest, Thetford Mines
Tél. : (418) 335-6226

MARINA TRACY SPORTS
3890, chemin St-Rock, Tracy
Tél. : (450) 742-1910

MARTIN AUTO CENTRE
1086, 3e avenue, Val-d'Or
Tél. : (819) 824-4575

SPORT BOUTIN
2000, boul. Hébert, Valleyfield
Tél. : (450) 373-6565

SPORT VARENNES RIVE-SUD
4740, Marie-Victorin, Varennes
Tél. : (450) 652-2405

ACTION MOTOSPORT
124, Joseph-Cartier, Vaudreuil
Tél. : (450) 510-5100

RM MOTOSPORT
22, boul. Arthabasca (Route 116), Victoriaville
Tél. : (819) 752-6427

ABITIBI/TÉMISCAMINGUE

SCIE ET MARINE FERRON
7, Principale Nord, Bearn
Tél. : (819) 726-3231

MOTO SPORT DU CUIVRE
175, boul. Evain Est, Evain Via Rouyn
Tél. : (819) 768-5611

SPORTS PLEIN-AIR GAGNON
215, 3e rue, Chibougamau
Tél. : (418) 748-3134

DIMENSION SPORT
208, Route 393 Sud, Lasarre
Tél. : (819) 333-3030

LOCATION VAL D'OR
336, Centrale, Val-D'or
Tél. : (819) 825-3335

HARRICANA AVENTURES
211, Principale Sud, Amos
Tél. : (819) 732-4677

BAS ST-LAURENT

P. LABONTÉ ET FILS
1255, Industrielle, Mont-Joli
Tél. : (418) 775-5877

PELLETIER MOTO SPORT
356, Témiscouata, Rivière-du-Loup
Tél. : (418) 867-4611

PROMOTO
230, chemin des Poiriers, Montmagny
Tél. : (418) 248-9555

CENTRE DU QUÉBEC

EUGÈNE FORTIER & FILS
100, boul. Baril, Princeville
Tél. : (819) 364-5339

N.D.B. SPORTS (1987)
263, St-Louis, Warwick
Tél. : (819) 358-2275

SPORT TARDIF
428, Principale, Vallée Jonction
Tél. : (418) 253-6164

CMS EXTREME INC.
2445, St-Pierre, Drummondville
Tél. : (819) 475-0110

CHAUDIÈRE-APPALACHES

LIONEL CHAREST & FILS
472, Principale, Pohénégamook
Tél. : (418) 893-5334

CÔTE-NORD

CHARLEVOIX MOTO SPORT
531, St-Étienne, La Malbaie
Tél. : (418) 665-9927

SEPT-ÎLES MOTOSPORTS
487, avenue Québec, Sept-Îles
Tél. : (418) 961-2111

EXCÈS MOTOSPORT
2633, boul. La Flèche, Baie-Comeau
Tél. : (418) 589-2012

ESTRIE

MOTOS THIBAULT SHERBROOKE
3750, du Blanc-Coteau, Sherbrooke
Tél. : (819) 569-1155

GARAGE RÉJEAN ROY
2760, Laval, Lac Mégantic
Tél. : (819) 583-5266

GAGNÉ-LESSARD SPORTS
16, Route 147, Coaticook
Tél. : (819) 849-4849

MOTO JMF
842, boul. Frontenac Ouest, Thetford Mines
Tél. : (418) 335-6226

LES ÉQUIPEMENTS L. LANDRY INC.
922, boul. Frontenac Est, Thetford Mines
Tél. : (418) 335-5021

MOTO PRO
6685, 127e rue, St-Georges Est (Beauce)
Tél. : (418) 228-7574

PICOTTE PERFORMANCE
1257, rue Principale, Granby
Tél. : (450) 777-5486

MOTOPRO GRANBY
564, Dufferin, Granby
Tél. : (450) 375-1188

GASPÉSIE

BOUTIQUE DE LA MOTO (MATANE)
1416, avenue du Phare Ouest, Matane
Tél. : (418) 562-5528

ABEL-DENIS HUARD MARINE ET MOTO
12, Route Leblanc, Pabos
Tél. : (418) 689-6283

NEW-RICHMOND MÉCANIQUE SPORT
162, Route 132, New Richmond
Tél. : (418) 392-5281

GARAGE LÉON COULOMBE ET FILS
40, Cloutier, Mont St-Pierre
Tél. : (418) 797-2103

MINI MÉCANIQUE GASPÉ
5, des Lilas, Parc Industriel, Gaspé
Tél. : (418) 368-5733

AVENTURES SPORT MAX
141, boul. Interprovincial, Pointe-à-La-Croix
Tél. : (418) 788-5666

ILES-DE-LA-MADELEINE

I.M. MOTOSPORTS
375, ch. Oscar, Cap-aux-Meules, Îles-de-la-Madeleine
Tél. : (418) 986-4515

LANAUDIÈRE

GRÉGOIRE SPORT
1291, Route 343, St-Ambroise-de-Kildaire
Tél. : (450) 752-2442

GRÉGOIRE SPORT
2061, boul. Barrette, Notre-Dame-de-Lourdes
Tél. : (450) 752-2201

MOTO REPENTIGNY
101, Grenier, Charlemagne
Tél. : (450) 585-5224

MOTOS ILLIMITÉES
3250, boul. des Entreprises, Terrebonne
Tél. : (450) 477-4000

LAURENTIDES

CENTRE DU SPORT ALARY
1324, Route 158, St-Jérôme
Tél. : (450) 436-2242

GÉRALD COLLIN SPORTS
1664, Route 335, St-Lin
Tél. : (450) 439-2769

NADON SPORT
280, Béthanie, Lachute
Tél. : (450) 562-2272

DESJARDINS STE-ADÈLE MARINE
1961, boul. Ste-Adèle, Ste-Adèle
Tél. : (450) 229-2946

MONT-LAURIER SPORTS
224, boul. des Ruisseaux, Mont-Laurier
Tél. : (819) 623-4777

DÉFI SPORT
228, Route 117, Mont-Tremblant
Tél. : (819) 425-2345

MAURICIE

J. SICARD SPORT
811, boul. St-Laurent Est, Louiseville
Tél. : (819) 228-5803

LE DOCTEUR DE LA MOTO
4919, rang St-Joseph, Ste-Perpétue
Tél. : (819) 336-6307

DENIS GÉLINAS MOTOS
1430, boul. Ducharme, La Tuque
Tél. : (819) 523-8881

MOTOS THIBAULT MAURICIE (1992) INC.
205, Dessureault, Trois-Rivières
Tél. : (819) 375-2222

SPORTS PLUS ST-CASIMIR
480, Notre-Dame, St-Casimir
Tél. : (418) 339-3069

J.B. POTHIER SPORTS
216, Route 153, St-Tite
Tél. : (418) 365-5831

MONTÉRÉGIE

VARIN YAMAHA
245, St-Jacques, Napierville
Tél. : (450) 245-3663

SPORT BOUTIN
2000, boul. Hébert, Valleyfield
Tél. : (450) 373-6565

SPORT VARENNES RIVE-SUD
4740, Route Marie-Victorin, Varennes
Tél. : (450) 652-2405

SUPER MOTO ST-HILAIRE
581, boul. Laurier, St-Hilaire
Tél. : (450) 467-1521

MOTO-CLINIQUE ST-JEAN
92, Jacques-Cartier Sud, St-Jean-sur-Richelieu
Tél. : (450) 346-4795

MOTO R.L. LAPIERRE
1307, St-Edouard, St-Jude
Tél. : (450) 792-2366

MOTO EXPERT
6500, boul. Laurier Est, Saint-Hyacinthe
Tél. : (450) 799-3000

JASMIN PÉLOQUIN SPORTS
1159, boul. Fiset, Sorel-Tracy
Tél. : (450) 742-7173

CAZA YAMAHA
3755, Route 132, St-Anicet
Tél. : (450) 264-2300

YAMATEK EXTRÊME
1141, rang de L'église, Marieville
Tél. : (450) 460-6686

NOUVEAU QUÉBEC

LA FÉDÉ DES COOP DU NOUV. QUÉBEC
19 950, Clark Graham, Baie D'Urfé
Tél. : (514) 457-9371

OUTAOUAIS

LES ENTREPRISES HENRI CHARTRAND
1087, Route 148, Masson-Angers
Tél. : (819) 986-3595

LES SPORTS DAULT ET FRÈRES ENR.
383, boul. Desjardins, Maniwaki
Tél. : (819) 449-1001

MOTO GATINEAU (1985)
656, boul. Maloney Est, Gatineau
Tél. : (819) 663-6162

RMB MOTOSPORT PLUS
458, Vanier, Gatineau
Tél. : (819) 682-6686

QUÉBEC

S.M. SPORT
113, boul. Valcartier, Loretteville
Tél. : (418) 842-2703

RÉGION DE MONTRÉAL

NADON SPORT
62, St-Louis, St-Eustache
Tél. : (450) 473-2381

MONETTE SPORTS
251, boul. des Laurentides, Laval
Tél. : (450) 668-6466

DESHAIES MOTOSPORT
8568, boul. St-Michel, Montréal
Tél. : (514) 593-1950

MOTO SPORT NEWMAN
7308, boul. Newman, LaSalle
Tél. : (514) 366-4863

CENTRE MOTO FOLIE
7871, Notre-Dame Est, Montréal
Tél. : (514) 493-1956

RICHARD YAMAHA
192, Principale, Châteauguay
Tél. : (450) 692-8936

ALEX BERTHIAUME & FILS
4398, de la Roche, Montréal
Tél. : (514) 521-0230

SÉGUIN SPORT
5, St-Jean-Baptiste, Rigaud
Tél. : (450) 451-5745

RPM RIVE-SUD
4822, boul. de la Rive-Sud, Lévis
Tél. : (418) 835-1624

M.R. CHICOINE SPORTS
14400, boul. Pierrefonds, Pierrefonds
Tél. : (514) 626-1919

MOTOSPORT NEWMAN RIVE-SUD
3259, boul. Taschereau, Greenfield Park
Tél. : (450) 656-5006

RÉGION DE QUÉBEC

G.L. SPORT
94, Principale, St-Gervais-de-Bellechasse
Tél. : (418) 887-3691

PERFORMANCE VOYER
125, Grande Ligne, St-Raymond-de-Portneuf
Tél. : (418) 337-8744

MOTOS SPORTS AUCLAIR
200, boul. Hamel, Québec
Tél. : (418) 681-3533

MINI MOTEURS R.G
1012, avenue Bergeron, St-Agapit
Tél. : (418) 888-3692

GRAVEL SPORTS
7240, boul. Ste-Anne, Château-Richer
Tél. : (418) 824-4335

SAGUENAY/LAC ST-JEAN

MARTIAL GAUTHIER LOISIRS
1015, boul. Ste-Geneviève, Chicoutimi-Nord
Tél. : (418) 543-6537

CHAMBORD SPORT YAMAHA
1454, Principale, Chambord Lac St-Jean
Tél. : (418) 342-6202

SAGUENAY MARINE
1911, Ste-Famille, Jonquière
Tél. : (418) 547-2022

MAXIMUM SPORT
850, boul. Sacré-Cœur, St-Félicien
Tél. : (418) 679-3000

ÉVASION SPORT D.R
2639, Route 170, Laterrière
Tél. : (418) 678-2481

ATELIER FORTIN SPORTS
2500, avenue du Pont Sud, Alma
Tél. : (418) 662-6140

GAUDREAULT YAMAHA
2872, boul. Wallberg, Dolbeau-Mistassini
Tél. : (418) 276-2393

Index des concessionnaires TRIUMPH

ADRÉNALINE SPORTS EXTRÊMES
1775, Wilfrid-Hamel Ouest, Québec
Tél. : (418) 687-0383

ANDRÉ JOYAL MOTO INC.
438, rang Thiersant, St-Aimé-de-Massuville
Tél. : (450) 788-2289

BARBIN SPORT JOE LOUE TOUT
2324, Route St-Philippe, Dubuisson
Tél. : (819) 738-4916

GARAGE C.M. BARBEAU
5990, des Érables, St-Émile
Tél. : (418) 843-9424

MOTO MONTRÉAL CYCLE
1601, Wellington, Montréal
Tél. : (514) 932-9718

Index des concessionnaires BMW

MONETTE SPORTS
251, boul. des Laurentides, Laval
Tél. : (450) 668-6466

ÉVASION BMW
555, Route 220, Sherbrooke
Tél. : (819) 821-3595

MOTO INTERNATIONALE
6695, rue St-Jacques Ouest, Montréal
Tél. : (514) 483-6686

MOTO VANIER
176, boul. Hamel, Québec
Tél. : (418) 527-6907

Index des concessionnaires DUCATI

LE CENTRE DE LA MOTO VANIER INC
176, boul. Hamel, Québec
Tél.: (418) 527-6907

MONETTE SPORTS
251, boul. des Laurentides, Laval
Tél.: (450) 668-6466

Index des concessionnaires HARLEY-DAVIDSON / BUELL

ATELIER DE MÉCANIQUE PRÉMONT
2495, boul. Wilfred Harnel Ouest, Québec
Tél.: (418) 683-1340

BLANCHETTE
515, rue Leclerc, local 104, Repentigny
Tél.: (450) 582-2442

BOILEAU MOTO SERVICE AND HARLEY-DAVIDSON ACTON VALE
888, Route 116 Ouest, Acton Vale
Tél.: (450) 549-4341

CENTRE DE MOTOS
924, Verchères, Longueuil
Tél.: (450) 674-3986

HAMILTON & BOURASSA
324, boul. Lasalle, Baie-Comeau
Tél.: (418) 296-9191

HARLEY-DAVIDSON DE L'OUTAOUAIS
22, boul. du Mont-Bleu, Gatineau
Tél.: (819) 772-8008

HARLEY-DAVIDSON LAVAL
4501, autoroute Laval Ouest, Laval
Tél.: (450) 973-4501

HARLEY-DAVIDSON MONTRÉAL
6695, rue St-Jacques, Montréal
Tél.: (514) 483-6686

HARLEY-DAVIDSON RIMOUSKI
424, montée Industrielle, Rimouski
Tél.: (418) 724-0883

L'AMI DENIS
2, rue Queen, Lennoxville
Tél.: (819) 565-1376

MOTO SPORT BIBEAU
372, rue Gareau, Jacola
Tél.: (819) 824-2541

MOTO SPORT BLANCHETTE
4350, Arsenault, Bécancour
Tél.: (819) 233-3303

MOTOSPORTS G.P.
12, route 116, Victoriaville
Tél.: (819) 758-8830

N.J.N. MOTOSPORT
C.P. 130, 450, Principale, St-Prime
Tél.: (418) 251-4830

NEW RICHMOND MÉCANIQUE SPORT
162, route 132, New Richmond
Tél.: (418) 392-5281

R.P.M. MOTO PLUS
2510, rue Dubose, Jonquière
Tél.: (418) 699-7766

SHAWINIGAN HARLEY-DAVIDSON
6033, boul. des Hêtres, Shawinigan
Tél.: (819) 539-8151

SPORT BOUTIN
2000 boul. Hébert, Valleyfield
Tél.: (450) 373-6565